FINANCE D'ENTREPRISE

2e ÉDITION

ÉVALUATION ET GESTION

Sous la direction de Maher Kooli
Professeur titulaire au Département de finance
à l'École des sciences de la gestion de l'Université
du Québec à Montréal

Fodil Adjaoud, professeur titulaire à l'École de gestion
Telfer de l'Université d'Ottawa

Narjess Boubakri, professeure titulaire à l'Université
américaine de Sharjah, Émirats arabes unis

Imed Chkir, professeur agrégé à l'École de gestion Telfer
de l'Université d'Ottawa

Jean-Pierre Gueyié, consultant, professeur titulaire
au Département de finance à l'École des sciences de la gestion
de l'Université du Québec à Montréal

Claude Mathieu, réviseur scientifique, professeur à la Faculté
d'administration, Université de Sherbrooke

Achetez
en ligne ou
en librairie
En tout temps,
simple et rapide!
www.cheneliere.ca

CHENELIÈRE
ÉDUCATION

Finance d'entreprise
Évaluation et gestion, 2ᵉ édition

Sous la direction de Maher Kooli
Fodil Adjaoud, Narjess Boubakri, Imed Chkir

© 2013 **Chenelière Éducation inc.**
© 2008 Les Éditions de la Chenelière inc.
© 2005 gaëtan morin éditeur ltée

Conception éditoriale : Éric Monarque
Édition : Frédérique Grambin
Coordination : Julie Pinson
Révision linguistique : Marie Auclair
Correction d'épreuves : Natacha Auclair
Conception graphique : Omnigraphe
Conception de la couverture : Micheline Roy

**Catalogage avant publication
de Bibliothèque et Archives nationales du Québec
et Bibliothèque et Archives Canada**

Adjaoud, Fodil, 1950-

    Finance d'entreprise : évaluation et gestion

    2ᵉ éd.

    Comprend des réf. bibliogr. et un index.

    ISBN 978-2-7650-3999-0

    1. Entreprises – Finances. 2. Analyse financière. 3. Entreprises – Finances – Prise de décision. 4. Entreprises – Finances – Problèmes et exercices. ɪ. Boubakri, Narjess. ɪɪ. Chkir, Imed, 1970-   . ɪɪɪ. Kooli, Maher. ɪᴠ. Titre.

HG4026.F445 2013   658.15   C2012-942267-3

5800, rue Saint-Denis, bureau 900
Montréal (Québec) H2S 3L5 Canada
Téléphone : 514 273-1066
Télécopieur : 514 276-0324 ou 1 800 814-0324
info@cheneliere.ca

ISBN 978-2-7650-3999-0

Dépôt légal : 2ᵉ trimestre 2013
Bibliothèque et Archives nationales du Québec
Bibliothèque et Archives Canada

Imprimé au Canada

1 2 3 4 5 M 17 16 15 14 13

Nous reconnaissons l'aide financière du gouvernement du Canada par l'entremise du Fonds du livre du Canada (FLC) pour nos activités d'édition.

Gouvernement du Québec – Programme de crédit d'impôt pour l'édition de livres – Gestion SODEC.

Sources iconographiques

p. 1 : Pgiam/iStockphoto ; **p. 23 :** gosphotodesign/Shutterstock ; **p. 53 :** Peshkova/Shutterstock ; **p. 93 :** David Yu/Shutterstock ; **p. 119 :** Chemlamp/iStockphoto ; **p. 151 :** 3DProfi/Shutterstock ; **p. 173 :** Dmitry Bruskov/Shutterstock ; **p. 195 :** Eugene Sim/Shutterstock ; **p. 233 :** Mopic/Shutterstock ; **p. 251 :** maxuser/iStockphoto.

Présentation des auteurs

Fodil Adjaoud est professeur titulaire à l'École de gestion Telfer de l'Université d'Ottawa. Il est détenteur d'un M.B.A. et d'un doctorat en sciences de l'administration de l'Université Laval.

Membre de l'Ordre des comptables généraux accrédités (CGA) et de l'Ordre des comptables en management accrédités du Québec (CMA), il fait de la recherche en gestion financière et en sciences comptables, s'intéressant notamment aux stratégies de création de richesse, aux indicateurs de performance, aux politiques de dividendes et à la gouvernance des entreprises.

Narjess Boubakri possède une maîtrise en sciences économiques de l'Université d'État de l'Oklahoma et un doctorat en finance de l'Université Laval. Spécialisée en gestion financière, elle est professeure titulaire à l'Université américaine de Sharjah, aux Émirats arabes unis.

Ses intérêts de recherche sont la privatisation, la gouvernance, l'évaluation des entreprises ainsi que l'effet des institutions légales et politiques sur les décisions financières des entreprises.

Imed Chkir est professeur agrégé à l'École de gestion Telfer de l'Université d'Ottawa, où il enseigne la finance aux premier et deuxième cycles. Il est titulaire d'une maîtrise et d'un doctorat en finance de la Faculté des sciences de l'administration de l'Université Laval.

Ses intérêts de recherche sont la finance d'entreprise, la finance internationale et la gestion des entreprises multinationales.

Maher Kooli est professeur titulaire au Département de finance à l'École des sciences de la gestion de l'Université du Québec à Montréal. Il est détenteur d'un M.B.A. de l'Université d'Ottawa et d'un doctorat en finance de l'Université Laval. Il est titulaire de la chaire Caisse de dépôt et placement du Québec de gestion de portefeuille.

Ses intérêts de recherche sont les entrées en Bourse, les fusions et les acquisitions ainsi que la gestion de portefeuille.

Avant-propos

Cette 2e édition de *Finance d'entreprise, gestion et évaluation* est le fruit de notre vaste expérience, acquise au fil des années, en tant que professeurs de finance et de comptabilité dans différentes universités et dans des programmes aussi variés que le baccalauréat en administration des affaires (B.A.A.), la maîtrise en administration des affaires (M.B.A.), la maîtrise en finance ou certains programmes professionnels.

Cet ouvrage expose les principes fondamentaux qui sous-tendent l'analyse de la situation financière des entreprises, en décrit les outils statistiques, explique la manière de les utiliser pour évaluer les actifs des entreprises et améliorer la prise de décision des gestionnaires dans le contexte de création de valeur pour les propriétaires d'entreprise.

Pour sa rédaction, nous avons adopté une approche pratique, axée sur l'étude de cas d'entreprises, tant réelles que fictives, servant d'ailleurs à illustrer de nombreux concepts. Nous nous sommes toutefois efforcés de maintenir un certain équilibre entre les apports théoriques et pratiques.

Contrairement à d'autres auteurs, nous avons choisi d'étudier les cas de grandes entreprises québécoises et canadiennes, le plus souvent des multinationales, dont les problématiques liées à la gestion financière, particulièrement riches et instructives, donnent l'occasion à l'étudiant de se familiariser avec les environnements d'affaires québécois et canadien.

Cette 2e édition couvre les principales fonctions financières de l'entreprise: l'investissement, le financement et les politiques financières. Elle comprend 10 chapitres qui présentent, entre autres sujets, les outils de mathématiques financières, les politiques financières des entreprises en matière de structure de capital et de politique de dividendes, les modèles d'analyse financière, le coût du capital, les fusions et les acquisitions. De plus, un tout nouveau chapitre, portant sur les stratégies de création de valeur, jette un éclairage inédit sur les outils que les gestionnaires peuvent utiliser pour rentabiliser l'entreprise et maximiser ainsi la richesse des investisseurs.

Dans chaque chapitre, d'importantes mises à jour ont été apportées à l'explication des concepts théoriques. À la fin de chacun, le lecteur trouvera la rubrique «À retenir», qui présente les notions importantes abordées, la liste des termes-clés et le sommaire des principales équations utilisées, ainsi que la rubrique «Portrait d'entreprise», qui présente les données financières de l'entreprise étudiée.

L'appareillage pédagogique de fin de chapitre a été amélioré grâce à la création d'une nouvelle rubrique, intitulée «Exerçons nos connaissances», visant à donner à l'étudiant un avant-goût des exercices et problèmes de fin de chapitre. La démonstration qui y est proposée l'aide dans sa démarche de rédaction au moment de la résolution des problèmes et exercices qui suivent. Des questions de révision, des exercices et des problèmes ont été ajoutés pour aider l'étudiant à mieux comprendre le contexte pratique de la gestion financière.

Avec cette 2e édition, le corrigé des questions de révision, des exercices et des problèmes se trouve dans la zone étudiante du site Web de l'ouvrage, à mabibliotheque.cheneliere.ca.

De plus, un diaporama des différents chapitres peut être téléchargé dans sa version originale dans la zone enseignante du site Web de l'ouvrage. Les enseignants qui utilisent celui-ci pour leur cours pourront l'adapter selon leurs besoins.

Conçu dans une approche pédagogique simple, directe et respectant une logique chronologique pour la présentation des concepts, cet ouvrage s'adresse à un large public et, en favorisant l'autoapprentissage, permet à l'étudiant de trouver les réponses à de nombreuses questions.

Remerciements

Cet ouvrage a été élaboré dans la perspective de rendre simples et accessibles certains concepts complexes. Nous tenons donc à exprimer notre reconnaissance à l'équipe dynamique de la maison d'édition Chenelière Éducation, qui, grâce à Éric Monarque (éditeur-concepteur), Frédérique Grambin (éditrice) ainsi que Julie Pinson (chargée de projets), Marie Auclair (réviseure linguistique) et Natacha Auclair (correctrice d'épreuves), nous a offert l'encadrement et le soutien administratif et technique nécessaires au processus d'édition.

Nous remercions également les professeurs des différentes institutions qui, grâce à leurs commentaires, nous ont permis d'améliorer et d'enrichir cette nouvelle édition, notamment messieurs Francis Mensah (École de gestion Telfer de l'Université d'Ottawa et Université du Québec en Outaouais), Gilles Bernier (Université Laval), Jonathan Clément (Université de Sherbrooke), Jean-Pierre Gueyié (Université du Québec à Montréal) et Rachid Ghilal (Université du Québec à Rimouski).

Enfin, cette 2e édition n'aurait pu être menée à bien sans la coopération et la contribution, au fil des années, de nos étudiants.

Bonne lecture à toutes et à tous,

Fodil Adjaoud

Narjess Boubakri

Imed Chkir

Maher Kooli

Table des matières

Une introduction à la finance

MISE EN CONTEXTE

Le présent chapitre a pour objectif de présenter les principales caractéristiques de la finance d'entreprise. Le lecteur apprendra à connaître les éléments fondamentaux qui font de la finance d'entreprise une discipline essentielle à toute prise de décision, notamment les relations d'agence entre les actionnaires, les dirigeants et les créanciers.

Nous situerons la finance dans son environnement et expliquerons les caractéristiques importantes d'un marché boursier, l'importance du système financier et le rôle des différents marchés financiers.

Nous exposerons ensuite les étapes d'entrée en Bourse au moyen d'une émission initiale d'actions, opération complexe mais potentiellement très bénéfique pour l'entreprise, ses actionnaires et ses salariés. Nous considérons particulièrement le cas d'une émission d'actions ordinaires de l'entreprise CAE[1], fondée en 1947 (New York Stock Exchange : CAE ; TSX : CAE). Cette société canadienne s'est hissée au rang de chef de file mondial dans le domaine des solutions intégrées de formation et des technologies d'avant-garde de simulation destinées au marché aéronautique civil et militaire ainsi qu'au marché naval.

Enfin, nous explorerons le concept d'efficience des marchés et l'importance d'un marché financier efficient pour l'allocation optimale des ressources. Le concept d'efficience des marchés a fait l'objet de plusieurs critiques et est souvent mal interprété.

1.1 La fonction de la finance

Trois catégories de décisions importantes caractérisent l'action du gestionnaire d'une société : la décision d'investir, la décision de financer les activités de l'entreprise et la décision de distribuer des dividendes aux actionnaires à partir des bénéfices réalisés. L'analyse de ces trois types de décisions permet de mieux comprendre la fonction de la **gestion financière**.[1]

1.1.1 La décision d'investissement

La décision d'investissement revêt une importance considérable. En effet, elle consiste à injecter de façon efficace des ressources rares dans des investissements risqués en vue de maximiser la valeur de l'entreprise ou de son action sur le marché et, de façon ultime, à assurer l'enrichissement des actionnaires. Il faut noter que l'entreprise consacre ses fonds à des utilisations à court terme et à des investissements à long terme et qu'elle procède à des analyses de rentabilité. Dans les deux cas, elle prend des décisions en fonction du rendement qu'elle désire réaliser sur son investissement.

1.1.2 La décision de financement

La décision de financement consiste à procurer des fonds à l'entreprise au meilleur coût possible. Un coût de financement moins élevé maximise la valeur de l'entreprise ou le prix de son action sur le marché.

1.1.3 La décision de distribution des dividendes

La décision de distribution des dividendes doit être prise en fonction de la décision de financement, car l'investisseur considère la valeur d'un dividende à la lumière

---

1. Voir la rubrique Portrait d'entreprise « CAE », à la page 17.

du coût d'option des bénéfices non distribués. En effet, les dividendes sont perçus comme des ressources abandonnées ou perdues en tant que moyen de financement de l'entreprise.

Ces trois types de décisions mettent en évidence les divers plans de la responsabilité du gestionnaire financier d'une entreprise : les décisions qu'il doit prendre relativement à la planification et à la prévision des états financiers ; l'analyse des états financiers, le suivi de l'évaluation des sources de financement et l'utilisation des fonds (équilibre entre l'actif à court terme et l'actif à long terme et maintien d'une capacité de production concurrentielle de la part de l'entreprise) ; la gestion du fonds de roulement et l'analyse de la politique de distribution de dividendes à adopter.

1.2 L'objectif de l'entreprise et les relations d'agence

La présente section traite des objectifs de l'entreprise et des relations d'agence.

1.2.1 L'objectif de l'entreprise

Dans le domaine de la finance, l'objectif est d'utiliser les ressources d'un agent économique de la façon la plus efficace possible afin de maximiser sa richesse. Dans le présent ouvrage, nous définissons l'objectif de l'entreprise comme la maximisation de la richesse des actionnaires, c'est-à-dire celle de la valeur marchande totale des actions ordinaires de l'entreprise. Cependant, le lecteur pourrait se demander pourquoi on ne considère pas comme un objectif la maximisation des profits.

En fait, le principe de maximisation des profits a l'inconvénient majeur de ne pas tenir compte de l'évolution dans le temps de la position de risque de l'entreprise. Par exemple, pour tenter d'accroître ses profits, une entreprise peut être tentée d'orienter sa production vers des activités plus rémunératrices. Toutefois, lorsque l'on étudie les caractéristiques de rentabilité et de risque des différentes activités économiques, on constate une relation positive entre la rentabilité et le risque de ces activités économiques. Dès lors, une entreprise qui agirait de cette façon élargirait sans doute sa capacité de profit durant une longue période, mais cela serait au détriment de sa position de risque. Or, dans le cadre du principe de maximisation des profits, on néglige de prendre en considération cette modification éventuelle des positions de risque.

Par ailleurs, on maximise la richesse des actionnaires et non celle des créanciers ou des obligataires. En effet, ce sont les actionnaires qui possèdent la firme. En cas de faillite de l'entreprise, ce sont les actionnaires qui prennent le plus de risques, car les créanciers seront les premiers à être remboursés.

1.2.2 Les relations d'agence

L'objectif de la maximisation de la richesse des actionnaires, propriétaires de l'entreprise, implique que les gestionnaires prennent des décisions uniquement et toujours dans le meilleur intérêt des propriétaires. Toutefois, les gestionnaires peuvent agir pour d'autres motifs. En d'autres termes, ils pourraient chercher à réaliser leurs propres objectifs au détriment de ceux des actionnaires. Par exemple, certains gestionnaires ayant une rémunération liée aux niveaux des ventes pourraient se fixer pour objectif la maximisation du chiffre d'affaires de l'entreprise. Une telle pratique ne conduit pas nécessairement à la maximisation de la richesse des actionnaires.

Les relations entre les actionnaires et la direction portent le nom de **relations d'agence**. Elles existent chaque fois qu'une personne, appelée «mandataire» ou «agent», agit au nom d'une autre personne, appelée «mandant» ou «principal». Ces relations sont présentes dans de nombreuses entreprises inscrites en Bourse aux États-Unis et au Canada. Étudions maintenant les différents types de conflits d'intérêts possibles dans une entreprise.

Les conflits entre les actionnaires et les gestionnaires

Dans une relation d'agence, les actionnaires sont les mandants et les gestionnaires, les mandataires, puisque les actionnaires engagent les gestionnaires pour gérer l'entreprise en leur nom. En principe, ces derniers ont la responsabilité d'agir dans le meilleur intérêt des premiers, mais ce n'est pas toujours le cas. L'article de Jensen et Meckling[2] décrit le conflit entre les actionnaires et les gestionnaires à l'aide de la situation suivante : un gestionnaire qui détient 100 % des actions décide de vendre une partie de ses actions. Ainsi, dès qu'il ne possède plus 100 % des actions, le propriétaire-dirigeant est incité à consommer davantage parce qu'une augmentation de sa consommation de 1 $ réduit la valeur de ses propres actions de moins de 1 $. Cela revient à dire qu'une partie de sa consommation est financée par les autres actionnaires. La théorie de la finance comprend généralement des mécanismes de contrôle externes à l'entreprise (la régulation par le marché de contrôle, c'est-à-dire des offres publiques d'achat, ou par le marché du travail pour les dirigeants), mais elle comporte aussi des solutions internes à ce type de conflit. Nous allons détailler deux solutions couramment avancées pour réduire ce problème d'agence : le système de compensation des gestionnaires et l'introduction de la dette dans la structure du capital de la firme.

Le système de compensation des gestionnaires   Si la rémunération des gestionnaires est indexée à la valeur des actions, les intérêts des gestionnaires et des actionnaires convergent : les gestionnaires augmentent leur propre richesse en augmentant la valeur des actions. La rémunération peut prendre la forme d'un salaire fixe, auquel s'ajoute une prime basée sur une mesure de performance, d'une rétribution partielle en actions sur la base de la performance ou de la détention et de la rémunération en options. Cette dernière forme permet de réduire le conflit entre les gestionnaires et les actionnaires seulement si le prix d'exercice est plus élevé que le prix actuel des actions.

La dette   La dette permet de résoudre au moins partiellement différents problèmes d'agence. Toutefois, il faut noter que même si la dette présente des avantages pour la réduction des coûts d'agence, elle en engendre également, comme les coûts de faillite anticipés et d'agence : ceux qui sont liés aux conflits d'intérêts entre les créanciers et les actionnaires, sujet que nous abordons ci-après.

Les conflits entre les actionnaires et les créanciers

Il existe trois sources de conflits entre les actionnaires et les créanciers : les problèmes d'investissement dans des projets risqués, le problème du sous-investissement et les problèmes liés aux versements de dividendes.

Les problèmes d'investissement dans des projets risqués   Il existe des conflits entre les actionnaires et les créanciers à cause des modes de rémunération, très différents les uns des autres. Les actionnaires reçoivent des paiements résiduels, alors que les créanciers touchent des paiements fixes. Les actionnaires ont intérêt à laisser croître la probabilité de recevoir des paiements supérieurs en investissant dans des projets risqués, c'est-à-dire des projets qui peuvent engendrer des rendements très élevés, même si cette situation réduit la probabilité pour les créanciers de recevoir leurs paiements fixes. Les actionnaires préfèrent donc investir dans des projets risqués, alors que les créanciers préfèrent que l'entreprise opte pour des projets moins risqués.

Le problème du sous-investissement   Ce deuxième problème survient quand la firme choisit le projet dont la rentabilité est la plus faible.

Les problèmes liés aux versements de dividendes   On distingue deux types de problèmes. Le premier se présente lorsque la firme dispose de liquidités importantes sans avoir de projets rentables. Les actionnaires veulent bien sûr que ces réserves soient distribuées, faute d'investissements dans des projets fructueux. Le deuxième problème se présente ainsi : l'entreprise émet des obligations à un prix qui suppose que les dividendes resteront constants ; ensuite, la firme augmente les dividendes et finance cette augmentation au moyen d'une réduction des investissements. Ainsi, la valeur des obligations diminue parce que les investissements dans des projets rentables sont réduits.

---

2. Jensen, M. C. et W. H. Meckling. (1976). «Theory of the Firm : Managerial Behavior, Agency Costs and Ownership Structure», *Journal of Financial Economics*, n° 3, p. 305-360.

1.3 La finance et les divers agents économiques

Le système économique se compose de plusieurs agents économiques : les gouvernements, les ménages, les entreprises et les intermédiaires financiers, y compris les marchés financiers (*voir la figure 1.1*).

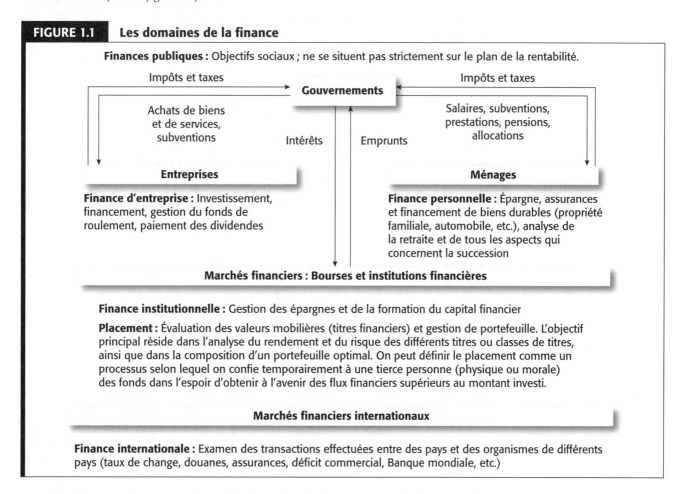

FIGURE 1.1 Les domaines de la finance

Finances publiques : Objectifs sociaux ; ne se situent pas strictement sur le plan de la rentabilité.

Impôts et taxes → **Gouvernements** ← Impôts et taxes

Achats de biens et de services, subventions

Intérêts — Emprunts

Salaires, subventions, prestations, pensions, allocations

Entreprises

Finance d'entreprise : Investissement, financement, gestion du fonds de roulement, paiement des dividendes

Ménages

Finance personnelle : Épargne, assurances et financement de biens durables (propriété familiale, automobile, etc.), analyse de la retraite et de tous les aspects qui concernent la succession

Marchés financiers : Bourses et institutions financières

Finance institutionnelle : Gestion des épargnes et de la formation du capital financier

Placement : Évaluation des valeurs mobilières (titres financiers) et gestion de portefeuille. L'objectif principal réside dans l'analyse du rendement et du risque des différents titres ou classes de titres, ainsi que dans la composition d'un portefeuille optimal. On peut définir le placement comme un processus selon lequel on confie temporairement à une tierce personne (physique ou morale) des fonds dans l'espoir d'obtenir à l'avenir des flux financiers supérieurs au montant investi.

Marchés financiers internationaux

Finance internationale : Examen des transactions effectuées entre des pays et des organismes de différents pays (taux de change, douanes, assurances, déficit commercial, Banque mondiale, etc.)

1.3.1 Les gouvernements

Les deux ordres de gouvernements (fédéral et provinciaux) et les municipalités perçoivent des impôts et des taxes auprès des ménages et des entreprises. Ensuite, ils redistribuent les sommes perçues par la voie des programmes économiques et sociaux (assurance-emploi, pensions de vieillesse, indemnités, programmes de soutien à la famille, construction d'autoroutes, d'écoles, etc.), des salaires à leurs fonctionnaires et des subventions aux entreprises.

Il va de soi que si les rentrées de fonds ne couvrent pas l'ensemble des dépenses, les gouvernements peuvent alors faire appel aux marchés financiers pour emprunter. Dans le cas contraire, les surplus peuvent tout aussi bien faire l'objet de placements qui rapporteront des intérêts.

1.3.2 Les ménages

Les ménages reçoivent des salaires, des revenus de placements (revenus locatifs, intérêts, dividendes et gains en capital) et des prestations provenant de programmes sociaux publics ou privés. Ils achètent également des biens et des services et paient les taxes et les impôts imposés par les différents ordres de gouvernement.

Pour subvenir à leurs besoins, les ménages, tout comme les gouvernements, empruntent ou font des placements en faisant appel aux différents intervenants des marchés financiers.

1.3.3 Les entreprises

Les entreprises produisent et consomment des biens et des services. Comme les ménages, elles doivent faire l'acquisition d'actifs et recourir aux marchés financiers pour les financer. Les véhicules financiers auxquels elles ont accès se composent d'actions, d'obligations, de crédit commercial, etc. Enfin, dans leurs meilleures années, les entreprises versent des dividendes à leurs actionnaires. Elles achètent également des titres auprès des marchés financiers pour spéculer, couvrir leurs actions et éviter que des surplus demeurent improductifs.

1.3.4 Le système financier

Certains agents économiques investissent plus qu'ils n'épargnent; ils ont donc besoin de recourir à un financement externe. À l'inverse, d'autres agents économiques épargnent plus qu'ils n'investissent et disposent ainsi d'une certaine capacité de financement. Par conséquent, il est nécessaire que s'organisent des transferts des uns vers les autres. Ces transferts s'opèrent en général par l'intermédiaire du système financier, qui englobe à la fois les intermédiaires financiers et les marchés financiers. Étant donné l'importance de ces deux composantes, nous leur consacrons la section suivante.

1.4 Les marchés financiers et le rôle de l'intermédiation financière

Un marché est un mécanisme facilitant la distribution des biens et des services. La fixation d'un prix est la trace concrète de l'existence d'un marché.

1.4.1 Le marché financier

Le marché financier est un marché sur lequel se négocient les titres financiers. Il s'agit d'une notion quelque peu abstraite qui désigne une organisation facilitant le commerce des valeurs mobilières. Cette organisation n'a pas forcément d'existence juridique. En effet, un marché existe si des acheteurs et des vendeurs sont en interrelation grâce à un réseau de communications. Un marché peut cependant disposer de statuts, de personnel, de règlements, de membres et de lieux de rencontre officiels. Par ailleurs, le marché financier assure la fonction économique essentielle de la canalisation des fonds des agents qui ont épargné un surplus aux agents qui ont besoin de fonds. La Bourse est le plus connu des marchés financiers.

Selon *Le grand dictionnaire terminologique*[3], une «Bourse des valeurs mobilières est un marché public organisé où se négocient au comptant ou à terme des valeurs mobilières». De plus en plus, les marchés publics sont dématérialisés: les transactions s'effectuent par voie électronique et il n'existe plus de lieu de rencontre physique pour les agents. Toutefois, les principes de base demeurent. Ainsi, le bon fonctionnement du **marché boursier** nécessite toujours une liquidité élevée (*voir la sous-section 1.4.6*). Réunir une telle condition implique cependant la définition et l'application d'une réglementation propre à la Bourse, ainsi que des normes de divulgation des renseignements par les sociétés sur leurs opérations boursières et leurs activités d'exploitation.

1.4.2 Le titre financier

Contrairement aux actifs réels qui correspondent à des biens matériels, un titre financier est une promesse d'honorer des engagements financiers. Il est porté au passif du bilan de l'émetteur (qui doit honorer des engagements financiers, entre autres choses) et à l'actif du bilan du détenteur. Un titre ou un actif financier est composé de fonds promis (engagement). Voici quelques exemples de titres financiers: les bons du Trésor,

---

3. Office québécois de la langue française. «Le grand dictionnaire terminologique», [En ligne], www.granddictionnaire.com/ficheOqlf.aspx?Id_Fiche=8364269 (Page consultée le 28 septembre 2012).

les obligations, les hypothèques, les actions privilégiées, les actions ordinaires, les options, les contrats à terme, les papiers commerciaux et les reconnaissances de dette.

1.4.3 Les intermédiaires financiers

De façon générale, on peut définir un intermédiaire financier comme une entité qui emprunte en émettant ses propres titres et prête de nouveau les fonds levés. On tend maintenant à englober dans la définition d'intermédiaire financier l'ensemble des institutions, des organismes ou des individus qui établissent un pont entre, d'une part, les apporteurs de capitaux et, d'autre part, les demandeurs de fonds. Ainsi, parmi les intermédiaires financiers, on trouve les banques, les sociétés de fiducie, les compagnies d'assurance vie ou d'assurance générale, les courtiers en valeurs mobilières, les négociants en valeurs mobilières, les sociétés financières, les sociétés de prêts hypothécaires, les sociétés de financement des entreprises, les fonds communs de placement[4] et les régimes de retraite[5].

C'est à l'intermédiaire financier que reviendra la tâche délicate d'accomplir des actes selon les principes et les convictions de son client. Or, toute pratique d'intermédiation est porteuse de marges de liberté dans le cadre desquelles peuvent survenir des conflits d'intérêts entre l'intermédiaire et le client. Il en va ainsi, notamment, des décisions en matière de méthodes de gestion, de recommandations d'investissement, etc. Dans ce contexte, il revient au client, avant qu'il n'accorde sa confiance à un intermédiaire, de s'assurer que la manière dont celui-ci exerce son activité est en harmonie avec ses valeurs et ses convictions éthiques. Ces questions d'ordre éthique sont d'une grande importance pour le bon fonctionnement des activités.

1.4.4 Le rôle d'un marché organisé

Le rôle d'un marché financier organisé est de permettre d'allouer les ressources en capital aux entités qui ont besoin de ces fonds, c'est-à-dire de fournir des mécanismes de canalisation de l'épargne aux entités qui cherchent à investir dans les biens de production. On distingue les différents marchés suivants (*voir la figure 1.2 à la page suivante*): le marché monétaire, le marché des capitaux (qui se compose du marché primaire et du marché secondaire) et le marché des options et des contrats à terme.

Le marché monétaire

Sur le marché monétaire, on n'échange que des titres à revenu fixe qui sont très liquides (considérés comme des équivalents de la monnaie). Ces titres sont en général peu risqués et leur échéance est courte (inférieure à une année). Il peut s'agir de bons du Trésor, de prêts au jour, de papiers commerciaux et d'acceptations bancaires. Au Canada, les intervenants du marché monétaire comprennent le gouvernement fédéral, la Banque du Canada, les gouvernements provinciaux, les sociétés financières et les entreprises commerciales.

Le marché des capitaux

On attribue au marché des capitaux les transactions qui ne sont pas effectuées sur le marché monétaire, en particulier l'achat et la vente d'actions. Ces titres sont plus risqués, les échéances allant du moyen au long terme. Ce sont les obligations gouvernementales de longue échéance, les obligations d'entreprises, les actions privilégiées et les actions ordinaires. Les marchés des capitaux existent sous la forme de marché primaire et de marché secondaire.

---

4. Les fonds communs de placement peuvent également être considérés comme des intermédiaires entre les investisseurs individuels qui apportent des fonds et les entreprises qui utilisent ceux-ci sous forme de titres du marché monétaire (*voir la figure 1.2 à la page suivante*), d'actions ou d'obligations suivant la nature du fonds commun de placement.

5. Les régimes de retraite représentent des montants énormes de capitaux en Amérique du Nord. Ils constituent bien un intermédiaire financier; les apporteurs de capitaux sont les participants au régime et les utilisateurs de capitaux sont les gouvernements nationaux ou locaux, dans le cas des obligations, et les entreprises, dans le cas des actions.

FIGURE 1.2 Les marchés financiers

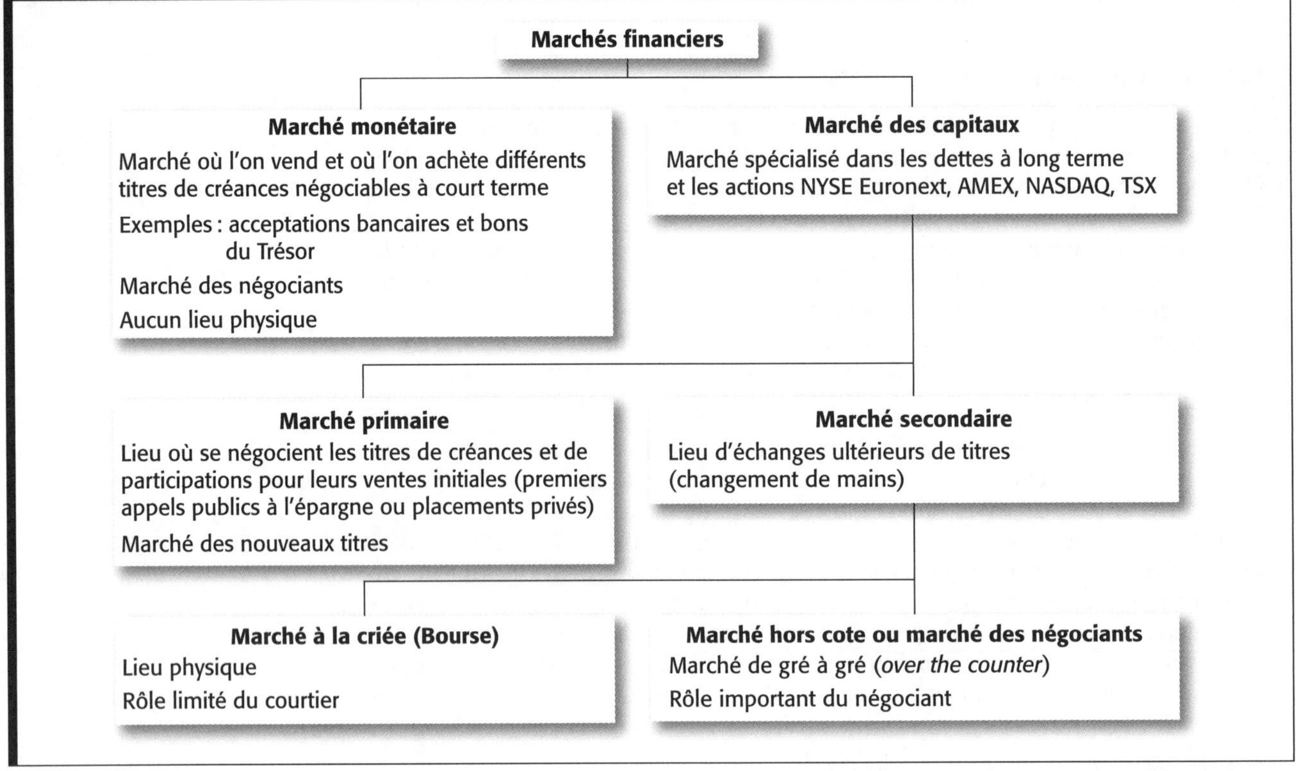

Marchés financiers

Marché monétaire
Marché où l'on vend et où l'on achète différents titres de créances négociables à court terme
Exemples : acceptations bancaires et bons du Trésor
Marché des négociants
Aucun lieu physique

Marché des capitaux
Marché spécialisé dans les dettes à long terme et les actions NYSE Euronext, AMEX, NASDAQ, TSX

Marché primaire
Lieu où se négocient les titres de créances et de participations pour leurs ventes initiales (premiers appels publics à l'épargne ou placements privés)
Marché des nouveaux titres

Marché secondaire
Lieu d'échanges ultérieurs de titres (changement de mains)

Marché à la criée (Bourse)
Lieu physique
Rôle limité du courtier

Marché hors cote ou marché des négociants
Marché de gré à gré (*over the counter*)
Rôle important du négociant

Le marché primaire Le marché primaire est celui où sont émis les nouveaux titres financiers. Le produit de la vente des titres est remis à l'entreprise émettrice, qui a besoin de ce financement. Il s'agit du marché de la première émission. Lorsqu'une entreprise émet de nouveaux titres boursiers, elle réalise une opération sur le marché primaire. Une fois les titres émis, les investisseurs voudront peut-être en acheter davantage ou les vendre. Ces transactions ont lieu sur le marché secondaire.

Le marché secondaire La principale fonction du marché secondaire est de coordonner les activités des acheteurs et des vendeurs afin de leur permettre d'effectuer des transactions concernant les titres en circulation. Il s'agit du marché de la revente et des achats ultérieurs. Il permet d'assurer la liquidité des titres (*voir la sous-section 1.4.6*) qu'ont initialement émis les entreprises sur le marché primaire. Il représente l'ensemble des transactions au moyen desquelles se fait l'échange de titres déjà émis.

Le marché monétaire est essentiellement un marché primaire (il y existe des transactions secondaires, mais très peu). Sur le marché des capitaux, par contre, les deux types de marchés (primaire et secondaire) sont actifs et peuvent encore être subdivisés.

Ainsi, le marché primaire comprend un compartiment pour la vente au public, laquelle nécessite, en règle générale, le recours à des souscripteurs. Il est constitué de particuliers et d'établissements financiers qui se partagent le montant global de l'émission. Ce marché comprend également un compartiment pour les ventes privées, où l'émission est vendue à un établissement ou à un groupe d'établissements financiers.

Le marché secondaire comprend un marché au comptoir (OTC : *over the counter*), ou de gré à gré, composé du réseau de communications des courtiers et des agents de change. La plupart des sociétés intéressées par ce marché sont de petite taille ou veulent conserver le caractère privé de leurs opérations.

Ce marché secondaire comprend également la Bourse. En effet, lorsque les entreprises ont besoin d'ouvrir leur capital de façon importante pour soutenir leur croissance, elles peuvent lever des fonds sur ce marché.

Le marché des options et des contrats à terme

Le marché des options et des contrats à terme est un marché d'échange de risques. Les options sont des titres boursiers qui donnent la possibilité d'acheter ou de vendre une certaine quantité d'actions à un prix fixé d'avance et pour une période de temps déterminée. Les options d'achat (*call*) et les options de vente (*put*) sont des outils très efficaces pour miser sur la hausse ou la baisse du prix d'un titre ou encore pour protéger l'investisseur contre les fluctuations de la valeur de ses titres.

Les contrats à terme sont des contrats pour lesquels l'acheteur s'engage à prendre livraison d'une quantité de titres prédéfinie d'un titre sous-jacent à une date et à un prix prédéterminés. De la même façon, le vendeur d'un contrat s'engage à livrer une quantité de titres fixée aux titres sous-jacents à une date et à un prix prévus dès l'origine. Le titre sous-jacent d'un contrat à terme peut être un produit tel que l'or, le pétrole, le café, les pommes de terre ou des produits financiers comme des obligations ou des devises. Ici encore, ces contrats peuvent être utilisés par des spéculateurs qui misent sur les fluctuations du prix de ces divers produits. Les contrats à terme sont aussi utilisés par les producteurs et les utilisateurs voulant se protéger des fluctuations de prix (des aléas liés aux conditions climatiques, par exemple, pour un producteur de blé).

1.4.5 Les Bourses des valeurs mobilières au Canada

Les Bourses des valeurs mobilières sont des lieux d'échange de titres qui peuvent prendre plusieurs formes. Le Toronto Stock Exchange (TSX) est un marché dit d'enchères où les prix sont fixés par l'offre et la demande. «Entièrement automatisée, la Bourse de Toronto se classe constamment parmi les principales Bourses du monde et constitue le principal marché canadien pour les titres de grande capitalisation, qui comptent pour environ 95 % des opérations sur actions effectuées au pays. En avril 2000, la TSX s'est démutualisée pour devenir une société à but lucratif dénommée La Bourse de Toronto inc[6].»

Auparavant, la Bourse regroupait des membres (et non des actionnaires) et était dirigée par un Conseil des gouverneurs composé de membres et de non-membres. Les membres et leurs employés inscrits ayant le droit de négocier sur le parquet, les sièges avaient donc une valeur importante. Les négociations effectuées à la TSX sont maintenant entièrement électroniques et ne dépendent plus des courtiers du parquet.

Les Bourses canadiennes ont subi une importante restructuration au courant de l'année 1999. Depuis, les transactions sur les titres de grandes sociétés sont centralisées à la Bourse de Toronto, laquelle traite plus de 90 % des opérations sur actions au Canada. Plus de 1 300 sociétés sont inscrites à sa cote. Cette Bourse est le plus important marché de valeurs mobilières au Canada. Les inscriptions de grandes sociétés à la Bourse de Montréal ont été transférées à celle de Toronto et les titres bénéficiant d'une inscription double à la Bourse de Montréal et à la Bourse de Toronto n'appartiennent plus qu'à la cote de la Bourse de Toronto. Celle de Montréal, la plus ancienne Bourse de valeurs du Canada, est devenue le marché d'échange exclusif des produits dérivés au Canada.

Dans l'Ouest canadien, la fusion de la Bourse de l'Alberta et de la Bourse de Vancouver en novembre 1999 s'est traduite par un marché unique de titres de petites sociétés. Le nouveau marché, appelé «Bourse de croissance TSX», se spécialise dans le marché des sociétés en émergence en leur permettant d'accéder à du capital et en offrant aux investisseurs un marché bien réglementé pour ce type d'investissement. Les sociétés inscrites à la Bourse de croissance TSX évoluent notamment dans le secteur minier, dans ceux du pétrole et du gaz, de la fabrication, de la technologie et des services financiers.

En décembre 2007, les Bourses de Montréal et de Toronto ont fusionné pour former le Groupe TMX inc., qui gère aussi la Bourse de croissance TSX.

Selon le rapport annuel 2011 du Groupe TMX (*voir l'encadré 1.1 à la page suivante*), qui gère les deux Bourses nationales d'actions du Canada au 31 décembre

---

6. Groupe TMX. *Site de TMX*, [En ligne], www.tmx.com (Page consultée le 28 septembre 2012).

2011, 1 587 émetteurs dotés d'une capitalisation boursière globale de 2 billions de dollars étaient inscrits à la Bourse de Toronto, et 2 444 émetteurs dotés d'une capitalisation boursière globale de 49 milliards de dollars étaient inscrits à la Bourse de croissance TSX. Plus encore, en 2011, 103,59 milliards de titres ont été négociés à la Bourse de Toronto et 64,98 milliards, à la Bourse de croissance TSX[7].

ENCADRÉ 1.1   Le Groupe TMX

Le Groupe TMX est un groupe boursier intégré évoluant sur des marchés à multiples catégories d'actifs et dont le siège est à Toronto. Il possède des bureaux dans les grandes villes du Canada (Montréal, Calgary et Vancouver), dans plusieurs marchés clés des États-Unis (New York, Houston, Boston et Chicago) et ailleurs dans le monde (Londres, Beijing et Sydney). Le Groupe TMX possède la Bourse de Toronto et la Bourse de croissance TSX. Ses filiales principales exploitent des marchés au comptant, des marchés dérivés et des chambres de compensation couvrant de multiples catégories d'actifs, dont les actions, les titres à revenu fixe et les produits énergétiques.

Les activités du Groupe TMX recoupent les inscriptions, les négociations et la vente de données.

Les activités d'inscription

Le Groupe TMX offre aux émetteurs à grande capitalisation un accès efficace au marché des capitaux publics et des liquidités pour les investisseurs, qu'ils soient actuels ou nouveaux. La Bourse de croissance TSX offre aussi aux sociétés en démarrage un accès au capital, en plus d'offrir aux investisseurs un marché supervisé pour faire des investissements dans des sociétés en croissance.

Les activités de négociation

Le Groupe TMX permet la négociation des actions au comptant, des titres à revenu fixe, des produits dérivés et de l'énergie. Par l'entremise de sa filiale en propriété exclusive, la Bourse de Montréal, il offre des services de négociation et de compensation des produits dérivés sur taux d'intérêt, sur indices et sur actions. Sa filiale Natural Gas Exchange (NGX), qui est une Bourse nord-américaine de premier plan, effectue la négociation et la compensation de contrats dans les secteurs du gaz naturel et de l'électricité.

Les activités de vente de données

Le Groupe TMX offre des produits de données en temps réel, des données historiques et des indices ainsi que de l'information sur les sociétés, les nouvelles et des données sur les produits dérivés, les titres à revenu fixe et les opérations sur les devises afin d'aider les investisseurs à prendre des décisions de placement sur les marchés des capitaux canadiens. Ces renseignements sont offerts par l'entremise de nombreux canaux de distribution mondiaux et fournisseurs de données.

Le 21 janvier 2013, « le Groupe TMX limitée a annoncé que la Bourse de Toronto et la Bourse de croissance TSX occupaient ensemble, pour la quatrième année consécutive, le premier rang mondial au chapitre des nouvelles inscriptions, selon les données de la World Federation of Exchanges (WFE) au 31 décembre 2012[8] ».

« Les filiales principales du Groupe TMX exploitent des marchés comptant, des marchés dérivés et des chambres de compensation couvrant de multiples catégories d'actifs, dont les actions, les titres à revenu fixe et les produits énergétiques. La Bourse de Toronto, la Bourse de croissance TSX, TMX Select, le Groupe Alpha, la Caisse canadienne de dépôt de valeurs, la Bourse de Montréal, la Corporation canadienne de compensation de produits dérivés, la Natural Gas Exchange, la Boston Options Exchange, Shorcan, Shorcan Energy Brokers, Equicom et d'autres sociétés du Groupe TMX offrent des marchés d'inscription, des marchés boursiers, des mécanismes de compensation, des services de dépôt, des produits d'information et d'autres services à la communauté financière mondiale[9]. »

---

7. Groupe TMX. « Les facteurs de réussite du TMX, rapport annuel 2011 », p. 14, [En ligne], www.tmx.com/fr/pdf/TMXGroup2011AnnualReport.pdf (Page consultée le 25 octobre 2012).

8. Groupe TMX. (21 janvier 2013). « Les bourses de valeurs du Groupe TMX occupent le premier rang mondial au chapitre des nouvelles inscriptions en 2012 », [En ligne], www.tmx.com/fr/news_events/news/news_releases/2013/1-21-2013_TMXGroupEquityRankedFirst.html (Page consultée le 11 février 2013).

9. *Ibid.*

1.4.6 Les caractéristiques importantes d'un marché boursier

Les caractéristiques importantes d'un marché boursier sont la liquidité, la profondeur, le dynamisme et l'efficience.

La liquidité

La liquidité est une caractéristique d'un marché où il est possible d'acheter et de vendre des titres rapidement et à faible coût. Elle est présente lorsque de nombreuses opérations sont effectuées, que les cours acheteurs et vendeurs sont peu éloignés les uns des autres ou que les opérations font faiblement fluctuer les cours.

La profondeur

Un marché est profond lorsqu'il est possible d'y effectuer des transactions importantes concernant un grand nombre de titres. Cette caractéristique est très importante pour les investisseurs institutionnels. C'est le cas lorsqu'il existe un nombre relativement grand d'entreprises inscrites qui négocient régulièrement sur ce marché. Ces entreprises sont fortement capitalisées (capitalisation = nombre de titres émis × valeur marchande de ces titres). Il faut également que le nombre d'actions effectivement négociées (*float*) soit important.

Le dynamisme

Le dynamisme traduit la capacité du marché à augmenter d'année en année le nombre d'entreprises inscrites et la capitalisation de celles qui le sont déjà. Cette croissance s'opère de quatre façons : a) Par les émissions initiales (**premiers appels publics à l'épargne**, ou IPO, acronyme d'*initial public offering*), qui traduisent l'arrivée de nouvelles entreprises sur le marché ; b) par l'augmentation du capital des sociétés déjà inscrites ; c) par l'augmentation de la valeur des titres déjà émis ; d) par les privatisations. En effet, dans la plupart des marchés émergents, les privatisations sont considérées comme un moyen de dynamiser le marché boursier. Dans de nombreux pays, l'essentiel du marché est constitué des actions provenant des privatisations de services gouvernementaux qui sont jumelés à une inscription en Bourse.

L'efficience

Un marché non efficient ne fonctionnera pas de façon durable, n'attirera ni les investisseurs étrangers, ni les petits investisseurs et représentera un obstacle au financement public. Le concept d'**efficience** est si important et controversé qu'il fait l'objet de la dernière section du présent chapitre.

1.5 Les étapes d'entrée en Bourse

Lorsqu'une entreprise décide d'entrer en Bourse au moyen d'une émission initiale d'actions, elle doit suivre un processus régi par des lois et des règlements de compétence provinciale. Ce processus comporte habituellement cinq phases et dure plusieurs mois. Ces cinq phases sont décrites ci-après et sont suivies d'un exemple.

1.5.1 La préparation du prospectus provisoire

Bien avant de déposer le prospectus définitif, l'entreprise émettrice doit préparer un prospectus provisoire (*red herring prospectus*) qui sera soumis à l'examen des organismes de réglementation. Ce document contient toute l'information exigée, sauf le prix définitif, la commission des placeurs, le nombre définitif d'actions à placer et le produit net. À cette étape, l'émetteur doit créer un groupe de travail composé d'au moins un de ses hauts dirigeants et de représentants des courtiers, de vérificateurs et de conseillers juridiques. Bien que la responsabilité de la rédaction d'un prospectus provisoire incombe à l'émetteur et à ses conseillers juridiques, les membres du groupe de travail se voient habituellement assigner la responsabilité de préparer la première version du prospectus provisoire. Cet exercice peut demander des semaines ou des mois selon la complexité des activités et des affaires de l'émetteur, le besoin de restructuration avant la transformation en société ouverte et l'assiduité du groupe de travail.

1.5.2 Le processus de contrôle diligent

À la dernière étape, les placeurs et leurs avocats procèdent à un examen approfondi de tous les aspects de l'entreprise afin d'obtenir tous les renseignements importants pour le placement et de confirmer l'exactitude de cette information. Ainsi, cet examen garantit aux investisseurs que le document préparé constitue un exposé complet et véridique des faits. En général, le contrôle diligent comprend des discussions approfondies avec les hauts dirigeants de l'émetteur au cours de la préparation du prospectus provisoire, l'inspection des principaux éléments d'actif de l'émetteur, l'examen de ses contrats importants (comme les contrats de financement), celui de ses états financiers et de son plan financier ainsi que des discussions avec les cadres supérieurs de l'émetteur, ses auditeurs et des conseillers ou des experts avant le dépôt du prospectus provisoire et du prospectus définitif.

1.5.3 L'examen réglementaire et la tournée de promotion

Une fois le prospectus provisoire terminé, il est déposé auprès de l'autorité des marchés financiers pertinente. Ce n'est qu'après avoir reçu la première lettre des observations des autorités en valeurs mobilières et avoir répondu à leurs questions que les dirigeants de l'entreprise émettrice peuvent partir en tournée de promotion pour présenter l'entreprise aux investisseurs institutionnels et aux courtiers en valeurs mobilières. Au cours de ces tournées de promotion (*road show*), seule l'information déjà rendue publique dans le prospectus provisoire et la circulaire d'information confidentielle[10] (*green sheet*) peut être utilisée ou faire l'objet de discussions.

1.5.4 La préparation du prospectus définitif

Tout au long de la tournée de promotion, les placeurs sondent le terrain pour ce qui est du prix et de l'acceptation par le marché. La conjoncture de celui-ci, l'intérêt suscité par le prospectus provisoire et la tournée de promotion ont une incidence sur la détermination du prix et du nombre d'actions et donnent une idée du moment propice pour le lancement de l'offre. Une fois que le nombre de titres a été établi et que le contrôle diligent et l'examen réglementaire sont terminés, l'entreprise émettrice est prête à réviser le prospectus provisoire et à le déposer. La vente et la distribution des actions peuvent commencer dès que le prospectus définitif est déposé et approuvé par les commissions des valeurs mobilières.

1.5.5 La clôture

Après la signature de la convention de placement des titres se tient une réunion de clôture à laquelle participent tous les intervenants. Des documents juridiques sont signés et échangés (ce qui se fait normalement après la clôture des marchés, la veille du dépôt du prospectus définitif). De plus, l'émetteur reçoit le produit net du placement en échange des titres remis aux placeurs. Cette réunion de clôture officialise donc le début de la vie de l'entreprise à titre de société ouverte. Cette étape est exécutée sur le marché primaire (celui des nouvelles émissions). Par la suite, chaque courtier vend ses titres à ses clients à un prix plus élevé qu'il ne les a payés. Le prix payé par les clients est appelé «prix d'émission».

De l'étape de la préparation du prospectus provisoire à celle de la clôture de l'opération, l'émetteur doit assumer des frais juridiques, des frais de comptabilité, de vérification, d'inscription à la Bourse et d'impression du prospectus. Tous sont liés à la nécessité de se conformer aux exigences des organismes de réglementation et d'une Bourse des valeurs mobilières.

---

10. Cette circulaire résume les principales informations financières tirées du prospectus. On y présente souvent des données comparatives sur des titres d'entreprises similaires.

Enfin, l'introduction en Bourse est une opération complexe, mais potentiellement très bénéfique pour l'entreprise, ses actionnaires et ses salariés. Une introduction réussie implique une réflexion préalable approfondie sur les objectifs, la valeur de l'entreprise, le moment de l'introduction, la procédure et le prix.

Question de réflexion

Une introduction en Bourse au moyen d'une émission initiale d'actions entraîne-t-elle une hausse ou une baisse du coût du crédit de l'entreprise?

Réponse: L'introduction en Bourse au moyen d'une émission initiale d'actions transforme généralement la relation de l'entreprise avec son banquier, ce qui se traduit concrètement par une baisse du coût du crédit.

1.5.6 La société CAE et l'émission d'actions ordinaires

Pour mieux comprendre les détails d'une émission initiale d'actions, prenons l'exemple de la société CAE[11].

Le 30 septembre 2003, CAE a annoncé qu'elle avait effectué l'émission de 26,6 millions de ses actions ordinaires au prix unitaire de 6,58 $. Le jour où l'entente de prise ferme a été annoncée, soit le 11 septembre 2003, l'action de CAE coûtait 6,72 $. À la suite de cela, de mauvaises nouvelles ont fait chuter le titre du fabricant de simulateurs de vol et de fournisseur de formation.

Le mardi 30 septembre 2003, le titre de CAE a commencé la séance à 5,20 $, soit 0,07 $ de moins qu'à la fermeture, le lundi 29 septembre 2003. Pour les preneurs fermes et leurs clients institutionnels qui avaient prépayé 175 millions de dollars pour les 26,6 millions d'actions émises, la perte s'élevait à 36,7 millions de dollars.

Le titre de CAE, qui est descendu jusqu'à 5,02 $ en cours de séance du mardi (30 septembre 2003), a clôturé à 5,07 $, en baisse de 0,20 $. Son plus bas niveau des 52 dernières semaines était de 2,76 $ et son plus haut niveau, de 6,79 $[12].

Scotia Capitaux, RBC Dominion valeurs mobilières, Marchés mondiaux CIBC, Dundee Securities, Valeurs mobilières TD et Griffiths McBurney font partie du syndicat de prise ferme.

D'une façon générale, les avantages financiers d'une émission d'actions dépendent de sa motivation. Trois situations se présentent: 1) l'entreprise souhaite financer des projets d'envergure qui dépassent la capacité de financement de ses bailleurs de fonds habituels (actionnaires actuels et banquiers); 2) l'entreprise souhaite réduire son endettement; et 3) l'entreprise souhaite liquider la position de certains de ses actionnaires et leur permettre de «quitter le navire», soit à l'introduction en Bourse, soit par la suite.

Dans le cas de l'émission de CAE, et selon le prospectus définitif, il est indiqué que l'entreprise utilisera les produits nets de l'émission, soit 167,5 millions de dollars «pour réduire sa dette bancaire et pour servir ses besoins généraux[13]».

1.6 L'efficience des marchés: définition et évidences

Nous présentons dans la section qui suit les trois formes d'efficiences des marchés et discutons d'un cas pratique.

---

11. CAE. *Site de CAE*, [En ligne], www.cae.com (Page consultée le 28 septembre 2012).

12. L'historique des émissions d'actions de la société CAE est disponible dans la section «Recherche dans la base de données» du site Web du Système électronique de données, d'analyse et de recherche (Sedar) (www.sedar.com/search/search_form_pc_fr.htm).

13. Le prospectus définitif de CAE peut être consulté en ligne sur le site Web de Sedar (www.sedar.com).

1.6.1 L'efficience des marchés : définition

Eugene F. Fama précise qu'«[...] un marché est efficient si les prix reflètent pleinement et de façon instantanée toute l'information disponible[14]».

Michael C. Jensen note quant à lui que «[...] le marché est efficient par rapport à un ensemble d'informations donné si on ne peut obtenir des profits économiques en transigeant sur la base de cette information. On entend par profit économique le rendement ajusté pour le risque net de tous les coûts[15]».

Un marché est efficient lorsque les prix courants reflètent exactement les informations disponibles. Voilà pourquoi, dans un marché de valeurs mobilières efficient, il n'y a aucune raison de croire que le cours est trop bas ou trop élevé.

L'efficience des marchés est un concept à dimensions multiples. Lorsque les actifs sont négociés au moindre coût, on parle d'efficience opérationnelle. L'efficience informationnelle, pour sa part, fait référence à la capacité des marchés à produire et à transmettre de l'information au moyen des prix. De plus, on parle d'efficience allocationnelle lorsque le marché fait une bonne allocation des ressources. La recherche de l'efficience allocationnelle basée sur la valeur de l'information se divise en trois niveaux graduels d'efficience : les formes faible, semi-forte et forte[16].

1. La forme faible suppose que les cours passés ne peuvent être utilisés pour prévoir l'évolution des prix futurs, car les variations successives de cours sont purement aléatoires. Les tests visent à vérifier l'hypothèse d'indépendance des cours successifs (l'analyse technique n'est donc pas pertinente).

2. La forme semi-forte est la plus controversée. Elle est présente lorsque toute l'information publique disponible (rapports annuels, journaux financiers, rubans d'information financière, etc.) est immédiatement intégrée dans les cours. Ici, on cherche à évaluer le degré de rapidité avec lequel l'arrivée sur le marché d'une information se répercute sur les prix.

3. La forme forte est observée quand toute l'information, y compris l'information privilégiée[17] dont bénéficient, par exemple, les initiés, est reflétée dans les cours. Les tests étudient la mesure dans laquelle certains investisseurs sont capables ou non de tirer de façon permanente un rendement supérieur à celui du marché.

1.6.2 La société CAE et l'efficience du marché

Pour illustrer le comportement des prix dans un marché efficient, prenons de nouveau le cas de l'entreprise CAE, chef de file mondial en modélisation, simulation et formation dans les secteurs de l'aviation civile et de la défense. La société compte près de 8 000 employés dans plus de 100 emplacements et centres de formation répartis dans environ 30 pays. CAE fournit des services de formation civile et militaire et d'autres pour hélicoptère dans plus de 45 emplacements partout dans le monde et forme environ 100 000 membres d'équipage chaque année[18].

> **En pratique**
>
> Supposons que CAE a réussi à mettre au point un simulateur de vol doté d'une technologie extraordinaire, qui s'adapte aux contextes de vol les plus difficiles. D'après l'analyse interne de CAE, ce simulateur devrait être un produit très rentable. On présume également qu'à ce stade, aucune information n'a été divulguée à l'extérieur de l'entreprise et que, par conséquent, personne ne connaît l'existence de ce nouveau simulateur de vol.

---

14. Traduction libre de Fama, E. F. (1970). «Efficient Capital Markets : A Review of Theory and Empirical Work», *Journal of Finance*, n° 25, p. 383-417.

15. Traduction libre de Jensen, M. C. (1978). «Some Anomalous Evidence Regarding Market Efficiency», *Journal of Financial Economics*, n° 6, p. 95-101.

16. D'après la classification d'Eugene F. Fama.

17. Voir l'annexe du chapitre 1, «Délits d'initiés : la chasse va s'intensifier», à la page 21.

18. CAE. «Investisseurs», [En ligne], www.cae.com/fr/investors/home.asp (Page consultée le 28 septembre 2012).

Supposons aussi que les actions de CAE se vendaient 10$ l'unité avant l'annonce. Voyons maintenant le comportement d'une action de CAE (*voir la figure 1.3*). Dans un marché efficient, son prix doit refléter l'information disponible sur la situation actuelle de la société, mise à part l'existence de ce simulateur de vol. Si le marché accepte l'analyse que fait CAE de la rentabilité de son nouveau produit, le prix des actions de l'entreprise augmentera au moment de l'annonce publique de son lancement. On imagine que, le lundi matin, le président et chef de la direction donnera une conférence de presse durant laquelle il expliquera les points forts de ce nouveau simulateur de vol. Si le marché est efficient, le prix des actions de CAE s'ajustera rapidement à cette nouvelle information. En d'autres termes, dès le lundi après-midi, le prix des actions de l'entreprise devrait refléter l'information révélée durant la conférence de presse.

Si, au jour de l'annonce, le prix de l'action de CAE a atteint 12$, un investisseur ne pourra réaliser de profit en achetant les actions le lundi après-midi et en les vendant le mardi matin. Cependant, si le marché n'est pas efficient, soit il mettra beaucoup de temps à assimiler entièrement l'information divulguée pendant la conférence de presse (réaction différée), soit il réagira de manière excessive avec un retour au prix correct par la suite (réaction excessive). La figure 1.3 illustre les trois types d'ajustements possibles du prix des actions de CAE. Le jour 0 correspond à celui de l'annonce de la bonne nouvelle par le président de CAE. La ligne foncée représente le comportement du prix d'une action dans un marché efficient. On constate aussi que le prix s'ajuste rapidement à la nouvelle et ne subit aucune autre variation par la suite. La ligne claire montre la réaction différée, qui a duré 10 jours, pour que l'information soit entièrement assimilée par le marché. Enfin, la ligne pointillée représente une réaction excessive où le prix a atteint 16$ pour revenir par la suite au prix correct (12$).

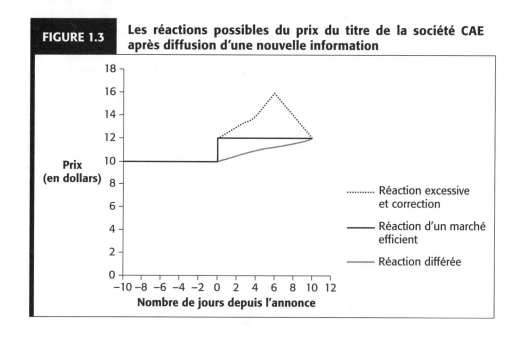

FIGURE 1.3 Les réactions possibles du prix du titre de la société CAE après diffusion d'une nouvelle information

1.6.3 La controverse autour de l'efficience

Comme il arrive souvent dans le cas de notions importantes, le concept d'efficience des marchés a fait l'objet de plusieurs critiques. Jensen écrit qu'il croit «[...] qu'il n'y a pas une autre proposition en économie qui ait de plus solides validations empiriques que l'hypothèse d'efficience des marchés[19]», alors que Shleifer et Summers précisent que «l'hypothèse d'efficience des marchés, au moins dans sa formulation traditionnelle, s'est effondrée avec le reste du marché le 19 octobre 1987[20]».

19. Traduction libre de Jensen, M. C. (1978). «Some Anomalous Evidence Regarding Market Efficiency», *Journal of Financial Economics*, n° 6, p. 95-101.

20. Traduction libre de Shleifer, A. et L. H. Summers. (1990). «The Noise Trader Approach to Finance», *Journal of Economic Perspectives*, n° 4, p. 19-33.

En effet, le krach boursier du 19 octobre 1987 a soulevé de sérieuses questions après la chute dramatique de la plupart des indices boursiers dans le monde. Par exemple, aux États-Unis, le NYSE Euronext a perdu plus de 20 % ; au Canada, le TSX a perdu plus de 11 %[21]. Une telle baisse sans explication est contraire à l'hypothèse des marchés efficients. Les anomalies sont également nombreuses, et plusieurs recherches ont démontré que les marchés financiers ne sont pas efficients, au moins sous la forme semi-forte. On peut citer, par exemple, la sous-évaluation initiale des nouvelles émissions d'actions, le rendement élevé des entreprises de petite taille par rapport à celui des entreprises de grande taille et les réactions anormales des investisseurs aux annonces de bénéfices, aux distributions de dividendes et aux fractionnements d'actions.

Cependant, on constate que l'hypothèse de l'efficience des marchés est souvent mal interprétée.

D'un côté, un marché efficient ne veut pas dire que l'on peut arriver à des prévisions exactes ou que la manière d'investir importe peu. En effet, le concept d'efficience indique seulement que les cours reflètent en moyenne toute l'information accessible et que, par conséquent, elle nous protège contre les erreurs de façon systématique.

Par ailleurs, le comportement aléatoire du cours des actions ne reflète pas l'irrationalité des marchés, mais signifie plutôt que les variations du cours des actions évoluent de façon aléatoire parce que les investisseurs sont rationnels et concurrentiels. D'ailleurs, un corollaire qui en découlerait, si le prix de tout actif risqué ne variait pas de façon aléatoire (indépendamment de toute influence indue de la part d'un groupe d'investisseurs), serait celui-ci : le prix de l'actif ne peut représenter une valeur marchande concurrentielle. Ce prix pourrait être une aubaine, ce qui dénoterait une mauvaise relation entre le prix et le risque. Cette inefficience temporaire pourrait exister sur le marché, mais elle ne pourrait se prolonger grâce aux spéculateurs.

Question de réflexion

L'efficience force-t-elle les prix courants à refléter la valeur fondamentale des actions ?

Réponse : L'efficience ne force pas les prix courants à refléter la valeur fondamentale des actions en tout temps. Elle implique uniquement que les déviations de la valeur fondamentale sont imprévisibles et aléatoires. Si les marchés ne sont pas efficients, les prix des actions peuvent dévier de leurs valeurs fondamentales, impliquant ainsi le fait que certaines stratégies pourraient battre le marché.

CONCLUSION

Le domaine de la gestion financière requiert la prise de décision en ce qui concerne l'investissement, le financement et la distribution des dividendes. En d'autres termes, le gestionnaire financier doit être capable de décider combien il investira, dans quels actifs réels, comment il se procurera les fonds nécessaires et quelle part des bénéfices il pourra distribuer aux actionnaires. La gestion financière est donc intéressante et remplie de défis.

L'objectif de la maximisation de la richesse des actionnaires, propriétaires de l'entreprise, implique que les gestionnaires décident uniquement et toujours dans le meilleur intérêt des propriétaires. Toutefois, ils peuvent être guidés par d'autres motifs. Les relations entre les actionnaires et la direction portent le nom de «relations d'agence». Elles se concrétisent chaque fois qu'une personne appelée «mandataire» ou «agent» agit au nom d'une autre personne, appelée «mandant» ou «principal».

Dans la mesure où certains agents économiques investissent plus qu'ils n'épargnent – et ont donc besoin de recourir à un financement externe –, alors que d'autres épargnent plus qu'ils n'investissent – et ont donc une capacité de financement à mettre à la disposition de ceux qui en ont besoin –, il est nécessaire que des transferts s'organisent des

21. Rolland, S. (19 octobre 2012). «Les 25 ans du Krach de 1987 : était-ce mieux dans le temps?», *Les affaires.com*, [En ligne], www.lesaffaires.com/bourse/nouvelles-economiques/les-25-ans-du-krach-de-1987--etait-ce-mieux-dans-le-temps-/550222/ (Page consultée le 25 octobre 2012).

uns vers les autres. Ces transferts s'opèrent par l'intermédiaire du système financier en général, lequel englobe à la fois les intermédiaires financiers et les marchés financiers.

Le rôle d'un marché financier organisé est de permettre d'allouer les ressources en capital à ceux qui ont besoin de ces fonds, c'est-à-dire de mettre en place les mécanismes permettant de diriger l'épargne vers les investissements en biens de production.

Les caractéristiques importantes d'un marché boursier sont la liquidité, la profondeur, le dynamisme et l'efficience. Un marché est liquide lorsqu'il est possible d'acheter et de vendre des titres rapidement et à faible coût. Il est profond lorsqu'il est possible d'y effectuer des transactions importantes sur un grand nombre de titres. Le dynamisme se traduit par la capacité du marché à augmenter d'année en année le nombre d'entreprises inscrites et la capitalisation de celles qui le sont déjà. Enfin, un marché est efficient lorsque les prix courants reflètent exactement l'information disponible.

Toutes les décisions de l'entreprise, dont les effets s'échelonnent dans le temps, nécessitent de tenir compte de la valeur temporelle de l'argent. Ainsi, nous consacrerons le chapitre 2 au concept de valeur temporelle de l'argent et au rôle du taux d'intérêt dans la prise de décision financière. Nous présenterons également les différentes équations des mathématiques financières. Elles nous permettront ensuite d'évaluer les titres financiers tels que les obligations, les hypothèques, les actions privilégiées et les actions ordinaires.

À RETENIR

1. L'objectif de l'entreprise est la maximisation de la richesse des actionnaires. Ce sont les actionnaires qui possèdent la firme. Il faut cependant noter qu'en cas de faillite de l'entreprise, ce sont plutôt les obligataires qui seront les premiers à être remboursés.

2. Les caractéristiques importantes d'un marché boursier sont la liquidité, la profondeur, le dynamisme et l'efficience.

3. L'efficience des marchés des capitaux signifie que les prix des titres reflètent toute l'information disponible. Autrement dit, les marchés réagissent rapidement à toute information et les prix sont justes.

4. Le problème d'agence découle de la divergence des intérêts personnels des gestionnaires (ou décideurs) et des propriétaires de l'entreprise. Ainsi, les gestionnaires risquent de prendre des décisions qui ne sont pas conformes à l'objectif de maximisation de la richesse des actionnaires. D'ailleurs, plusieurs recherches ont révélé des conflits d'intérêts possibles et permis de déterminer différentes façons de les contourner. Ces sujets constituent la toile de fond de la théorie de l'agence.

TERMES-CLÉS

PORTRAIT D'ENTREPRISE

CAE[22]

Qui nous sommes

« [...] CAE a été fondée en 1947 au Canada, où se trouve son siège social. Avec des clients dans plus de 150 pays, CAE a la plus grande envergure internationale de toute entreprise de simulation et de services de formation de l'industrie.

Quatre-vingt-dix pour cent du chiffre d'affaires annuel de CAE provient d'exportations mondiales et d'activités à l'international. Les actions de CAE sont inscrites à la Bourse

---

22. CAE. « Qui nous sommes », [En ligne], www.cae.com/a-propos-de-cae/information-sur-cae/qui-nous-sommes (Page consultée le 28 mars 2013).

de Toronto (TSX : CAE) et à la Bourse de New York (NYSE : CAE). En tant que société qui se consacre à l'innovation, elle investit près de 10 % de son chiffre d'affaires annuel dans la recherche et le développement.

Secteurs d'activités

L'aviation civile : Avec plus de 210 simulateurs de vol répartis dans 44 établissements de formation civile dans le monde, CAE possède le plus important réseau de centres de formation civile de l'industrie. CAE dessert près de 3 500 compagnies aériennes, exploitants d'avions et avionneurs dans le monde entier. Nous offrons des services personnalisés pour la formation des pilotes et des techniciens de maintenance dont la gamme va des programmes de formation intégrés aux solutions déployables d'instruction au sol et d'apprentissage en ligne. Nous avons établi des partenariats avec des compagnies aériennes et des constructeurs aéronautiques afin d'offrir des services encore meilleurs et des solutions de formation à chacun des segments du marché. Nous exploitons le plus vaste réseau mondial d'écoles de formation initiale appelé CAE Oxford Aviation Academy. Ce réseau englobe 11 écoles, pour une capacité de formation de 2 000 élèves-pilotes chaque année. CAE a également élargi son catalogue vers le placement des pilotes et des techniciens de maintenance par le biais de CAE Parc Aviation, qui fournit actuellement 1 200 professionnels de l'aviation en affectation à 50 compagnies aériennes et sociétés de location dans 40 pays.

CAE est le principal fournisseur de simulateurs civils au monde, avec plus de 1 000 simulateurs et entraîneurs de vol vendus à plus de 130 compagnies aériennes, constructeurs aéronautiques et centres de formation. Nous avons reproduit en simulation pratiquement tous les avions de transport modernes des grands transporteurs et des transporteurs régionaux, et bon nombre de jets d'affaires et d'hélicoptères. CAE a développé le plus grand nombre de simulateurs de nouveaux modèles d'avions que toute autre entreprise.

La défense et la sécurité : CAE est l'un des plus importants fournisseurs mondiaux de simulateurs de missions et nous offrons à nos clients militaires des solutions de formation clés en main ainsi que des services complets de soutien à la formation, tels que la formation et la maintenance des simulateurs à 69 endroits dans le monde. CAE fournit également une gamme complète de solutions intégrées d'entreprise de CAE axées sur la simulation, pour soutenir les applications de conception, d'analyse et d'expérimentation. Noscentres de formation militaire établis aux États-Unis et au Royaume-Uni offrent de la formation technique et de vol pour les exploitants d'aéronefs tels que les C-130H Hercules, CH-47 Chinook, EH101 Merlin et Puma. CAE et AgustaWestland offrent de la formation aux exploitants d'hélicoptères au centre de formation Rotorsim, en Italie. CAE est également membre du consortium qui a récemment inauguré en Allemagne le premier centre de formation NH90 au monde. En Inde, nous avons poursuivi l'expansion du centre de formation des pilotes d'hélicoptères qui se nomme HATSOFF, en coentreprise avec HAL.

La qualité et l'innovation, alliées à la fiabilité et au service qui nous caractérisent, font de nous le fournisseur privilégié des constructeurs tels que Lockheed Martin pour le C-130J; EADS CASA pour le C-295; Alenia Aermacchi pour le M-346; Hindustan Aeronautics Limited pour l'hélicoptère léger armé Dhruv; et AgustaWestland pour les hélicoptères A109 et AW139. CAE a réalisé la plus importante gamme de simulateurs d'hélicoptères au monde, et plus de systèmes de formation pour le C-130 Hercules que quiconque. CAE est le plus important fournisseur mondial de solutions de formation pour hélicoptères et avions de transport militaires. Grâce à notre filiale Presagis, qui se spécialise dans les logiciels commerciaux (COTS) de modélisation et de simulation, nous simplifions l'acquisition et le soutien de tels logiciels pour l'industrie aéronautique et de défense.

La santé : CAE Santé est une filiale indépendante de CAE et un chef de file en matière de simulation médicale. Nous offrons des outils d'apprentissage de pointe ainsi que des solutions de simulation innovatrices aux professionnels de la santé pour leur permettre d'apprendre leur métier à l'aide de plusieurs plateformes de simulation avant de mettre leurs aptitudes à l'épreuve sur leurs patients. CAE Santé offre des simulateurs chirurgicaux et d'échographie, de même que des simulateurs de patients. La gamme complète de simulateurs METI, qui inclut le bébé, l'enfant et l'adulte, est conçue pour reproduire des scénarios médicaux, y compris des traumatismes, des arrêts cardiaques, des surdoses de drogue, et les effets du bioterrorisme. À ce jour, plus de 6 000 simulateurs METI sont utilisés à l'échelle mondiale. L'objectif de CAE Santé est de mettre à la disposition des praticiens des outils complets et réalistes grâce auxquels ils pourront améliorer leurs compétences et mieux se préparer à traiter leurs patients.

Les mines: CAE Mines est à l'avant-garde de l'industrie en matière de développement et de fourniture de technologies et de services innovateurs pour planifier, gérer et optimiser l'exploitation minière. Avec des activités dans 11 pays, CAE Mines offre des solutions allant de la gestion des données tirées de l'exploration à la modélisation des corps minéralisés, en passant par la planification et la gestion opérationnelle des mines. Nous avons une équipe de consultation technique qui compte plus de 100 géologues et ingénieurs d'expérience qui répondent aux besoins des clients répartis dans près de 100 pays. Par le biais de nos simulateurs, logiciels, didacticiels et services de formation, CAE Mines développe la technologie et les services les plus perfectionnés de l'industrie afin d'augmenter la sécurité et l'efficacité des opérations minières.»

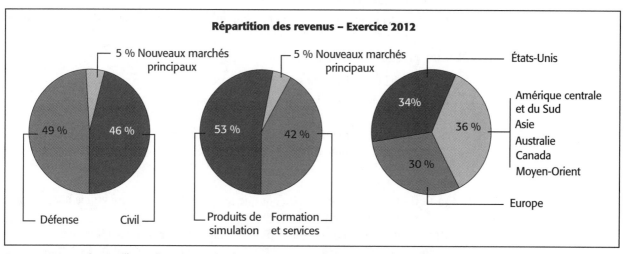

Source: CAE. «Points saillants financiers», [En ligne], www.cae.com/investisseurs/information-aux-actionnaires/points-saillants-financiers (Page consultée le 28 mars 2013).

Les points saillants financiers (en millions de dollars, sauf montant par action)		
	2012	2011
Résultats opérationnels		
Produits des activités ordinaires	**1 821,20**	1 630,80
Résultat net	**182,00**	160,90
Carnet de commandes	**3 724,20**	3 449,00
Situation financière		
Flux de trésorerie nets liés aux activités opérationnelles	**233,90**	226,30
Dépenses d'investissement en immobilisations	**165,70**	111,30
Total de l'actif	**3 183,70**	2 817,30
Total de la dette à long terme, déduction faite de l'encaisse	**534,30**	383,80
Par action		
Résultat de base attribuable aux détenteurs d'instruments de capitaux propres de la Société	**0,70**	0,62
Dividendes	**0,16**	0,15
Capitaux propres	**4,05**	3,63

Source: CAE. «Points saillants financiers», [En ligne], www.cae.com/investisseurs/information-aux-actionnaires/points-saillants-financiers (Page consultée le 28 mars 2013).

Questions de révision

1. Quel est l'objectif de la gestion financière ?

2. Les coûts d'agence peuvent-ils être une limite à l'atteinte de l'objectif de l'entreprise ?

3. Quelles sont les principales caractéristiques d'un marché primaire, d'un marché secondaire et d'un marché monétaire ?

4. Répondez par vrai ou faux.

   a) L'hypothèse de la forme semi-forte des marchés efficients stipule que les cours reflètent toute l'information publiée.

   b) Dans un marché efficient, on ne peut espérer réaliser des rendements anormaux.

   c) L'efficience des marchés implique que l'on peut prédire l'avenir avec exactitude.

   d) La maximisation des profits d'une entreprise entraîne nécessairement la maximisation de la richesse des actionnaires.

   e) Selon la forme d'efficience faible, aucun profit n'est possible si l'on observe les prix passés des actifs financiers.

5. Est-il possible de battre le marché ?

6. Commentez les affirmations suivantes.

   a) Le krach boursier de 1987 n'est pas une preuve d'efficience des marchés boursiers.

   b) De nos jours, l'hypothèse d'efficience des marchés a fait son chemin non seulement dans la plupart des écoles de gestion, mais également dans la pratique du placement et dans les politiques du gouvernement à l'égard des marchés des valeurs mobilières.

   c) Certaines personnes prétendent que le marché ne peut être efficient car le prix des actions change d'un jour à l'autre.

   d) Les entreprises qui créent le plus de valeur peuvent offrir les meilleurs rendements aux investisseurs, attirer plus de capitaux et acquérir plus de ressources.

7. Répondez par vrai ou faux.

   a) Les bons du Trésor se négocient généralement sur le marché monétaire.

   b) Les nouvelles émissions d'actions qui correspondent à une augmentation du capital se font dans le cadre du marché secondaire.

   c) Un marché financier est dit efficient si toutes les transactions se font rapidement et si les coûts de transaction sont élevés.

8. L'analyse technique se base sur l'étude des graphiques de cours des titres en Bourse et de différents indicateurs financiers dans le but d'anticiper l'évolution des marchés. Selon l'hypothèse d'efficience des marchés, l'analyse technique est inutile. Discutez cette affirmation.

Annexe du chapitre 1

Délits d'initiés : la chasse va s'intensifier[23]

Les délits d'initiés en Bourse, c'est-à-dire les transactions effectuées grâce à des informations obtenues avant leur diffusion publique, s'aggraveront au Canada à moins que les régulateurs renforcent rapidement les moyens de les traquer et de les sanctionner, selon un rapport d'un comité spécial divulgué hier. Et pour devenir plus efficace, mais aussi dissuasive à l'endroit de tous les intervenants boursiers, cette chasse accrue aux délits d'initiés devrait avoir accès à des moyens semblables à ceux utilisés contre les fraudes d'ordre criminel.

Entre autres, des équipes spéciales d'enquête devraient être constituées dans les principales villes d'activités boursières, dont Toronto et Montréal, qui seraient dirigées par la Gendarmerie royale du Canada (GRC), en collaboration étroite avec les enquêteurs des commissions de valeurs mobilières (CVM).

Aussi, selon le comité spécial constitué par les principaux régulateurs boursiers (CVM, Bourses de Toronto et de Montréal, associations de courtiers, etc.), les investisseurs devraient être informés immédiatement des transactions par les initiés des entreprises, au lieu du délai actuel de 10 jours après leur déclaration aux CVM.

Par ailleurs, le renforcement des normes de transactions d'initiés, habituellement les dirigeants et les administrateurs d'entreprises devrait s'étendre à leurs principaux conseillers professionnels, à commencer par leurs avocats et leurs comptables.

«C'est rendu trop fréquent de constater des hausses de valeur et de volume de transactions en Bourse au Canada sur des titres d'entreprises avant des annonces importantes. Ça suggère qu'en plus des dirigeants de ces entreprises, il y aurait des failles de confidentialité dans leur réseau de professionnels», a commenté le président de la Commission des valeurs mobilières de l'Ontario (CVMO), David Brown, au cours d'une conférence de cette organisation hier, à Toronto.

Aussi présent, le président de la Commission des valeurs mobilières du Québec (CVMQ), Pierre Godin, a dit accueillir avec intérêt les recommandations du comité spécial.

«Il y a un gros travail à faire en Bourse au Canada pour améliorer la perception d'une surveillance inadéquate des délits d'initiés, a dit M. Godin. Il faut envoyer un signal clair au marché que les délits d'initiés sont des crimes dont les victimes sont les investisseurs qui se font flouer parce que des individus se servent d'informations privilégiées pour faire de l'argent sur leur dos.»

On a souligné hier au cours de la conférence de la CVMO qu'un projet de loi fédéral, la loi C-46, proposait que les délits d'initiés soient inscrits au Code criminel.

Une telle disposition ouvrirait alors la voie à une collaboration plus étroite entre les enquêteurs des CVM et ceux des escouades de crimes économiques des principaux corps policiers, comme la GRC, la Sûreté du Québec et la police provinciale de l'Ontario.

Selon le rapport du comité spécial sur les délits d'initiés, l'effort collectif des régulateurs boursiers au Canada pour contrer ces infractions totalise environ 8,1 millions de dollars par année. Mais le renforcement des mesures de traque et de sanctions serait peu coûteux, selon le comité.

«Nous avons besoin de dispositions précises dans le Code criminel pour déployer nos moyens d'enquête contre les délits d'initiés et parvenir à des mises en accusation», a dit Craig Hannaford, enquêteur en crimes économiques à la GRC au bureau de Toronto.

M. Hannaford dirige d'ailleurs la mise sur pied dans la capitale financière du Canada de la première «équipe intégrée de police des marchés», en collaboration avec la CVMO.

---

23. Vallières, M. (13 novembre 2003). «Délits d'initiés : la chasse va s'intensifier», *La Presse*, 13 novembre 2003, p. 1.

Cette initiative fait suite à un mandat et à un budget spécial qui ont été confiés en début d'année à la GRC par le gouvernement fédéral afin de renforcer les moyens d'enquête sur les fraudes financières. La deuxième équipe sera constituée à Vancouver d'ici peu.

Celles de Montréal et de Calgary devraient être constituées au début de la prochaine année financière du fédéral, en avril 2004. Le président de la CVMQ, Pierre Godin, a dit toutefois espérer que cette intervention accrue du fédéral contre les fraudes boursières et, éventuellement, les délits d'initiés ne mène pas à une autre dispute de juridiction (sic) avec les provinces.

«Il faudra éviter de doubler les structures existantes de supervision et d'enquête sur des marchés financiers, qui sont de la juridiction des provinces», a dit M. Godin. Car encore hier, une partie des discussions à la conférence de la CVMO a porté sur la pertinence pour le Canada de se doter d'une agence nationale de réglementation, qui remplacerait le réseau actuel de commissions provinciales.

Le président de la CVMO, David Brown, a d'ailleurs laissé entendre qu'une recommandation en ce sens pourrait faire partie du rapport attendu d'ici quelques semaines du «Comité spécial de personnes avisées» qui a été constitué par le ministère fédéral des Finances, l'an dernier, afin d'examiner la structure réglementaire des marchés financiers.

Chapitre 2

La valeur actuelle et la valeur future

MISE EN CONTEXTE

La valeur temporelle de l'argent est une notion fondamentale en finance. En effet, si le temps c'est de l'argent, c'est d'abord parce que l'argent n'a pas la même valeur dans le temps. Il suffit, pour mieux saisir cette notion, de penser à ce qu'on pouvait acheter avec 10 $ il y a 10 ans et de comparer cela avec ce qu'on peut acheter avec le même montant aujourd'hui. Par conséquent, comparer deux montants d'argent exige que ces montants soient évalués à la même date. En d'autres termes, 1 $ payé ou reçu en 2013 n'a pas la même valeur que 1 $ payé ou reçu en 2020. Cette différence s'explique par le fait que tout individu rationnel choisirait de recevoir 1 $ aujourd'hui plutôt que de le recevoir demain, et ce, en raison de l'inflation, de l'aversion pour le risque ou pour des raisons de pure préférence.

Dans le présent chapitre, nous apprendrons à tenir compte de la valeur temporelle de l'argent ainsi qu'à transposer des montants futurs dans le présent et des montants actuels dans le futur. Nous calculerons ainsi la valeur actuelle de flux monétaires futurs ainsi que la valeur future de flux monétaires passés. Ces deux types de calcul jouent un rôle primordial dans l'estimation de la valeur des actifs financiers dans lesquels nous voulons investir, dans le choix du mode de financement optimal pour l'entreprise, dans l'évaluation de nouveaux projets d'investissement ainsi que dans la prise de nombreuses autres décisions de gestion.

Dans la première section, nous verrons la façon d'appliquer le calcul d'actualisation et de capitalisation au cas simple d'un seul flux monétaire. Ce calcul sera par la suite généralisé, dans la deuxième section, aux cas plus complexes de plusieurs flux monétaires sur plusieurs périodes. Pour effectuer ces calculs d'actualisation et de capitalisation, nous aurons besoin de taux d'intérêt. Nous verrons, dans la troisième section, qu'il existe plusieurs types de taux d'intérêt, en particulier les taux d'intérêt nominaux et les taux d'intérêt effectifs.

Dans la quatrième section, nous verrons la manière dont les équations complexes d'actualisation et de capitalisation pourraient dans plusieurs cas être simplifiées. Nous décrirons des équations adaptées à certains cas particuliers dans la cinquième section et appliquerons nos équations au cas du prêt hypothécaire dans la sixième section. Les techniques et modèles étudiés seront d'une importance capitale pour la suite du présent ouvrage, car ils serviront de base à d'autres modèles, comme ceux de la rentabilité des projets d'investissement (chapitre 3) ou de l'évaluation des actifs financiers (chapitre 4).

Exemple 2.1

Supposons que vous avez la possibilité d'acheter une maison de 200 000 $. Vous disposez de l'argent nécessaire et vous estimez pouvoir obtenir les revenus suivants de cette maison :

- la location pendant 10 années à raison de 1 000 $ par mois ;
- la vente de la maison, au bout de la dixième année, au montant de 300 000 $.

Serait-ce une bonne affaire ? À première vue, le projet peut vous sembler intéressant si vous faites le calcul naïf suivant :

- le coût du projet : 200 000 $;
- les revenus : (1 000 $ × 120 mois) + 300 000 $ = 420 000 $;
- le profit net : 220 000 $.

Cependant, le coût de 200 000 $ doit être déboursé immédiatement, alors que les revenus seront reçus à l'avenir. De ce fait, ces deux types de flux monétaires ne sont pas directement comparables, puisqu'ils n'ont pas la même valeur. De plus, le montant de 200 000 $ est une dépense certaine, car il représente le prix de la maison à débourser aujourd'hui, alors que les revenus futurs ne sont que des prévisions ; ils sont donc risqués (incertains).

Il faut connaître les outils et les techniques qui permettront de décider si un projet est intéressant ou non. Ces techniques, qui relèvent des mathématiques financières, s'appellent «techniques d'**actualisation** et de **capitalisation**» et feront l'objet du présent chapitre.

Ces techniques étant d'une grande utilité, nous les emploierons tout au long du présent ouvrage. En effet, leur maîtrise est primordiale aussi bien pour les prises de décisions financières dans l'entreprise, telles que les décisions d'investir ou de financer un projet (comme nous le verrons au chapitre 3), que dans les décisions financières personnelles, telles que les évaluations d'emprunts ou de placements (comme nous le verrons au chapitre 4). Nous verrons d'ailleurs, au chapitre 4, des applications de ces techniques à l'évaluation des actifs des entreprises.

2.1 Le cas d'une seule période

Commençons par étudier le cas simple d'un seul montant d'argent fixe à recevoir ou à payer dans une période. Celle-ci peut être d'une année, d'un mois ou autre. On se pose la question suivante: quel est l'équivalent, en dollars d'aujourd'hui, d'une certaine somme d'argent à payer ou à recevoir dans une période? Sous un angle opposé, cette question pourrait être la suivante: quel sera, dans une période, l'équivalent d'une certaine somme d'argent à payer ou à recevoir aujourd'hui? Pour répondre à la première question, il faut calculer la **valeur actuelle** (valeur actualisée ou valeur présente) du montant à payer ou à recevoir dans une période. Répondre à la seconde question revient à calculer la **valeur future** (valeur capitalisée ou valeur définitive) du montant à payer ou à recevoir aujourd'hui.

2.1.1 La valeur actuelle et la valeur future

Illustrons la valeur actuelle et la valeur future par un exemple.

Exemple 2.2

Vos parents ont décidé de mettre en vente leur chalet, qu'ils n'utilisent plus depuis quelques années. Ils ont reçu deux offres sérieuses et vous demandent votre avis quant à la meilleure des deux.

La première offre, inconditionnelle, est de 300 000$ payables immédiatement.

La seconde rapporte 320 000$, payables dans exactement 1 année.

N'ayant pas de besoin immédiat de liquidités, vos parents se demandent s'il vaut la peine d'attendre 1 an et de recevoir 320 000$ au lieu de recevoir 300 000$ tout de suite.

À ce stade, on sait que ces deux montants d'argent (300 000$ et 320 000$) ne sont pas directement comparables, puisqu'ils ne seront pas reçus à la même date (on peut considérer qu'ils ne sont pas exprimés dans la même unité). La question est donc de savoir si l'avantage quantitatif de la seconde offre l'emporte ou non sur l'avantage chronologique de la première.

Pour répondre à cette question, il faut calculer la valeur actuelle du montant de 320 000$ de la seconde offre à recevoir dans 1 année et la comparer avec le montant de 300 000$ de la première offre; on peut aussi calculer la valeur future du montant de 300 000$ à recevoir aujourd'hui et la comparer avec le montant de 320 000$ à recevoir dans 1 année. Pour faire ces calculs, il est nécessaire d'avoir plus d'informations.

Supposons qu'il est possible pour vos parents de déposer leur argent dans un compte bancaire bloqué qui leur offre un taux d'intérêt annuel de 10%. Ainsi, s'ils acceptent la première offre et déposent les 300 000$ reçus dans ce compte, le solde de ce compte sera, au bout d'une année, de:

$$300\,000 + (0{,}10 \times 300\,000) = 300\,000 \times (1 + 0{,}10) = 330\,000\$.$$

Ce montant de 330 000$ s'appelle «valeur future» (VF) de 300 000$ dans 1 année à un taux de 10%. C'est ce montant qu'il faut comparer avec celui de la seconde offre. Comme 330 000$ > 320 000$, il faut donc accepter la première offre.

En faisant le calcul inverse, on peut trouver la valeur actuelle (VA) de la seconde offre de 320 000$ à recevoir dans 1 année:

$$VA = 320\,000 / (1 + 0{,}10) = 290\,909{,}09\$.$$

Ce montant est inférieur à celui de la première offre (300 000$), ce qui confirme notre décision d'accepter la première offre.

Le cas général

Illustrons maintenant le cas général de la valeur actuelle et de la valeur future par le graphique suivant:

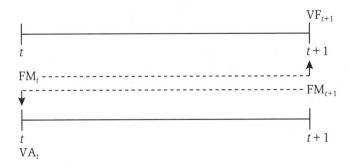

$$VF_{t+1} = FM_t \times (1+r) \tag{2.1}$$

$$VA_t = \frac{FM_{t+1}}{(1+r)} \tag{2.2}$$

où

FM_t est le flux monétaire au temps t;

FM_{t+1} est le flux monétaire au temps $t+1$;

r est le taux d'intérêt (d'actualisation ou de capitalisation).

Les règles d'or

Voici les règles à suivre:

- tracer l'axe des temps;
- y placer le flux monétaire;
- pour capitaliser, multiplier par 1 plus le taux d'intérêt; pour actualiser, diviser par 1 plus le taux d'intérêt.

2.1.2 La valeur actuelle nette

Nous introduisons ici le concept de valeur actuelle nette (VAN) de façon simple afin d'illustrer l'importance du calcul d'actualisation dans la prise de décision financière. Nous verrons au chapitre 3 que ce concept est l'un des critères d'évaluation des projets d'investissement pour une entreprise. Nous aurons alors l'occasion de l'étudier plus en détail.

Exemple 2.3

Supposons maintenant que vous êtes en train d'évaluer la possibilité d'acheter un terrain qui coûte 100 000 $. Vous estimez pouvoir le revendre 108 000 $ l'année prochaine. Seriez-vous prêt à vous engager dans cet investissement, sachant que le taux d'intérêt de l'institution financière sera de 10 % au cours de l'année de l'investissement?

À ce stade, on ne doit plus commettre l'erreur d'avancer que le projet est rentable parce que celui-ci assure un gain de 8 000 $ (108 000 $ − 100 000 $). On doit plutôt calculer la VF de 100 000 $ ou la VA de 108 000 $ à un taux de 10 %.

D'après l'équation 2.2:

$$VA_t = \frac{FM_{t+1}}{(1+r)} = \frac{108\,000}{1,10} = 98\,181,82\,\$$$

Cette valeur étant inférieure à 100 000 $, il faut donc rejeter le projet, puisqu'il occasionne, en réalité, une perte de 100 000 $ − 98 181,82 $ = 1 818,18 $.

Il serait également possible de trouver directement la perte ou le gain économique lié à cet investissement en calculant la valeur actuelle nette (VAN) du projet de la façon suivante:

$$\text{VAN} = -100\,000 + \frac{108\,000}{1,10} = -1\,818,18\,\$$$

La VAN étant négative, il faut rejeter le projet.

Le cas général

Illustrons le cas général de la valeur actuelle nette par le graphique suivant :

$$\text{VAN} = -I_0 + \frac{\text{FM}_1}{(1+r)} \qquad\qquad (2.3)$$

où

FM_1 est le flux monétaire au temps $t = 1$;

I_0 est l'investissement initial ;

r est le taux d'intérêt.

La règle de décision

Par conséquent, il est possible d'accepter tous les projets dont la VAN est positive et de rejeter ceux dont la VAN est négative.

2.1.3 La provenance du taux d'intérêt *r*

Dans les exemples précédents, nous avons utilisé un taux d'intérêt bancaire de 10 % pour effectuer les calculs d'actualisation et de capitalisation. Or, il existe une multitude de taux d'intérêt sur le marché financier (taux de rendement des actions, des obligations, des bons du Trésor, etc.). Même les taux bancaires peuvent être différents d'une institution financière à l'autre et au sein même d'une seule institution financière (taux d'emprunt, taux de prêt, taux hypothécaire, taux d'escompte, etc.). Il est alors légitime de se demander quel taux d'intérêt choisir pour actualiser des flux monétaires futurs.

Pour répondre à cette question, il faut savoir de quoi dépendent les taux d'intérêt et comment ils sont établis. Pour l'instant, retenons tout simplement que les taux d'intérêt dépendent du niveau de **risque** du projet que l'on cherche à évaluer. Puisque nous admettons que les personnes rationnelles n'aiment pas le risque, plus le projet est risqué, plus ces personnes exigeront un taux de rendement élevé pour y adhérer. Nous verrons au chapitre 5 comment ce risque est mesuré et caractériserons la relation existant entre ce risque et le taux de rendement exigé.

Ainsi, dans l'exemple 2.3, en utilisant un taux bancaire de 10 % pour calculer la VAN, nous avons implicitement supposé que le projet consistant à acheter un terrain pour le revendre une année plus tard présente le même niveau de risque que celui consistant à investir son argent dans un compte d'épargne durant une année. Par conséquent, nous avons exigé que le premier projet rapporte au moins autant que le deuxième, soit 10 %.

Dans ce genre d'exemple, le choix du taux d'actualisation est primordial. En effet, si vous pensez que l'achat du terrain en vue de la revente constitue une activité moins risquée que le fait de placer votre argent dans une institution financière, vous pourriez exiger un rendement minimal plus faible que 10 %. Prenons le cas de 5 %. La VAN devient alors :

$$\text{VAN} = -100\,000 + \frac{108\,000}{1,05} = 2\,857,14\,\$$$

Cette VAN étant positive, le même projet devient rentable et est, par conséquent, accepté.

Dans le cas contraire, si vous estimez que le projet est encore plus risqué qu'un placement dans une institution financière, vous exigerez un rendement plus élevé que 10 %, par exemple 15 %. La VAN deviendra alors :

$$\text{VAN} = -100\,000 + \frac{108\,000}{1,15} = -6\,086,96\,\$$$

Le projet occasionnant une perte encore plus élevée, il est donc rejeté.

2.2 Le cas de plusieurs périodes

Dans la section précédente, nous avons vu le cas simple d'un seul flux monétaire à actualiser ou à capitaliser sur une seule période. Analysons maintenant le cas plus général d'un ou de plusieurs flux monétaires étalés sur plusieurs périodes.

2.2.1 Un seul flux monétaire étalé sur plusieurs périodes : cas général

Ce cas se traduit par le graphique suivant :

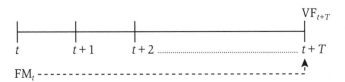

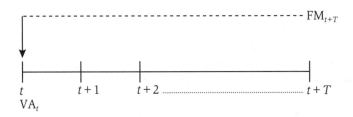

$$\text{VF}_{t+T} = \text{FM}_t \times (1+r)^T \qquad\qquad (2.4)$$

$$\text{VA}_t = \frac{\text{FM}_{t+T}}{(1+r)^T} \qquad\qquad (2.5)$$

où

FM_t est le flux monétaire au temps t ;

T est l'échéance ;

r est le taux d'intérêt (d'actualisation ou de capitalisation).

Vous pouvez consulter l'annexe 1 du chapitre 2 à la page 52, pour voir la démonstration de l'équation 2.4.

2.2.2 Un seul flux monétaire étalé sur plusieurs périodes : exemples

Analysons les calculs de la valeur future, de la valeur actuelle, de l'échéance et du taux d'intérêt.

Le calcul de la valeur future

Illustrons ce calcul par l'exemple suivant.

Exemple 2.4

Dans 2 ans, combien vaudra le montant de 1 000 $ investi aujourd'hui à un taux de 5 % par année ?

Supposons que la journée d'aujourd'hui correspond au temps $t = 0$. L'équation 2.4 donne, dans 2 ans (soit au temps $t = 2$) :

$$VF_2 = ?$$

| 0 | 1 | 2 |

$$FM_0 = 1\ 000\ \$$$

$$VF_2 = FM_0 \times (1 + r)^2 = 1000 \times (1 + 0,05)^2 = 1\ 102,50\ \$$$

Ainsi, si vous placez 1 000 $ dans une institution financière pour une période de 2 ans à un taux d'intérêt de 5 % par année, vous vous retrouverez, au terme de votre investissement, avec un montant total de 1 102,50 $. Si l'on analyse en détail la provenance de ce montant, on remarque qu'il contient quatre composantes :

1. le montant d'argent initialement placé dans une institution financière (que l'on appelle souvent « capital »), soit 1 000 $;

2. des intérêts de 5 % sur votre capital, que vous obtiendrez au bout de la première année de votre investissement : $1\ 000 \times 0,05 = 50\ \$$;

3. des intérêts de 5 % sur votre capital, que vous obtiendrez au bout de la deuxième année de votre investissement : $1\ 000 \times 0,05 = 50\ \$$;

4. comme vous n'aurez pas retiré votre argent à la fin de la première année, vous aurez aussi cumulé, à la fin de la deuxième année, des intérêts de 5 % sur les intérêts de 50 $ que vous aurez gagnés et laissés à votre institution financière à la fin de la première année. Ce montant équivaut donc à $50 \times 0,05 = 2,50\ \$$. Il s'agit là d'intérêts composés qui peuvent atteindre des niveaux très élevés lorsque le montant investi est plus élevé et que l'échéance est longue.

La somme de ces quatre composantes est égale au montant total de 1 102,50 $ récupéré à la fin de votre investissement. Ce résultat peut être obtenu à l'aide d'une calculatrice financière.

Le tableau[2] ci-dessous présente les étapes à suivre à l'aide de la calculatrice financière Texas Instruments BA II Plus :

Étape	Action	Affichage
1. Effacer la mémoire	CE/C puis CLR TVM	0
2. Préciser le flux monétaire à l'année 0	1000 +/− puis PV	PV = −1000
3. Inscrire le taux d'intérêt	5 puis I/Y	I/Y = 5
4. Indiquer l'échéance	2 puis N	N = 2
5. Calculer la valeur future	CPT puis FV	FV = 1102.50

Remarquez qu'on peut exécuter les étapes 2 à 4 dans n'importe quel ordre.

Le calcul de la valeur actuelle

Illustrons ce calcul par l'exemple suivant.

Exemple 2.5

À la fin de vos études universitaires, soit dans trois ans, vous prévoyez vous offrir un voyage bien mérité. Vous aimeriez disposer d'un montant de 5 000 $ le moment venu pour partir en voyage. Combien devriez-vous placer aujourd'hui pour réaliser votre rêve si une institution financière vous offre un taux d'intérêt de 6 % ?

▶

---

2. Dans les colonnes « Action » et « Affichage », l'information est écrite dans le format anglais afin de correspondre à celui de la calculatrice.

Supposons que la journée d'aujourd'hui correspond au temps $t = 0$. D'après l'équation 2.5, on a:

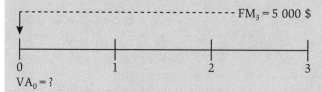

$$\text{VA}_0 = \frac{\text{FM}_3}{(1+r)^3} = \frac{5\,000}{(1+0,06)^3} = 4\,198,10\,\$$$

Pour obtenir ce résultat à l'aide de la calculatrice financière Texas Instruments BA II Plus, suivez les étapes indiquées ci-dessous:

Étape	Action	Affichage
1. Effacer la mémoire	CE/C puis CLR TVM	0
2. Préciser le flux monétaire à l'échéance	5000 puis FV	FV = 5000
3. Inscrire le taux d'intérêt	6 puis I/Y	I/Y = 6
4. Indiquer l'échéance	3 puis N	N = 3
5. Calculer la valeur actuelle	CPT puis PV	PV = 4198.0964

Remarquez qu'on peut exécuter les étapes 2 à 4 dans n'importe quel ordre.

Le calcul de l'échéance

Illustrons ce calcul par l'exemple suivant.

Exemple 2.6

Revenons à l'exemple précédent en supposant que vous ne pouvez placer actuellement que 3000$ dans une institution financière. Combien de temps devrez-vous attendre afin de pouvoir entreprendre votre voyage?

Pour déterminer l'échéance, on résout l'équation 2.4 ou l'équation 2.5 pour la variable T. On suppose que la journée d'aujourd'hui correspond au temps $t = 0$. D'après l'équation 2.4:

$$\text{VF}_T = \text{FM}_0 \times (1+r)^T \Rightarrow T = \frac{\ln\left(\dfrac{\text{VF}_T}{\text{FM}_0}\right)}{\ln(1+r)} = \frac{\ln\left(\dfrac{5\,000}{3\,000}\right)}{\ln(1+0,06)} = 8,77 \text{ années}$$

Ainsi, en raison d'un plus faible capital investi aujourd'hui, vous serez obligé d'attendre 8 années et 9 mois avant de pouvoir amasser le montant de 5000$. Pour obtenir ce résultat à l'aide de la calculatrice financière Texas Instruments BA II Plus, suivez les étapes suivantes:

Étape	Action	Affichage
1. Effacer la mémoire	CE/C puis CLR TVM	0
2. Indiquer le flux monétaire de l'année 0	3000 puis +/− puis PV	PV = −3000
3. Inscrire le taux d'intérêt	6 puis I/Y	I/Y = 6
4. Préciser le flux monétaire à l'échéance	5000 puis FV	FV = 5000
5. Calculer l'échéance	CPT puis N	N = 8.7666

Remarquez qu'on peut exécuter les étapes 2 à 4 dans n'importe quel ordre.

Le calcul du taux d'intérêt

Illustrons ce calcul par l'exemple suivant.

Exemple 2.7

En gardant toujours le même exemple, supposons que vous ne disposez toujours que de 3 000 $ et que vous voulez effectuer votre voyage dans 3 ans. À quel taux d'intérêt devrez-vous placer votre argent aujourd'hui pour obtenir le montant de 5 000 $ nécessaire dans 3 années et réaliser ainsi votre rêve?

Pour déterminer le taux d'intérêt, on résout l'équation 2.4 ou 2.5 pour r. On suppose que la journée d'aujourd'hui correspond au temps $t = 0$. D'après l'équation 2.4:

$$VF_3 = FM_0 \times (1+r)^3 \Rightarrow r = \left(\frac{VF_3}{FM_0} \right)^{\frac{1}{3}} - 1 = \left(\frac{5\,000}{3\,000} \right)^{\frac{1}{3}} - 1$$

$$= 0,1856$$
$$= 18,56\,\% \text{ par année}$$

Pour obtenir ce résultat à l'aide de la calculatrice financière Texas Instruments BA II Plus, suivez les étapes indiquées ci-dessous:

Étape	Action	Affichage
1. Effacer la mémoire	CE/C puis CLR TVM	0
2. Indiquer le flux monétaire de l'année 0	3000 puis +/− puis PV	PV = −3000
3. Préciser le flux monétaire à l'échéance	5000 puis FV	FV = 5000
4. Indiquer l'échéance	3 puis N	N = 3
5. Calculer le taux d'intérêt	CPT puis I/Y	I/Y = 18.56

Remarquez qu'on peut exécuter les étapes 2 à 4 dans n'importe quel ordre.

2.2.3 Plusieurs flux monétaires étalés sur plusieurs périodes: cas général

Étudions maintenant la façon d'actualiser ou de capitaliser non pas un seul, mais plusieurs flux monétaires étalés sur plusieurs périodes. On peut considérer ce cas comme un simple agrégat de flux monétaires. En effet, il suffit de traiter chaque flux monétaire séparément des autres en l'actualisant (ou en le capitalisant) au temps 0 (temps T), puis d'additionner les valeurs actuelles (ou futures) obtenues.

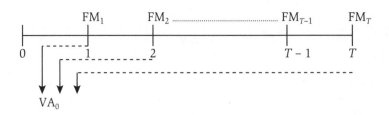

$$VA_0 = \frac{FM_1}{(1+r)} + \frac{FM_2}{(1+r)^2} + \ldots + \frac{FM_{T-1}}{(1+r)^{T-1}} + \frac{FM_T}{(1+r)^T}$$

$$= \sum_{t=1}^{T} \frac{FM_t}{(1+r)^t} \tag{2.6}$$

$$VF_T = FM_1 \times (1+r)^{T-1} + FM_2 \times (1+r)^{T-2} + \ldots + FM_{T-1} \times (1+r) + FM_T$$

$$= \sum_{t=1}^{T} FM_t \times (1+r)^{T-t} \tag{2.7}$$

où

FM_t est le flux monétaire au temps t ;

r est le taux d'intérêt.

L'une des plus importantes applications réelles de cette équation générale est l'évaluation des actifs financiers de l'entreprise. Nous verrons ces applications au chapitre 4.

2.3 Les différents types de taux d'intérêt

Les taux d'intérêt affichés par les institutions financières ou dans les pages financières sont le plus souvent des taux d'intérêt nominaux. Ils peuvent différer des taux que vous allez effectivement payer sur votre emprunt ou recevoir pour votre placement. Cette différence dépend du nombre de fois où les intérêts sont calculés au cours d'une seule période ; c'est ce qu'on appelle « **nombre de capitalisations** ». Jusqu'à maintenant, nous avons supposé que la capitalisation se faisait une fois par période. Par exemple, si les intérêts ne sont calculés et payés (ou reçus) qu'à la fin de l'année, il n'y a pas de différence entre le **taux d'intérêt nominal** et le **taux d'intérêt effectif** annuel. Dans le cas contraire, il ne suffit pas d'observer la valeur du taux d'intérêt pour évaluer ou comparer différents investissements et emprunts. En effet, il est primordial de connaître le nombre de capitalisations relatives à chaque taux. Par exemple, un taux d'intérêt annuel peut être capitalisé deux fois par année. Il s'agit dans ce cas d'un taux annuel nominal à capitalisation semestrielle. Par ailleurs, tous les calculs d'actualisation et de capitalisation que nous avons vus exigent l'utilisation d'un taux effectif. En présence d'un taux nominal, on doit d'abord transformer ce taux en taux d'intérêt effectif afin d'effectuer des calculs.

2.3.1 Le passage d'un taux nominal à un taux effectif

Étudions ce cas dans l'exemple suivant.

Exemple 2.8

Supposons que vous placez aujourd'hui 10 000 $ dans un compte d'épargne. Votre institution financière vous offre un taux d'intérêt annuel de 6 %. Quel sera le solde de votre compte dans deux ans ?

Pour répondre à cette question, il est nécessaire de savoir:
- si le taux de 6% qui est offert est nominal ou effectif;
- si le taux est nominal, le nombre de fois où il sera capitalisé par année.

En effet, le solde de votre compte au bout de deux ans, qui comportera votre capital et les intérêts versés, en dépendra de manière significative. Analysons différents cas possibles de capitalisation du taux annuel de 6%.

Le taux d'intérêt annuel à capitalisation annuelle

Lorsque le taux d'intérêt annuel est capitalisé annuellement, tel que mentionné plus haut, il n'y a pas de différence entre le taux nominal et le taux effectif. Les intérêts étant calculés chaque année, un taux annuel de 6 % peut être considéré comme un taux effectif utilisé directement pour le calcul de la valeur future.

D'après l'équation 2.4, on a:

$$VF_2 = 10\,000 \times (1 + 0,06)^2 = 11\,236\,\$$$

Le taux d'intérêt annuel à capitalisation semestrielle

Lorsque le taux d'intérêt est capitalisé semestriellement, les intérêts sont calculés 2 fois par année à raison de 3 % par semestre (6 %/2). Le taux annuel de 6 % n'est donc plus effectif, puisqu'il est capitalisé plus d'une fois par période correspondante (c'est-à-dire l'année). On ne peut donc l'utiliser directement pour calculer la valeur future. Par contre, le taux semestriel de 3 % est effectif, du moment qu'il est capitalisé une seule fois par période correspondante (c'est-à-dire le semestre).

Pour calculer la valeur future, on a donc le choix d'utiliser le taux effectif semestriel de 3 % et de travailler avec des périodes semestrielles, ou celui de travailler avec des périodes annuelles, mais en prenant soin de calculer d'abord le taux annuel effectif. Dans tous les cas, il faut utiliser un taux effectif. Étudions ces deux possibilités.

L'utilisation du taux semestriel Lorsque le taux est semestriel, une période est égale à un semestre. Le terme de l'investissement (deux ans) porte alors sur quatre périodes et l'axe du temps se présente ainsi:

```
0          1          2          3          4
├──────────┼──────────┼──────────┼──────────┤
FM₀ = 10 000 $                              VF₄ = ?
```

D'après l'équation 2.4, on a:

$$VF_4 = 10\,000 \times (1 + 0,03)^4 = 11\,255,09\,\$$$

L'utilisation du taux annuel Lorsque l'échéance est exprimée en nombre d'années, on doit calculer le taux annuel effectif. Le taux de 6 % est un taux annuel et nominal capitalisé 2 fois par année. En d'autres termes, les intérêts seront calculés tous les six mois, ce qui permet de profiter encore plus des intérêts composés. Plus le nombre de capitalisations par année au taux nominal de 6 % est élevé, plus le montant des intérêts effectivement reçus est élevé (la situation est moins intéressante dans le cas d'un emprunt).

Le taux annuel effectif est donc légèrement supérieur au taux annuel nominal de 6 %, puisqu'il comporte les intérêts composés. Dans le cas actuel, ce taux est égal à $(1 + 6\,\% / 2)^2 - 1 = 6,09\,\%$.

2.3.2 Le passage d'un taux nominal à un taux effectif: cas général

Dans le cas général, on peut passer d'un taux nominal à un taux effectif, et inversement, en utilisant l'équation suivante:

$$R = \left(1 + \frac{r}{m}\right)^m - 1 \qquad (2.8)$$

où

R est le taux d'intérêt périodique (annuel) effectif;

r est le taux d'intérêt périodique (annuel) nominal;

m est le nombre de capitalisations du taux nominal par période (année).

Dans cet exemple, on peut donc travailler avec des périodes annuelles tout en utilisant le taux annuel effectif de 6,09 %. On obtient alors la valeur future du compte d'épargne:

```
0                    1                    2
|--------------------|--------------------|
FM_0 = 10 000 $                         VF_2 = ?
```

D'après l'équation 2.4, on a:

$$VF_2 = 10\,000 \times (1 + 0{,}0609)^2 = 11\,255{,}09\,\$$$

2.3.3 Le taux d'intérêt annuel capitalisé de façon continue

Le taux d'intérêt annuel est capitalisé de façon continue lorsque les intérêts sont calculés chaque jour, chaque heure ou même plus fréquemment. Pour trouver le taux annuel effectif correspondant, il suffit d'utiliser l'équation 2.8 et de trouver la limite de cette équation quand m tend vers l'infini. En utilisant le calcul intégral, on peut montrer que:

$$\lim_{m \to \infty}\left[\left(1 + \frac{r}{m}\right)^m - 1\right] = e^r - 1 \qquad (2.9)$$

Pour un taux d'intérêt annuel de 6 %, le taux annuel effectif est donc égal à ($e^{0{,}06} - 1$). On obtient alors la valeur future du compte d'épargne:

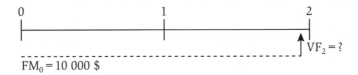

D'après l'équation 2.4, on a:

$$VF_2 = 10\,000 \times [1 + (e^{0{,}06} - 1)]^2 = 10\,000 \times e^{0{,}06 \times 2} = 11\,274{,}97\,\$$$

2.4 Les annuités fixes, les annuités croissantes, les perpétuités et les perpétuités croissantes

En général, lorsque plusieurs flux monétaires sont étalés sur plusieurs périodes, le calcul nécessaire pour actualiser ou capitaliser ces flux peut s'avérer fastidieux. En effet, il y a autant de termes dans les équations 2.6 et 2.7 qu'il y a de flux monétaires. Imaginez, par exemple, le cas d'un emprunt hypothécaire sur 25 ans dont les paiements sont mensuels et dont on veut calculer la valeur actuelle. L'utilisation de l'équation 2.6 nécessite alors l'actualisation de 300 flux monétaires (25 fois 12 mois).

Heureusement, plusieurs situations réelles d'emprunt ou de placement présentent des caractéristiques particulières qui permettent de réduire et, par là même, de simplifier grandement le calcul nécessaire. C'est le cas des **annuités** fixes, des annuités croissantes à taux fixe, des **perpétuités** et des perpétuités croissantes à taux fixe. Ces caractéristiques permettent l'utilisation de certaines manipulations algébriques qui aboutissent à des équations plus faciles à traiter que les équations 2.6 et 2.7. Dans ces manipulations, on recourt au principe de la progression géométrique. Une progression géométrique est une série finie ou infinie de chiffres, chacun d'eux étant obtenu en multipliant le précédent par une même valeur appelée «raison». Ainsi, pour qu'une progression géométrique soit bien définie, il suffit de connaître son premier terme, sa raison ainsi que le nombre de termes qu'elle contient.

Soit la progression géométrique suivante:

$X, Xq, Xq^2, Xq^3, ..., Xq^{n-1}$

Il s'agit là d'une progression géométrique de raison q, avec n termes dont le premier est X. Ainsi, on peut montrer que la somme S de cette progression géométrique est égale à:

$$S = X + Xq + Xq^2 + Xq^3 + ... + Xq^{n-1}$$
$$= X \times \left(\frac{1-q^n}{1-q} \right) \tag{2.10}$$

Vous pouvez consulter l'annexe 2 du chapitre 2, à la page 52, pour voir la démonstration de l'équation 2.10.

Nous allons maintenant utiliser cette caractéristique pour calculer la valeur actuelle ou future de certains flux monétaires particuliers.

2.4.1 Les annuités fixes

Une annuité fixe est une série de flux monétaires constants sur un ensemble fini de périodes, que ces flux soient annuels, semestriels, mensuels ou de toute autre fréquence (par exemple, les pensions de retraite, les remboursements de prêts hypothécaires, les loyers, etc.).

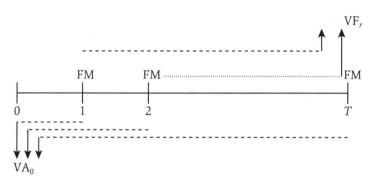

Le terme $\left(\frac{1-(1+r)^{-T}}{r} \right)$ s'appelle «facteur d'actualisation» d'une annuité de 1\$ sur T périodes à un taux r, noté A_r^T. De la même façon, on obtient la valeur future d'une annuité fixe. En effet, selon l'équation 2.7:

$$VF_T = FM + FM \times (1+r) + FM \times (1+r)^2 + ... + FM \times (1+r)^{T-1}$$
$$= FM \sum_{t=1}^{T} (1+r)^{t-1}$$

On remarque que le terme $\sum_{t=1}^{T} \frac{1}{(1+r)^t}$ représente la somme d'une progression géométrique de raison $\frac{1}{(1+r)}$ ayant T termes dont le premier est $\frac{1}{(1+r)}$. En utilisant la propriété de la somme d'une progression géométrique (*voir l'équation 2.10*), on obtient:

$$VA_0 = \frac{FM}{r} \left(1 - \frac{1}{(1+r)^T} \right) = FM \left(\frac{1-(1+r)^{-T}}{r} \right) \tag{2.11}$$

Selon l'équation 2.6, la valeur actuelle de ces flux monétaires est égale à:

$$VA_0 = \frac{FM}{(1+r)} + \frac{FM}{(1+r)^2} + \frac{FM}{(1+r)^3} + ... + \frac{FM}{(1+r)^T} = FM \sum_{t=1}^{T} \frac{1}{(1+r)^t}$$

On remarque que le terme $\displaystyle\sum_{t=1}^{T}(1+r)^{t-1}$ représente la somme d'une progression géométrique de raison $(1 + r)$ ayant T termes dont le premier est 1. En utilisant la propriété de la somme d'une progression géométrique (*voir l'équation 2.10*), on obtient :

$$VF_T = FM\left(\frac{(1+r)^T - 1}{r}\right) \qquad (2.12)$$

Le terme $\left(\dfrac{(1+r)^T - 1}{r}\right)$ s'appelle «facteur de capitalisation» d'une annuité de 1 $ sur T périodes à un taux r, noté S_r^T.

Question de réflexion

Quelles sont la valeur actuelle et la valeur future d'une annuité fixe de 1 000 $ par année sur 4 années à un taux effectif de 8 %?

Réponse : VA = 3 312,13 $ et VF = 4 506,11 $

2.4.2 Les annuités croissantes à un taux constant

Il s'agit, comme dans le cas précédent, d'une série de flux monétaires sur un ensemble fini de périodes, que ces flux soient annuels, semestriels, mensuels ou de toute autre fréquence. Cependant, contrairement à la situation précédente, ces flux ne sont pas constants, mais augmentent à un taux de croissance constant (noté g).

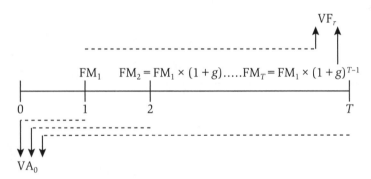

Selon l'équation 2.6, la valeur actuelle de ces flux monétaires est égale à :

$$VA_0 = \frac{FM_1}{(1+r)} + \frac{FM_1 \times (1+g)}{(1+r)^2} + \frac{FM_1 \times (1+g)^2}{(1+r)^3} + \ldots + \frac{FM_1 \times (1+g)^{T-1}}{(1+r)^T}$$

$$= FM_1 \sum_{t=1}^{T} \frac{(1+g)^{t-1}}{(1+r)^t}$$

On remarque que le terme $\displaystyle\sum_{t=1}^{T}\frac{(1+g)^{t-1}}{(1+r)^t}$ représente la somme d'une progression géométrique de raison $\dfrac{(1+g)}{(1+r)}$ ayant T termes dont le premier est $\dfrac{1}{(1+r)}$. En utilisant la propriété de la somme d'une progression géométrique (*voir l'équation 2.10*), on obtient :

$$VA_0 = \frac{FM_1}{r-g}\left[1 - \left(\frac{1+g}{1+r}\right)^T\right] \qquad (2.13)$$

On obtient la valeur future de la même façon. En effet, selon l'équation 2.7 :

$$VF = FM_1 \times (1+g)^{T-1} + FM_1 \times (1+r) \times (1+g)^{T-2} + \ldots + FM_1 \times (1+r)^{T-1}$$

$$= FM_1 \times \sum_{t=1}^{T}(1+g)^{T-t} \times (1+r)^{t-1}$$

En utilisant la propriété de la somme d'une progression géométrique (*voir l'équation 2.10*), on obtient :

$$VF_T = \frac{FM_1(1+g)^T}{r-g}\left[\left(\frac{1+r}{1+g}\right)^T - 1\right] \tag{2.14}$$

Question de réflexion

Quelles sont la valeur actuelle et la valeur future d'une annuité de 1 000 $ qui augmente à un taux de croissance de 2 % par année pendant 4 années si le taux d'intérêt effectif est de 8 % ?

Réponse : VA = 3 406,33 $ et VF = 4 634,28 $

2.4.3 Les perpétuités

Une perpétuité est une série de flux monétaires constants sur un ensemble infini de périodes, que ces flux soient annuels, semestriels, mensuels ou de toute autre fréquence. En d'autres termes, les perpétuités sont des paiements (ou des revenus) périodiques constants et illimités dans le temps (par exemple, la loterie « Gagnant à vie »).

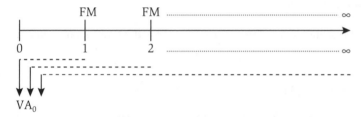

Selon l'équation 2.6, la valeur actuelle de ces flux monétaires est égale à :

$$VA = \frac{FM}{(1+r)} + \frac{FM}{(1+r)^2} + \frac{FM}{(1+r)^3} + \ldots = FM\sum_{t=1}^{\infty}\frac{1}{(1+r)^t}$$

On remarque que le terme $\displaystyle\sum_{t=1}^{\infty}\frac{1}{(1+r)^t}$ représente la somme d'une progression géométrique de raison $\dfrac{1}{(1+r)}$ ayant une infinité de termes, dont le premier est $\dfrac{1}{(1+r)}$. En utilisant le résultat obtenu dans l'équation 2.11 et en faisant tendre T vers l'infini, on obtient :

$$VA = \lim_{T\to\infty}\left[FM\left(\frac{1-(1+r)^{-T}}{r}\right)\right] = \frac{FM}{r} \tag{2.15}$$

Il faut noter que la valeur future d'une perpétuité tend vers l'infini.

Question de réflexion

Quelle est la valeur actuelle d'une perpétuité de 1 000 $ si le taux d'intérêt effectif est de 8 % ?

Réponse : VA = 12 500 $

2.4.4 Les perpétuités croissantes à un taux constant

Comme dans le cas précédent, il s'agit d'une série de flux monétaires sur un ensemble infini de périodes, que ces flux soient annuels, semestriels, mensuels ou de toute autre fréquence. Cependant, contrairement à la situation précédente, ces flux ne sont pas constants, mais augmentent à un taux de croissance constant (noté g).

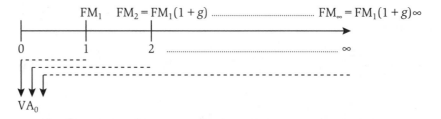

VA$_0$

Selon l'équation 2.6, la valeur actuelle de ces flux monétaires est égale à :

$$VA = \frac{FM_1}{(1+r)} + \frac{FM_1(1+g)}{(1+r)^2} + \frac{FM_1(1+g)^2}{(1+r)^3} + \ldots = FM_1 \sum_{t=1}^{\infty} \frac{(1+g)^{t-1}}{(1+r)^t}$$

On remarque que le terme $\sum_{t=1}^{\infty} \frac{(1+g)^{t-1}}{(1+r)^t}$ représente la somme d'une progression géométrique de raison $\frac{(1+g)}{(1+r)}$ ayant une infinité de termes, dont le premier est $\frac{1}{(1+r)}$.

En utilisant le résultat obtenu à l'équation 2.13 et en faisant tendre T vers l'infini, on obtient :

$$VA_0 = \lim_{T \to \infty} \frac{FM_1}{r-g} \left[1 - \left(\frac{1+g}{1+r} \right)^T \right] = \frac{FM_1}{r-g} \qquad (2.16)$$

Remarque : Le taux de croissance g doit être inférieur au taux d'intérêt r, sans quoi la somme des flux monétaires tend rapidement vers l'infini.

Question de réflexion

Quelle est la valeur actuelle d'une perpétuité de 1 000 $ qui augmente à un taux de 2 % si le taux d'intérêt effectif est de 10 % ?

Réponse : VA = 12 500 $

2.5 Les cas particuliers

Les équations étudiées dans le présent chapitre sont les équations de base de tout calcul d'actualisation ou de capitalisation. Ces équations représentent les cas généraux de flux monétaires les plus fréquemment rencontrés dans le domaine de la finance. Nous verrons d'ailleurs, au chapitre 4, des applications de ces équations aux problèmes d'évaluation des actifs financiers des entreprises.

Cependant, dans la réalité, certains flux monétaires peuvent présenter des caractéristiques particulières qui font en sorte que l'on ne peut appliquer directement aucune des équations décrites précédemment. Il serait fastidieux de développer, et encore plus d'apprendre, une équation pour chacun de ces cas. Néanmoins, nous avons maintenant tous les outils nécessaires pour résoudre n'importe quel cas particulier. Il suffit de bien maîtriser ces outils et de connaître les différentes possibilités qu'ils offrent afin de pouvoir les adapter à des problèmes précis. Ainsi, si on a bien compris la logique intrinsèque à toutes ces équations, on doit pouvoir les adapter pour résoudre les problèmes suivants :

- la combinaison de l'annuité, de l'annuité croissante et de la perpétuité ;

- le taux d'intérêt qui varie durant les périodes ;

- les flux monétaires décalés dans le temps ;

- les flux monétaires qui commencent au temps $t = 0$, comme les annuités de début de période.

Analysons, par exemple, le cas des flux monétaires de début de période. Il est important de noter que toutes les équations précédentes supposent que la série de flux monétaires commence au temps $t = 1$. Or, dans certains cas, ces flux commencent au temps 0. C'est ce que nous appelons «flux de début de période».

2.5.1 Les annuités fixes de début de période

Ce cas se traduit par le graphique suivant :

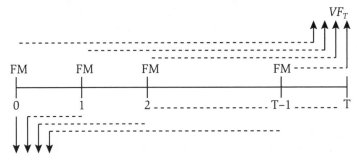

Ce cas d'annuité de début de période, qui commence à l'année 0, est en réalité équivalent à un cas d'annuité de fin de période qui commencerait à l'année −1. Ainsi l'application de l'équation 2.11 donnera la valeur actuelle de cette série de flux monétaires à l'année −1 et l'application de l'équation 2.12 donnera la valeur future de cette série de flux monétaires à l'année T−1. Il ne restera plus qu'à ajuster ces deux équations pour trouver leur équivalent à l'année 0 et à l'année T. D'où :

$$VA_0 = FM\left(\frac{1-(1+r)^{-T}}{r}\right) \times (1+r) \tag{2.17}$$

et

$$VF_T = FM\left(\frac{(1+r)^T - 1}{r}\right) \times (1+r) \tag{2.18}$$

── Question de réflexion ──

Quelles sont la valeur actuelle et la valeur future d'une annuité fixe de début de période de 1 000 \$ par année sur 4 années à un taux effectif de 8 % ?

Réponse : VA = 3 577,10 \$ et VF = 4 866,60 \$

Le même principe s'applique aux annuités croissantes et aux perpétuités. Des exercices d'application des autres cas particuliers sont proposés à la fin du présent chapitre. Plusieurs exemples réels seront présentés au chapitre 4.

Pour obtenir ce résultat à l'aide de la calculatrice financière Texas Instruments BA II Plus, suivez les étapes indiquées ci-dessous :

Étape	Action	Affichage
1. Effacer la mémoire	CE/C puis CLR TVM	0
2. Activer le mode début de période	2ND puis BGN puis 2ND puis SET	BGN
3. Inscrire le nombre de versements par année	2ND puis P/Y puis 1 puis ENTER	BGN
4. Préciser le flux monétaire annuel	1000 puis +/− puis PMT	FV = 1000
5. Inscrire le taux d'intérêt	8 puis I/Y	I/Y = 8
6. Indiquer l'échéance	4 puis N	N = 4
7. Calculer la valeur future	CPT puis FV	FV = 4866.6

2.6 Une application : les prêts hypothécaires

Les prêts hypothécaires représentent un type d'emprunt particulier, de longue durée, en général supérieure à 10 ans, et dont le remboursement se fait par des paiements constants jusqu'à l'échéance. Ces paiements sont le plus souvent mensuels ou bimensuels. Bien qu'ils soient fixes, leur composition en intérêts et en capital varie d'une période à l'autre. Les premiers paiements sont composés en grande partie d'intérêts. Au fur et à mesure qu'on avance vers l'échéance, la part des intérêts diminue au profit du remboursement du capital, et ce, toujours pour un même montant total remboursé jusqu'à l'amortissement total de l'emprunt. Illustrons cela par un exemple.

Exemple 2.9

Supposons que vous venez de signer un emprunt hypothécaire d'un montant de 250 000 $, remboursable mensuellement sur 25 ans, pour l'achat d'une maison à Ottawa. Votre institution financière vous a offert un taux de 6 % à capitalisation mensuelle.

Le taux mensuel effectif est donc de 6 %/12 = 0,5 %.

En utilisant le chiffrier de Microsoft Excel, vous pourrez produire les différents tableaux d'amortissement de l'emprunt hypothécaire. Vous pourrez d'abord dresser le tableau suivant des paiements durant les 12 premiers mois :

Année	Mois	Solde au début de la période (en dollars)	Paiement* (en dollars)	Principal (en dollars)	Intérêts (en dollars)	Principal cumulé (en dollars)	Intérêts cumulés (en dollars)	Solde à la fin de la période (en dollars)
2013	Janv.	250 000,00	1 610,75	360,75	1 250,00	360,75	1 250,00	249 639,25
	Févr.	249 639,25	1 610,75	362,55	1 248,20	723,30	2 498,20	249 276,70
	Mars	249 276,70	1 610,75	364,37	1 246,38	1 087,67	3 744,58	248 912,33
	Avr.	248 912,33	1 610,75	366,19	1 244,56	1 453,86	4 989,14	248 546,14
	Mai	248 546,14	1 610,75	368,02	1 242,73	1 821,88	6 231,87	248 178,12
	Juin	248 178,12	1 610,75	369,86	1 240,89	2 191,74	7 472,76	247 808,26
	Juill.	247 808,26	1 610,75	371,71	1 239,04	2 563,45	8 711,80	247 436,55
	Août	247 436,55	1 610,75	373,57	1 237,18	2 937,02	9 948,98	247 062,98
	Sept.	247 062,98	1 610,75	375,44	1 235,31	3 312,46	11 184,29	246 687,54
	Oct.	246 687,54	1 610,75	377,31	1 233,44	3 689,77	12 417,73	246 310,23
	Nov.	246 310,23	1 610,75	379,20	1 231,55	4 068,97	13 649,28	245 931,03
	Déc.	245 931,03	1 610,75	381,09	1 229,66	4 450,06	14 878,94	245 549,94

* Le montant du remboursement mensuel est égal à x tel que :

$$x\left(\frac{1-(1+0,005)^{-300}}{0,005}\right) = 250\,000 \implies x = 1\,610,75\,\$$$

La première mensualité de 1 610,75 $ sera ainsi composée :
- des intérêts : 250 000 × 0,5 % = 1 250 $;
- du capital : 1 610,75 − 1 250 = 360,75 $.

À la fin du premier mois, le capital non encore remboursé sera donc de :

250 000 $ − 360,75 $ = 249 639,25 $.

Par conséquent, la deuxième mensualité de 1 610,75 $ sera composée :
- des intérêts : 249 639,25 × 0,5 % = 1 248,19 $;
- du capital : 1 610,75 − 1 248,19 = 362,56 $.

Vous pourrez ensuite composer l'échéancier détaillé des paiements annuels comme suit:

Année	Solde au début de la période (en dollars)	Paiement (en dollars)	Principal (en dollars)	Intérêts (en dollars)	Principal cumulé (en dollars)	Intérêts cumulés (en dollars)	Solde à la fin de la période (en dollars)
2014	245 549,94	19 329,00	4 725,13	14 603,87	9 175,19	29 482,81	240 824,81
2015	240 824,81	19 329,00	5 015,96	14 313,04	14 191,15	43 795,85	235 808,85
2016	235 808,85	19 329,00	5 325,33	14 003,67	19 516,48	57 799,52	230 483,52
2017	230 483,52	19 329,00	5 653,79	13 675,21	25 170,27	71 474,73	224 829,73
2018	224 829,73	19 329,00	6 002,50	13 326,50	31 172,77	84 801,23	218 827,23
2019	218 827,23	19 329,00	6 372,72	12 956,28	37 545,50	97 757,50	212 454,50
2020	212 454,50	19 329,00	6 765,78	12 563,22	44 311,27	110 320,73	205 688,73
2021	205 688,73	19 329,00	7 183,08	12 145,92	51 494,35	122 466,65	198 505,65
2022	198 505,65	19 329,00	7 626,11	11 702,89	59 120,46	134 169,54	190 879,54
2023	190 879,54	19 329,00	8 096,47	11 232,53	67 216,94	145 402,06	182 783,06
2024	182 783,06	19 329,00	8 595,85	10 733,15	75 812,79	156 135,21	174 187,21
2025	174 187,21	19 329,00	9 126,02	10 202,98	84 938,81	166 338,19	165 061,19
2026	165 061,19	19 329,00	9 688,89	9 640,11	94 627,70	175 978,30	155 372,30
2027	155 372,30	19 329,00	10 286,48	9 042,52	104 914,19	185 020,81	145 085,81
2028	145 085,81	19 329,00	10 920,93	8 408,07	115 835,12	193 428,88	134 164,88
2029	134 164,88	19 329,00	11 594,51	7 734,49	127 429,63	201 163,37	122 570,37
2030	122 570,37	19 329,00	12 309,63	7 019,37	139 739,26	208 182,74	110 260,74
2031	110 260,74	19 329,00	13 068,87	6 260,13	152 808,13	214 442,87	97 191,87
2032	97 191,87	19 329,00	13 874,93	5 454,07	166 683,05	219 896,95	83 316,95
2033	83 316,95	19 329,00	14 730,70	4 598,30	181 413,75	224 495,25	68 586,25
2034	68 586,25	19 329,00	15 639,26	3 689,74	197 053,01	228 184,99	52 946,99
2035	52 946,99	19 329,00	16 603,85	2 725,15	213 656,86	230 910,14	36 343,14
2036	36 343,14	19 329,00	17 627,94	1 701,06	231 284,81	232 611,19	18 715,19
2037	18 715,19	19 329,00	18 715,19	613,81	250 000,00	233 225,00	0,00

Vous serez ainsi en mesure d'obtenir les résultats suivants:

	(en dollars)
Paiement annuel	19 329,00
Paiement mensuel	1 610,75
Intérêts de la première année	14 878,94
Intérêts sur toute la durée de l'emprunt	233 225,00
Total des paiements	483 225,00

L'une des plus importantes décisions stratégiques que les gestionnaires financiers sont appelés à prendre est l'évaluation de l'entreprise. Qu'il s'agisse d'évaluer leur propre entreprise, particulièrement lorsque celle-ci subit une tentative de prise de contrôle, ou une autre entreprise que les gestionnaires aimeraient bien acquérir, le processus d'évaluation est en réalité long et complexe, nécessitant que plusieurs spécialistes (financiers, comptables, juristes, fiscalistes, etc.) conjuguent leurs efforts.

Le principe de base inhérent à cette évaluation est cependant simple. Une entreprise représente pour ses actionnaires une source de revenus futurs, qu'ils recevront éventuellement sous forme de dividendes. Ces dividendes proviendront des bénéfices futurs que l'entreprise sera capable de générer à partir de ses activités.

Par conséquent, pour qu'ils acceptent de se départir de leur entreprise aujourd'hui, les actionnaires vont exiger de se faire payer au moins l'équivalent en dollars d'aujourd'hui des revenus futurs auxquels ils vont renoncer. Il s'agit donc de calculer une valeur actuelle de ces revenus futurs, tel que nous avons appris à le faire jusqu'à présent. Cette valeur actuelle sera ainsi la meilleure estimation de la valeur de l'entreprise aujourd'hui.

Si le calcul d'actualisation en lui-même n'a plus de secret pour nous, toute la difficulté réside dans l'estimation de ces revenus futurs, qui, au surplus, sont perpétuels.

Dans la rubrique Portrait d'entreprise « Bell Canada », présentée à la fin du présent chapitre, vous aurez l'occasion de vous familiariser avec ce processus d'évaluation.

CONCLUSION

La valeur temporelle de l'argent est une notion aussi simple que fondamentale en finance. Tout le monde sait, ne serait-ce que de façon intuitive, que recevoir un dollar dans un an n'a pas la même valeur que de recevoir un dollar aujourd'hui. Cela peut s'expliquer par l'inflation anticipée dans un an, par le risque associé au dollar prévu dans un an ou par simple préférence pour le dollar d'aujourd'hui. Par conséquent, en présence de deux montants d'argent à payer ou à recevoir à deux dates différentes, la comparaison directe de ces deux montants n'est pas possible.

Dans le présent chapitre, nous avons décrit les techniques qui permettent d'effectuer ce genre de comparaison. Le calcul de base inhérent à ces techniques consiste à multiplier les montants d'argent que l'on veut projeter dans une période par un plus le taux d'intérêt et à diviser les montants d'argent futurs dont on veut trouver la valeur aujourd'hui par un plus le taux d'intérêt. Au-delà de ce calcul de base, des cas plus complexes se présentent dans la réalité. En particulier, nous avons vu comment trouver la valeur actuelle et la valeur future d'une annuité fixe, d'une annuité qui augmente à un taux fixe, d'une perpétuité et d'une perpétuité qui augmente à un taux fixe. Ces équations nous seront d'une grande utilité pour l'évaluation de nouveaux projets d'investissement (chapitre 3), l'estimation de la valeur des actifs financiers dans lesquels nous voulons investir (chapitre 4), le choix du mode de financement optimal pour l'entreprise (chapitre 7), ainsi que pour la prise de nombreuses autres décisions de gestion.

À RETENIR

1. L'argent n'a pas la même valeur dans le temps.

2. Les techniques d'actualisation et de capitalisation permettent de comparer des sommes d'argent payées ou reçues à des dates différentes.

3. La capitalisation permet d'évaluer des montants d'argent d'aujourd'hui à l'avenir.

4. L'actualisation permet de ramener des flux monétaires futurs à des sommes d'argent d'aujourd'hui.

5. Les taux d'intérêt nominaux sont différents des taux d'intérêt effectifs.

6. On ne peut comparer que des taux d'intérêt effectifs.

7. Pour transformer un taux d'intérêt nominal en un taux d'intérêt effectif, il faut connaître le nombre de capitalisations du premier.

8. Une annuité fixe est une série de flux monétaires constants sur un ensemble fini de périodes, que ces flux soient annuels, semestriels, mensuels ou de toute autre fréquence.

9. Une perpétuité est une série de flux monétaires constants sur un ensemble infini de périodes, que ces flux soient annuels, semestriels, mensuels ou de toute autre fréquence.

10. Bien que les paiements hypothécaires soient le plus souvent fixes, leur composition en intérêts et en capital varie d'une période à l'autre. Les premiers paiements sont composés en grande partie d'intérêts. Au fur et à mesure que l'on va vers l'échéance, la part des intérêts diminue au profit du remboursement du capital.

TERMES-CLÉS

SOMMAIRE DES ÉQUATIONS

Un montant fixe sur une seule période

Valeur future

$$\text{VF}_{t+1} = \text{FM}_t \times (1+r) \tag{2.1}$$

Valeur actuelle

$$\text{VA}_t = \frac{\text{FM}_{t+1}}{(1+r)} \tag{2.2}$$

Valeur actuelle nette

$$\text{VAN} = -I_0 + \frac{\text{FM}_1}{(1+r)} \tag{2.3}$$

Un montant fixe sur plusieurs périodes

Valeur future

$$\text{VF}_{t+T} = \text{FM}_t \times (1+r)^T \tag{2.4}$$

Valeur actuelle

$$\text{VA}_t = \frac{\text{FM}_{t+T}}{(1+r)^T} \tag{2.5}$$

Les flux monétaires variables sur plusieurs périodes

Valeur actuelle

$$\text{VA}_0 = \sum_{t=1}^{T} \frac{\text{FM}_t}{(1+r)^t} \tag{2.6}$$

Valeur future

$$\text{VF}_T = \sum_{t=1}^{T} \text{FM}_t \times (1+r)^{t-1} \tag{2.7}$$

Le passage d'un taux nominal à un taux effectif

$$R = \left(1 + \frac{r}{m}\right)^m - 1 \tag{2.8}$$

Taux d'intérêt annuel capitalisé de façon continue

$$\lim_{m \to \infty} \left[\left(1 + \frac{r}{m}\right)^m - 1 \right] = e^r - 1 \tag{2.9}$$

Les annuités et les perpétuités

Progression géométrique

$$S = X \times \left(\frac{1 - q^n}{1 - q} \right) \tag{2.10}$$

Les annuités fixes

Valeur actuelle

$$\mathrm{VA}_0 = \frac{\mathrm{FM}}{r}\left(1 - \frac{1}{(1+r)^T} \right) = \mathrm{FM}\left(\frac{1 - (1+r)^{-T}}{r} \right) \tag{2.11}$$

Valeur future

$$\mathrm{VF}_T = \mathrm{FM}\left(\frac{(1+r)^T - 1}{r} \right) \tag{2.12}$$

Les annuités croissantes à taux fixe

Valeur actuelle

$$\mathrm{VA}_0 = \frac{\mathrm{FM}_1}{r - g}\left[1 - \left(\frac{1+g}{1+r} \right)^T \right] \tag{2.13}$$

Valeur future

$$\mathrm{VF}_T = \frac{\mathrm{FM}_1(1+g)^T}{r - g}\left[\left(\frac{1+r}{1+g} \right)^T - 1 \right] \tag{2.14}$$

Les perpétuités

Valeur actuelle

$$\mathrm{VA} = \lim_{T \to \infty}\left[\mathrm{FM}\left(\frac{1 - (1+r)^{-T}}{r} \right) \right] = \frac{\mathrm{FM}}{r} \tag{2.15}$$

Les perpétuités croissantes à taux fixe

Valeur actuelle

$$\mathrm{VA}_0 = \lim_{T \to \infty} \frac{\mathrm{FM}_1}{r - g}\left[1 - \left(\frac{1+g}{1+r} \right)^T \right] = \frac{\mathrm{FM}_1}{r - g} \tag{2.16}$$

Les périodicités fixes de début de période

Valeur actuelle

$$\mathrm{VA}_0 = \mathrm{FM}\left(\frac{1 - (1+r)^{-T}}{T} \right) \times (1+r) \tag{2.17}$$

Valeur future

$$\mathrm{VF}_T = \mathrm{FM}\left(\frac{(1+r)^T - 1}{r} \right) \times (1+r) \tag{2.18}$$

PORTRAIT D'ENTREPRISE

Bell Canada[2]

En lisant le journal en ce matin du 29 mars 2007, Michael J. Sabia, président et chef de la direction de l'entreprise BCE inc. (Bell Canada) (NYSE/Toronto : BCE), ne pouvait s'empêcher de sentir la pression monter d'un cran. Il y avait déjà plusieurs semaines

---

2. Extrait de Chkir, I. et K. Lajili. (2012). «Privatisation de BCE inc.: Mythe ou réalité?», cas de finance, École de gestion Telfer, Université d'Ottawa, Jeux du commerce 2011.

que des rumeurs couraient sur une éventuelle tentative de prise de contrôle de son entreprise par une entreprise d'investissement privée. Mais voilà qu'en ce jour, un journal spécialisé de la place divulguait encore plus de détails en affirmant que les pourparlers étaient assez avancés entre Bell Canada et l'entreprise new-yorkaise Kohlberg Kravis Roberts & Co. en vue de la réalisation de ce rachat privé.

Les rumeurs des dernières semaines avaient suffi pour que le prix de l'action de Bell Canada monte à 29,15 $ l'action 2 jours auparavant, frôlant le sommet de 30,02 $ des 52 dernières semaines. Monsieur Sabia savait pertinemment qu'un autre démenti officiel n'aurait pas l'effet escompté et ne ferait que confirmer les rumeurs. En effet, il y a quelques jours, l'attaché de presse de Bell Canada avait nié l'existence de discussions en vue du rachat de l'entreprise, mais cela n'avait que légèrement freiné l'augmentation du prix des actions de BCE avant qu'il ne reprenne son ascension. Il fallait donc prendre des décisions le plus vite possible.

L'offre sujette aux rumeurs existe bel et bien. Elle se situe autour de 30 milliards de dollars, soit 20 % de plus que la capitalisation boursière de Bell Canada, évaluée à 24 milliards de dollars. Mais les questions auxquelles Michael Sabia doit répondre sont multiples. Faut-il approuver et recommander cette offre aux membres du conseil d'administration et aux actionnaires de Bell Canada par la suite ? Et qu'en est-il du mode de paiement proposé ? Faut-il plutôt attendre que les autres organisations qui ont manifesté leur intérêt concrétisent leur offre ? Et quelle sera la position des autorités étant donné la réglementation canadienne du secteur des télécommunications, qui n'autorise pas une entreprise étrangère à détenir la majorité des parts de Bell Canada ? Autant de questions dont les réponses doivent figurer dans le rapport final et officiel tant attendu de monsieur Sabia. Mais la plus importante et la plus pressante des questions est : la valeur de cette offre est-elle vraiment intéressante étant donné la situation financière actuelle de Bell et ses perspectives futures ?

BCE inc. et le marché canadien des télécommunications

BCE inc., dont les revenus ont dépassé les 17 milliards de dollars en 2006, est la plus ancienne et la plus grande entreprise de communications du Canada. Elle offre un large éventail de services de communication (sur fil, voix et sans-fil) à une clientèle résidentielle, d'affaires et de gros. En 2006, les produits d'exploitation de BCE inc. étaient répartis comme suit : 30 % en produits et services locaux et d'accès, 24 % en services de données, 20 % en services sans fil, 10 % en services interurbains, 9 % en ventes d'équipements terminaux et divers et 7 % en services vidéo. En 2005 et en 2006, BCE inc. a perdu des parts de marché au profit de la concurrence pour ce qui est de ses services locaux et d'accès, ses services interurbains et ses ventes d'équipements terminaux et divers, dont les revenus ont baissé respectivement de 4,6 %, 12,5 % et 3,7 %. Les produits d'exploitation des services vidéo et sans fil ont pour leur part augmenté respectivement de 17,8 % et de 13,2 %. Les services de données ont, quant à eux, enregistré une croissance des revenus plus faible, soit 2,6 %.

En 2006, les produits d'exploitation de BCE inc. provenaient à 40 % des services résidentiels, à 33 % des services aux entreprises, à 17 % de Bell Aliant, à 8 % du secteur Autres activités de Bell Canada et à 2 % du secteur Autres activités de BCE (*Rapport annuel 2006*). BCE était donc une grande entreprise de télécommunications bien diversifiée, contrairement à nombre de ses pendants canadiens ou américains.

En réponse aux changements frénétiques touchant la technologie, la concurrence et la réglementation ainsi qu'aux exigences croissantes des consommateurs, le géant des télécommunications a procédé à une restructuration de ses activités qui a entraîné la création d'une société de portefeuille au printemps de 1983. BCE inc. est alors devenue la société mère de Bell Canada, de Bell Aliant et d'autres secteurs d'activité de Bell Canada, notamment les activités de gros, qui fournissent des services d'accès et de réseau à d'autres entreprises de revente ou de télécommunications qui offrent des services téléphoniques locaux, interurbains, sans fil, Internet ou de données ou encore d'autres services de télécommunications (par exemple, Northwestel).

La gamme des produits et des services de BCE inc. comprend les services de téléphonie locale, l'accès sur fil et les interurbains, les abonnements aux services de données, à Internet haute vitesse, aux services sans fil et vidéo [...]. Au cours de l'année 2006 et au début de 2007, le marché canadien des télécommunications s'est rapidement transformé à la suite des changements qui se sont opérés dans d'autres régions du monde ainsi que de la pénétration massive d'Internet et du sans fil à l'échelle mondiale. Le service traditionnel de téléphonie sur fil a enregistré l'une des pires chutes au chapitre du nombre d'abonnés et l'industrie dans son ensemble a continué d'être caractérisée par une augmentation phénoménale du nombre d'abonnés au sans fil. Les services sans fil, ceux de données interactives, de vidéo et d'Internet ont permis aux grandes entreprises de télécommunications d'accroître leur marge bénéficiaire.

Au Canada, l'industrie des télécommunications reste entre les mains d'un petit nombre d'acteurs importants tels que Telus Corp., Rogers Communications inc., Shaw Communications inc. et Manitoba Telecommunications Services inc. Elle est fortement réglementée par des organismes fédéraux, notamment le Conseil de la radiodiffusion et des télécommunications canadiennes (CRTC), qui régit les prix, la tarification et l'accès aux installations comme les réseaux de télécommunication et tente de maintenir un équilibre entre, d'une part, les demandes de la concurrence concernant un accès plus étendu aux éléments de l'infrastructure réseau et, d'autre part, le droit des grandes sociétés telles que BCE et Telus de rivaliser, à armes égales et librement, avec les nouveaux venus sur le marché et les concurrents en déterminant le coût de l'accès aux installations et aux réseaux.

Telus et Rogers comptent parmi les concurrents les plus directs et les plus féroces de Bell Canada et de Bell Aliant (des filiales de BCE). Bien que Rogers évolue principalement dans les services sans fil et de câblodistribution, elle est bien positionnée pour s'emparer de parts de marché au détriment de BCE et de Telus, ce qui s'est d'ailleurs produit lorsque les consommateurs ont quitté massivement les services sur fil pour les services sans fil et Internet, encouragés en cela par la décision du CRTC qui leur permettait de conserver leur numéro de téléphone d'un service sur fil lorsqu'ils décidaient de changer pour un service sans fil.

À l'automne 2006, l'industrie des télécommunications du Canada a restructuré ses activités en vue d'améliorer le rendement pour les actionnaires et de faire face plus efficacement aux pressions de la concurrence étrangère et de la réglementation. Telus Corp., par exemple, a annoncé un plan de restructuration qui prévoyait la possibilité de créer une fiducie de revenu dont la capitalisation boursière était estimée à 20 milliards de dollars canadiens. Par l'entremise de la fiducie de revenu, Telus avait l'intention de consolider ses actions en une seule catégorie d'unités. Au préalable, elle devait cependant obtenir l'approbation des deux tiers de ses actionnaires pour effectuer cette conversion. La direction de Telus s'était «inspirée» de BCE inc., qui avait créé, la même année, le fonds de revenu Communications régionales de Bell Aliant. Elle prévoyait qu'un changement semblable recevrait l'approbation de ses actionnaires, puisque l'opération menée par BCE s'était avérée extrêmement profitable, surtout pour les affaires liées au sans fil, qui se montraient des plus dynamiques. Elle transférerait ainsi certains de ses profits à ses actionnaires pour diminuer sa charge d'imposition. Une fiducie de revenu autorise une société à verser régulièrement des distributions aux porteurs de parts avant impôts; ces derniers sont alors imposables, plutôt que la société. Les plans de Telus concernant la création d'une fiducie de revenu ont été abandonnés par suite de la décision du ministre des Finances, statuant que les fiducies de revenu seraient imposables au taux des sociétés à partir du mois de novembre de la même année.

Les principaux concurrents de Bell Canada

BCE inc. affronte une concurrence grandissante provenant non seulement de ses concurrents traditionnels (sociétés de téléphonie), mais également de nouveaux acteurs non traditionnels tels que les entreprises de câblodistribution et les sociétés de radiodiffusion. L'évolution rapide et marquée du secteur des télécommunications en Amérique du Nord et dans le monde entier résultant de la pénétration accélérée de l'ordinateur personnel, d'Internet, des technologies de voix sur IP (VoIP), de la télévision par IP et d'autres services des secteurs de l'information et des communications a estompé les frontières entre les fabricants d'appareils de télécommunications, de produits sans fil et de téléphones, les sociétés de radiodiffusion et les géants de la téléphonie. La compétitivité de BCE inc. a diminué dans son propre créneau parce que son réseau et ses systèmes traditionnels sur fil menaçaient de devenir rapidement obsolètes et que la charge financière nécessaire pour maintenir en activité ses réseaux et ses équipements s'était alourdie. La décision du CRTC de confirmer sa décision de mai 2005 concernant la réglementation de la tarification des services VoIP n'a pas été favorable à BCE ni à Telus (son principal concurrent), qui n'ont pu utiliser leur pouvoir de fixation des prix dans l'établissement de leurs offres de produits et de services, au détriment de leurs nouveaux rivaux. Plus tard et au printemps 2007, la déréglementation de l'industrie de la téléphonie locale au Canada était bien avancée. Le ministre de l'Industrie a modifié les changements aux propositions finales du CRTC pour accélérer la déréglementation de la tarification et de la structure de la concurrence au Canada, louant les avantages que les consommateurs retireraient d'une concurrence accrue, d'une augmentation de la place accordée au libre jeu des forces du marché ainsi que des initiatives innovantes de l'industrie des télécommunications.

La situation financière de Bell Canada

Forte de ses 55 000 employés et d'une capitalisation boursière de 20 milliards de dollars, Bell est le géant des télécommunications au Canada. Elle est aussi l'une des rares entreprises à structure de propriété diffuse au pays. En effet, avec une part de seulement 6,3 % d'actions, le Régime de retraite des enseignantes et des enseignants de l'Ontario (RREO) est le plus grand actionnaire de Bell.

Au cours de l'année 2007, cet actionnaire majoritaire n'a pas caché son insatisfaction à l'égard de la performance boursière des actions de Bell, qu'il a largement attribuée à la qualité de la gestion de l'entreprise. En effet, depuis le sommet de 45 $ atteint en 2001, le prix de l'action de BCE a chuté en 2002 pour continuer à fluctuer entre 25 $ et 35 $ durant les 5 années suivant 2007 et jusqu'au lancement des dernières rumeurs, sans vouloir vraiment redécoller.

Pourtant, les actions de Bell ont souvent été classées comme des *Strong Buys* par les courtiers en valeurs mobilières. Avec un bêta oscillant entre 0,3 et 0,5, ces actions ont toujours eu la réputation d'un investissement sûr à long terme présentant une bonne stabilité de revenus pour les actionnaires. L'annexe A présente les principaux indicateurs financiers et comptables de Bell Canada au 31 décembre des années 2004, 2005 et 2006 ainsi que quelques prévisions.

Les perspectives de Bell Canada

Par la place qu'elle occupe dans l'économie canadienne en général et dans le marché boursier en particulier, Bell Canada a toujours été suivie par des analystes financiers ainsi que par les firmes de conseil et de consultation. Ainsi, plusieurs sondages effectués au cours des deux dernières années suggèrent que l'entreprise ne jouit pas auprès de ses consommateurs de la même réputation qu'auprès de ses actionnaires.

À ce titre, Lemay-Yates Associates inc. (LYA), entreprise de consultation en gestion spécialisée dans le secteur des télécommunications, recommande que Bell Canada améliore la perception des consommateurs à son égard en mettant l'accent sur une stratégie d'innovation plus audacieuse. Que le processus de prise de contrôle aboutisse ou non, Bell devra réagir si elle veut demeurer dominante dans son secteur au cours des 5 à 10 années à venir, rapporte LYA. Et cette réaction doit inévitablement comporter deux axes:

1. une spécialisation dans les créneaux les plus porteurs à l'avenir, quitte à se départir de certains de ses actifs. Bell ne peut plus se contenter de ses services de téléphonie résidentielle et de télévision par câble: l'avenir de la télécommunication semble de plus en plus passer par le sans-fil, la fibre optique ainsi que la téléphonie et la télévision par IP;

2. une diversification géographique par l'intermédiaire d'une stratégie d'internationalisation bien réfléchie. C'est une honte, rapporte LYA, que ce géant de la télécommunication canadien n'ait presque pas d'activités à l'étranger. Il ne doit plus se contenter de la réglementation du secteur au Canada, qui l'a longtemps protégé des prises de contrôle par des intérêts étrangers, mais être plus audacieux en s'attaquant lui-même à l'étranger. D'ailleurs, selon LYA, les opérations de Bell au Canada offrent très peu de potentiel de croissance significative.

Les caractéristiques de l'offre

La première offre d'achat émanait de l'entreprise new-yorkaise Kohlberg Kravis Roberts & Co, qui, consciente des barrières réglementaires empêchant toute société étrangère de détenir plus de 47 % d'une entreprise canadienne dans le secteur des télécommunications, avait décidé de s'allier à la Caisse du régime de pensions du Canada (CRPC). Cette offre se chiffrait à environ 30 milliards de dollars, payables en argent comptant. Depuis, plusieurs autres organismes et régimes de retraite ont manifesté leur intérêt. Ceberus Capital Management (CCM), une autre firme d'investissement privé new-yorkaise, propose, avec des partenaires canadiens, une offre partielle selon un mode de paiement plus complexe. Les rumeurs veulent que la société Telus Corp. soit aussi intéressée.

Cependant, un mois plus tard, l'offre la plus intéressante semble celle émanant du RREO, en partenariat avec la multinationale new-yorkaise Providence Equity Partners (PEP), l'une des plus grandes entreprises d'investissement privé du monde à être spécialisées dans les communications. L'offre est d'une valeur nette de 34,8 milliards de dollars, en plus d'un rachat de dettes de 16,9 milliards de dollars, pour un total de 51,7 milliards de dollars.

Si cette offre était acceptée telle quelle, le RREO et PEP paieraient en argent comptant 42,75 $ l'action, ce qui représenterait un gain en capital d'à peu près 40 % en moyenne par rapport au prix de l'action de Bell avant que les rumeurs des pourparlers ne soient divulguées. En cas de réussite, cette prise de contrôle serait la plus importante que le Canada n'ait jamais connue. En conséquence, le RREO verrait la part de ses actions dans Bell passer de 6,3 % à 52 %, alors que son partenaire américain détiendrait 32 % des titres de la société ; le reste des actions serait détenu par quelques investisseurs privés.

Que l'offre du RREO et de PEP soit la plus intéressante jusqu'à présent ne veut pas nécessairement dire qu'elle soit bonne. Michael Sabia sait pertinemment que les actionnaires de Bell pourraient bien voter contre cette offre pour une raison ou une autre. Ils pourraient la juger sous-évaluée eu égard à la situation financière actuelle de leur entreprise et à ses perspectives futures ou encore trouver le mode de paiement proposé désavantageux pour eux. Ils pourraient aussi tout simplement refuser de se départir de ce qui a toujours été considéré comme l'un des rares paris sûrs à long terme et une source de dividendes stables pour des investisseurs individuels canadiens. Monsieur Sabia aura la lourde tâche de recommander ou non cette offre à ses actionnaires dans un rapport qui devra répondre à toutes leurs inquiétudes.

Annexe A

L'annexe A présente les principaux indicateurs financiers et comptables de Bell Canada au 31 décembre des années 2004, 2005 et 2006 ainsi que quelques prévisions pour les deux premiers trimestres de 2007. Les chiffres sont en milliers de dollars canadiens :

	2004	2005	2006	1er trimestre 2007	2e trimestre 2007
Extrait de l'état des résultats					
Revenu total	17 009 000	17 551 000	17 656 000	4 343 000	4 374 000
Bénéfice net	1 593 000	1 961 000	2 007 000	529 000	700 000
Flux monétaires d'opérations	5 130 000	5 700 000	5 611 000		
Extrait du bilan					
Actif total	39 140 000	40 482 000	37 171 000		
Actif à court terme	3 708 000	3 683 000	3 684 000		
Actif fixe	21 104 000	21 772 000	19 533 000		
Actif intangible	12 634 000	10 279 000	12 591 000		
Dette à court terme	5 467 000	5 587 000	4 688 000		
Dette à long terme	11 685 000	11 855 000	11 795 000		
Actions ordinaires	16 781 000	16 806 000	13 487 000		
Bénéfice non réparti	−5 432 000	−4 763 000	−4 343 000		
Données par actions (en dollars)					
Valeur comptable	13,342	14,074	14,483		
Dividende	1,200	1,320	1,320		

(suite)	2004	2005	2006	1er trimestre 2007	2e trimestre 2007
Bénéfice	1,650	2,040	2,250	0,620	0,830
Cours le plus haut	30,280	33,000	34,250		
Cours le plus bas	25,640	26,450	25,320		
Ratios financiers					
Dettes sur capitaux propres	0,920	0,880	0,960		
Ratio de distribution	72,880	64,620	58,440		
Marge bénéficiaire	10,140	12,260	12,600		
Cours/valeur comptable	2,170	1,980	2,170		
Cours/bénéfice	17,530	13,660	13,960		
Rendement des capitaux propres	12,560	14,890	15,650		
Rendement de l'actif	4,410	5,320	5,980		
Rémunération: Michael J. Sabia, président et chef de la direction (en dollars)					
Salaire	1 250 000	1 250 000	1 000 000		
Bonus	114 614	34 700	33 006		
Données du marché					
Bêta	0,30	0,40	0,50		
Rendement du bon du Trésor de 3 mois	2,35 %	3,00 %	3,80 %		

Exerçons nos connaissances

Une entreprise espère générer les flux monétaires nets suivants: 5 000 $ la première année et 2 000 $ durant les 5 années suivantes. Elle sera ensuite vendue 10 000 $ dans 7 ans. Étant donné le niveau de risque de son activité, vous exigez un rendement de 10 % par an. Seriez-vous prêt à acheter cette entreprise 12 000 $ aujourd'hui?

Démonstration

Tel que nous l'avons vu précédemment, l'une des plus importantes décisions stratégiques que les gestionnaires financiers sont appelés à prendre est l'évaluation de l'entreprise. Le principe de base inhérent à cette évaluation est simple. Une entreprise représente pour ses actionnaires une source de revenus futurs que celle-ci sera capable de générer à partir de ses activités.

Par conséquent, pour qu'ils acceptent de se départir de leur entreprise aujourd'hui, les actionnaires vont exiger de se faire payer au moins l'équivalent en dollar d'aujourd'hui des revenus futurs auxquels ils vont renoncer. Il s'agit donc de calculer la valeur actuelle de ces revenus futurs, tel que nous avons appris à le faire dans le présent chapitre. Pour répondre à ce genre de problème, il est toujours utile, et fortement conseillé, de commencer par tracer l'axe de temps sur lequel figureront les flux monétaires aux dates appropriées:

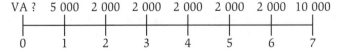

Nous remarquons qu'il y a sept flux monétaires futurs à actualiser. Nous avons toujours le choix de les actualiser un à un. Cependant, ce calcul peut être long. Même si ces flux ne correspondent à aucun des cas de simplification que nous avons vus dans la section 2.4, nous constatons que la séquence des flux de 2 000 $ représente une annuité fixe, même si celle-ci commence à l'année 2. Si l'on se place à l'année 1 sur l'axe de temps, nous pouvons donc appliquer l'équation 2.11 pour trouver la valeur actuelle de cette annuité en dollars de l'année 1, que l'on réactualisera par la suite à l'année 0. Les deux autres flux monétaires, à savoir 5 000 $ et 10 000 $, seront actualisés individuellement. La valeur actuelle totale est donc égale à:

$$VA = \frac{5\,000}{(1,1)} + \frac{2\,000}{(1,1)} \times A_{0,10}^{5} + \frac{10\,000}{(1,1)^{7}} = -12\,000 + 16\,569,35 = 16\,569,35\,\$$$

La valeur de l'entreprise est donc de 16 569,35 $. Ainsi, il est intéressant de l'acheter 12 000 $.

Questions de révision

1. Expliquez à quoi servent les techniques d'actualisation et de capitalisation.

2. Pour quelles raisons préfère-t-on recevoir 1$ aujourd'hui plutôt que dans 1 an?

3. Expliquez la différence entre un taux d'intérêt nominal et un taux d'intérêt effectif.

4. Définissez brièvement les notions d'annuité et de perpétuité.

5. Donnez des exemples pratiques de cas d'annuités et de perpétuités fixes et croissantes à taux constant.

6. Dans le cas d'une perpétuité croissante à taux constant, le taux de croissance g doit être inférieur au taux d'intérêt r. Expliquez pourquoi il en est ainsi.

7. Dérivez l'équation de la valeur actuelle d'une annuité fixe dont les flux monétaires commencent au temps $t = 0$.

8. Dérivez l'équation de la valeur future d'une annuité fixe dont les flux monétaires commencent au temps $t = 0$.

9. Pour un taux d'intérêt nominal donné, quel est l'effet de l'augmentation du nombre de capitalisations sur le taux effectif?

10. Pour une série de flux monétaires donnée, analysez l'effet de la diminution du taux d'intérêt sur la valeur actuelle et la valeur future de ces flux.

Exercices

1. Calculez la valeur actuelle d'une annuité de 100$ pendant 5 années, dont le versement commence dans 2 ans à partir d'aujourd'hui. Utilisez un taux d'actualisation annuel effectif de 5 %.

2. Faites l'exercice précédent en supposant que le versement de l'annuité de 5 années commence aujourd'hui.

3. Calculez la valeur actuelle d'une annuité de 100$ pendant 7 années, dont le versement commence dans 3 ans à partir d'aujourd'hui. Utilisez un taux d'actualisation annuel effectif de 6 %.

4. Faites l'exercice précédent en calculant la valeur future.

5. Vous venez de gagner un billet de loterie qui vous permet de recevoir 1 000$ par année à vie. Contre quel montant seriez-vous prêt à échanger ce billet si le taux d'intérêt de ce montant était de 10 %?

6. Calculez la valeur actuelle d'une perpétuité constante de 200$ qui commence dans 3 ans à partir d'aujourd'hui. Utilisez un taux d'actualisation annuel effectif de 4 %.

7. Faites l'exercice précédent en supposant que la perpétuité commence aujourd'hui.

8. Calculez la valeur future d'une perpétuité constante de 50$ qui commence dans 2 ans à partir d'aujourd'hui. Utilisez un taux d'actualisation annuel effectif de 4 %.

9. Faites l'exercice précédent en supposant que la perpétuité commence aujourd'hui.

10. Calculez la valeur actuelle d'une annuité constante de 100$ pendant les 5 prochaines années et qui augmente à un taux constant de 2 % à partir de l'année 6 jusqu'à l'année 10. Utilisez un taux d'actualisation annuel effectif de 5 %.

Problèmes

1. Vous déposez dans un compte bancaire 2 000$ par année pendant 4 ans, puis 3 000$ par année pendant 5 ans (en fin d'année). Le taux d'intérêt effectif est de 8 % par année durant toute la période. Quelle est la valeur future de votre compte bancaire? Quelle est sa valeur actuelle?

2. Vous voulez emprunter 5 000$ pendant 1 an. Trois institutions financières vous font les offres suivantes. Quel taux choisiriez-vous?

- Un taux d'intérêt annuel effectif de 5 %
- Un taux d'intérêt annuel de 4,8 % à capitalisation trimestrielle
- Un taux d'intérêt annuel de 4,75 % à capitalisation mensuelle

3. Vous déposez 2 000 $ à la fin de chacune des 10 prochaines années dans un compte bancaire rapportant un taux d'intérêt annuel de 10 % capitalisé semestriellement. Quel sera le solde de votre compte au bout de 10 ans ? Quel montant équivalent devriez-vous déposer mensuellement pour avoir le même solde après 10 ans ?

4. Un joueur de football vous demande de le conseiller au sujet de deux propositions de contrat qui lui sont offertes. L'équipe A lui offre un contrat de 5 ans rapportant 500 000 $ par année. L'équipe B lui offre un contrat de 5 ans rapportant 400 000 $ la première année. Ce salaire sera par la suite indexé chaque année au taux d'inflation prévu de 2 %. Avec quelle équipe le joueur devrait-il signer si le taux d'intérêt annuel effectif est de 6 % ?

5. Vous empruntez 80 000 $, que vous devez rembourser en 25 ans. Le taux d'intérêt est de 8 % par année, à capitalisation semestrielle. Quel est le montant mensuel à rembourser ? Quel est le solde de l'emprunt après 10 ans ?

6. À la fin de vos études, vous prévoyez commencer à contribuer à un régime d'épargne logement rapportant un taux de rendement effectif de 7 % par année afin de financer en partie l'achat de votre maison prévu 5 années plus tard.

    a) Quelle devrait être votre contribution annuelle à ce régime si vous désirez disposer de 50 000 $ au moment de l'achat ?

    b) Supposez que vous désirez disposer de 70 000 $ au moment de l'achat. Sans modifier le versement trouvé précédemment, pendant combien de temps devrez-vous cotiser pour amasser la somme désirée ?

7. Vous placez dans un compte bancaire bloqué 10 000 $ durant 5 ans. Ce compte vous rapporte un taux d'intérêt annuel effectif de 8 %. Ces intérêts vous sont versés à la fin de chaque année et vous les réinvestissez immédiatement à un taux annuel effectif de 6 %. De combien d'argent disposerez-vous au bout de la cinquième année ?

8. Vous venez d'avoir 30 ans. Vous décidez de commencer à participer à un régime d'épargne retraite en contribuant annuellement jusqu'à votre retraite. Ce plan rapporte un taux d'intérêt annuel de 10 %. Vous envisagez de prendre votre retraite à 60 ans et d'effectuer des retraits de 2 000 $ à la fin de chaque mois. Si vous vivez jusqu'à 85 ans, quelle devra être votre contribution annuelle à ce plan ?

9. L'entreprise ABC inc. envisage d'investir dans une nouvelle unité de production d'équipements lourds en Europe ou au Mexique. Dans les deux cas, cet investissement durera 25 ans.

    Si l'investissement est fait en Europe, ABC inc. prévoit qu'il rapportera un flux monétaire annuel net de 1 million de dollars par année au cours des 5 premières années, puis qu'il augmentera de 2 % par année pendant 20 ans.

    Si l'investissement est fait au Mexique, ABC inc. prévoit qu'il rapportera un flux monétaire annuel net de 700 000 $ par année au cours des 10 premières années, puis qu'il augmentera de 4 % par année pendant 15 ans.

    a) Où la société ABC inc. devrait-elle investir ? Supposez un taux d'actualisation annuel de 10 %.

    b) Au bout de cinq années, si ABC inc. décide de se départir de cette unité de production, pourriez-vous faire une estimation du prix qu'elle pourrait demander pour la vente de cette unité ?

10. L'entreprise XYZ inc. prévoit emprunter quatre millions de dollars afin de financer en partie son investissement. Une institution financière européenne a accepté de lui accorder le prêt sur 25 ans. Selon les conditions de ce prêt, XYZ inc. devra rembourser 77 482,28 $ chaque trimestre.

    Une institution financière canadienne lui propose le même prêt sur 25 ans. Les paiements seraient, dans ce cas, semestriels et s'élèveraient à 170 534,84 $. À quelle institution financière XYZ inc. devrait-elle emprunter les quatre millions de dollars nécessaires ?

Annexes du chapitre 2

1. Démonstration de l'équation 2.4
La valeur future d'un seul flux monétaire étalé sur plusieurs périodes

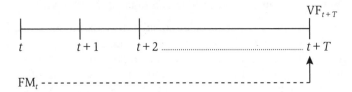

D'après l'équation 2.1, on a:

$$VF_{t+1} = FM_t \times (1 + r)$$

Alors:

$$VF_{t+2} = FM_{t+1} \times (1 + r) = FM_t \times (1 + r) \times (1 + r) = FM_t \times (1 + r)^2$$

De même:

$$VF_{t+3} = FM_{t+2} \times (1 + r) = FM_t \times (1 + r) \times (1 + r) \times (1 + r) = FM_t \times (1 + r)^3$$

Par récurrence, on obtient ainsi:

$$VF_{t+T} = FM_t \times (1 + r) \times (1 + r) \times (1 + r) \times \ldots \times (1 + r) = FM_t \times (1 + r)^T$$

De la même façon, il est facile de démontrer l'équation 2.5.

2. Démonstration de l'équation 2.10
La somme d'une progression géométrique

Soit la progression géométrique suivante:

$$X, Xq, Xq^2, Xq^3, \ldots, Xq^{n-1}$$

Il s'agit là d'une progression géométrique de raison q ayant n termes dont le premier est X.

Soit S la somme de cette progression géométrique:

$$S = X + Xq + Xq^2 + Xq^3 + \ldots + Xq^{n-1}$$

On peut alors écrire:

$$Sq = Xq + Xq^2 + Xq^3 + Xq^4 + \ldots + Xq^n$$

Par conséquent:

$$S - Sq = X + Xq + Xq^2 + Xq^3 + \ldots + Xq^{n-1} - (Xq + Xq^2 + Xq^3 + Xq^4 + \ldots + Xq^n)$$

En simplifiant, on obtient:

$$S - Sq = X - Xq^n \Rightarrow S(1 - q) = X(1 - q^n)$$

D'où:

$$S = X \times \left(\frac{1 - q^n}{1 - q} \right)$$

Chapitre 3

Le choix des projets d'investissement

MISE EN CONTEXTE

«Shell Canada, Korea Gas Corporation, Mitsubishi Corporation et PetroChina Company Limited annoncent la réalisation d'un projet conjoint d'installation et d'exportation du gaz naturel liquéfié au Canada. [...] [Pour réaliser ce projet,] les quatre sociétés mettent en commun leur vaste expérience du développement, leur expertise technique, leur force financière et leur accès aux marchés, des éléments essentiels pour dominer le secteur de la mise en valeur du gaz naturel liquéfié au Canada. Ce projet permettrait aux marchés émergents d'avoir accès aux abondantes ressources canadiennes de gaz naturel. [...] Shell détient une participation directe de 40 % dans le projet ; Korea Gas Corporation, Mitsubishi Corporation et PetroChina Company Limited en détiennent chacune 20 %. [...]

Le projet LNG Canada comprend la conception, la construction et l'exploitation d'une usine de liquéfaction du gaz, ainsi que des installations de stockage et d'exportation du gaz naturel liquéfié, notamment des installations maritimes de déchargement et d'expédition. [...] [Selon le communiqué de Shell,] un tel projet peut créer des milliers d'emplois pendant sa construction et des centaines d'emplois permanents à temps plein pendant son exploitation. Un projet d'infrastructure énergétique de cette envergure peut également apporter des retombées économiques indirectes à la région.

La décision de réaliser ce projet sera prise après les travaux d'ingénierie, les études environnementales et les interventions auprès des intéressés, et le démarrage des installations pourra avoir lieu vers la fin de la décennie, sous réserve de l'approbation des organismes de réglementation et de l'issue des décisions d'investissement[1]. [...]»

L'exemple du projet mixte d'installation et d'exportation de gaz naturel liquéfié au Canada montre qu'une décision d'investissement détermine la nature des activités des années à venir. Cette décision n'est toutefois pas facile à prendre[2], car l'entreprise se trouve souvent face à un éventail de choix d'investissement. Cela explique le rôle important du gestionnaire financier, qui doit distinguer les projets bénéfiques de ceux qui le sont moins. La décision d'investissement est donc cruciale. Elle ne se limite pas au simple choix d'acheter ou non un actif immobilisé. Elle suppose plutôt un ensemble de décisions préalables concernant les stratégies d'orientation et de positionnement sur le marché, la planification budgétaire, l'évaluation du degré de flexibilité de la production future et la structure financière. Ces décisions requièrent donc la participation de l'ensemble des services de l'entreprise et non simplement des services financiers. Les services de la production, de la commercialisation et de la comptabilité ainsi que la haute direction sont à l'origine des données nécessaires au choix de l'investissement. Il s'agit alors pour le gestionnaire de synthétiser toute l'information qui lui est transmise, de la traduire en critères d'évaluation et de se prononcer sur la pertinence des projets qui se font jour.

Le présent chapitre comporte trois sections. Tout d'abord, nous aborderons les différentes catégories de projets selon le type de décision à prendre et selon leurs caractéristiques respectives. Ensuite, nous présenterons les critères de sélection des projets d'investissement, puis nous illustrerons leur application à l'aide d'exemples. Finalement, nous exposerons les éléments qu'il convient de prendre en considération ou non quand il s'agit d'établir les mesures de rentabilité d'un projet. Nous accorderons une importance particulière aux effets de l'imposition et de l'amortissement.

L'objectif du présent chapitre est de permettre à l'évaluateur d'établir un diagnostic quant à la pertinence d'un projet d'investissement dans l'entreprise à partir de critères financiers, et ce, sans négliger les impacts fiscaux sur les flux du projet.

Certains préalables sont essentiels pour aborder le présent chapitre. Le lecteur doit essentiellement maîtriser les méthodes de calcul qui tiennent compte du facteur temps et du rôle attribué aux divers taux en cause.

---

1. Shell Canada. (15 mai 2012). «Annonce du projet LNG Canada», [En ligne], www.shell.ca/home/content/can-fr/aboutshell/media_centre/news_and_media_releases/2012/0515bclng.html (Page consultée le 26 novembre 2012).

2. Voir l'annexe du chapitre 3, «CDP Capital Entertainment ou la petite histoire d'un investissement désastreux».

3.1 Le choix des investissements

Nous présentons dans cette section le processus de choix des investissements et les types de décisions à apprendre. Nous discuterons également des caractéristiques principales des projets d'investissement.

3.1.1 Le processus de choix des investissements

Le processus de choix des investissements comporte plusieurs étapes. Nous présentons ici les trois plus importantes. La première consiste à détecter et à caractériser les projets. Pour ce faire, il faut d'abord répondre aux questions suivantes : s'agit-il d'un agrandissement ? d'un renouvellement ? de nouveaux produits, etc. ? La deuxième étape consiste à évaluer les projets. Elle requiert différentes évaluations financières : les flux monétaires, l'application des méthodes d'évaluation et l'analyse des divers effets des impôts, de l'amortissement fiscal et de l'inflation. La troisième étape consiste à réaliser le projet sans omettre la possibilité d'un abandon, d'une revente ou d'un investissement supplémentaire. Rappelez-vous qu'un projet rentable peut devenir non rentable à cause de changements économiques défavorables.

3.1.2 Les projets et les types de décisions

Les projets d'investissement peuvent être répartis en différentes catégories, selon le type de décision à prendre.

Les projets indépendants

Deux (ou plusieurs) projets sont indépendants si la réalisation de l'un n'influe en rien sur celle de l'autre. Par exemple, il pourrait s'agir de l'achat d'une nouvelle machine d'emballage ou de la construction d'un restaurant pour les employés de l'entreprise.

Les projets mutuellement exclusifs

Deux projets sont mutuellement exclusifs si et seulement si la réalisation de l'un implique le rejet de l'autre. Par exemple, une entreprise n'a besoin que d'un seul camion pour effectuer les livraisons et doit choisir entre l'achat d'un camion compartimenté ou celui d'un camion non compartimenté.

Les projets contingents

Deux projets sont contingents si la réalisation de l'un ne peut se faire sans celle de l'autre. Prenons l'exemple d'une entreprise qui désire construire un nouveau siège social sur un nouveau terrain. L'acquisition du terrain dépend dans ce cas de la décision de construire ou non le nouvel immeuble.

3.1.3 Les caractéristiques des projets

En plus des éléments précédents, qui conditionnent le type de décision à prendre, les projets ont des caractéristiques particulières, que nous exposons dans la présente sous-section.

L'horizon

L'horizon définit la durée de vie économique du projet. La vie économique est importante pour déterminer l'horizon des besoins de financement de l'entreprise. Le long terme présente plus de difficultés en ce qui concerne les prévisions macroéconomiques et microéconomiques.

La taille du projet

La taille du projet peut se mesurer d'après le volume d'investissement initial requis. Cette notion dépend évidemment de la taille de l'entreprise elle-même. En général, la taille du projet sera prise en considération lors du choix fait parmi des projets mutuellement exclusifs.

La nature stratégique du projet

Un projet d'investissement doit faire partie intégrante de la stratégie de développement de l'entreprise afin de contribuer le plus adéquatement possible à la création de valeur. L'analyse des projets en lice n'est pas une opération sans coût; c'est pourquoi l'importance stratégique du projet tout comme sa taille détermineront l'effort qui sera consacré à son évaluation. En général, on distingue six catégories de projets.

Les projets de remplacement d'actifs en place pour poursuivre l'activité Les projets de remplacement d'actifs en place sont nécessaires dans le cas où l'entreprise souhaite poursuivre la même activité et possède des actifs désuets.

Les projets de remplacement d'actifs en place pour réduire les coûts de production Dans le cas des projets de remplacement d'actifs en place pour réduire les coûts de production, il n'est plus question d'actifs désuets, mais d'actifs dépassés qui ne répondent plus aux critères de coûts de production. En général, le choix d'investissement est capital pour atteindre la cible stratégique de faible prix de vente des produits. Par conséquent, l'évaluation des projets est détaillée.

Les projets d'expansion de la capacité de production ou des marchés de produits existants Les projets d'expansion de la capacité de production ou des marchés de produits existants impliquent des dépenses visant à accroître les capacités de production ou encore les marchés sur lesquels l'entreprise est présente. Ils requièrent des analyses complexes qui reposent sur des prévisions de croissance et de développement des marchés.

Les projets d'expansion sur la base de nouveaux produits Les projets d'expansion sur la base de nouveaux produits impliquent des décisions stratégiques majeures, car celles-ci sont susceptibles de changer entièrement la nature de la firme. Ces projets nécessitent de longues analyses, une évaluation détaillée et donc des coûts importants pour l'entreprise. La décision finale est en général prise au plus haut niveau hiérarchique de l'entreprise.

Les projets relatifs à la sécurité ou à la protection de l'environnement De plus en plus, les entreprises s'engagent dans des activités de préservation de l'environnement et investissent afin de mieux adapter leur équipement et de respecter les nouvelles lois environnementales. Ces investissements sont incontournables; ils ne génèrent pas directement de revenus et sont traités rapidement.

Les autres projets Cette dernière catégorie regroupe tous les projets qui n'entrent pas dans les catégories citées précédemment, par exemple la construction d'un local pour les employés ou encore l'agrandissement du stationnement. Le coût de revient est en général un élément de décision majeur.

Les flux monétaires liés au projet

Retenons ici qu'il est capital de bien déterminer les flux monétaires liés au projet. C'est incontestablement la tâche la plus ardue du processus de décision d'investissement. Retenons aussi qu'il est important de recenser tous les flux qui peuvent constituer des dépenses et des versements du point de vue des investisseurs. Nous examinerons plus en détail les éléments à prendre en compte ou à ignorer dans nos calculs des flux monétaires dans la section 3.3.

3.2 Les critères de prise de décision d'investissement

L'objectif de la présente section est d'étudier les principaux critères de prise de décision d'investissement. Nous montrerons comment évaluer, à l'aide de calculs, chacun des critères et comment interpréter les résultats obtenus. Nous verrons aussi les avantages et les inconvénients liés à ces critères.

3.2.1 Le délai de récupération et le délai de récupération actualisé

Le **délai de récupération** (ou *payback period*) d'un projet correspond au laps de temps ou au nombre d'années nécessaires pour récupérer l'investissement initial. En d'autres termes, c'est le temps que prennent les flux monétaires cumulatifs prévus à équivaloir aux fonds investis dans le projet.

Exemple 3.1

Supposons que Shell Canada[3] ait le choix entre deux projets mutuellement exclusifs, A et B, nécessitant chacun un investissement de quatre millions de dollars et dont les flux monétaires sont les suivants :

Année	Flux monétaires (en milliers de dollars)		Flux monétaires cumulatifs (en milliers de dollars)	
	Projet A	Projet B	Projet A	Projet B
1	4 000	2 000	4 000	2 000
2	1 000	2 000	5 000	4 000
3	0	2 000	5 000	6 000

Dans le cas du projet A, il faut un an pour récupérer les quatre millions de dollars, alors que, dans le cas du projet B, il faut deux ans. En prenant le délai de récupération pour critère de décision, un gestionnaire financier acceptera le projet A plutôt que le projet B.

La règle de décision :

a) Pour les projets indépendants, on choisit les projets ayant un délai de récupération inférieur à une date limite préalablement fixée par le gestionnaire en fonction de ses contraintes, notamment celles qui sont liées au financement ;

b) Pour les projets mutuellement exclusifs, on choisit le projet ayant le délai de récupération le plus court tant et aussi longtemps qu'il est inférieur au seuil imposé par la haute direction.

Le délai de récupération est souvent utilisé par les dirigeants des petites et moyennes entreprises (PME), car il est facile à comprendre et à employer. Il est adapté au contexte de rationnement du capital parce qu'il permet de distinguer les projets qui génèrent rapidement des rentrées de fonds. De plus, il représente une manière simple d'évaluer le risque d'un projet. Ainsi, selon le critère du délai de récupération, plus un projet est liquide (recouvre rapidement son investissement), moins il est risqué.

Toutefois, le délai de récupération ne tient pas compte de la chronologie des flux monétaires, ni de leur répartition dans le temps. Cette lacune peut néanmoins être comblée si le gestionnaire actualise les flux monétaires pour calculer un délai de récupération actualisé. Il considère donc le fait qu'un dollar aujourd'hui vaut plus qu'un dollar à la fin de la période de récupération.

D'après l'exemple 3.1, en supposant un taux d'actualisation approprié de 10 %, on obtiendrait ainsi les résultats suivants :

Année	Flux monétaires actualisés (en milliers de dollars)		Flux monétaires cumulatifs (en milliers de dollars)	
	Projet A	Projet B	Projet A	Projet B
1	3 636,36	1 818,18	3 636,36	1 818,18
2	826,44	1 652,89	4 462,80	3 471,07
3	0,00	1 502,62	4 462,80	4 973,80

Le **délai de récupération actualisé** de A est d'un peu plus de 1 an {1 + [(4 000 − 3 636,36)/826,44] = 1,44}, alors que celui de B est d'un peu plus de 2 ans {2 + [(4 000 − 1 818,18 − 1 652,89)/1 502,62] = 2,35}. Cette différence ne modifie donc pas nos conclusions quant à la sélection des projets.

---

3. Dans le présent chapitre, nous formulerons des hypothèses en utilisant l'entreprise Shell Canada. Toutes ces hypothèses sont purement fictives et utilisées dans un but pédagogique, sans aucune autre intention.

Le délai de récupération actualisé ne représente qu'une légère modification du délai de récupération non actualisé, puisque lui non plus ne tient pas compte des flux monétaires une fois que la mise de fonds a été récupérée. Le choix de la période limite à respecter pour les projets indépendants est également arbitraire. Il est difficile, dans ce cas, de déterminer ce qu'est un bon délai de récupération.

3.2.2 Le taux de rendement comptable

Abandonnons ici momentanément les flux monétaires pour revenir aux mesures comptables, en particulier au résultat de l'exercice, lequel est à la base du calcul permettant d'évaluer le taux de rendement comptable.

$$\text{Taux de rendement comptable (TRC)} = \frac{\text{résultat de l'exercice moyen}}{\text{valeur comptable nette moyenne}} \times 100$$

Exemple 3.2

Prenons un projet d'investissement d'une durée de vie de 3 ans qui requiert un montant de 180 000$ à $t = 0$. Supposons que Shell Canada adopte la méthode de l'amortissement linéaire. Cette décision implique que la valeur comptable du projet passera de 180 000$ à 0$ à l'année 3. Le tableau suivant illustre cette situation:

(en milliers de dollars)	Année 0	Année 1	Année 2	Année 3
Valeur comptable brute	180	180	180	180
Amortissement accumulé	0	60	120	180
Valeur comptable nette	180	120	60	0

Valeur comptable nette moyenne = (180 000 + 120 000 + 60 000 + 0)/4 = 90 000$

Le tableau ci-dessous montre les états prévisionnels du projet au cours de sa durée de vie:

(en milliers de dollars)	Année 1	Année 2	Année 3
Ventes	200	150,00	140,0
Dépenses	100	75,00	70,0
Marge brute avant amortissement	100	75,00	70,0
Amortissements	60	60,00	60,0
BAII	40	15,00	10,0
Impôts (25%)	10	3,75	2,5
Résultat de l'exercice	30	11,25	7,5

Résultat de l'exercice moyen = (30 000 + 11 250 + 7 500)/3 = 16 250$

Rendement comptable moyen (RCM) = 16 250/90 000 = 18,05%

Si le taux de rendement actuel de l'entreprise est de 16%, alors, en se basant sur le critère du taux de rendement comptable, le gestionnaire financier de Shell Canada devra accepter le projet.

La règle de décision:

a) Pour les projets indépendants, on choisit les projets ayant un taux de rendement comptable supérieur au seuil prédéterminé par la haute direction;

b) Pour les projets mutuellement exclusifs, on choisit le projet ayant le taux de rendement comptable le plus élevé, à la condition que le RCM soit supérieur au seuil imposé par la haute direction.

Le taux de rendement comptable est facile à comprendre et à employer, puisqu'il se base sur les données comptables, lesquelles sont souvent les plus faciles à obtenir. Toutefois, il comporte certaines lacunes: par exemple, il ne tient pas compte de la valeur de l'argent dans le temps. Il est également arbitraire quant au choix du seuil critique à utiliser pour la prise de décision d'investir et se base sur les bénéfices comptables, non sur les flux monétaires.

3.2.3 La valeur actuelle nette: un critère dominant

On appelle **valeur actuelle (VA)** d'un projet d'investissement la valeur résultant de l'actualisation des différents flux monétaires qu'il génère.

Soit:

$$VA = \sum_{t=1}^{n} \frac{FM_t}{(1+r)^t} \qquad (3.1)$$

où

FM_t sont les flux monétaires générés par l'investissement;

r est le taux d'actualisation requis;

n est la durée de vie du projet (en nombre de périodes).

En outre, n'importe quel projet d'investissement nécessite d'être financé au tout début de son existence: c'est l'investissement initial ou, autrement dit, le montant des liquidités nécessaires pour que le projet devienne réalité.

On appelle **valeur actuelle nette (VAN)** d'un projet d'investissement la différence entre la VA des flux qu'il génère et l'investissement initial (I_0).

Soit:

$$VAN = \sum_{t=1}^{n} \frac{FM_t}{(1+r)^t} - I_0 \qquad (3.2)$$

Si la VAN d'un projet d'investissement est positive, les flux de ce projet en valeur d'aujourd'hui sont supérieurs à l'investissement liquide qu'il nécessite: il mérite donc, d'un point de vue financier, d'être entrepris. La VAN est alors considérée comme la valeur créée par l'investissement. Elle représente l'augmentation immédiate de valeur qui revient à l'investisseur. En effet, si l'investissement coûte 100 $ à réaliser et que la VA de ses flux futurs est de 110 $, l'investisseur qui le réalise s'enrichit de 10 $.

La VAN permet de mesurer le changement qui survient dans la valeur intrinsèque de la firme et dans la richesse de ses actionnaires à la suite de l'acceptation du projet. Une VAN positive implique que les flux monétaires générés par le projet sont suffisants pour couvrir l'investissement initial ainsi que le coût de financement. Un projet à VAN positive suppose donc une création de richesse pour l'entreprise, alors qu'un projet à VAN négative doit être abandonné sous peine de réduire la valeur de l'entreprise.

La règle de décision:

a) Pour les projets indépendants, on accepte les projets ayant une VAN positive, ce qui indique que le rendement est supérieur au coût du capital;

b) Pour les projets mutuellement exclusifs, on choisit le projet ayant la VAN positive la plus grande.

Exemple 3.3

Supposons que l'entreprise Shell Canada entreprenne deux projets différents : le projet A et le projet B. Ces projets génèrent les flux monétaires suivants :

Année	Flux monétaires (en milliers de dollars)	
	Projet A	Projet B
0	−8000	−8000
1	4000	1000
2	3000	3000
3	4000	4000
4	2000	5000

Calculez la VAN de chaque projet si on suppose un taux de rendement requis de 12 %.

$$VAN(A) = -8\,000\,000 + 4\,000\,000(1 + 12\%)^{-1} + 3\,000\,000(1 + 12\%)^{-2}$$
$$+ 4\,000\,000(1 + 12\%)^{-3} + 2\,000\,000(1 + 12\%)^{-4}$$
$$= 2\,081\,170\$$$

Avec la calculatrice financière Texas Instruments BA II Plus[4], la VAN du projet A se calcule comme suit[5] :

	−8000000	Enter	↓			
C01	4000000	Enter	↓	F01	1	↓
C02	3000000	Enter	↓	F02	1	↓
C03	4000000	Enter	↓	F03	1	↓
C04	2000000	Enter	↓	F04	1	NPV
I	12	Enter	↓	CPT	2081167	VAN(A)

$$VAN(B) = -8\,000\,000 + 1\,000\,000(1 + 12\%)^{-1} + 3\,000\,000(1 + 12\%)^{-2}$$
$$+ 4\,000\,000(1 + 12\%)^{-3} + 5\,000\,000(1 + 12\%)^{-4}$$
$$= 1\,309\,150\$$$

Avec la calculatrice financière Texas Instruments BA II Plus, la VAN du projet B se calcule comme suit :

CF_0	−8000000	Enter	↓			
C01	1000000	Enter	↓	F01	1	↓
C02	3000000	Enter	↓	F02	1	↓
C03	4000000	Enter	↓	F03	1	↓
C04	5000000	Enter	↓	F04	1	NPV
I	12	Enter	↓	CPT	1309150	VAN(B)

▶

---

4. Remarque : Il est toujours conseillé d'appuyer d'abord sur CF_0, *2nd* et *CLR WORK* pour effacer toutes les entrées historiques des données.
5. L'information des tableaux de la calculatrice financière Texas Instruments BA II Plus est écrite dans le format anglais afin de correspondre à celui de la calculatrice.

En utilisant le chiffrier Microsoft Excel 2010, on calcule les deux VAN comme suit :

	A	B	C
1	**Année**	**Projet A**	**Projet B**
2	0	−8 000 $	−8 000 $
3	1	4 000 $	1 000 $
4	2	3 000 $	3 000 $
5	3	4 000 $	4 000 $
6	4	2 000 $	5 000 $
7	Taux d'actualisation	= 12 %	= 12 %
8	VAN du projet	= VAN(12 %,B3:B6) −8000	= VAN(12 %,C3:C6) −8000
9		2 081,167 $	1 309,150 $

Ces deux projets sont donc intéressants pour l'entreprise, car leurs VAN respectives sont positives, ce qui indique qu'ils génèrent en dollars d'aujourd'hui des flux monétaires supérieurs à leurs coûts de financement. Néanmoins, si les projets sont mutuellement exclusifs, le projet A devrait être retenu parce qu'il engendre un accroissement de la richesse plus important pour l'entreprise.

Avant de passer au critère suivant, il est important de souligner les principales caractéristiques de la VAN. Celle-ci est basée sur le principe selon lequel un dollar aujourd'hui vaut plus qu'un dollar demain. Autrement dit, la VAN prend en compte la valeur temporelle de l'argent. Aussi, elle ne tient compte que des flux monétaires, lesquels sont généralement calculés indépendamment des préférences des gestionnaires, des normes comptables et de la rentabilité des opérations actuelles. Les VAN s'expriment en dollars et peuvent être additionnées. En d'autres termes, si l'on suppose deux projets indépendants, X et Y, la VAN(X + Y) = VAN(X) + VAN(Y). Examinons maintenant le taux de rendement interne.

3.2.4 Le taux de rendement interne

Le **taux de rendement interne (TRI)** correspond au taux d'actualisation pour lequel la VAN du projet en cause sera nulle. Ce taux rend ainsi la VA des rentrées de fonds égale à celle des sorties de fonds. Le TRI peut aussi s'interpréter comme le coût maximal des fonds que peut supporter l'entreprise sans nuire à sa richesse.

La règle de décision :

a) Pour des projets indépendants, on retiendra les projets ayant un TRI supérieur au coût des fonds r ;

b) Pour des projets mutuellement exclusifs, l'emploi de la règle de décision est plus délicat. Retenons simplement pour l'instant qu'il serait erroné de choisir systématiquement le projet ayant le TRI le plus élevé.

Reprenons l'exemple 3.3 pour trouver le TRI des deux projets, A et B, de Shell Canada. Nous devons procéder par interpolation linéaire :

TRI(A)	
Taux	**Valeur actuelle nette (en milliers de dollars)**
20 %	695,99
TRI	0,00
25 %	−12,80

$$\frac{TRI - 20\%}{25\% - 20\%} = \frac{0 - 695,99}{-12,80 - 695,99}$$

Soit TRI(A) ≈ 24,9 % (appromixation), ce qui est bien supérieur au coût des fonds et confirme que le projet A est intéressant.

Avec la calculatrice financière Texas Instruments BA II Plus, le TRI du projet A se calcule comme suit:

CF_0	−8000000	Enter	↓			
C01	4000000	Enter	↓	F01	1	↓
C02	3000000	Enter	↓	F02	1	↓
C03	4000000	Enter	↓	F03	1	↓
C04	2000000	Enter	↓	F04	1	IRR
CPT	24.90	= TRI(A)				

TRI(B)	
Taux	Valeur actuelle (en milliers de dollars)
15 %	626,83
TRI	0,00
20 %	−357,25

$$\frac{TRI - 15\%}{20\% - 15\%} = \frac{0 - 626,83}{-357,25 - 626,83}$$

TRI(B) ≈ 18,18 % (appromixation)

Avec la calculatrice financière Texas Instruments BA II Plus, le TRI du projet B se calcule comme suit:

CF_0	−8000000	Enter	↓			
C01	1000000	Enter	↓	F01	1	↓
C02	3000000	Enter	↓	F02	1	↓
C03	4000000	Enter	↓	F03	1	↓
C04	5000000	Enter	↓	F04	1	IRR
CPT	18.08	= TRI(B)				

Soit TRI(B) = 18,08 %, ce qui fait du projet B un projet intéressant pour l'entreprise. Cependant, le projet A, qui a le TRI le plus élevé, pourrait être retenu.

Il y a lieu, ici, de se demander si l'on aboutit toujours à la même décision lorsqu'on utilise le TRI ou la VAN comme critère pour le choix d'investissement entre deux projets indépendants. La réponse à cette question devrait être oui, mais à la condition, d'une part, que l'investissement initial soit négatif et que tous les flux monétaires consécutifs et subséquents soient positifs et, d'autre part, que les projets soient indépendants. Si l'une de ces deux conditions n'est pas remplie, des cas litigieux risquent de survenir. Nous aborderons les problèmes inhérents au TRI dans la sous-section 3.2.6.

En utilisant le chiffrier Microsoft Excel, on calcule les deux TRI comme suit:

	A	B	C
1	**Année**	**Projet A**	**Projet B**
2	0	−8000$	−8000$
3	1	4000$	1000$
4	2	3000$	3000$
5	3	4000$	4000$
6	4	2000$	5000$
7	Taux d'actualisation	12%	12%
8	VAN du projet	= VAN(12%,B3:B6) −8000	= VAN(12%,C3:C6) −8000
9		2081,167$	1309,150$
10	TRI du projet	= TRI(B2:B6)	= TRI(C2:C6)
11		24,90%	18,08%

3.2.5 L'indice de rentabilité

L'**indice de rentabilité (IR)** correspond au ratio de la valeur actualisée des flux monétaires divisée par l'investissement initial. Il constitue une mesure relative au montant de l'investissement. Selon le critère de l'indice de rentabilité, on devrait entreprendre tous les projets dont l'indice est supérieur à 1.

La règle de décision:

a) Pour des projets indépendants, on retient les projets dont l'IR est supérieur à 1, car ce résultat indique en dollars d'aujourd'hui que les flux positifs sont plus importants que les flux négatifs;

b) Pour des projets mutuellement exclusifs, on choisit le projet ayant l'IR le plus élevé, pour autant qu'il soit supérieur à 1.

Selon les données des deux projets, A et B (*voir l'exemple 3.3 aux pages 60 et 61*), on aura:

$$\text{Indice de rentabilité}_A = \frac{10\,081,17}{8\,000} = 1,2601$$

$$\text{Indice de rentabilité}_B = \frac{9\,309,15}{8\,000} = 1,1636$$

Ces deux projets sont donc intéressants. Toutefois, si l'on suppose qu'il s'agit de projets mutuellement exclusifs, le gestionnaire financier de Shell Canada donnera la priorité au projet A, car son IR est plus élevé.

L'IR constitue une mesure relative de la rentabilité d'un projet et est un élément utile, notamment, en situation de rationnement du capital. Les inconvénients de ce critère sont étroitement liés à ceux de la VAN. Toutefois, il faut noter que l'on ne peut pas additionner les indices de rentabilité de deux projets, comme c'est le cas pour la VAN.

3.2.6 VAN-TRI: une comparaison détaillée

Nous présentons ici les différents cas de divergence entre la VAN et le TRI.

Supposons les deux projets d'investissement, Shell 1 et Shell 2, suivants. Le taux de rendement exigé est de 10% pour ces deux projets :

(en dollars)	Shell 1	Shell 2
Flux monétaire 0	−100 000,00	−100 000,00
Flux monétaire 1	0,00	90 000,00
Flux monétaire 2	1 000,00	50 000,00
Flux monétaire 3	60 000,00	1 000,00
Flux monétaire 4	120 000,00	0,00
VAN	27 866,95	23 891,81
TRI (en pourcentage)	17,71	29,27

Selon le critère de la VAN, le projet Shell 1 est plus intéressant que le projet Shell 2, alors que c'est l'inverse si le TRI est le critère retenu pour le choix d'investissement.

Dans ce qui suit, nous examinerons les raisons possibles de ces cas de divergence entre la VAN et le TRI.

Les projets mutuellement exclusifs ayant une séquence des flux monétaires différente et étant de même taille

Deux raisons permettent d'expliquer que les évaluations des projets Shell 1 et Shell 2 soient divergentes selon que l'on emploie la VAN ou le TRI.

La sensibilité de la valeur actuelle des flux monétaires   Les mécanismes d'actualisation font que plus les flux monétaires importants d'un projet sont rapprochés, moins ils seront sensibles à une variation du taux d'actualisation. Au contraire, si les flux importants sont éloignés dans le temps, une hausse du taux d'actualisation fera diminuer fortement la VAN. Cette relation est illustrée dans la figure 3.1. Jusqu'au point d'intersection des deux profils de VAN, soit 11,52 %, le projet Shell 1 domine le projet Shell 2. Après ce point, c'est le projet Shell 2 qui est supérieur au projet Shell 1. Autrement dit, pour un taux d'actualisation supérieur à 11,52 %, le diagnostic concernant les projets

FIGURE 3.1	**Un exemple de projets mutuellement exclusifs ayant une séquence des flux monétaires différente**

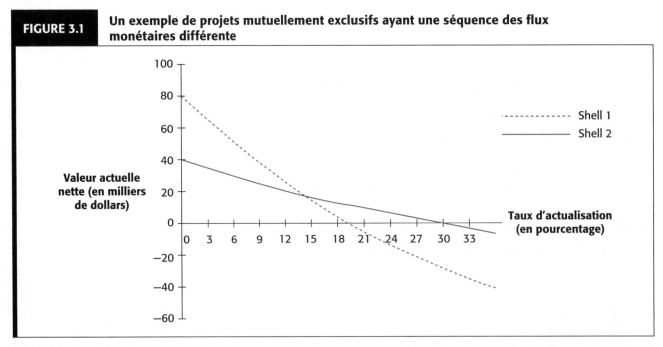

s'inverse, et le projet Shell 2 domine le projet Shell 1 en raison de l'arrivée plus précoce de ses flux monétaires positifs. En revanche, dans le cas présent, où le coût des fonds liés au projet est estimé à 10 %, il est clair que le projet Shell 1 sera préféré au projet Shell 2. La figure 3.1 illustre également la nécessité d'effectuer des analyses de sensibilité en faisant varier les taux d'actualisation.

Les hypothèses de réinvestissement des flux monétaires Dans nos estimations de la VAN et du TRI, nous posons l'hypothèse implicite que les flux monétaires générés par le projet peuvent être réinvestis à l'horizon du projet au taux d'actualisation utilisé. Ainsi, pour nos estimations de la VAN, nous avons supposé que les flux intermédiaires sont réinvestis au taux de 10 %, ce qui revient à dire que ces flux peuvent être réinvestis dans l'entreprise ou dans un projet de même nature. Si le projet est unique ou encore s'il a des caractéristiques très différentes de l'entreprise, cette hypothèse peut ne pas être réaliste. Pour ce qui est du TRI, le problème se manifeste lorsque le projet est très intéressant et que le TRI estimé est très élevé. En effet, un TRI de 29,27 % implique que l'on peut réinvestir les flux intermédiaires à ce même taux. L'hypothèse devient dès lors très critiquable et les résultats des évaluations, moins intéressants qu'il n'y paraît. Dans ce cas, comment peut-on résoudre ce problème ? Une solution existe, qui est basée sur le **taux de rendement interne intégré (TRII)**.

Un TRII est un TRI corrigé de façon à tenir compte d'un taux de réinvestissement des flux plus pertinent. Il s'applique uniquement à des projets mutuellement exclusifs.

La méthode d'estimation du TRII est la suivante :

a) On calcule la valeur future ou finale (VF) des flux monétaires en utilisant le taux de rendement exigé (10 %) ;

b) On calcule le taux d'actualisation qui rendrait la valeur présente de la VF nulle ; ce taux est le TRII.

La règle de décision est la suivante : on retient le projet ayant le TRII le plus élevé, à la condition que celui-ci soit supérieur au coût des fonds (ou coût du capital).

Pour les projets Shell 1 et Shell 2, on a :

$$\text{VF(Shell 1)} = 0(1 + 10\,\%)^3 + 1\,000(1 + 10\,\%)^2 + 60\,000(1 + 10\,\%)^1 + 120\,000(1 + 10\,\%)^0$$
$$= 187\,210\,\$$$

Donc, on estime le TRII(Shell 1) ainsi :

$-100\,000 + 187\,210(1 + \text{TRII(Shell 1)})^{-4} = 0 \rightarrow \text{TRII(Shell 1)} = 16,97\,\%$, alors que le TRI du projet Shell 1 était de 17,71 %.

$$\text{VF(Shell 2)} = 90\,000(1 + 10\,\%)^3 + 50\,000(1 + 0\,\%)^2 + 1\,000(1 + 10\,\%)^1 + 0(1 + 10\,\%)^0$$
$$= 181\,390\,\$$$

De même, on estime le TRII(Shell 2) ainsi :

$-100\,000\,\$ + 181\,390(1 + \text{TRII(Shell 2)})^{-4} = 0 \rightarrow$ On obtient : $\text{TRII(Shell 2)} = 16,05\,\%$, alors que le TRI(Shell 2) = 29,27 %.

La révision du critère fait converger les décisions d'investissement vers le projet Shell 1, puisque le TRII(Shell 1) est supérieur au TRII(Shell 2). En utilisant le chiffrier Microsoft Excel 2010, on calcule les deux TRII comme suit :

	A	B	C
	Année	**Shell 1**	**Shell 2**
1			
2	0	−100 000 $	−100 000 $
3	1	− $	90 000 $
4	2	1 000 $	50 000 $
5	3	60 000 $	1 000 $
6	4	120 000 $	− $

	A	B	C
7	Taux d'actualisation	= 10%	= 10%
8	VAN du projet	= 27 866,95 $	= 23 891,81 $
9	TRI du projet	= 17,716%	= 29,275%
10	TRII du projet	= 16,972%	= 16,052%
11		= TRIM(B2:B6,10%,10%)	= TRIM(C2:C6,10%,10%)

Les projets mutuellement exclusifs de tailles différentes

La taille du projet fait référence au montant de l'investissement initial. Si ce dernier est très différent dans le cas de deux projets à évaluer, les conclusions apportées par le TRI peuvent être erronées.

Exemple 3.5

Soit les deux projets, A et B :

(rentabilité minimale exigible de 10%)	Projet A	Projet B
Investissement initial (en dollars)	−3 000,00	−10 000,00
Flux monétaires annuels (en dollars)	6 000,00	14 000,00
Durée de vie (en années)	1,00	1,00
TRI (en pourcentage)	100,00	40,00
VAN (en dollars)	2 454,54	2 727,27

En utilisant le critère de la VAN, le projet B est plus intéressant que le projet A, alors qu'en utilisant le TRI, le projet A devient plus intéressant que le projet B. Dans le cas de projets mutuellement exclusifs, on fait souvent face à des situations de désaccord par suite de l'évaluation de la VAN et du TRI. Il est important, dans ces cas, de faire le bon choix.

Dans la figure 3.2, on schématise le désaccord entre la VAN et le TRI où les deux profils de la VAN se coupent à 14,29 %. Ce taux correspond au taux d'actualisation qui rend les VAN des deux projets égales. Il est souvent appelé « taux pivot ». Ainsi, pour un taux d'actualisation inférieur à 14,29 %, c'est le projet B qui doit être retenu, alors que, pour un taux d'actualisation supérieur à 14,29 %, c'est le projet A qui doit l'être. Dans ce cas, quel projet faut-il choisir ?

Pour répondre à cette question, on peut calculer la rentabilité marginale d'un projet par rapport à l'autre. Le projet B exige un investissement initial de 10 000 $, soit 7 000 $ de plus que le projet A, mais il rapporte 8 000 $ de plus lors de la première année. Est-ce que cet investissement supplémentaire de 7 000 $ est rentable ? En faisant le calcul de la VAN du projet (B − A), soit 2 727,27 − 2 454,54 = 272,72 $, on peut dire qu'en acceptant le projet B, les actionnaires seront plus riches de 272,72 $. On peut facilement remarquer que le montant de 7 000 $ investi dans le projet B et rapportant 8 000 $ la première année est acceptable, puisque sa VAN = 272,72 $ et son TRI = 14,29 %. La firme devrait donc choisir le projet B.

Avec la calculatrice financière Texas Instruments BA II Plus, la VAN et le TRI du projet d'investissement supplémentaire de 7 000 $ se calculent comme suit :

CF$_0$	−7000	Enter	↓			
C01	8000	Enter	↓	F01	1	↓
NPV	I	10	Enter	↓	CPT	272.72
IRR	CPT	14.29%				

FIGURE 3.2 **Un exemple de projets mutuellement exclusifs de tailles différentes**

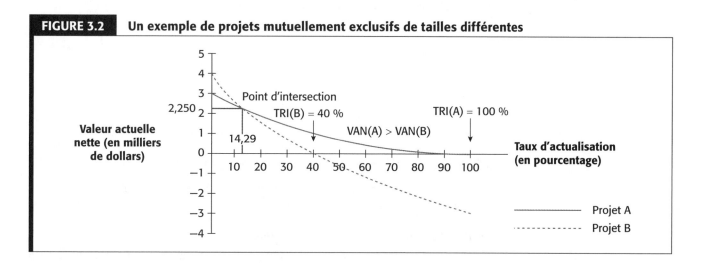

Les TRI multiples

Nous abordons ici un problème qui touche aussi bien les projets indépendants que les projets mutuellement exclusifs. Si ces projets génèrent des flux monétaires positifs et négatifs, il devient difficile d'en trouver le TRI.

Prenons, par exemple, le projet de lancement d'un nouveau produit. Les gestionnaires de l'entreprise prévoient que les ventes de ce nouveau produit sur le marché seront bonnes dès la première année, mais qu'un investissement supplémentaire sera nécessaire la deuxième année pour assurer le maintien de l'avance sur les concurrents qui ne manqueront pas d'entrer sur le marché. Les flux monétaires prévus sont les suivants :

Investissement initial (en dollars)	Flux monétaire 1 (en dollars)	Flux monétaire 2 (en dollars)	VAN à 10 % (en dollars)	TRI (en pourcentage)
−12 000,00	50 000,00	−50 000,00	−7 867,76	66,67 et 150,00

La VAN du projet est de −7 867,76 $. Toutefois, on observe deux TRI, l'un de 66,67 % et l'autre, de 150 % :

$$\text{VAN} = -12\,000 + 50\,000(1 + 66{,}67\,\%)^{-1} - 50\,000(1 + 66{,}67\,\%)^{-2} = 0$$

$$\text{VAN} = -12\,000 + 50\,000(1 + 150\,\%)^{-1} - 50\,000(1 + 150\,\%)^{-2} = 0$$

La figure 3.3, à la page suivante, illustre bien cette situation. On constate d'abord une augmentation de la VAN en fonction du TRI, puis une diminution de la VAN. Cette situation est fréquente lors des changements de signe des flux monétaires. En ne retenant que le premier TRI, on aurait pu conclure à tort que le projet était intéressant (car 66,67 % > 10 %). Or, pour un taux d'actualisation inférieur à 66,67 %, mais tout de même supérieur à 10 %, la VAN est négative parce que l'on observe un montant de 50 000 $ la première année, alors que l'on note un montant de −50 000 $ la deuxième année. Dans les cas de changement de signe, le critère de la VAN doit être retenu en priorité.

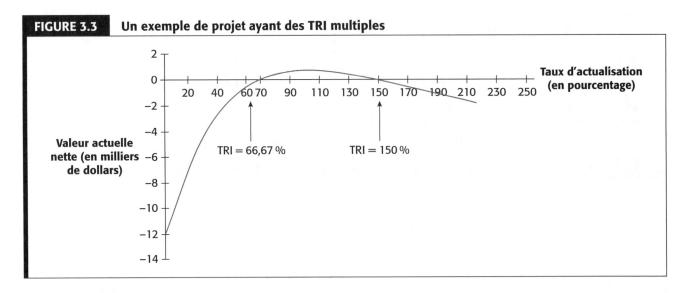

FIGURE 3.3   **Un exemple de projet ayant des TRI multiples**

3.2.7 Les problèmes liés à l'utilisation de la VAN

Le critère de la VAN permet en général de faire de bonnes estimations. Toutefois, dans certains cas précis, il peut se révéler inefficace. Nous présentons maintenant ces situations.

Les projets ayant des durées de vie différentes

Comment comparer deux projets qui n'ont pas le même horizon? Une VAN de 10 000 $ sur 4 ans est-elle préférable à une VAN de 12 000 $ sur 7 ans?

Plusieurs solutions sont envisageables pour résoudre ce problème, mais la plus courante consiste à rendre les durées de vie identiques (*voir la rubrique «En pratique» à la page suivante*). Pour ce faire, on suppose que les projets peuvent être répétés afin d'obtenir les mêmes horizons. Par exemple, si l'on considère un projet sur quatre ans et un projet sur sept ans, on effectuera les calculs de la VAN pour sept répétitions du premier projet et quatre répétitions du second projet. Ainsi, les estimations se baseront sur une durée de 28 ans dans les 2 cas.

Cette solution est simple et intéressante, surtout lorsque le plus petit commun multiple des durées de vie des deux projets est petit. En revanche, elle demeure peu réaliste d'un point de vue économique.

Une autre solution serait de supposer que les projets seront répétés à l'infini. Cette solution est surtout pertinente lorsque les projets à comparer sont de longue durée. Bien qu'il soit difficile de soutenir que les estimations faites pour chaque projet seront encore valables dans 10 ou 15 ans, ce problème est amoindri par le fait que l'erreur est commise de manière similaire pour les 2 projets.

Les projets en cas de rationnement du capital

Il nous reste maintenant à déterminer le processus de sélection d'un projet lorsque les fonds disponibles sont limités. Comment peut-on intégrer cet élément à la prise de décision? Le critère de la VAN en lui-même ne le permet pas. La stratégie de l'entreprise qui est limitée dans ses possibilités de financement sera de n'entreprendre qu'une partie des projets jugés acceptables selon les méthodes citées précédemment. Par exemple, une entreprise dont le coût du capital est de 10 %, mais qui ne peut financer ses projets qu'à hauteur d'un montant précis, différera ceux dont la rentabilité est la plus faible.

Le rationnement du capital se produit lorsque l'entreprise dispose de moins de fonds qu'il ne lui en faut pour financer l'intégralité de ses projets rentables. Une telle situation peut résulter d'une limitation externe des capitaux. Toutefois, le plus souvent, elle émane d'une volonté de l'entreprise de ne pas s'endetter au-delà d'un certain montant, voire d'une volonté de privilégier son développement par l'autofinancement. Le rationnement du capital peut également provenir d'une décision stratégique de n'allouer qu'une fraction précise des ressources disponibles à chacun des projets.

Quelle que soit la raison, en situation de rationnement du capital, le chef d'entreprise devra faire face à une insuffisance relative des fonds disponibles qui le conduira à chercher la meilleure façon d'utiliser les capitaux disponibles. Un moyen de gérer cette rareté relative consiste à exiger de chaque dollar investi la meilleure rentabilité.

En pratique

Étudions plus en détail deux projets ayant des durées de vie différentes : le premier projet, Shell Québec, requiert un investissement de 100 000 $ et génère des flux monétaires de 30 000 $ durant 5 ans ; le second projet, Shell Ontario, génère des flux de 20 000 $ pendant 9 ans pour un investissement identique. On suppose pour les 2 projets un taux de rendement exigé de 10 %.

$$\text{VAN(Shell Québec)} = -100\,000 + 30\,000 \left(\frac{1-(1+10\,\%)^{-5}}{10\,\%} \right) = 13\,723{,}60\,\$$$

$$\text{VAN(Shell Ontario)} = -100\,000 + 20\,000 \left(\frac{1-(1+10\,\%)^{-9}}{10\,\%} \right) = 15\,180{,}47\,\$$$

Ainsi, selon le critère simple de la VAN, le projet Shell Ontario devrait être retenu. Toutefois, pour rendre les horizons des 2 projets identiques, on doit répéter le projet Shell Québec 9 fois et le projet Shell Ontario 5 fois, car l'horizon commun le plus petit est de 45 ans.

Si l'on compare ces deux projets, on obtient ce qui suit :

$$\text{VAN(Shell Québec)} = 13\,723{,}60 + 13\,723{,}60(1+10\,\%)^{-5} +$$
$$13\,723{,}60(1+10\,\%)^{-10} + \ldots + 13\,723{,}60(1+10\,\%)^{-45}$$
$$= 13\,723{,}60 \left(\frac{1-(1+10\,\%)^{-45}}{1-(1+10\,\%)^{-5}} \right) = 35\,705{,}84\,\$$$

$$\text{VAN(Shell Ontario)} = 15\,180{,}47 + 15\,180{,}47(1+10\,\%)^{-9} +$$
$$15\,180{,}47(1+10\,\%)^{-18} + \ldots + 15\,180{,}47(1+10\,\%)^{-36}$$
$$= 15\,180{,}47 \left(\frac{1-(1+10\,\%)^{-45}}{1-(1+10\,\%)^{-9}} \right) = 25\,997{,}81\,\$$$

On préférera donc le projet Shell Québec au projet Shell Ontario.

Si l'on reproduit les projets à l'infini en utilisant les équations de valeur présente de perpétuité, on obtient :

$$\text{VAN(Shell Québec)} = 13\,723{,}60 \left(\frac{(1+10\,\%)^5}{(1+10\,\%)^5 - 1} \right) = 36\,202{,}51\,\$$$

$$\text{VAN(Shell Ontario)} = 15\,180{,}47 \left(\frac{(1+10\,\%)^9}{(1+10\,\%)^9 - 1} \right) = 26\,359{,}45\,\$$$

On constate que les résultats sont semblables à ceux que l'on a obtenus précédemment (car la durée des projets est assez longue). Le projet Shell Québec semble le plus intéressant pour Shell Canada et devrait être retenu.

3.3 Les flux monétaires et la prise de décision d'investissement

Dans la section 3.2, nous nous sommes intéressés aux différents critères de prise de décision en matière de choix d'investissement. Il reste maintenant à voir les éléments qu'il convient de prendre en compte ou d'ignorer dans nos mesures de rentabilité d'un projet. Plus particulièrement, la présente section sera consacrée à l'analyse de certains aspects importants des flux monétaires, notamment l'amortissement fiscal et les effets de l'inflation.

3.3.1 Les flux monétaires

À des fins d'évaluation de projet, le gestionnaire financier devra compiler les prévisions des responsables de la recherche et développement, de l'approvisionnement, de la production, de la mise en marché et du marketing en vue d'établir des prévisions. Ces dernières sont des prévisions de flux monétaires. Les critères majeurs de choix d'investissement soulèvent la question suivante : la valeur de l'entreprise est-elle plus grande si l'on entreprend le projet ?

La prise en considération des seuls flux marginaux

La valeur de l'entreprise est évidemment la VA des flux monétaires futurs qu'elle va générer. Ces flux seront-ils plus élevés si l'on entreprend le projet ? Pour répondre à cette question, il faut déterminer les flux occasionnés par la réalisation du projet. Notre raisonnement portera donc sur les flux marginaux. En d'autres termes, on peut se poser la question suivante : ce déboursé (ou recette) est-il encore présent si l'on ne réalise pas le projet ?

Il est important de noter qu'un nouveau projet entraîne souvent des effets secondaires qu'il faut aussi prendre en compte lorsqu'on aborde les flux monétaires marginaux. Par exemple, si la compagnie Shell Canada décide de lancer un nouveau carburant sur le marché, cette décision pourrait provoquer la diminution des ventes d'un carburant existant. Par conséquent, le calcul des flux marginaux du nouveau projet devrait être ajusté à la baisse pour tenir compte des effets secondaires sur le reste de l'entreprise. Toutefois, il faudrait s'assurer que la diminution des ventes d'un produit existant, par exemple, est bel et bien due au lancement du nouveau produit et non à une réaction de la concurrence.

Les coûts irrécupérables sont aussi de bons exemples des problèmes soulevés par cette question. Supposons que les dirigeants de Shell Canada étudient la possibilité d'ouvrir des agences internationales de voyages. Avant d'affecter une équipe d'experts au projet et de déterminer les compagnies aériennes avec lesquelles Shell Canada offrira ses excursions, la société effectue une étude de marché au coût de 100 000 $. Une fois l'étude terminée, la haute direction de Shell Canada se réunit afin de décider de se lancer ou non dans l'aventure. Doit-on tenir compte de ces 100 000 $ dans le coût du nouveau projet ?

Le coût de 100 000 $ ne doit pas être considéré comme un déboursé lié au projet. En effet, ce coût subsistera indépendamment de la décision de se lancer ou non dans le projet. C'est ce qu'on appelle « coût irrécupérable ». En outre, un coût irrécupérable appartient au passé et ne doit pas être pris en considération dans les décisions d'investissement orientées vers le futur.

Supposons maintenant que la construction d'une nouvelle usine nécessite l'utilisation d'un terrain libre appartenant à l'entreprise. Il faut noter qu'en utilisant ce terrain, l'entreprise ne pourra plus le vendre 100 000 $, valeur de sa revente. Elle renoncera donc à encaisser 100 000 $. C'est un manque à gagner pour l'entreprise, que l'on appelle « coût de renonciation » ou « coût d'opportunité ». On doit donc en tenir compte dans les décisions d'investissement.

La prise en considération des seuls flux monétaires

L'étape la plus importante, mais aussi la plus délicate, dans le choix des investissements est l'estimation des flux monétaires à actualiser. Cette estimation requiert la participation de nombreux services au sein de l'entreprise : la production, les ventes, les finances, etc.

Un bon critère de sélection de projets d'investissement, comme nous l'avons vu dans la section 3.2, permet de comparer les flux monétaires qu'un projet rapporte aux investisseurs et ce que ceux-ci pourraient gagner en faisant eux-mêmes un placement de leur côté. Lorsqu'on évalue un projet d'investissement, il importe de recenser tous les flux qui peuvent constituer des déboursés et des versements du point de vue des investisseurs.

Les projets d'investissement d'une certaine taille nécessitent des déboursés majeurs en capital durant la phase de démarrage. En finance, on réserve un traitement à part aux flux monétaires découlant des déboursés en capital. Généralement, on suppose que les déboursés en capital sont concentrés à $t = 0$ au début d'un projet.

Lorsqu'un projet d'investissement est accepté, l'évaluation doit représenter la façon dont le fonctionnement du projet va produire des flux monétaires pour les investisseurs. Tout calcul des flux monétaires doit refléter leur caractère résiduel pour les investisseurs. Un bon point de départ à ce travail d'évaluation est l'état des résultats. Celui-ci permet de mesurer la capacité des activités d'une entreprise à contribuer à l'enrichissement des propriétaires de la société. Parmi les éléments saillants qui figurent à l'état des résultats, on note les revenus d'exploitation où figurent les ventes et les charges d'exploitation associées aux activités de l'entreprise. Ici, le principe de rapprochement des produits et des charges est appliqué de façon à compter une portion des coûts d'acquisition d'un bien amortissable comme une charge qui est répartie sur plusieurs exercices. Les charges financières figurent également à l'état des résultats comme un montant que l'on enlève des revenus d'exploitation, et les dépenses d'impôts par l'entreprise sont calculées comme un pourcentage du bénéfice imposable après que les frais et charges ont été déduits.

En finance, on reconnaît que l'approche adoptée par les comptables pour dresser l'état des résultats permet de bien saisir l'aspect résiduel des flux monétaires qui peuvent être versés aux investisseurs. Ainsi, l'enrichissement qu'un projet peut apporter à ces derniers se manifeste d'abord par un accroissement des revenus d'exploitation. De même, comme les paiements allant aux fournisseurs et au personnel de l'entreprise ont priorité sur ceux qui peuvent être faits aux investisseurs, il est important d'enlever des flux monétaires de ces derniers toute augmentation des déboursés qui peut être imputée au fonctionnement du projet.

Enfin, seule la partie des flux monétaires nets d'impôts produits par un projet peut être versée aux investisseurs. On comprend tout de suite qu'en matière de sélection d'un projet d'investissement, les données comptables ne peuvent être utilisées. En d'autres termes, il y a une nette différence entre le flux monétaire et le bénéfice comptable. Qu'est-ce qui explique cette différence?

D'abord, il est important de se rappeler que le moment où une transaction est enregistrée du point de vue comptable ne coïncide pas nécessairement avec le mouvement effectif de l'argent. Ainsi, il peut s'écouler beaucoup de temps entre le moment où une dépense a lieu et le moment où le débours a effectivement lieu. À des fins d'évaluation de projet, on suppose que les investissements concernant l'acquisition d'équipement pour un projet sont effectués au début de celui-ci.

Par ailleurs, du point de vue comptable, les impôts ne sont pas nécessairement les mêmes que ceux qui sont versés aux gouvernements. D'après la définition des flux monétaires, la dotation à l'amortissement est un flux fictif qui n'entraîne pas une sortie de fonds, puisqu'on ne peut compter les flux monétaires qu'au moment où ils sont effectués. Cependant, l'économie d'impôts découlant de la déduction fiscale de l'amortissement constitue un vrai flux monétaire pour les investisseurs.

De plus, il faut se rappeler que le choix des projets d'investissement doit uniquement tenir compte des éléments dépendants du projet et non des éléments indépendants tels que le mode de financement. Ce dernier dépend beaucoup plus des caractéristiques de l'entreprise que de celles d'un projet. Ainsi, il faut dissocier les décisions d'investissement des décisions de financement pour l'évaluation d'un projet d'investissement, ce qui nous amène à exclure les charges financières de nos calculs des flux monétaires. Techniquement, cette exclusion s'explique par le fait qu'en actualisant les rentrées et les sorties de fonds pour calculer la rentabilité d'un projet, on suppose que l'argent rapporte des intérêts. Ne pas exclure les frais financiers pour calculer les flux monétaires équivaut donc à compter les intérêts deux fois.

Ces divers points montrent que les bénéfices comptables et les flux monétaires ne sont pas les mêmes et que, si l'on veut déterminer les flux monétaires pour les investisseurs, on doit apporter plusieurs modifications à l'approche comptable *(voir l'exemple 3.6 à la page suivante)*.

Exemple 3.6

Supposons qu'un projet de remplacement d'actif génère les résultats suivants la première année:

	(en dollars)
Bénéfice brut	100 000
Amortissement	20 000
Bénéfice imposable	80 000
Impôts (40 %)	32 000
Bénéfice net	48 000

Le bénéfice net ainsi réalisé ne correspond pas au flux monétaire de l'année 1, puisqu'il tient compte de l'amortissement, celui-ci n'étant pas une sortie de fonds. Le flux monétaire d'exploitation de l'année 1 s'obtient comme suit:

	(en dollars)
Bénéfice brut	100 000
Impôts (40 %)	40 000
Flux monétaire d'exploitation	60 000

Pour calculer le flux monétaire total, on peut utiliser les trois méthodes présentées ci-après.

Première méthode:

Flux monéraire total (FMT) = bénéfice net + amortissement (3.3)

Dans notre exemple:

	(en dollars)
Bénéfice net	48 000
Amortissement	20 000
Flux monétaire total	68 000

Deuxième méthode:

Flux monétaire total = bénéfice brut − impôts

	(en dollars)
Bénéfice brut	100 000
Impôts (40 %)	32 000
Flux monétaire total	68 000

Troisième méthode:

La séparation des opérations et des avantages fiscaux

On calcule d'abord le flux monétaire en provenance du fisc:

	(en dollars)
Flux monétaire total	68 000
Flux monétaire d'exploitation	60 000
Différence	8 000

Cette différence de 8000$ s'explique uniquement par les impôts déduits. En effet, les impôts déduits dans le cas du flux monétaire total sont inférieurs aux impôts déduits dans le cas du flux monétaire d'exploitation, car on tient compte de l'amortissement dans le premier cas. L'amortissement permet donc d'économiser de l'impôt. On appelle «flux monétaire en provenance du fisc» les économies d'impôts réalisées grâce à l'amortissement. On pourrait aussi calculer directement ces économies comme suit: 20000 × 40% = 8000$.

L'équation du flux monétaire total peut donc s'écrire ainsi:

FM total = FM en provenance de l'exploitation + FM en provenance du fisc

= bénéfice brut après impôts + économies d'impôts liées à l'amortissement

Dans notre exemple:

	(en dollars)
Bénéfice brut	100000
Impôts (40%)	40000
FM en provenance de l'exploitation	60000
FM en provenance du fisc: 20000 × 40%	8000
FM total	68000

Il faut noter que la troisième méthode est plus intéressante que les deux premières, puisqu'elle permet de déterminer facilement chaque source de rentabilité d'un projet.

Le calcul des flux monétaires s'obtient au moyen de l'équation suivante:

$$\text{Flux monétaires} = (RE_t - CE_t) \times (1 - T) + AF_t \times T$$
$$= BE_t \times (1 - T) + AF_t \times T$$

où

RE_t sont les revenus associés au projet pour l'exercice de la période t;

CE_t sont les charges d'exploitation associées au projet pour l'exercice de la période t;

T est le taux d'imposition de la société;

BE est le bénéfice d'exploitation;

AF_t est l'amortissement fiscal déduit pour l'exercice de la période t.

Nous consacrons maintenant la sous-section suivante à l'amortissement fiscal.

3.3.2 L'amortissement fiscal

Au Canada, l'**amortissement du coût en capital (ACC)**, également appelé «amortissement fiscal», est une mesure d'amortissement qui sert à des fins de déclaration fiscale. Il est important de se rappeler que l'amortissement fiscal n'est pas nécessairement égal à l'amortissement établi selon les principes comptables généralement reconnus. De plus, l'amortissement fiscal n'est pas calculé individuellement pour chaque bien amortissable. On regroupe plutôt un ensemble de biens amortissables dans une même catégorie d'amortissement, appelée «classe d'amortissement». Les autorités gouvernementales établissent les classes d'amortissement et les taux d'amortissement correspondants. Donc, ce ne sont pas les actifs eux-mêmes que le contribuable est autorisé à amortir, mais les classes. Au Canada, on dénombre plus de 52 classes d'amortissement. Ces classes sont décrites dans le règlement 1100 et à l'annexe II de la *Loi de l'impôt*.

Le solde d'ouverture de chaque classe d'amortissement représente le montant maximal du coût d'acquisition des biens amortissables qui pourra être déduit progressivement en tant qu'amortissement fiscal pendant les exercices à venir.

Le solde d'ouverture au début de chaque exercice est défini comme la **fraction non amortie du coût en capital (FNACC)**. On l'ajuste dans les cas suivants: a) pour l'acquisition de nouveaux biens amortissables inclus dans la classe d'amortissement pendant l'exercice; b) pour la disposition de biens retirés (par exemple, les ventes) de la classe d'amortissement pendant l'exercice ; c) pour la soustraction de l'amortissement fiscal de l'exercice afin d'obtenir le solde d'ouverture du prochain exercice. Ce calcul consiste à diminuer le solde du montant d'amortissement déduit pour chaque exercice que l'on décrit en appliquant la méthode du solde dégressif.

Une entreprise, en déclarant ses revenus, agit comme si une certaine portion de ses biens amortissables s'usait chaque année de production. En calculant des amortissements pour ses immobilisations, l'entreprise considère cette usure des installations comme une charge qui vient réduire son bénéfice d'exploitation. Cette réduction des bénéfices d'exploitation diminue donc ses revenus imposables pour l'année fiscale.

Il faut noter ici que pour l'élaboration des états financiers figurant dans le rapport annuel, les comptables n'ont pas à calculer l'amortissement comptable de la même manière que l'amortissement fiscal. La réconciliation de ces deux façons de calculer l'amortissement se fait dans le bilan, sous la rubrique «Impôts reportés».

Année	Solde d'ouverture en début d'année	Amortissement fiscal de l'année*	Économie d'impôts
	$FNACC_{t-1}$	$AF_t = FNACC_{t-1} \times d$	$AF_t \times T$
1	A	$A \times d \times \frac{1}{2}$	$A \times d \times \frac{1}{2} \times T$
2	$A \times (1 - \frac{1}{2}\,d)$	$A \times d \times (1 - \frac{1}{2}\,d)$	$A \times d \times (1 - \frac{1}{2}\,d) \times T$
3	$A \times (1 - \frac{1}{2}\,d) \times (1 - d)^{3-2}$	$A \times d \times (1 - \frac{1}{2}\,d) \times (1 - d)^{3-2}$	$A \times d \times (1 - \frac{1}{2}\,d) \times (1 - d)^{3-2} \times T$
4	$A \times (1 - \frac{1}{2}\,d) \times (1 - d)^{4-2}$	$A \times d \times (1 - \frac{1}{2}\,d) \times (1 - d)^{4-2}$	$A \times d \times (1 - \frac{1}{2}\,d) \times (1 - d)^{4-2} \times T$
t lorsque $t \geq 2$	$A \times (1 - \frac{1}{2}\,d) \times (1 - d)^{(t-2)}$	$A \times d \times (1 - \frac{1}{2}\,d) \times (1 - d)^{(t-2)}$	$A \times d \times (1 - \frac{1}{2}\,d) \times (1 - d)^{(t-2)} \times T$

* Selon la règle du demi-taux, seule la moitié de l'amortissement est admissible l'année de l'acquisition de l'actif.

où

A est le coût d'origine d'un bien amortissable ;

d est le taux d'amortissement fiscal ;

T est le taux d'imposition ;

$FNACC_{t-1}$ est le solde d'ouverture de la FNACC au début de l'année t.

De façon générale, la $FNACC_t$ se calcule comme suit :

$$FNACC_t = A \times (1 - \frac{1}{2} \times d) \times (1 - d)^{t-2} \text{ (si } t \geq 2) \qquad (3.4)$$

où

t est l'année pour laquelle le calcul est fait.

Lorsque la règle du demi-taux ne s'applique pas, $FNACC_t = A \times (1 - d)^{t-1}$.

La valeur actualisée des économies d'impôts liées à l'amortissement fiscal (VAEI) d'un bien amortissable conservé indéfiniment dans une classe d'amortissement est de :

$$\frac{AdT}{(r+d)}\left(\frac{1+0,5r}{1+r}\right) \qquad (3.5)$$

où

r est le facteur d'actualisation.

Remarques :

Puisqu'on calcule l'allocation du coût en capital sur le solde initial de chaque période, la valeur de ce coût diminue d'année en année, mais elle ne sera jamais nulle. On fait donc face à une perpétuité qui décroît à taux fixe.

Lorsque l'amortissement de la première année n'est pas réduit de moitié, l'équation équivalente de la VAEI est :

$$\frac{AdT}{(r+d)}$$

Voici un exemple de tableau d'amortissement fiscal d'un actif. En 2008, Shell Canada achète 50 000 $ une nouvelle machine servant à l'étiquetage de sa nouvelle gamme de lubrifiants. Le taux d'allocation du coût en capital est de 20 %. Le tableau d'amortissement fiscal de cette catégorie d'actif chez Shell Canada se présente comme suit :

Année	FNACC (en dollars)	Amortissement fiscal de l'année (en dollars)
1	50 000	5 000
2	45 000	9 000
3	36 000	7 200
4	28 800	5 760
etc.		

Dans notre exemple, le capital non amorti à la quatrième année est de :

$$FNACC_4 = 50\,000 \times (1 - 0,5 \times 0,2) \times (1 - 0,2)^{4-2} = 28\,800\,\$.$$

Ce résultat est le même que celui que l'on trouve dans le tableau précédent. Si l'on suppose que le facteur d'actualisation est de 12 % et que l'entreprise est imposée au taux marginal de 40 %, alors la valeur actualisée des économies d'impôts attribuables à l'allocation du coût en capital est de :

$$\frac{50\,000 \times 0,20 \times 0,4}{(0,12 + 0,20)} \left(\frac{1 + 0,5 \times 0,12}{1 + 0,12} \right) = 11\,830,35\,\$$$

Dans ce calcul, on a supposé que l'actif de Shell Canada était amorti régulièrement chaque année jusqu'à l'infini. Toutefois, lorsque l'actif est revendu à la fin du projet, on doit tenir compte de la valeur actualisée des économies d'impôts attribuables à l'allocation du coût en capital pour les seules années où l'actif fait partie du patrimoine de l'entreprise. Il ne s'agit donc plus d'une perpétuité, mais plutôt de la valeur actualisée d'un flux monétaire périodique reçu pendant t années. Par conséquent, il faut rectifier nos calculs. Deux scénarios peuvent se présenter :

1. Si la revente de l'actif entraîne la fermeture de la classe d'amortissement, on devrait alors soustraire de la VAEI liée à l'amortissement le montant de l'économie d'impôts perdue à cause de la fermeture à la fin du projet. On obtient cette valeur à l'aide de l'équation suivante :

$$\frac{FNACC_n dT}{(r+d)(1+r)^n} \qquad (3.6)$$

où

n est l'année de la revente.

2. Si la revente de l'actif n'entraîne pas la fermeture de la classe d'amortissement, alors le montant que l'on devrait soustraire de la VAEI liée à l'amortissement s'obtient à l'aide de l'équation suivante :

$$\frac{minimum(VR\,;\,A)dT}{(r+d)(1+r)^n} \qquad (3.7)$$

On constate que comme l'amortissement fiscal est déterminé par le coût d'origine du bien amortissable, on n'enlève jamais plus que le coût d'origine de la classe d'amortissement lors de la disposition d'un bien amortissable. La récupération des économies d'impôts porte alors sur le minimum de la valeur résiduelle et du coût d'origine. Il faut aussi noter que la règle du demi-taux ne s'applique pas ici. En effet, le solde de la catégorie est diminué de la vente (à condition que le prix de vente soit inférieur au coût d'acquisition) et que l'ACC soit calculé sur le nouveau solde obtenu.

Nous sommes maintenant prêts à évaluer les projets d'investissement selon le critère de la VAN. Pour cela, nous décomposons la chronologie des flux monétaires du projet en trois périodes principales : le début du projet, les périodes pendant la durée du projet et la fin du projet.

3.3.3 Les flux au début du projet

Les principaux flux du début de projet sont le coût d'acquisition, les frais d'installation, de transport ou autres et la variation du fonds de roulement. En effet, lorsqu'on effectue un projet d'investissement, il faut, la plupart du temps, augmenter le volume des comptes clients et des stocks ainsi que celui des comptes fournisseurs. Il en découle une augmentation nette du fonds de roulement, qui devrait être considérée comme une sortie de fonds initiale. Toutes ces sorties et ces rentrées de fonds représentent le capital nécessaire pour réaliser le projet.

Exemple 3.7

Supposons le projet d'investissement suivant : Shell Canada prévoit acheter un appareil d'exploration pour ensuite le louer à des entreprises qui en auront besoin temporairement. L'appareil se vend actuellement 100 000 $ et serait amortissable au taux de 35 % sur le solde dégressif. Cet achat entraînerait également une dépense immédiate de 2 000 $ pour l'identification de l'appareil aux couleurs de l'entreprise par un spécialiste. Cette dépense serait traitée comme des frais d'exploitation immédiatement déductibles d'impôts. De plus, cet achat nécessiterait un ajout de 9 000 $ au fonds de roulement (huile et pièces de rechange à conserver en stock). Shell Canada exige un taux de rendement de 12 % sur ce type d'achat et est soumise à un taux d'imposition de 40 %.

La valeur de l'investissement initial est de $100 000 + 2 000(1 - 40 \%) + 9 000 = 110 200\,\$$.

Supposons que l'entreprise dispose déjà d'un ancien appareil d'exploitation. Si l'on veut conserver cet appareil encore 10 ans, on devra dépenser 20 000 $ dans 2 ans pour sa remise à neuf. Grâce au projet d'acquisition d'un nouvel appareil de production, on évitera donc une sortie d'argent de 20 000 $ dans 2 ans. Cette sortie de fonds évitée est à considérer comme équivalant à une rentrée de fonds lors du calcul de la VAN du nouveau projet.

Sur le plan fiscal, il faut ajouter cette sortie de fonds à la catégorie correspondante d'actif et l'amortir annuellement selon le taux applicable à cette catégorie. Pour déterminer le montant (ou la rentrée de fonds) dont il faut tenir compte dans le calcul de la VAN du projet, on utilise l'équation suivante :

$$\left[\text{SE} - \frac{\text{SE}dT}{(r+d)}\left(\frac{1+0,5r}{1+r}\right)\right](1+r)^{-ns} \tag{3.8}$$

où

SE est la sortie de fonds évitée ;

ns est la période où la sortie évitée a lieu.

Dans cet exemple, le montant est égal à :

$$\left[20\,000 - \frac{20\,000 \times 0,35 \times 40\,\%}{(12\,\% + 35\,\%)}\left(\frac{1+0,5 \times 12\,\%}{1+12\,\%}\right)\right](1 \times 12\,\%)^{-2} = +11\,449,06\,\$$$

3.3.4 Les flux pendant le projet

Pendant le projet, l'amortissement fiscal permet une déduction fiscale à chaque exercice qui correspond, du point de vue comptable, à une partie du coût d'origine du bien amortissable. Les flux monétaires qui peuvent être répartis entre les investisseurs pendant le projet sont les augmentations du bénéfice d'exploitation nettes d'impôts et les économies d'impôts :

Flux monétaires $= \text{BE} \times (1 - T) + \text{AF} \times T$

où

BE est le bénéfice d'exploitation ;

T est le taux d'imposition de la société ;

AF est l'amortissement fiscal déduit.

Pour simplifier les calculs, la valeur actualisée des économies d'impôts est calculée séparément des bénéfices d'exploitation. Le plus simple est de faire comme si chaque bien amortissable associé au projet était conservé indéfiniment dans sa classe d'amortissement. Les calculs pour établir la valeur actualisée des augmentations du bénéfice d'exploitation après impôts et de la valeur actualisée des économies d'impôts s'effectuent à l'aide de l'équation suivante :

$$\sum_{t=1}^{n} \frac{\text{BE}(1-T)}{(1+r)^t} + \frac{AdT}{(r+d)}\left(\frac{1+0,5r}{1+r}\right) \tag{3.9}$$

où

n est la durée de vie du projet.

On peut ajouter l'information suivante à l'exemple 3.7. Ce projet devrait augmenter les bénéfices d'exploitation (avant impôts) de 20 000 $ à la fin de chacune des années pendant 4 ans. On calcule maintenant la VA des flux monétaires durant le projet.

La valeur actualisée des recettes nettes d'exploitation est de :

$$20\,000(1-40\,\%)\left(\frac{1-(1+12\,\%)^{-4}}{12\,\%}\right) = +36\,448,19\,\$$$

La valeur actualisée des économies d'impôts liées à l'amortissement est de :

$$\frac{(100\,000 \times 35\,\% \times 40\,\%)}{(12\,\% + 35\,\%)}\left(\frac{1+0,5(12\,\%)}{1+12\,\%}\right) = +28\,191,49\,\$$$

3.3.5 Les flux à la fin d'un projet d'investissement

On doit examiner attentivement ce qui se passe à la fin du projet pour vérifier s'il n'y a pas de flux monétaires spéciaux qui s'ajoutent. Dès la fin d'un projet, la décision des gestionnaires va aboutir à deux possibilités distinctes : a) garder l'équipement et les biens amortissables utilisés pour le projet ; b) se défaire des biens amortissables. Si l'on se défait des biens au moyen d'une vente, on dira que ces biens ont une valeur résiduelle positive. Dans ce cas, on aura une rentrée de fonds qui se calculera comme suit :

$$\frac{\text{VR}}{(1+r)^n}$$

où

VR est la valeur de revente du bien amortissable ;

r est le facteur d'actualisation ;

n est le moment du retrait.

D'un point de vue financier, la valeur résiduelle doit être considérée comme un flux monétaire qui peut être versé aux investisseurs. La valeur résiduelle est une valeur marchande établie au moment d'une transaction avec une partie externe à l'entreprise. Il faut éviter de confondre la valeur résiduelle avec la FNACC de la catégorie, qui est obtenue au moyen de calculs fiscaux (en retranchant l'amortissement fiscal cumulé du coût d'origine).

Le retrait d'un bien amortissable occasionne, comme nous l'avons vu, le retrait de ce bien amortissable de sa classe d'amortissement. Ce retrait entraîne un ajustement vers le bas de la FNACC de la catégorie. Avec l'amortissement à régime dégressif, cet ajustement du solde de la classe d'amortissement s'accompagne d'une réduction des économies d'impôts durant tous les exercices qui suivent la fin du projet.

Benjamin Franklin a écrit: «Dans ce monde, rien n'est certain, sauf la mort et l'impôt[6].» [traduction libre]. Il nous reste donc maintenant à considérer l'aspect fiscal de chaque décision d'investissement. Ainsi, si le prix de revente d'un bien dépasse le prix d'acquisition ou le coût d'origine, il y a gain en capital. Les gains en capital sont possibles sur des biens amortissables et également sur des biens non amortissables, tels que des terrains. Pour bien déterminer toutes les incidences fiscales qui découlent d'un gain en capital sur un bien amortissable, on peut distinguer deux cas:

Dans le premier cas, la classe d'actifs continue d'exister. Les impôts à payer sur le gain en capital se calculent alors à l'aide de l'équation suivante:

$$\frac{(VR - A)kT}{(1+r)^n} \quad \text{(ce qui constitue une sortie de fonds)} \tag{3.10}$$

où

VR est la valeur de revente de l'actif;

k est la fraction imposable du gain en capital;

n est le moment où a lieu la revente.

La chronologie du paiement des impôts sur un gain en capital net dépend du cycle de la déclaration fiscale. Toutefois, il faut noter que seule la disposition d'un actif non amortissable peut entraîner une perte de capital (donc une rentrée de fonds sur le plan fiscal).

Par exemple, un terrain acquis 150 000 $ il y a 15 ans est revendu 100 000 $ aujourd'hui. En supposant que 50 % du gain en capital est imposable, que le taux d'imposition de l'entreprise est de 40 % et que le taux d'actualisation est de 10 %, on devrait établir le traitement fiscal suivant:

$$(150\,000 - 100\,000) \times 50\,\% \times 40\,\% \times (1 + 10\,\%)^{-15} = +\,2\,393{,}92\,\$$$

Dans le deuxième cas, la classe d'actifs cesse d'exister. La fermeture de la catégorie fiscale donne lieu à une récupération d'amortissement ou à une perte d'amortissement (également appelée «perte finale»), en plus du gain ou de la perte en capital.

Si la valeur de revente VR est supérieure à la FNACC, l'entreprise doit payer une certaine somme afin de rembourser le surplus d'économies d'impôts relatives à l'ACC dont elle a bénéficié au fil des années. Dans ce cas, la valeur actualisée de la récupération d'amortissement se calcule ainsi:

$$\frac{[\text{minimum}(VR\,;\,A) - FNACC_t] \times T}{(1+r)^n} \quad \text{(ce qui est une sortie de fonds)} \tag{3.11}$$

Si la valeur de revente VR est inférieure à la FNACC, l'entreprise encaisse une certaine somme en guise de remboursement des impôts qu'elle a payés en trop. Dans ce cas, la valeur actualisée de la perte d'amortissement se calcule ainsi:

$$\frac{(FNACC_t - VR)T}{(1+r)^n} \quad \text{(ce qui est une rentrée de fonds)} \tag{3.12}$$

où

n est le nombre d'années qu'a duré le projet.

À la fin du projet, on doit également tenir compte de la récupération du fonds de roulement en employant l'équation suivante:

---

6. Dans une lettre adressée à Jean-Baptiste Leroy en 1789, [En ligne], http://en.wikipedia.org/wiki/Death_%26_Taxes (Page consultée le 2 octobre 2012).

$$\frac{FR}{(1+r)^n} \qquad\qquad\qquad (3.13)$$

où

FR est le fonds de roulement requis ;

r est le taux d'actualisation ;

n est le moment de la récupération du fonds de roulement.

En reprenant l'exemple 3.7, à la page 76, on suppose que la classe d'actifs continue d'exister et que l'horizon d'évaluation est de 4 ans, au bout desquels on s'attend à ce que l'appareil prenne de la valeur et se revende 110 000 $. Aussi, on prévoit récupérer le fonds de roulement à la fin de ces quatre années. La VA des rentrées et des sorties de fonds à la fin du projet se calcule de la manière suivante :

Revente de l'actif : (+) $110\,000 \times (1 + 12\,\%)^{-4} = +\,69\,906,98$ $

Gain en capital : (−) $(110\,000 - 100\,000) \times 0,5 \times 40\,\% \times (1 + 12\,\%)^{-4} = -1\,271,03$ $

Récupération du fonds de roulement : (+) $9\,000 \times (1 + 12\,\%)^{-4} = +\,5\,719,66$ $

Comme 110 000 $ > 100 000 $, alors la VAEI liée à l'amortissement pris en trop est de :

$$\frac{100\,000 \times 35\,\% \times 40\,\%}{(12\,\% + 35\,\%) \times (1 + 12\,\%)^4} = -18\,930,32\$$$

VAN du projet $= 11\,449,06 + 69\,906,98 - 1\,271,03 + 5\,719,66 - 18\,930,32 + 36\,448,19$
$\qquad\qquad + 28\,191,49 - 110\,200,00$
$\qquad = 21\,314,03\$$

La VAN du projet étant positive, on pourrait l'accepter.

En se basant sur les données de l'exemple 3.7, à la page 76, on peut calculer la VA des économies d'impôts liées à l'amortissement de la première et de la deuxième année.

Amortissement de la première année $= 100\,000 \times 35\,\% \times (0,5) = 17\,500$ $

Amortissement de la deuxième année $= (100\,000 - 17\,500) \times 35\,\% = 28\,875$ $

La valeur actualisée des économies d'impôts liées à l'amortissement des années 1 et 2 est égale à :

$17\,500\$ \times 40\,\% \times (1 + 12\,\%)^{-1} + 28\,875\$ \times 40\,\% \times (1 + 12\,\%)^{-2} = 15\,458\$$

ENCADRÉ 3.1 | **La marche à suivre pour le calcul de la VAN d'un projet d'investissement**

Selon les données propres à chaque projet d'investissement, d'autres éléments peuvent être pris en compte :

Le début de la période :
- Investissement initial   (−)
- Besoin en fonds de roulement FR   (−)

Le cours de la période :
- Flux monétaires (FM) liés au projet = FM provenant de l'exploitation + FM provenant du fisc   (+)

FM provenant de l'exploitation = (Revenus d'exploitation − Charges d'exploitation) × (1−T)

FM provenant du fisc = Économies d'impôts liées à l'amortissement

La fin de la période :
- Récupération du fonds de roulement   (+)
- Vente du bien   (+)
- Perte de l'économie d'impôts liée à la vente du bien   (−)

3.3.6 La décision d'investissement et l'inflation

L'**inflation** correspond à une baisse du pouvoir d'achat de l'argent. Elle se traduit par une hausse soutenue du niveau général du prix des biens et des services. Pour se protéger contre ce phénomène, les investisseurs doivent prévoir l'inflation et intégrer leurs prévisions au taux d'actualisation. Pourquoi en est-il ainsi?

Il faut noter qu'en période d'inflation, le taux de rendement réel diffère du taux de rendement nominal (taux de rendement normalement affiché). Prenons l'exemple suivant pour comprendre l'effet de l'inflation: supposons que l'on veut investir 1 000 $ au taux de 12 % (taux nominal) et que le **taux d'inflation** est de 3 %. On calcule ainsi le rendement que l'on réalisera: à la fin de l'année, on aura 1 000 $ de capital et 120 $ d'intérêts, soit 1 120 $. En valeur réelle, cela équivaut à 1 120 $/1,03, soit 1 087,37 $. Le taux de rendement réel n'est donc que de 8,73 %. Ainsi, à cause de l'inflation, chaque dollar investi perd de sa valeur.

Techniquement, on peut facilement montrer ceci: Taux de rendement nominal (12 %) = Taux de rendement réel (8,73 %) + prime pour l'inflation (3 % + 3 % × 8,73 = 3,27 %). Autrement dit, le taux de rendement nominal est un taux qui n'est pas ajusté aux effets de l'inflation.

Pour tenir compte de l'inflation lors de l'évaluation des projets d'investissement, on peut utiliser les deux méthodes suivantes: a) la méthode la plus simple consiste à actualiser les flux monétaires exprimés en valeur nominale à l'aide d'un taux nominal; b) l'autre méthode est l'actualisation de tous les flux monétaires exprimés en valeur réelle à l'aide d'un taux réel, à l'exception des flux monétaires provenant du fisc, tels que les économies d'impôts liées à l'ACC, qui sont toujours exprimées en valeur nominale et qui doivent donc être actualisées à l'aide d'un taux nominal.

Ces deux méthodes doivent évidemment donner le même résultat, le choix de l'une ou l'autre dépendant des données à actualiser. Si les données sont en dollars courants, on utilise la première méthode; si elles sont en dollars constants, on utilise la seconde.

CONCLUSION

La première partie du présent chapitre met en contexte le problème du choix des investissements en s'inspirant de l'exemple de la société Shell Canada. La deuxième partie décrit le processus de choix des investissements ainsi que les différentes catégories de projets selon le type de décision à prendre et leurs caractéristiques particulières.

La troisième partie porte sur la présentation des différents critères permettant d'évaluer les projets d'investissement. Ces critères peuvent être regroupés en deux sous-ensembles:

1. Les critères dits traditionnels:

   a) le délai de récupération;

   b) le délai de récupération actualisé;

   c) le RCM.

2. Les critères dits de la finance moderne:

   a) la VAN;

   b) le TRI;

   c) l'IR;

   d) le TRII.

Comme nous l'avons vu tout au long du présent chapitre, le critère de la VAN est le critère dominant. Il offre de bonnes indications en matière d'investissement, surtout en cas de projets mutuellement exclusifs. Certains dirigeants trouvent cependant que les résultats obtenus à l'aide de la VAN sont difficiles à interpréter et préfèrent le TRI. Celui-ci leur permet une certaine assurance quant à la rentabilité de l'investissement. Ces dirigeants évaluent le TRI par rapport à d'autres facteurs tels que le taux d'inflation, le taux d'emprunt, le coût du capital, le rendement d'un portefeuille ou celui d'un indice. Même si le TRI est un concurrent potentiel de la VAN, il serait imprudent de l'utiliser sans connaître ses différentes lacunes, notamment en situation de changement de signe dans le cas des flux monétaires et des projets mutuellement exclusifs.

Enfin, il ne faut pas oublier que la qualité de l'analyse de rentabilité d'un projet dépend non seulement de la façon de calculer la VAN, mais également de la qualité des prévisions des flux monétaires. Il faut prendre son temps afin d'effectuer les bonnes prévisions. Dans ce contexte, notre conseil aux dirigeants d'entreprise est de ne pas hésiter à utiliser la VAN comme critère de décision. Le coût d'une mauvaise décision s'avère souvent plus élevé que les dépenses engagées pour utiliser ce critère primordial.

À RETENIR

1. Il faut toujours, et uniquement, investir dans des projets ayant une VAN positive.

2. L'économie d'impôts découlant de la déduction fiscale de l'amortissement constitue un vrai flux monétaire pour les investisseurs.

3. Il faut dissocier les décisions d'investissement des décisions de financement au moment de l'évaluation d'un projet d'investissement.

4. Les charges financières doivent être exclues des calculs des flux monétaires.

5. Le calcul des flux monétaires est différent de celui des bénéfices comptables.

6. Il faut baser son raisonnement sur les flux marginaux et accorder une attention particulière aux effets secondaires, aux coûts irrécupérables et aux coûts d'opportunité.

7. Le choix de projets d'investissement ne doit tenir compte que des éléments dépendants du projet et non des éléments indépendants tels que le mode de financement.

8. Il convient d'accorder un traitement spécial à l'inflation; il faut se rappeler qu'elle est omniprésente et que le taux de rendement réel diffère du taux de rendement nominal.

TERMES-CLÉS

SOMMAIRE DES ÉQUATIONS

La valeur actuelle (VA)

$$VA = \sum_{t=1}^{n} \frac{FM_t}{(1+r)^t} \tag{3.1}$$

La valeur actuelle nette (VAN)

$$VAN = \sum_{t=1}^{n} \frac{FM_t}{(1+r)^t} - I_0 \tag{3.2}$$

Le flux monétaire total

$$
\begin{aligned}
FMT &= (RE_t - CE_t) \times (1 - T) + AF_t \times T \\
&= BE_t \times (1 - T) + AF_t \times T \\
&= \text{bénéfice net} + \text{amortissement}
\end{aligned}
\tag{3.3}
$$

La fraction non amortie du coût en capital (FNACC) au début de l'année t

$$\text{FNACC}_t = A \times (1 - \tfrac{1}{2} \times d) \times (1 - d)^{t-2} \ (\text{si } t \geq 2) \tag{3.4}$$

La valeur actualisée des économies d'impôts liées à l'amortissement fiscal

$$\frac{AdT}{(r+d)}\left(\frac{1+0,5r}{1+r}\right) \tag{3.5}$$

La fermeture de la classe d'amortissement: économies d'impôts perdues

$$\frac{\text{FNACC}_n dT}{(r+d)(1+r)^n} \tag{3.6}$$

Pas de fermeture de la classe d'amortissement: économies d'impôts perdues

$$\frac{\text{minimum}(\text{VR}\,;\,A)dT}{(r+d)(1+r)^n} \tag{3.7}$$

La sortie de fonds évitée

$$\left[\text{SE} - \frac{SEdT}{(r+d)}\left(\frac{1+0,5r}{1+r}\right)\right](1+r)^{-ns} \tag{3.8}$$

La valeur actualisée des augmentations du bénéfice d'exploitation après impôts et la valeur actualisée des économies d'impôts

$$\sum_{t=1}^{n}\frac{\text{BE}(1-T)}{(1+r)^t} + \frac{AdT}{(r+d)}\left(\frac{1+0,5r}{1+r}\right) \tag{3.9}$$

La classe d'actifs continue d'exister: les impôts à payer sur le gain en capital

$$\frac{(\text{VR}-A)kT}{(1+r)^n} \tag{3.10}$$

La classe d'actifs cesse d'exister: la valeur actualisée de la récupération d'amortissement

$$\frac{[\text{minimum}(\text{VR}\,;\,A)-\text{FNACC}_t]\times T}{(1+r)^n} \tag{3.11}$$

La valeur actualisée de la perte d'amortissement

$$\frac{(\text{FNACC}_t - \text{VR})T}{(1+r)^n} \tag{3.12}$$

La récupération du fonds de roulement

$$\frac{\text{FR}}{(1+r)^n} \tag{3.13}$$

PORTRAIT D'ENTREPRISE

Shell Canada ltée[7]

Le profil de l'entreprise

Shell Canada est l'une des plus grandes sociétés pétrolières et gazières intégrées au pays. Elle est présente au Canada depuis 1911, a son siège social à Calgary (en Alberta) et emploie plus de 8 000 personnes.

---

7. Shell. « À propos de nous», [En ligne], www.shell.ca/home/content/can-fr/aboutshell/ at_a_glance_tpkg (Page consultée le 1er octobre 2012).

«Royal Dutch Shell organise ses activités en quatre secteurs : Amont Amériques, Amont international, Aval, ainsi que Projets et technologie. Avec 102 000 employés répartis dans plus de 100 pays et territoires, Shell joue un rôle primordial en contribuant à satisfaire les besoins énergétiques croissants de la planète d'une manière responsable sur les plans économique, social et environnemental.

La structure mondiale

Les activités internationales sont réparties dans quatre secteurs : Amont Amériques, Amont international, Aval ainsi que Projets et technologie.

Amont international : Le secteur Amont international se consacre à la recherche et à l'extraction du pétrole et du gaz naturel à l'extérieur du continent américain. Plusieurs activités s'effectuent dans le cadre de coentreprises, souvent en partenariat avec des sociétés pétrolières nationales. Les activités de liquéfaction du gaz et de conversion du gaz naturel en carburants liquides (GTL) font partie de ce secteur.

Amont Amériques : Le secteur Amont Amériques se consacre à la recherche et à l'extraction du pétrole et du gaz naturel sur tout le continent américain. Le secteur Amont Amériques comprend les activités d'exploitation des sables bitumineux dans le cadre de notre projet d'exploitation des sables bitumineux de l'Athabasca, en Alberta, dans l'Ouest canadien, et le transforme en une gamme de pétroles bruts synthétiques. Les activités liées à l'énergie éolienne font aussi partie de cette organisation.

Aval : Le secteur Aval comprend l'organisation Produits pétroliers, qui raffine le pétrole brut aux fins d'approvisionnement, de négociation et de distribution partout dans le monde. Il fabrique et met en marché une gamme de produits, carburants, lubrifiants, bitume et gaz de pétrole liquéfié (GPL), destinés au transport ou à des applications domestiques ou industrielles. Les produits pétrochimiques fabriqués par ce secteur sont destinés aux clients industriels. Ces produits entrent, par exemple, dans la fabrication de plastiques, de revêtements et de détergents, qui eux-mêmes serviront par la suite à fabriquer d'autres produits : textiles, fournitures médicales, ordinateurs, etc. Le secteur Aval comprend également nos activités liées aux biocarburants et à l'énergie solaire et s'occupe de la gestion du CO_2 dans l'ensemble de la société. Le réseau mondial de sociétés Shell Négociation d'hydrocarbures gère les activités de Shell dans les principaux marchés de l'énergie du monde. Il exploite également la plus grande flotte de méthaniers et de navires-citernes au monde.

Projets et technologie : Le secteur Projets et technologie se charge de la réalisation des grands projets de Shell en plus de stimuler la recherche et l'innovation dans le but de créer des solutions technologiques, comme la technologie de gazéification du charbon. Il fournit des services techniques et une compétence technologique aux activités d'amont et d'aval, notamment des technologies de l'information de pointe se rapportant à l'exploration et à la production à l'usage de Shell et des intervenants externes. Il encadre également le dossier de sécurité et la performance environnementale de Shell, de même que les méthodes d'approvisionnement dans l'ensemble de la société.

Les activités au Canada

Shell Canada mène des activités dans les secteurs amont et aval.

Le secteur amont au Canada : Ce secteur est responsable des activités d'exploration en vue de trouver et d'extraire du pétrole brut et du gaz naturel. Il est chargé aussi de mettre en marché du gaz naturel et de l'électricité et d'acheter et de vendre ces marchandises. Le secteur amont comprend également les activités liées au pétrole lourd, comme le projet d'exploitation des sables bitumineux de l'Athabasca, en Alberta, dans l'ouest du Canada, où le bitume est extrait des sables bitumineux et transformé en pétroles bruts synthétiques.

Le secteur aval au Canada : Ce secteur est responsable de transformer le pétrole brut en une gamme de produits raffinés, qui sont ensuite expédiés et mis en marché partout dans le monde afin de servir aux particuliers, aux industries et au transport. »

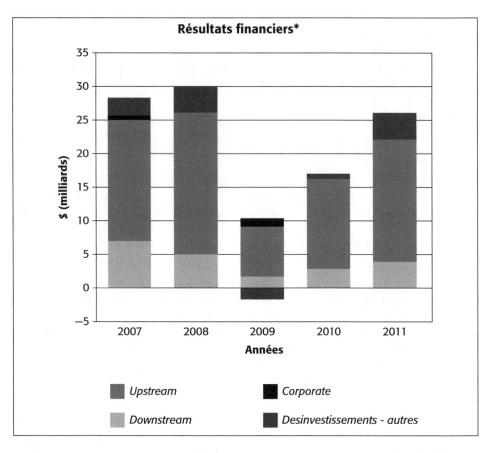

Résultats financiers*

$ (milliards)

Légende : Upstream, Corporate, Downstream, Desinvestissements - autres

Années : 2007, 2008, 2009, 2010, 2011

* Résultats CCS (résultats au coût d'approvisionnement)

Source : Royal Dutch Shellplc. «Feuille d'information 2012 pour les investisseurs», p. 5, [En ligne], www.static.shell.com/static/investor/downloads/shell_at_a_glance/shell_2012_ir_factsheet_french.pdf (Page consultée le 26 novembre 2012).

Exerçons nos connaissances

1. La compagnie Lumi possède une machine qui permet de fabriquer des luminaires et qui a une production hebdomadaire de 100 unités. Devant une production hebdomadaire si faible, la compagnie se voit obligée de maintenir un volume moyen d'inventaire de 110 000 $, ce qui ne plaît pas aux dirigeants. Par conséquent, Lumi propose de faire l'acquisition d'une nouvelle machine ayant une meilleure capacité de production. Cette machine permettra, entre autres, de diminuer le volume des inventaires à 30 000 $. Cet actif, dont le prix est fixé à 500 000 $, a une vie économique de 7 ans et permettrait des économies d'exploitation de 60 000 $ par an avant impôts et amortissement. Sa valeur de revente se situera à environ 50 000 $ à la suite d'un reconditionnement au début de la sixième année, d'un montant de 20 000 $ capitalisé à des fins fiscales.

L'ancienne machine, qui a été acquise il y a 5 ans au coût de 200 000 $, possède une valeur marchande actuelle de 100 000 $. Sa valeur de revente dans 7 ans est fixée à 20 000 $. Il y a 2 semaines, l'entreprise Lumi a déboursé 3 000 $ afin d'effectuer des réparations à l'ancienne machine. Pour que celle-ci dure encore 7 ans, il faudrait prévoir des réparations majeures d'un montant de 5 000 $ à la fin de la troisième année, une dépense qui serait capitalisée à des fins fiscales. On suppose également que :

- le taux d'imposition de la firme est de 40 % ;
- l'amortissement est calculé selon la méthode de l'amortissement dégressif au taux de 20 % ;
- la catégorie du nouvel actif ne s'éteindra pas après 7 ans ;
- le taux d'actualisation est de 10 %.

a) Est-ce que le remplacement de l'ancienne machine est un projet rentable pour la compagnie Lumi?

b) Calculez la VAN de ce projet.

Démonstration

Début de période:

Achat de la nouvelle machine: 500 000 (−)

Vente de la veille machine: 100 000 (+)

Diminution du fonds de roulement: 80 000 (+)

Total = 320 000 (−)

En cours de période:

VA des flux monétaires: 175 263 (+)

$$60\,000 \times (1 - 0,4) \times \left[\frac{1 - (1 + 0,10)^{-7}}{0,10} \right] = 175\,263$$

VA des économies d'impôts liées à l'amortissement VAEI: 101 818 (+)

$$\frac{(500\,000 - 100\,000) \times 0,2 \times 0,4}{0,10 + 0,20} \times \left[\frac{1 + 0,5 \times 0,10}{1 + 0,10} \right] = 101\,818$$

Sortie de fonds évitée la 3e année: 2 800 (+)

$$5\,000 \times (1 + 0,10)^{-3} - \frac{5\,000 \times 0,2 \times 0,4}{0,10 + 0,20} \times \left[\frac{1 + 0,5 \times 0,10}{1 + 0,10} \right] \times (1 + 0,10)^{-3} = 2\,800$$

Sortie de fonds à la 5e année: 9 257 (−)

$$20\,000 \times (1 + 0,10)^{-5} - \frac{20\,000 \times 0,2 \times 0,4}{0,10 + 0,20} \times \left[\frac{1 + 0,5 \times 0,10}{1 + 0,10} \right] \times (1 + 0,10)^{-5} = 9\,257$$

Fin de période:

VA de la vente des machines: 15 395 (+)

$$(50\,000 - 20\,000) \times (1 + 0,10)^{-7} = 15\,395$$

VA des économies d'impôts perdues: 4 105 (−)

$$\frac{(50\,000 - 20\,000) \times 0,20 \times 0,40}{0,10 + 0,20} \times (1 + 0,10)^{-7} = 4\,105$$

Récupération du fonds de roulement: 41 053 (−)

$$80\,000 \times (1 + 0,10)^{-7} = 41\,053$$

VAN = **79 138 (−)**

La VAN du projet de remplacement est négative. Ce projet n'est donc pas rentable.

2. Vous êtes le directeur financier d'Info inc., entreprise qui fabrique du matériel informatique. Vous êtes chargé de l'analyse des trois projets d'investissement suivants:

Projet	Investissement	Flux – Année 1	Flux – Année 2	Flux – Année 3
1	500	300	300	300
2	500	0	0	1 000
3	500	400	50	450

Ces trois projets sont mutuellement exclusifs. Le taux de rendement minimal exigé est de 11 %.

a) Selon le critère de la VAN, quel projet recommanderiez-vous?

b) Selon le critère du TRI, quel projet recommanderiez-vous?

c) Selon le critère du TRII, quel projet recommanderiez-vous?

d) Déterminez le taux d'actualisation pour lequel les deux premiers projets auraient la même VAN.

e) Calculez l'indice de rentabilité des trois projets. Lequel recommanderiez-vous selon ce critère?

Démonstration

a) VAN

$$VAN_1 = -500 + 300(1 + 11\%)^{-1} + 300(1 + 11\%)^{-2} + 300(1 + 11\%)^{-3} = 233,11\$$$

$$VAN_2 = -500 + 0(1 + 11\%)^{-1} + 0(1 + 11\%)^{-2} + 1000(1 + 11\%)^{-3} = 231,19\$$$

$$VAN_3 = -500 + 400(1 + 11\%)^{-1} + 50(1 + 11\%)^{-2} + 450(1 + 11\%)^{-3} = 229,98\$$$

Selon la VAN: Notre recommandation portera sur le projet 1.

b) TRI

$$VAN_1 = -500 + 300(1 + TRI)^{-1} + 300(1 + TRI)^{-2} + 300(1 + TRI)^{-3} = 0 \rightarrow TRI_1 = 36,31\%$$

$$VAN_2 = -500 + 0(1 + TRI)^{-1} + 0(1 + TRI)^{-2} + 1000(1 + TRI)^{-3} = 0 \rightarrow TRI_2 = 25,99\%$$

$$VAN_3 = -500 + 400(1 + TRI)^{-1} + 50(1 + TRI)^{-2} + 450(1 + TRI)^{-3} = 0 \rightarrow TRI_3 = 36,01\%$$

Selon le TRI: Notre recommandation portera sur le projet 1.

c) TRII

$$VF_1 = 300 \times (1 + 11\%)^2 + 300 \times (1 + 11\%)^1 + 300$$

$$VF_1 = 1002,63\$$$

$$500 = \frac{1002,63}{(1 + TRII_1)^3} \qquad TRII_1 = 26,10\%$$

$$VF_2 = 0 \times (1 + 11\%)^2 + 0 \times (1 + 11\%)^1 + 1000$$

$$VF_2 = 1000\$$$

$$500 = \frac{1000}{(1 + TRII_2)^3} \qquad TRII_2 = 26\%$$

$$VF_3 = 400 \times (1 + 11\%)^2 + 50 \times (1 + 11\%)^1 + 450$$

$$VF_3 = 998,34\$$$

$$500 = \frac{998,34}{(1 + TRII_3)^3} \qquad TRII_3 = 25,92\%$$

Selon le TRII: Notre recommandation portera sur le projet 1.

d) $VAN_1 = VAN_2$

$$-500 + 300(1 + x\%)^{-1} + 300(1 + x\%)^{-2} + 300(1 + x\%)^{-3} = -500 + 0(1 + x\%)^{-1} + 0(1 + x\%)^{-2} + 1000(1 + x\%)^{-3}$$

$$300(1 + x\%)^{-1} + 300(1 + x\%)^{-2} - 700(1 + x\%)^{-3} = 0 \, ; x\% = 10,728\%$$

Ce taux donne une VAN de 236,60$.

e) Indice de rentabilité

$$IR_1 = 1,466 \, ; IR_2 = 1,462 \, ; IR_3 = 1,460$$

Selon l'indice de rentabilité, notre recommandation portera sur le projet 1.

Questions de révision

1. Selon le type de décision à prendre, quels sont les différents projets d'investissement qui s'offrent à l'entreprise?

2. Quels sont les deux inconvénients majeurs du délai de récupération?

3. Le délai de récupération actualisé est-il un critère de choix d'investissement suffisant? Expliquez votre réponse.

4. La VAN est basée sur le principe selon lequel un dollar aujourd'hui vaut plus qu'un dollar demain. Expliquez cet énoncé.

5. Aboutit-on toujours à la même décision lorsqu'on utilise le TRI ou la VAN comme critère de choix d'investissement?

6. Quels sont les inconvénients de l'indice de rentabilité?

7. Dans quelle situation doit-on utiliser le TRII?

8. Le critère de la VAN fournit en général de bonnes estimations. Toutefois, dans certains cas précis, il peut se révéler inefficace. Expliquez pourquoi il en est ainsi.

9. L'inflation affecte-t-elle le choix d'investissement?

10. Comment faire dans le cas de projets ayant des durées de vie différentes?

Problèmes

1. Examinons le projet de croissance suivant: Shell Canada envisage d'investir dans de nouvelles installations de production afin d'élargir son marché. Les actifs qu'elle doit acquérir pour réaliser ce projet sont énumérés ci-dessous:

Actif	Coût net à l'acquisition (en dollars)	Taux d'ACC prescrit (en pourcentage)	Valeur de revente (en dollars)
Terrain	200 000	s. o.	415 000
Bâtiment	100 000	5	210 000
Machinerie	50 000	20	1 500

On estime que les bénéfices d'exploitation annuels (avant impôts et amortissement) seront de 73 660$ pour chacune des 15 années que durera ce projet. Afin de soutenir la croissance prévue des ventes, la firme devra accroître son fonds de roulement net de 15 000$ au début du projet et de 10 000$ l'année suivante. Par la suite, aucun autre investissement en fonds de roulement supplémentaire ne sera requis. Pour que la machinerie soit utilisable pendant toute la durée de ce projet, on estime qu'il faudra la réparer 3 ans après le début des activités et tous les 3 ans par la suite, au coût de 5 000$ la réparation. Cette dépense sera déductible du revenu imposable. De plus, il faut noter que la dernière réparation aura lieu 12 ans après le début des activités. En effet, la machinerie n'aura pas à être réparée à la fin de la quinzième année, puisqu'elle sera revendue.

Selon vous, la société devrait-elle accepter ce projet de croissance sur la base des hypothèses suivantes?

- Shell Canada est imposée à 25 %.

- Le taux de rendement exigé pour ce type de projet est de 16 %.

- La revente du bâtiment n'entraînera pas la fermeture de sa catégorie.

- La machinerie était seule dans sa catégorie d'actif.

2. Étudions le cas de la revente avec fermeture de classe et récupération. Les camions et remorques achetés aujourd'hui par l'entreprise Shell Canada (classe d'amortissement 10, amortissement de 30 % sur le solde dégressif) pour la somme de 225 000$

vont permettre une économie de coûts d'exploitation brute annuelle de 95 000 $ pendant 4 ans. C'est la première fois que Shell Canada acquiert de tels équipements. Après ces 4 ans, un spécialiste affirme que la société pourra revendre le tout 85 000 $. Si l'on utilise un taux marginal d'imposition de 40 % et un coût des fonds de 16 %, ce projet permettra-t-il d'accroître la valeur de la firme?

3. Étudions le cas de la revente avec fermeture de classe, gain en capital et récupération. L'entrepôt et le terrain sous-jacent ont été achetés 150 000 $ en janvier 2007 et vendus en décembre 2011 pour la somme de 250 000 $. Supposons que le bâtiment de classe fiscale 3, qui bénéficie donc d'un amortissement fiscal de 5 % sur le solde dégressif, représentait les deux tiers du prix d'achat, alors qu'il ne contribue qu'à la moitié de la valeur de revente. Cet entrepôt était nécessaire à l'exploitation de l'entreprise et a coûté, en coûts bruts d'exploitation, 10 000 $ par année au cours de cette période.

   Ce projet d'acquisition d'espace d'entreposage a nécessité un investissement initial en stock de 200 000 $; ce montant a été récupéré entièrement au moment de la vente de l'immeuble. Sachant que le taux marginal d'imposition de la société s'est maintenu à 40 % au cours de cette période et que le taux de rendement exigé sur les investissements a été constant à 14 %, quelle aurait été la VAN de ce projet en janvier 2007?

4. Étudions le cas de la revente sans fermeture de classe avec gain en capital. L'installation d'un pipeline (catégorie fiscale 2, amortissement sur le solde dégressif de 6 %) par la société Shell Canada à l'intérieur de bâtiments et de réseaux de distribution de même classe fiscale réduirait les frais d'exploitation bruts annuels de 275 000 $ pendant 5 ans. Cet investissement de 425 000 $ aurait une valeur marchande de 500 000 $ dans 5 ans. Si le taux marginal d'imposition est de 45 % et le coût moyen des fonds nécessaires à l'investissement est de 14 %, calculez la VAN de ce projet.

5. Supposons que l'entreprise Shell Canada envisage de remplacer un vieil équipement. Le prix de la nouvelle machine est de 100 000 $. Avec cette nouvelle machine, l'entreprise compte augmenter ses ventes annuelles de 10 000 $, tandis que les coûts d'exploitation diminueraient de 2 000 $ par an. La nouvelle machine doit être utilisée pendant 5 ans et sa valeur de revente prévue est de 10 000 $. Le vieil équipement peut être revendu 5 000 $, alors que sa valeur comptable est de 7 000 $.

   En outre, le taux d'imposition de l'entreprise est de 40 % et le coût du financement de ce projet de remplacement, de 14 %. L'amortissement est calculé selon la méthode de l'amortissement dégressif au taux de 20 %. La valeur de revente prévue du vieil équipement dans cinq ans est nulle. L'entreprise doit-elle remplacer le vieil équipement?

6. Supposons qu'à la réunion du conseil d'administration tenue le 15 novembre 2010, Shell Canada ait donné le mandat à M. Rochon d'évaluer l'implantation d'une nouvelle usine dans la région du Lac-Saint-Jean. M. Rochon a estimé que ce projet nécessiterait l'achat d'un terrain pour la somme de 100 000 $, la construction d'un bâtiment évaluée à 300 000 $ et l'acquisition de 900 000 $ d'équipement. Le fonds de roulement net nécessaire serait de 50 000 $.

   Sur la somme de 1,3 million de dollars que nécessiteraient les investissements en immobilisations, une tranche de 800 000 $ serait financée au moyen d'un emprunt à 13 % et une tranche de 500 000 $ serait fournie par Shell Canada.

   Ayant analysé le nouveau projet, M. Rochon lui a attribué une vie économique de 10 ans. Il a estimé qu'à la fin de cette période, il pourrait revendre le terrain 150 000 $ et le bâtiment, 200 000 $. Quant à l'équipement, il aurait une valeur résiduelle nulle. Ces ventes se concrétiseraient au tout début de 2011. L'investissement initial en fonds de roulement pourrait être récupéré à ce moment-là.

   M. Rochon établit aussi un état des résultats prévisionnels pour chaque année de vie du projet de la nouvelle usine de bois de sciage, pour la durée de vie de 10 ans du projet:

		(en dollars)
Ventes		700 000
Achat	75 000	
Salaires	230 000	
Amortissement	100 000	
Intérêts*	104 000	
Répartition des frais fixes du siège social de Shell Canada	40 000	549 000
Revenu imposable		151 000
Impôts**		60 400
Bénéfice net		90 600

* Intérêt sur l'emprunt de 800 000 $ à 13 %.

** Taux d'imposition de Shell Canada approximativement de 40 %.

La société Shell Canada exige un taux de rendement minimal de 18 % sur ce genre d'opération.

M. Rochon devrait tenir compte de la règle de la demi-année pour ce qui est de l'amortissement fiscal. Les taux d'amortissement dégressif maximal étaient de 5 % pour le bâtiment et de 20 % pour l'équipement.

Pour évaluer de tels projets, M. Rochon avait jusqu'alors utilisé la méthode du délai de récupération. M. Plante, un jeune financier de la société, a déclaré à M. Rochon que sa méthode d'analyse de projet laissait à désirer. Il lui a suggéré d'utiliser soit la méthode de la VAN, soit la méthode du TRI.

a) Évaluez le projet de la nouvelle usine en utilisant la VAN comme critère de choix d'investissement.

b) Supposons que Shell Canada obtient une subvention de 300 000 $ pour l'achat de l'équipement. Dans ce cas, quel serait l'effet de cette subvention sur l'analyse du projet ?

7. Supposons que Shell Canada a la possibilité d'entreprendre deux projets d'investissement différents : le projet Shell Alpha et le projet Shell Bêta. Ces projets ont les flux monétaires suivants :

Année	Shell Alpha (en dollars)	Shell Bêta (en dollars)
0	−9 000	−9 000
1	12 000	0
2	0	0
3	0	15 870

a) Calculez la VAN de chaque projet selon un taux d'actualisation de 14 %. Déterminez lequel des deux projets est préférable en vous basant sur ce critère.

b) Évaluez le TRI de chaque projet. Déterminez lequel des deux projets est préférable en vous basant sur ce critère.

c) Quel taux de réinvestissement générerait une VAN des flux monétaires identique pour les deux projets au bout de trois ans ?

8. Un entrepreneur envisage de faire l'acquisition d'un nouveau camion d'une durée d'utilisation de 5 ans au prix de 45 000 $. Cet investissement lui permettrait d'obtenir un supplément de flux monétaire de 10 000 $ à la fin des 2 premières années et de 15 000 $ à la fin des 3 années suivantes. À la fin de la cinquième année, on prévoit notamment un flux monétaire de 11 000 $ provenant de la vente du camion. Le taux de rendement exigé par cet entrepreneur est de 10 %.

a) Quand cet entrepreneur sera-t-il en mesure de récupérer le coût de son camion?

b) En prenant en considération la valeur de l'argent dans le temps, dites quand cet entrepreneur sera en mesure de récupérer le coût de son camion.

c) Déterminez le TRI de ce projet. Est-ce que le projet est intéressant selon ce critère?

d) En supposant que les flux sont réinvestis au taux de 10 %, déterminez le TRII de ce projet.

9. L'entreprise Aflo envisage d'investir dans un nouvel équipement plus moderne. Étant à la direction des finances, vous êtes responsable de l'analyse de rentabilité de ce projet de modernisation de l'équipement. Ce projet consiste à faire l'acquisition d'une nouvelle machine de production entièrement électronique au coût de 1 000 000 $. Cette machine remplacerait l'équipement actuel, dont la valeur comptable et la valeur marchande sont présentement de 100 000 $. On estime que l'équipement dont dispose actuellement l'entreprise pourrait durer encore 10 ans et pourrait être revendu pour environ 20 000 $ au début de l'année 11.

Les frais d'installation et de mise en marche du nouvel équipement sont évalués à 20 000 $. De plus, l'entreprise estime qu'elle devra, dès maintenant, accroître son fonds de roulement net de 60 000 $ si le projet est accepté (cette somme sera toutefois récupérable en entier à la fin du projet).

Les recettes prévues (avant amortissement et impôts) sont de 200 000 $ par année au cours de la durée de vie du projet, qui a été estimée à 10 ans.

Pour qu'il puisse durer 10 ans, le nouvel équipement devra faire l'objet d'une remise à neuf à la fin de l'année 3 au coût de 50 000 $. Selon le fiscaliste de l'entreprise, cette dépense devra vraisemblablement être capitalisée aux fins d'impôts. Compte tenu de cette remise à neuf, on estime que le nouvel équipement aura une valeur de revente approximative de 81 500 $ au début de l'année 11.

Pour ce genre de projet, l'entreprise exige un taux de rendement minimal de 12 %. Son taux d'imposition est de 40 %. Aux fins fiscales, l'équipement est amortissable au taux dégressif annuel de 20 %.

En supposant que la classe d'actifs continuera d'exister à la fin du projet, quelle recommandation ferez-vous à la direction de l'entreprise?

10. L'entreprise Harrasse se spécialise dans le domaine du textile. Elle songe à construire un nouveau bâtiment afin de pouvoir continuer ses activités de façon plus efficace et de mieux répondre aux besoins du marché.

Les coûts de construction et d'achat du terrain s'élèvent respectivement à 300 000 $ et 100 000 $. Après 20 ans, on prévoit que le bâtiment et le terrain vaudront respectivement 70 000 $ et 200 000 $. Le taux d'amortissement du bâtiment est de 5 %. À la suite d'une évaluation récente, on vous informe que le bâtiment actuel peut être vendu 75 000 $ et vaudra 10 000 $ dans 20 ans, tandis que le terrain vaut actuellement 100 000 $, mais vaudra 200 000 $ dans 20 ans. Pour que ce bâtiment dure encore 20 ans, il faudra effectuer des dépenses à la fin de la dixième année. Ces dépenses de réparations de 100 000 $ seraient capitalisées à des fins fiscales et versées à la même catégorie que les bâtiments.

La réorganisation de la production entraîne une économie avant amortissement et impôts de l'ordre de 60 000 $ par année pendant 10 ans et de 35 000 $ pendant les 10 années suivantes. Le besoin en fonds de roulement augmentera de 10 000 $. Le taux d'imposition est de 40 % et le taux d'actualisation, de 12 %. Est-ce que cet investissement est rentable?

CDP Capital Entertainment ou la petite histoire
d'un investissement désastreux[8]

En s'associant à l'homme d'affaires montréalais Henry Winterstern en 2001 pour créer CDP Capital Entertainment et s'installer à Hollywood, la Caisse de dépôt et placement du Québec voulait «se positionner mondialement dans le secteur du contenu» et en faire profiter les entreprises québécoises, selon le gestionnaire qui était responsable de la nouvelle filiale, Pierre Bélanger.

La suite s'est avérée coûteuse et stérile. Pierre Bélanger a été remercié à l'arrivée du nouveau président, Henri-Paul Rousseau, en septembre 2002, et Henry Winterstern excepté, personne au Québec n'a profité de cette aventure. La valeur des investissements réalisés par la Caisse dans le secteur du divertissement s'est effondrée.

La Caisse de dépôt a annoncé dimanche la suspension de la raison sociale de sa filiale hollywoodienne et le remplacement d'Henry Winterstern aux conseils d'administration des entreprises dans lesquelles elle a investi. Ces investissements totalisent 300 millions de dollars canadiens.

Le plus important de ces investissements est un bloc de 5 millions d'actions dans la Metro Goldwin Mayer (MGM), payées 20 $ US l'unité, et qui ne valaient plus hier que 11,94 $ US l'unité.

La Caisse de dépôt est devenue l'un des principaux actionnaires de MGM, derrière Kirk Kerkorian, l'actionnaire de contrôle qui a vendu et racheté l'entreprise trois fois déjà.

Dans la plus récente de ces transactions controversées, le Crédit lyonnais, qui finançait un acheteur lié au crime organisé, a perdu deux milliards et ses dirigeants ont été traduits en justice pour avoir mené la banque française au bord de la faillite avec cet investissement risqué.

Le fait que la Caisse de dépôt investisse massivement dans MGM après cet épisode retentissant a surpris bien des observateurs. Henry Winterstern, un homme d'affaires de Montréal qui s'est fait connaître dans l'immobilier, connaît les dirigeants de MGM et siège à son conseil d'administration. Il a servi d'intermédiaire entre eux et les dirigeants de la Caisse.

CDP Capital Entertainment détient aussi des participations dans quatre entreprises à capital fermé, Mosaic Media Group, Mosaic Music Publishing, Mosaic Venture Partners et Signpost Films (aussi connue sous le nom de Lakeshore).

Avec Mosaic, CDP Capital Entertainment a investi 140 millions $ US pour faire l'acquisition de Dick Clark Production, de Burbank, en Californie. Cet investissement ne valait plus que 60 millions $ CA au 31 décembre 2002, selon le rapport annuel de la Caisse.

Au total, le portefeuille de CDP Capital Entertainment est de 300 millions $ CA. Ces investissements seront gérés par CDP Capital Communications à Montréal, a fait savoir la Caisse de dépôt en annonçant dimanche qu'elle veut mettre fin à sa relation d'affaires avec Henry Winterstern.

La Caisse de dépôt a perdu 9,6 % de son actif l'an dernier, soit 8,6 milliards $ CA, en raison surtout de ses investissements dans le secteur des technologies, des médias et des télécommunications (TMT).

---

8. Baril, Hélène. (15 juillet 2003). «CDP Capital Entertainment ou la petite histoire d'un investissement désastreux», *La Presse Affaires*, p. D1.

MGM : un investissement qui a fondu	
De 100 millions$ US à 60 millions$ US (82 millions$ CA)	
Valeur des autres investissements de CDP à Hollywood (en dollars US)	
CDP Capital Entertainment	Moins de 5 millions
Mosaic Media Group	De 10 à 30 millions
Mosaic Music Publishing LLC	De 10 à 30 millions
Mosaic Venture Partners II LP	De 5 à 10 millions
Signpost Films Ltd.	De 30 à 50 millions
DCPI Invesco	De 10 à 30 millions
Metro Goldwyn Mayer (MGM)	82 millions

Chapitre 4

L'évaluation des actifs de l'entreprise et les modes de financement

MISE EN CONTEXTE

Au chapitre 2, nous avons abordé les notions de capitalisation et d'actualisation des flux monétaires qui permettent d'évaluer des montants d'argent d'aujourd'hui en les projetant dans le futur (capitalisation) ou de ramener des flux monétaires futurs à des sommes d'aujourd'hui (actualisation). En finance, l'une des plus importantes applications de ces outils porte sur l'évaluation des actifs financiers, notamment les actions et les obligations, émis par une entreprise pour obtenir du financement. Afin d'assurer son essor, celle-ci a recours à un large éventail de moyens de financement, que l'évolution des marchés financiers a rendus possibles. Cette évolution émane principalement de la compétition grandissante entre les bailleurs de fonds ainsi que du développement de l'ingénierie financière, cette dernière ayant permis la création de nouveaux instruments financiers et de montages financiers complexes. Toutefois, quel que soit le contexte dans lequel évolue l'entreprise, celle-ci dispose généralement de trois sources majeures de financement: l'autofinancement, les apports en capitaux propres (émission d'actions) et le recours à l'endettement (émission d'obligations).

Pour une nouvelle entreprise à capital ouvert, les actions ordinaires constituent la première source de financement. Nous commencerons donc notre exposé des différents instruments de financement à long terme par une analyse des actions ordinaires. Nous étudierons également les obligations avant de traiter de certains titres convertibles (obligations convertibles et actions privilégiées).

Dans le cadre du présent chapitre, nous essaierons de comprendre la façon dont les investisseurs évaluent les titres financiers qu'ils détiennent ou qui les intéressent, tels que les actions et les obligations. Cette évaluation est basée sur les flux monétaires futurs que ces titres peuvent générer pour leur détenteur. En effet, la valeur de tout titre financier est égale à la valeur actuelle des flux monétaires que ce titre promet de générer à l'avenir pour son détenteur. Nous recourrons donc au principe fondamental relatif aux flux monétaires et à leur valeur dans le temps, sujet déjà abordé au chapitre 2.

4.1 Les actions ordinaires

Les actions sont les titres de propriété d'une entreprise. Les acheteurs des **actions ordinaires** d'une entreprise se présentent comme les propriétaires des avoirs résiduels de celle-ci. Si l'entreprise se dissout, l'actif est d'abord réparti entre tous les créanciers de l'entreprise et les détenteurs d'actions privilégiées. Ce qui reste est divisé entre les détenteurs d'actions ordinaires en fonction du nombre d'actions détenues. Ces détenteurs d'actions ordinaires participent aux bénéfices de l'entreprise grâce à l'appréciation des actions qu'ils détiennent ou à la distribution des dividendes versés à même les bénéfices. Par contre, si l'entreprise n'est pas en bonne santé financière, il est probable que les porteurs d'actions ordinaires ne reçoivent pas de dividendes et voient la valeur de leurs actions baisser. Ainsi, les actionnaires ordinaires assument plus de risque que tous les autres bailleurs de fonds d'une entreprise.

Les actions ordinaires n'ayant pas de date d'échéance ou d'expiration, les actionnaires peuvent les liquider en les vendant sur le marché secondaire, tel que la Bourse de Toronto (TSX et TSX croissance, *voir le chapitre 1*). En outre, la possession d'actions ordinaires confère des droits sur l'entreprise émettrice des titres. Ces droits peuvent se diviser en trois catégories.

1. Le droit de gestion
   Le détenteur d'actions ordinaires acquiert une qualité d'associé qui lui permet de participer à la gestion de la société. Chaque action détenue donne droit à un vote (certaines actions ont même un droit de vote double qui permet à l'actionnaire de participer aux assemblées générales de la société et de voter sur les décisions de gestion).

2. Le droit sur les bénéfices

La détention d'une fraction du capital au moyen de l'action permet un droit sur les bénéfices de la société proportionnellement à la part détenue. En effet, après déduction des impôts, les bénéfices sont soit mis en réserve, soit distribués aux actionnaires sous la forme de dividendes. Si la première option est choisie, l'actionnaire n'est pas pénalisé, car la mise en réserve renforce la situation financière de l'entreprise.

3. Le droit sur l'actif net

Tel que mentionné précédemment, les actionnaires sont des propriétaires d'avoirs résiduels. En effet, si la société est liquidée, après le règlement des dettes (actif net), les biens disponibles sont distribués aux actionnaires proportionnellement à la part du capital qu'ils détiennent.

Supposons que l'entreprise Bombardier émet deux classes d'actions ordinaires: la famille Bombardier détient majoritairement les actions de type A, tandis que le public détient les actions de type B. Ces dernières actions sont plus nombreuses et plus liquides (c'est-à-dire qu'il est plus facile d'échanger ce type d'actions rapidement). Ces deux types d'actions se distinguent aussi par le droit de vote qui leur est rattaché. En effet, les actions de type A comportent chacune 10 droits de vote par rapport à 1 droit pour les actions de type B. Ainsi, la famille Bombardier s'assure le contrôle de l'entreprise.

4.1.1 L'évaluation d'une action ordinaire

Le prix d'une action est la valeur à laquelle elle est négociée. Cette valeur, appelée «valeur marchande», reflète les anticipations des investisseurs quant aux flux des dividendes de l'entreprise (flux monétaires à recevoir), ainsi que le niveau de risque de l'entreprise tel qu'il est perçu par ces investisseurs.

Pour évaluer une action, on doit d'abord connaître le montant des dividendes liés à ces actions, la date de leur versement et le **rendement** attendu par les investisseurs. Ainsi, supposons que vous achetiez aujourd'hui une action que vous prévoyez revendre dans un an. Le prix que vous êtes prêt à payer pour cette action dépend du rendement que vous exigez sur celle-ci et du montant du dividende que vous allez recevoir, mais aussi du prix auquel vous espérez la revendre l'année prochaine. En effet, il ne faut pas oublier que les dividendes ne sont pas la seule source de revenus de l'actionnaire; il y a aussi le gain (ou la perte) en capital réalisé lors de la revente. Si le prix de vente est supérieur à la valeur de l'action, vous réalisez un gain en capital. Dans le cas contraire, vous subissez une perte de capital.

En conséquence, le prix est égal à la valeur actuelle des flux monétaires futurs que vous recevrez si vous achetez cette action. Sous forme graphique, on a:

où

P_0 est le prix de l'action aujourd'hui;

P_1 est le prix de l'action à la fin de la période;

D_1 est le dividende à recevoir à la fin de la période.

D'où l'équation:

$$P_0 = \frac{D_1 + P_1}{(1+r)}$$

Ainsi, une fois que le rendement exigé sur l'action est fixé (nous verrons au chapitre 5 la manière dont ce rendement est calculé), il suffit de connaître le dividende et le prix à l'année 1 pour pouvoir évaluer le prix de l'action aujourd'hui. Or, même si, dans certains cas, le prochain dividende qui sera versé pourrait être déjà connu (comme nous le verrons au chapitre 7), il est impossible de connaître aujourd'hui avec certitude le prix de l'action à l'année 1. Mais à quoi devrait être égal P_1? Le même raisonnement peut être appliqué au temps $t = 1$ pour évaluer P_1 à partir de D_2 et de P_2, et ainsi de suite jusqu'à l'infini puisque l'action n'a pas d'échéance. P_1 sera alors égal à :

$$P_1 = \frac{D_2 + P_2}{(1+r)}$$

$$P_0 = \frac{D_1 + \dfrac{D_2 + P_2}{(1+r)}}{(1+r)}$$

Par conséquent, P_0 peut s'écrire ainsi :

$$P_0 = \sum_{t=1}^{\infty} \frac{D_t}{(1+r)^t} + \frac{P_\infty}{(1+r)^\infty}$$

Or, comme $\dfrac{P_\infty}{(1+r)^\infty}$ tend vers 0, l'expression de P_0 est réduite à :

$$P_0 = \sum_{t=1}^{\infty} \frac{D_t}{(1+r)^t} \tag{4.1}$$

Quand on connaît le rendement exigé de cette action, toute la difficulté de son évaluation réside dans la prévision des dividendes futurs. Ainsi, on ne peut que faire des suppositions sur la base de certaines hypothèses par rapport à ces dividendes futurs. Les deux principales hypothèses portent sur les dividendes constants dans le temps et les dividendes qui augmentent à un taux constant g.

Les dividendes constants

Certaines actions peuvent verser des dividendes stables durant plusieurs années, de telle sorte que l'on peut supposer, sans trop se tromper, que ces dividendes sont constants. C'est le cas des **actions privilégiées**. Ces actions donnent la possibilité d'obtenir des dividendes qui sont en général connus d'avance et ne varient que très rarement dans le temps. Selon cette hypothèse et tel que démontré au chapitre 2, l'équation 4.1 devient alors l'équation de la valeur actuelle d'une perpétuité qui se réduit à :

$$P_0 = \frac{D_1}{r} \tag{4.2}$$

Question de réflexion

Une action privilégiée permet d'obtenir 2\$ de dividende par année. À quel prix êtes-vous prêt à l'acheter si vous exigez un rendement de 7 % par an, compte tenu de son niveau de risque ?

Réponse : $P = 2\$/0,07 = 28,57\$$

Les dividendes croissants à taux constant

Une hypothèse plus proche de la réalité consiste à considérer que le dividende augmente chaque année à un taux de croissance constant (noté g). Il s'agit de l'hypothèse de Gordon ; le modèle qui en découle s'appelle « **modèle de Gordon** ». Selon cette hypothèse, évaluer l'action revient à appliquer l'équation d'actualisation d'une perpétuité qui augmente à taux constant.

Sous forme graphique, on a :

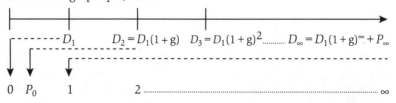

En appliquant l'équation d'évaluation d'une perpétuité à taux croissant g, on obtient:

$$P_0 = \frac{D_1}{r - g} \qquad (4.3)$$

où g est inférieur à r.

La provenance du taux de croissance g Si une entreprise ne retient de ses bénéfices que l'amortissement nécessaire au renouvellement de ses équipements désuets afin que son activité continue au même rythme, et si elle distribue le reste en dividendes et ne procède à aucun financement externe, elle ne réalisera aucune croissance. Dans ce cas, le modèle de l'équation 4.2 s'applique. Par contre, si de nouveaux projets sont entrepris, il y aura croissance des bénéfices futurs, donc des dividendes futurs. Dans ce cas, le modèle de Gordon est plus plausible. Si ces projets sont financés à partir d'une fraction des bénéfices qui n'est pas distribuée, g dépendra alors du pourcentage des bénéfices réinvesti (appelé «taux de rétention») et de la rentabilité des nouveaux investissements.

Dans la pratique, le taux de rétention n'est pas toujours constant. En effet, quand les bénéfices diminuent, on essaie de ne pas faire baisser les dividendes, car cette action risquerait de réduire la confiance des actionnaires. De plus, tous les nouveaux projets ne sont pas nécessairement financés à partir des bénéfices retenus. Il est alors plus courant d'estimer le taux de croissance g à partir du taux de croissance des dividendes historiques, en particulier quand on dispose d'information (par exemple dans la base de données Stock Guide) à propos des dividendes passés couvrant une assez longue période.

Exemple 4.1

Supposons que, le 31 décembre 2012, l'entreprise Néon a payé un dividende de 11 $ par action. Le rendement exigé par ses actionnaires est de 25 %. On dispose des renseignements suivants sur ses dividendes passés:

Année (au 31 décembre)	Dividende (en dollars)
2012	11,00
2011	10,57
2010	10,08
2009	9,49
2008	9,05

À cette date, quel devrait être le prix de l'action de cette entreprise?

Pour répondre à la question, commençons par estimer le taux de croissance historique des dividendes g:

$9,05\,\$(1 + g)^4 = 11\,\$$, d'où $g = (11\,\$/9,05\,\$)^{\frac{1}{4}} - 1 = 5\,\%$

$P = D_1/(r - g) = 11\,\$(1 + 0,05)/(0,25 - 0,05) = 57,75\,\$$

Les dividendes croissants à différents taux

Nous analysons ici un cas particulier du modèle de Gordon dans lequel divers taux de croissance s'appliquent à différentes périodes. Ce cas constitue la réalité de plusieurs entreprises qui, au début de leur existence, ont de fortes possibilités de croissance et qui, une fois plus mûres, voient leurs bénéfices et, par là même leurs dividendes, se stabiliser.

Exemple 4.2

Supposons que l'entreprise Eva annonce un dividende de 3 $ par action qui sera versé dans 1 an. On s'attend à ce que ce dividende augmente de 6 % par an durant les 2 ans suivants, puis de 2 % à perpétuité. Le rendement exigé sur ce type d'action est de 15 %. Quel est le prix de cette action aujourd'hui?

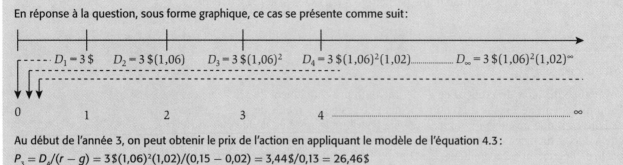

En réponse à la question, sous forme graphique, ce cas se présente comme suit:

$D_1 = 3\$$ $\quad D_2 = 3\$(1,06)$ $\quad D_3 = 3\$(1,06)^2$ $\quad D_4 = 3\$(1,06)^2(1,02)$ .... $D_\infty = 3\$(1,06)^2(1,02)^\infty$

0 $\qquad$ 1 $\qquad$ 2 $\qquad$ 3 $\qquad$ 4 .... ∞

Au début de l'année 3, on peut obtenir le prix de l'action en appliquant le modèle de l'équation 4.3:

$P_3 = D_4/(r - g) = 3\$(1,06)^2(1,02)/(0,15 - 0,02) = 3,44\$/0,13 = 26,46\$$

Par conséquent:

$P_0 = 3\$/1,15 + 3\$(1,06)/(1,15)^2 + 3\$(1,06)^2/(1,15)^3 + 26,46\$/(1,15)^3 = 24,63\$$

Quelques remarques importantes

- Les modèles d'évaluation des actions, selon les équations 4.1, 4.2 et 4.3, nous permettent d'obtenir ce que l'on appelle «**valeur intrinsèque** des actions». La valeur marchande des actions représente quant à elle le prix auquel les actions se négocient réellement sur les marchés financiers. Elle reflète les anticipations des investisseurs quant à l'évolution future de la situation financière de l'entreprise. Ces anticipations se basent essentiellement sur la quantité et la qualité de l'information dont les actionnaires disposent. Si les marchés financiers sont efficients (*voir le chapitre 1, section 1.6*), toute l'information pertinente est rapidement et gratuitement rendue disponible aux investisseurs, de telle sorte que ces derniers sont capables d'évaluer «correctement» les actions. La valeur marchande est alors égale à la valeur intrinsèque. Par contre, dans un contexte de marché spéculatif, la valeur marchande peut largement s'écarter de la valeur intrinsèque. Cette situation est souvent un signe précurseur d'une crise financière. C'est ce que les marchés financiers nord-américains ont connu à la suite de l'éclatement de la bulle spéculative du secteur de la haute technologie à la fin du siècle dernier et après celle du secteur immobilier au début du présent siècle.

- D'autres valeurs de l'action existent et ont une signification économique moins importante. Ainsi, une action peut avoir une valeur nominale inscrite sur le certificat d'action émis. Si l'action n'a pas de valeur nominale, elle est dite entièrement libérée. Cela veut dire que le prix d'émission a été entièrement payé par l'investisseur. Sinon, elle peut être partiellement libérée (pas entièrement payée) et la firme peut imposer le paiement de la différence au détenteur. Dans ce cas, la valeur nominale sert de référence pour déterminer le montant non encore payé.

  Une autre valeur des actions est la valeur comptable. Celle-ci est égale à l'actif net divisé par le nombre d'actions ordinaires en circulation. Puisque l'actif net est l'actif total moins le passif externe (les dettes), cette valeur dépend donc du bilan de l'entreprise et de ses pratiques comptables.

  La valeur comptable a normalement peu de liens avec la valeur de marché, laquelle s'adapte continuellement en fonction de l'évolution des bénéfices et des dividendes de l'entreprise.

- Si l'entreprise distribue tous ses bénéfices nets en dividendes et ne procède pas à un financement externe, elle ne réalise aucune croissance. Le prix de ses actions peut aussi s'établir selon l'équation 4.2 en remplaçant le dividende par action par le bénéfice par action:

$$P = \frac{\text{BPA}}{r}$$

où

BPA est le bénéfice par action;

r est le taux de rendement des actionnaires.

D'où

$$r = \frac{BPA}{P}$$

Notons que le ratio $\frac{P}{BPA}$, appelé «cours-bénéfice», est très connu en finance et est souvent mentionné dans les pages financières des journaux. Il s'agit d'une estimation de l'inverse du rendement requis par les actionnaires. Cependant, il faut se rappeler que cette estimation est basée sur plusieurs hypothèses et que, tel que publié, ce ratio est calculé à partir du dernier bénéfice réalisé (bénéfice historique) et du prix courant. D'autres ratios «estimateurs» ont récemment vu le jour, tels que le ratio du prix sur les ventes par action, dont le but est d'essayer d'évaluer les entreprises qui ont des bénéfices négatifs, mais dont le prix des actions continue à faire l'objet de spéculations sur les marchés financiers. Tel que mentionné plus haut, il faut être très prudent quand on utilise ces ratios, car cette situation est souvent annonciatrice de crise.

- Certaines entreprises ne distribuent pas de dividendes, par exemple Microsoft, qui n'a versé son premier dividende qu'en 2003. Il s'agit souvent d'entreprises qui ont beaucoup de possibilités de croissance et qui retiennent tous leurs bénéfices pour s'autofinancer. Le principe d'évaluation reste le même, la difficulté demeurant la date prévue de versement du premier dividende.

- Il arrive que les prix des actions atteignent des niveaux très élevés, de sorte qu'il devient difficile d'échanger ces actions. Pour remédier à ce problème, l'entreprise peut procéder au fractionnement des actions : elle va échanger ces actions contre de nouvelles selon un ratio d'échange préétabli. Par exemple, dans un fractionnement de «deux pour un», chaque action en circulation sera échangée contre deux nouvelles pour la même valeur totale. Cela doublera le nombre d'actions détenues par chaque investisseur et donc le nombre total d'actions en circulation, ce qui devrait faciliter les échanges sur ces actions.

4.1.2 Les actions privilégiées ou les actions à dividendes prioritaires

Depuis 1978, les sociétés canadiennes ont la possibilité d'émettre des actions privilégiées. Il s'agit d'actions dont le droit de vote est détaché, mais dont le dividende est prioritaire, c'est-à-dire que son versement s'effectue en priorité par rapport aux actions ordinaires. Les droits étant moindres pour ce type d'action, celle-ci est donc mieux rémunérée. Par ailleurs, le montant minimal du dividende doit être de 7,5 % de la valeur nominale de l'action et, par ailleurs, doit être supérieur au dividende versé pour les actions ordinaires. Dans le cas où le dividende ne pourrait être versé intégralement à cause de bénéfices insuffisants, le solde serait reporté sur les deux exercices suivants. Si la situation durait un certain nombre d'années, le droit de vote serait réintégré et l'action privilégiée redeviendrait une action ordinaire.

Les caractéristiques des actions privilégiées

Contrairement aux actionnaires ordinaires, les actionnaires privilégiés ne participent pas aux bénéfices de l'entreprise. Ils reçoivent plutôt un montant de dividendes fixes et ont un droit de priorité sur les actionnaires ordinaires en cas de faillite de l'entreprise et de liquidation de ses actifs.

Les actionnaires privilégiés peuvent exercer leur droit de vote seulement si l'entreprise omet un certain nombre de versements de dividendes. Si l'entreprise redevient rentable, les actionnaires privilégiés ont habituellement le droit d'obtenir le paiement des dividendes dus avant les actionnaires ordinaires.

Les actions privilégiées ressemblent beaucoup aux obligations, mis à part le fait qu'elles n'ont pas de date d'échéance fixe. Elles sont souvent émises à une certaine valeur nominale, habituellement de 25 $, 50 $ ou 100 $. Le paiement de dividendes fixes, la plupart du temps effectué tous les trois mois, est semblable au paiement des intérêts sur une obligation. Les actions privilégiées se comportent de la même façon que les obligations lorsque les taux d'intérêt évoluent. Ainsi, lorsque les taux baissent, le cours des actions privilégiées monte, et inversement.

Certaines actions privilégiées peuvent être convertibles et, de ce fait, peuvent être échangées contre des actions ordinaires de l'entreprise. Dans la plupart des cas, les actions privilégiées possèdent une option de rachat qui peut être exercée par l'émetteur et, en conséquence, un prix de rachat fixe qui doit être supérieur à leur valeur d'émission.

Les actions privilégiées ne représentent pas le moyen de financement à long terme le plus populaire, car les dividendes auxquels elles donnent droit ne sont pas déductibles d'impôts, contrairement au paiement des intérêts de la dette. Cependant, ces dividendes donnent aux investisseurs le droit à certaines déductions fiscales.

Pour une entreprise, l'avantage de l'émission d'actions privilégiées est que le versement des dividendes ne constitue pas une obligation légale. Lorsque les conditions financières de l'entreprise ne le permettent pas, celle-ci n'est pas obligée de distribuer des dividendes. Par contre, dans le cas d'un financement par dette, les intérêts de la dette doivent être payés indépendamment des revenus enregistrés par l'entreprise. Ce mode de financement lui permet ainsi d'éviter la contrainte financière des intérêts sans pour autant diluer son contrôle, puisque les actionnaires privilégiés n'ont normalement pas droit de vote.

Les actions privilégiées n'ayant pas de date d'échéance (exception faite des actions privilégiées convertibles), elles peuvent être assimilées à une dette perpétuelle.

4.2 L'évaluation des obligations

Les **obligations** sont des titres d'endettement émis par les gouvernements, les municipalités et les entreprises. Elles procurent à leur détenteur des revenus fixes dont le montant est connu d'avance et qui sont remis à des dates fixes. En achetant une obligation, l'investisseur prête ainsi son argent à l'émetteur pour une période déterminée. Sa rémunération provient des intérêts (appelés «coupons») versés périodiquement (en général, semestriellement) durant toute la période d'investissement ou de la différence entre le prix d'achat et le montant remboursé à l'échéance, appelé «**valeur nominale**». Il est à noter que dans le cas des obligations d'entreprises, les coupons versés sont déductibles d'impôts pour les entreprises, ce qui fait des obligations un mode de financement peu coûteux et très attrayant. Cet aspect sera couvert au chapitre 6.

Le principe d'évaluation des obligations est le même que celui des actions, c'est-à-dire qu'il s'agit de calculer la valeur actuelle des revenus futurs, en tenant toutefois compte de deux différences majeures :

1. les revenus des actions sont des dividendes dont le montant n'est en général ni fixe, ni connu d'avance, contrairement aux coupons rattachés aux obligations ;
2. les actions ordinaires n'ont pas d'échéance, donc il n'y a pas de remboursement de la valeur nominale, contrairement aux obligations.

4.2.1 Quelques définitions et notations

Valeur nominale (VN) ou capital : Valeur inscrite sur l'obligation, qui sera remboursée à échéance. (Cette caractéristique du titre ne change pas une fois que celui-ci est émis.)

Échéance (T) : Date du (ou nombre de jours restant jusqu'au) remboursement de la valeur nominale. (Cette caractéristique du titre ne change pas une fois que celui-ci est émis.)

Prix de vente (P) : Prix auquel le titre est vendu. Il est exprimé en pourcentage de la valeur nominale. (Ce prix change en fonction des caractéristiques du marché.)

Obligation au pair : Obligation dont le prix de vente est égal à la valeur nominale.

Obligation à escompte : Obligation dont le prix de vente est inférieur à la valeur nominale.

Obligation à prime : Obligation dont le prix de vente est supérieur à la valeur nominale.

Taux de coupon (*c*) : Pourcentage inscrit sur l'obligation. On multiplie ce taux par la valeur nominale pour trouver le montant des intérêts à recevoir ou à payer. (Cette caractéristique du titre ne change pas une fois que celui-ci est émis.)

Prix offert, ou cours acheteur (*bid*) : Prix que le négociant en valeurs mobilières offre pour l'achat du titre. C'est le prix que vous recevrez si vous voulez vendre votre titre.

Prix demandé, ou cours vendeur (*ask*) : Prix que le négociant en valeurs mobilières demande pour la vente du titre. C'est le prix que vous devrez payer si vous voulez en acheter un.

Marge : Écart entre le cours vendeur et le cours acheteur. La marge représente la rémunération du négociant.

Rendement promis : Pourcentage d'enrichissement promis à l'investisseur au moment de l'achat de l'obligation. Ce rendement est effectivement réalisé par l'investisseur si celui-ci conserve son obligation jusqu'à l'échéance et réinvestit ses coupons au même taux.

4.2.2 Les obligations à coupons zéro

Les obligations à coupons zéro sont des obligations pour lesquelles aucun intérêt périodique n'est versé, mais dont la rémunération provient uniquement de la différence entre le prix payé et la valeur nominale remboursée à l'échéance. Elles sont donc toujours vendues à escompte.

C'est le cas, par exemple, des **bons du Trésor**. Ces derniers sont des titres d'endettement à court terme (de 3, 6 ou 12 mois) émis fréquemment (chaque semaine) par le gouvernement pour emprunter de l'argent auprès des investisseurs. À l'échéance, l'investisseur (détenteur du bon du Trésor) reçoit du gouvernement la valeur nominale et réalise son rendement à partir de la différence entre cette valeur et le prix qu'il a payé au moment de l'achat. Aucun versement d'intérêts ne se fait durant la période d'investissement, d'où le nom « coupons zéro ». Les bons du Trésor ont une valeur nominale de 1 000 $, 5 000 $, 25 000 $ ou 100 000 $.

Le calcul du prix d'un bon du Trésor

Comme tout autre titre financier, le prix du bon du Trésor est égal à la valeur actuelle des flux monétaires futurs promis par la détention de ce titre. Or, comme nous l'avons exposé plus haut, le seul flux monétaire que ce titre produit est la valeur nominale :

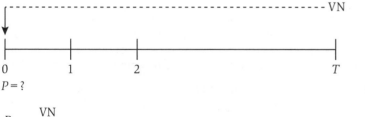

$$P = \frac{VN}{(1+r)^T} \tag{4.4}$$

où

P est le prix du bon du Trésor aujourd'hui ;

VN est la valeur nominale à rembourser dans *T* périodes ;

T est l'échéance du bon du Trésor ;

r est le taux de rendement périodique effectif du bon du Trésor.

Exemple 4.3

Quel est le prix d'un bon du Trésor ayant une échéance de 12 mois et une valeur nominale de 1 000$ si le taux de rendement annuel nominal à capitalisation semestrielle est de 8%?

Pour répondre à la question, il faut d'abord calculer le taux de rendement annuel effectif (*voir l'équation 2.8 à la page 34*) pour pouvoir l'utiliser dans l'équation 4.4. Comme nous l'avons vu au chapitre 2, nous avons :

$$R = \left(1 + \frac{r^m}{m}\right) - 1 = \left(1 + \frac{0,08}{2}\right)^2 - 1 = 8,16\%$$

où

$$P = \frac{1000\$}{(1+0,0816)} = 924,56\$$$

Le calcul du rendement d'un bon du Trésor

Il est important de rappeler que les taux de rendement rapportés n'ont pas toujours une capitalisation annuelle. C'est le cas, par exemple, des bons du Trésor. Les taux de rendement des bons du Trésor rapportés dans les pages financières ne sont pas des taux annuels effectifs, mais des taux annuels nominaux. Comme nous l'avons vu au chapitre 2, les taux effectifs sont plus appropriés lorsqu'il s'agit d'évaluer le vrai rendement qui sera réalisé ou de comparer le rendement de différents bons du Trésor ayant des échéances différentes.

Exemple 4.4

Quel est le taux de rendement annuel effectif d'un bon du Trésor ayant une échéance de 6 mois, dont la valeur nominale est de 10 000$ et le prix, de 9 768,31$?

D'après l'équation 4.4 :

$$P_3 = \frac{VN}{(1+r)^T} \Rightarrow 9\,768,31\$ = \frac{10\,000\$}{(1+r)^{\frac{1}{2}}} \Rightarrow r = \left(\frac{10\,000\$}{9\,768,31\$}\right)^2 - 1 = 4,8\%$$

L'équation 4.4 nous donne la valeur intrinsèque du bon du Trésor. Si le prix sur le marché est supérieur à celui du bon du Trésor, on dit que celui-ci est surévalué ; la stratégie consiste alors à le vendre. Dans le cas inverse, on dit qu'il est sous-évalué ; il convient alors de l'acheter.

4.2.3 Les obligations avec coupons

La majorité des obligations (des gouvernements et des entreprises) permettent le versement de coupons périodiques (généralement semestriels), constants et connus d'avance. On a donc besoin, pour les évaluer, de connaître le montant de ces coupons, la date de leur versement, la date d'échéance ainsi que le rendement de ces obligations.

Les obligations d'entreprise sont considérées comme légèrement plus risquées que les obligations gouvernementales et rapportent, par conséquent, un rendement un plus élevé.

Ces obligations peuvent aussi être classées en différentes catégories et avoir un nom plus spécifique, et ce, en fonction des différentes clauses particulières qui peuvent être ajoutées au contrat. Ainsi, on trouve les obligations sécurisées qui sont généralement garanties par un actif particulier, les débentures qui sont des obligations non garanties, et les obligations subordonnées. D'autres variétés d'obligations incluent les obligations hypothécaires, les obligations rachetables par l'entreprise avant leur échéance et les obligations convertibles en actions.

Le calcul du prix d'une obligation

Pour calculer le prix d'une obligation, on utilise les paramètres suivants :

où

P est le prix de l'obligation;

T est l'échéance de l'obligation;

C est le montant du coupon périodique;

VN est la valeur nominale de l'obligation.

On peut représenter les flux monétaires liés à l'obligation comme suit:

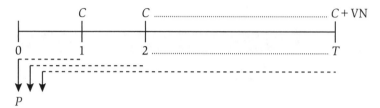

$$P = \frac{C}{(1+r)} + \frac{C}{(1+r)^2} + \frac{C}{(1+r)^3} + \cdots + \frac{C}{(1+r)^T} + \frac{VN}{(1+r)^T}$$

Il s'agit là de la combinaison d'une annuité fixe de $C\$$ pendant T périodes et d'un montant fixe de $VN\$$ dans T périodes. D'où

$$P = C\left(\frac{1-(1+r)^{-T}}{r}\right) + \frac{VN}{(1+r)^T} \tag{4.5}$$

Exemple 4.5

Supposons l'extrait suivant, tiré des pages financières d'un journal du 15 janvier 2012:

	Coupon	Échéance	Prix	Rendement
Canada	10	2016-01-15	--	8

Pour calculer le prix de l'obligation du gouvernement du Canada à cette date, et à la lecture de cet extrait des pages financières, il faut déduire les renseignements suivants:

- Le prix est affiché sous la forme du pourcentage d'une valeur nominale de 1 000$.
- Le taux de coupon est de 10% de la valeur nominale. Il s'agit d'un taux annuel nominal à capitalisation semestrielle. Les coupons étant versés chaque semestre, si l'on suppose une valeur nominale de 1 000$, le montant du coupon semestriel est de 50$.
- Le taux de rendement affiché est un taux nominal à capitalisation semestrielle, ce qui implique un taux de rendement semestriel de 4%.
- L'échéance est le 15 janvier 2016.
- Un dernier coupon est toujours versé à l'échéance. De plus, les coupons étant semestriels, ils sont donc versés le 15 janvier et le 15 juillet de chaque année.
- En achetant le 15 janvier 2012, on ne reçoit pas le coupon de cette date. Il reste donc huit coupons à recevoir jusqu'à l'échéance.

Sous forme graphique, on a:

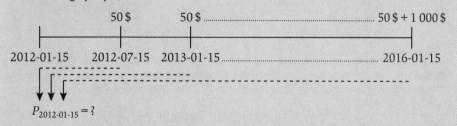

Le prix est donc égal à:

$$P_{2012\text{-}01\text{-}15} = 50\$\left(\frac{1-(1+0,04)^{-8}}{0,04}\right) + \frac{1\,000}{(1+0,04)^8} = 1\,067,33\$$$

> On remarque que cette obligation est à prime. Ce résultat est prévisible, puisque cette obligation offre un taux de coupon supérieur au rendement demandé par les investisseurs: ces derniers sont prêts à payer un prix supérieur à la valeur nominale qui leur sera remboursée à l'échéance. Enfin, le prix affiché étant en pourcentage de la valeur nominale de 1 000 $, dans le tableau extrait des pages financières et dans la colonne «Prix», on lira 106,733.

Pour obtenir ce résultat à l'aide de la calculatrice financière Texas Instruments BA II Plus, suivez les étapes indiquées dans le tableau[1] ci-dessous:

Étape	Action	Affichage
1. Effacer la mémoire	CE/C puis CLR TVM	0
2. Activer le mode fin de période	2nd puis END, puis 2nd, puis SET	END
3. Indiquer le nombre de versements par semestre	2nd puis P/Y, puis 1, puis 2nd, puis ENTER	P/Y = 1
4. Préciser la valeur nominale	1000 puis +/−, puis FV	FV = −1000
5. Indiquer le coupon semestriel	50 puis +/−, puis PMT	PMT = −50
6. Inscrire le taux d'intérêt semestriel	4 puis I/Y	I/Y = 4
7. Indiquer le nombre de périodes	8 puis N	N = 8
8. Calculer la valeur actuelle	CPT puis PV	PV = 1067.33

Dans l'exemple précédent, la date d'achat correspond exactement à la date de versement de coupon. Voyons la façon de calculer le prix de l'obligation à une date qui ne correspond pas à une date de versement de coupon.

Exemple 4.6

Dans l'exemple précédent, quel serait le prix de l'obligation, le 15 mai 2012, si le rendement était le même?

Sous forme graphique, on a:

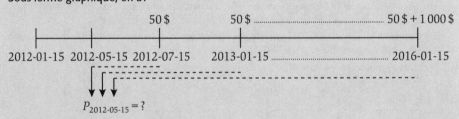

Au 15 mai 2012, le prix est égal à la valeur actuelle, à cette date, des flux monétaires futurs. Pour trouver ce prix, on commence par calculer le prix au 15 janvier 2012. Par la suite, il suffit de capitaliser la valeur trouvée à la date du 15 mai 2012. Ainsi:

$$P_{2012\text{-}01\text{-}15} = P_{2012\text{-}01\text{-}15} \times (1+0,04)^{\frac{4}{6}} = 1067,33\,\$(1,04)^{\frac{2}{3}} = 1095,60\,\$$$

---

1. Dans les colonnes «Action» et «Affichage», l'information est écrite dans le format anglais afin de correspondre à celui de la calculatrice.

Il faut noter que le taux de rendement affiché des obligations est un paramètre important pour le calcul du prix de celles-ci. Ce taux fluctue constamment sur le marché pour refléter, entre autres, les perceptions qu'ont les investisseurs de l'évolution du niveau du risque de l'entreprise. Quand ce risque augmente, le taux de rendement s'ajuste automatiquement à la hausse, ce qui a pour effet la diminution immédiate du prix de l'obligation. Ce phénomène s'est produit lors de la crise financière qui a commencé aux États-Unis au début du présent siècle.

Cette crise était au départ une crise bancaire, plusieurs institutions financières ayant acheté des obligations (donc prêté de l'argent) dont le niveau de risque s'est détérioré. Ces obligations ont ainsi vu leur valeur chuter dramatiquement, enclenchant une crise qui a causé la faillite de certaines de ces institutions financières.

Le calcul du rendement d'une obligation

On calcule le rendement d'une obligation à l'aide de la même équation, soit l'équation 4.5. La résolution de cette équation se fait par interpolation linéaire ou au moyen d'une calculatrice financière.

Exemple 4.7

Supposons qu'au 30 juin 2012, une obligation du gouvernement fédéral était listée ainsi :

	Coupon	Échéance	Prix (en dollars)	Rendement
Canada	6,375	2023-12-31	993,125	?

Pour trouver le rendement affiché, on détermine r à l'aide de l'équation 4.5 :

$$993,125 = 31,875 \left(\frac{1-(1+r)^{-23}}{r} \right) + \frac{1\,000}{(1+r)^{23}}$$

Il faut essayer plusieurs valeurs de r :

r (en pourcentage)	P (en dollars)
0,00	1 733
1,00	1 447
2,00	1 217
3,00	1 031
3,23	993
3,50	951
4,00	879

Le taux de rendement semestriel est donc de 3,23 %. Par conséquent, le taux annuel nominal est de 6,46 % et le taux annuel effectif, de 6,56 %.

Dans le tableau précédent, on remarque que plus le rendement augmente, plus le prix diminue, et inversement. Le prix et le rendement sont liés, tous deux étant des caractéristiques du marché.

Après avoir analysé les modes de financement les plus courants d'une entreprise et appris à les évaluer, nous décrirons dans la section suivante certains autres types de financement auxquels les entreprises peuvent recourir.

4.3 Les titres convertibles

Un **titre convertible** est une obligation convertible ou une action privilégiée convertible qui peut être échangée selon la volonté de son détenteur contre un nombre donné d'actions ordinaires à partir d'une date précise. Les titres convertibles représentent une autre source de financement à long terme. Nous avons vu le cas des actions privilégiées convertibles (ou à dividendes prioritaires) dans la sous-section 4.1.2. Analysons maintenant les obligations convertibles et étudions les divers cas de refinancement.

4.3.1 Les obligations convertibles

Une **obligation convertible** est une obligation dont les caractéristiques sont semblables à celles d'une obligation classique. Toutefois, elle donne à l'investisseur la possibilité d'échanger son obligation contre un certain nombre d'actions ordinaires au cours d'une période donnée.

L'obligation convertible offre une grande souplesse d'utilisation, puisque le taux d'intérêt peut en être fixe, variable, indexé ou flottant. La conversion de cette obligation doit se faire au cours d'une période définie dans le contrat d'émission. Cette période, appelée «période de conversion», peut débuter dès l'émission ou à une date ultérieure. Elle prend fin à la date de remboursement de l'obligation. Si l'entreprise procède au remboursement anticipé des obligations, les investisseurs ont le choix entre le remboursement de l'obligation ou sa conversion.

La base de conversion, ou ratio de conversion, détermine le nombre d'actions qui seront reçues en contrepartie de la conversion de l'obligation. Elle est fixée au moment de l'émission (par exemple, une action et demie pour une obligation). Toutefois, ce ratio peut être modifié si un événement majeur, comme une fusion ou une distribution d'actions gratuites, influe sur le capital de l'entreprise.

Pour connaître le prix à payer effectivement pour recevoir les actions ordinaires en contrepartie de la conversion, il suffit de diviser la valeur nominale de l'obligation par le ratio de conversion. Ainsi :

$$\text{Prix de conversion} = \frac{\text{valeur nominale de l'obligation convertible}}{\text{ratio de conversion}}$$

On définit la **prime de conversion** comme étant la différence entre la valeur de l'obligation (le cours boursier si le titre est coté) et le prix de la conversion. Par exemple, une entreprise émet sur le marché des obligations convertibles en actions ordinaires au prix de 25 $ l'action (chaque tranche de 1 000 $ d'obligations peut être échangée contre 40 actions ordinaires). Si le prix de marché des actions est de 22 $, la prime de conversion s'élèvera à 3 $, soit 13,63 %.

La **valeur de conversion** est le résultat de la multiplication du ratio de conversion par le prix de marché de l'action ordinaire. Elle correspond à la valeur des actions qui serait effectivement reçue si l'obligation était convertie. Le prix de marché de l'obligation convertible ne pourra jamais être en bas de cette valeur de conversion. Si cela se produisait, l'investisseur pourrait réaliser un bénéfice instantané et sans risque.

Dans l'exemple précédent, la valeur de conversion était de 880 $ (40 × 22 $). Si le titre se vendait 800 $, l'investisseur pourrait réaliser un gain instantané de 80 $ en achetant le titre convertible et en effectuant la conversion.

On définit la valeur nue de l'obligation convertible, ou encore la **valeur plancher**, comme étant la valeur de l'obligation hors le privilège de la conversion. Cette valeur est égale à la valeur d'une obligation classique. On l'obtient en actualisant les flux futurs liés à l'obligation au taux du marché (c'est-à-dire au taux d'intérêt de l'obligation sans privilège de conversion).

La première motivation derrière l'émission d'obligations convertibles est de reporter un financement en actions ordinaires à plus tard sans frais additionnels. Les gestionnaires anticipent ainsi que le prix des actions augmentera et que le privilège de conversion permettra d'obtenir un meilleur prix.

Les entreprises ont recours aux obligations convertibles en tant que financement temporaire afin de diminuer les charges financières. Par comparaison avec une émission de dette ordinaire, le financement par dette convertible permet de payer un taux d'intérêt plus faible de 1 à 2 %. En effet, les entreprises paient un taux d'intérêt plus faible pour les obligations convertibles par rapport au taux payé pour une obligation classique comportant le même risque. Les entreprises se gardent également la possibilité d'obtenir un financement ultérieur par actions ordinaires à un prix plus élevé. Toutefois, il faut noter que la conversion ne leur procure pas un capital supplémentaire.

Dans la plupart des cas, on émet des titres convertibles car on suppose que ces titres pourront être convertis au cours d'une courte période d'un à trois ans. Cette pratique consiste en fait à différer une émission d'actions dans l'espoir d'obtenir un meilleur prix par rapport à l'émission d'actions ordinaires immédiate, ce qui permet également d'émettre moins d'actions.

4.3.2 Le refinancement

La décision de refinancer consiste à émettre de nouveaux titres afin de rembourser et de remplacer les titres déjà en cours. Le **refinancement** peut se faire dans deux cas. Dans le premier cas, le produit en circulation arrive à échéance et le refinancement est alors inévitable. Dans le second cas, une société rappelle un titre en cours pour le remplacer par un autre. Cette décision relève de la direction de l'entreprise. Dans cette situation, le but recherché par celle-ci est de diminuer ses coûts de financement soit en éliminant certaines clauses contraignantes du contrat de financement, soit en obtenant de meilleurs taux d'intérêt qui lui permettront de réduire ses charges financières.

La société vise en fait à augmenter sa valeur de marché. Comme dans toute décision d'investissement, le refinancement requiert une comparaison entre les économies des frais de financement et les frais engagés afin d'effectuer le refinancement. Ces frais sont principalement des frais juridiques et d'autres frais de refinancement. Ils sont déductibles d'impôts. Le refinancement implique aussi le paiement d'une prime de rachat non déductible d'impôts.

La décision de faire appel au refinancement est fondée sur la comparaison entre la valeur actuelle des économies de coût de financement et la valeur actualisée des frais après imputation des frais de refinancement. Le taux d'actualisation utilisé doit refléter le fait que tous les flux financiers sont certains, puisqu'ils sont établis par contrat. En général, le coût de la dette après impôts de la société représente une bonne approximation du taux certain. Si la valeur actuelle des économies de frais de financement excède les coûts de refinancement, l'entreprise devrait considérer le projet de refinancement, puisqu'il permettrait d'augmenter la richesse des actionnaires.

Exemple 4.8

Supposons qu'il y a 1 an, la société S a émis 100 000$ d'obligations rachetables au taux de 15% et dont l'échéance était de 11 ans. Aujourd'hui, la société a la possibilité de refinancer ces obligations au taux de 12%, avec une échéance de 10 ans. Le refinancement occasionnerait le paiement d'une prime de 4% et des frais de 12 000$. La société étant imposée au taux de 40%, devrait-elle procéder au refinancement?

La valeur actuelle des coûts liés au refinancement est la suivante:
- frais après impôts: $12\,000 \times (1 - 0{,}40) = 7\,200\$$;
- prime de rachat: $100\,000 \times 0{,}04 = 4\,000\$$;
- coût total du refinancement: $7\,200 + 4\,000 = 11\,200\$$.

Le taux d'actualisation des flux monétaires peut être estimé à l'aide du taux de la nouvelle dette après impôts:

$7{,}20\%[0{,}12(1 - 0{,}40)]$

La valeur actuelle des économies d'intérêts après impôts est de:

$$\sum_{i=1}^{10}(15\,000\$ - 12\,000\$)(1-0{,}40)/(1+0{,}072)^i = 12\,526\$$$

La valeur actuelle nette du projet de refinancement est de:

$12\,526\$ - 11\,200\$ = 1\,364\$$.

Il est donc opportun d'exécuter le projet de refinancement.

Dans le cas d'actions privilégiées, il s'agirait d'une économie en dividendes dont l'horizon est l'infini. Ces dividendes ne sont toutefois pas déductibles d'impôts.

4.3.3 Les options

Une option est un contrat conclu entre deux parties qui procure à son acheteur (détenteur) le droit d'acheter, s'il s'agit d'une option d'achat, ou de vendre, s'il s'agit d'une option de vente, une quantité donnée d'un actif sous-jacent à une date prédéterminée (appelée «date d'exercice») et un prix fixé (appelé «prix d'exercice»).

Le vendeur de l'option est aussi appelé «signataire». On dit qu'il a une position courte sur l'option, alors que l'acheteur de l'option a une position longue sur celle-ci.

L'actif sous-jacent peut être un actif réel (produits agricoles) ou financier (action, devise étrangère, etc.). Un investisseur peut rechercher, dans les options, la spéculation ou la couverture contre les fluctuations des prix.

Contrairement aux actions et aux obligations, les options ne sont pas émises par une entreprise ou un gouvernement, mais sont des contrats de pari entre deux parties quant à l'évolution future du prix de l'actif sous-jacent.

En contrepartie de son engagement, le signataire reçoit la prime, c'est-à-dire le prix de l'option elle-même (p). Ce prix est payé par l'acheteur de l'option au moment de la signature en contrepartie du droit acquis. On comprend facilement que cette prime dépend des performances de l'actif sous-jacent. Pour cette raison, ces titres sont appelés «titres dérivés» ou «conditionnels».

Pour une option d'achat, quand le prix de marché de l'actif sous-jacent devient supérieur au prix d'exercice, il est intéressant d'exercer l'option, c'est-à-dire d'acheter l'actif sous-jacent au prix d'exercice (X) et d'encaisser la différence en revendant l'actif au prix de marché (S). À l'échéance, l'option n'a ainsi plus de valeur.

À partir du moment où l'option est signée, et en tout temps, si le prix de marché de l'actif sous-jacent fait qu'il est intéressant d'exercer l'option immédiatement, on dit que celle-ci est en jeu. Dans le cas contraire, elle est hors jeu. S'il n'y a pas de différence, l'option est dite à parité.

Le tableau suivant résume ces situations dans le cas d'une option d'achat et d'une option de vente:

	Option d'achat	Option de vente
À parité	Prix d'exercice = prix au comptant	Prix d'exercice = prix au comptant
En jeu	Prix d'exercice < prix au comptant	Prix d'exercice > prix au comptant
Hors jeu	Prix d'exercice > prix au comptant	Prix d'exercice < prix au comptant

On peut a priori penser que l'acheteur d'une option d'achat vise (ou a peur de) l'augmentation du prix de marché. Ainsi, l'option peut être utilisée à des fins de spéculation ou de couverture.

À tout moment, une option devrait valoir au moins ce qu'elle peut rapporter si elle est exercée immédiatement. Cette valeur minimale est appelée «valeur intrinsèque». Ainsi, pour une option d'achat, la valeur intrinsèque est égale à $S - X$ si $S > X$, et à 0 sinon. Pour une option de vente, elle est égale à $X - S$ si $X > S$, et à 0 sinon.

Cependant, on remarque que les options ont souvent un prix non nul même lorsqu'elles sont hors jeu, ou un prix supérieur à la valeur intrinsèque quand elles sont en jeu. La prime d'une option est donc égale au minimum de la valeur intrinsèque plus une certaine prime appelée «prime du temps». En effet, tant que l'échéance n'est pas arrivée, il y a toujours une possibilité que S varie dans le bon sens, augmentant ainsi la valeur de l'option, et les investisseurs sont prêts à payer pour courir cette chance. Si le prix de marché varie dans le mauvais sens, la perte maximale est limitée, mais le gain est illimité.

La valeur d'une option est donc égale à la somme de la valeur intrinsèque et de la prime du temps. À l'échéance, cette prime du temps est nulle, puisqu'il ne reste plus de temps, et la valeur totale est égale à la valeur intrinsèque (*voir les figures 4.1 et 4.2*).

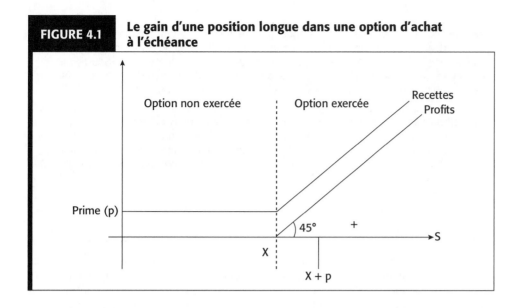

FIGURE 4.1 Le gain d'une position longue dans une option d'achat à l'échéance

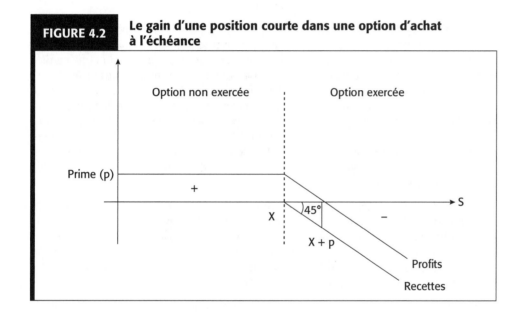

FIGURE 4.2 Le gain d'une position courte dans une option d'achat à l'échéance

L'évaluation des actions et des obligations n'est pas une tâche importante uniquement pour les investisseurs qui désirent se les procurer. Elle est au moins aussi importante pour les entreprises qui désirent financer leurs investissements. En effet, l'une des décisions stratégiques que doivent prendre les gestionnaires financiers des entreprises consiste à choisir le mode de financement approprié ainsi que le meilleur moment pour obtenir le financement.

Habituellement, les entreprises combinent deux types de financement à long terme : la dette (ce qui revient à émettre des obligations) et les fonds propres (ce qui revient à émettre des actions). Comme nous le verrons plus loin dans le présent ouvrage, la combinaison de ces deux modes de financement n'est pas aléatoire. Elle obéit plutôt à plusieurs contraintes et essaie d'atteindre les objectifs établis par l'entreprise.

▶

Afin de choisir le mode de financement approprié, il est important pour le gestionnaire de bien connaître le montant exact qu'il pourra obtenir à la suite de l'émission de nouvelles obligations ou actions. Pour cela, il doit connaître le niveau de perception du risque de son entreprise par le marché et, par conséquent, le taux de rendement qu'exigera celui-ci sur ces titres. Comme nous l'avons vu, le prix d'émission en découlera.

Dans la rubrique Portrait d'entreprise, à la page 112, nous présenterons l'entreprise Alcan, société mondiale de premier plan du domaine des matériaux en général et de l'aluminium en particulier qui, en 2006, avait des objectifs à long terme quant à sa structure de financement, mais qui, à la fin de cette même année 2006, a fusionné avec Rio Tinto pour devenir Rio Tinto Alcan. A-t-elle quand même pu réaliser ses objectifs ou bien a-t-elle dû s'adapter aux politiques de Rio Tinto?

CONCLUSION

Dans le présent chapitre, nous avons mis en application les outils de mathématiques financières acquis au chapitre 2. Plus exactement, nous avons appris à évaluer différents types d'actions et d'obligations en fonction de leurs flux monétaires futurs (prévus) et de leur taux de rendement. En outre, nous avons abordé certains autres modes de financement à la disposition de l'entreprise, tels que les actions privilégiées, les obligations convertibles ou encore le refinancement.

Les différents modèles d'évaluation présentés ici sont basés sur un principe simple et fondamental en finance: la valeur (ou le prix) d'un titre financier aujourd'hui n'est rien d'autre que l'équivalent en dollars d'aujourd'hui des flux monétaires futurs que ce titre promet à un investisseur qui se le procure aujourd'hui. Ce principe pourrait être suivi pour faire l'évaluation de n'importe quel actif autre que financier. Ainsi, en l'extrapolant, on pourrait dire que le prix de n'importe quel actif n'est rien d'autre que l'équivalent aujourd'hui de la satisfaction future que ce bien promet à son acquéreur. Si, pour un actif non financier, la satisfaction future est souvent difficile à monnayer et dépend largement des goûts et des perceptions de chacun, dans le cas des titres financiers, elle provient exclusivement des flux monétaires futurs. L'évaluation de ces titres est donc a priori plus facile et se résume à un calcul d'actualisation.

La grande difficulté demeure cependant de faire l'estimation des flux futurs à actualiser et du risque de défaut de paiement de ceux-ci par l'entreprise émettrice. Si, dans le cas des obligations, ces flux sont connus d'avance, et si le risque de non-paiement est généralement faible, dans le cas des actions, particulièrement les actions ordinaires, on doit émettre des hypothèses sur l'évolution future de ces flux. L'exactitude des modèles d'évaluation est donc largement tributaire de l'exactitude de ces hypothèses.

Au chapitre 5, nous nous consacrerons à l'évaluation du taux de rendement r, nécessaire à l'évaluation de ces titres. Nous verrons que ce taux dépend essentiellement du niveau du risque de l'entreprise dont on veut évaluer les titres.

À RETENIR

1. La possession d'actions ordinaires confère des droits sur l'entreprise émettrice de ces titres. Ces droits peuvent se diviser en trois catégories: les droits sur la gestion, les droits sur les bénéfices et les droits sur l'actif net.

2. Le prix d'une action est celui auquel l'action est négociée. Cette valeur, appelée «valeur marchande», reflète les anticipations des investisseurs quant au flux des dividendes de l'entreprise (flux monétaires à recevoir), ainsi que le niveau de risque de l'entreprise tel qu'ils le perçoivent.

3. En achetant une obligation, l'investisseur prête son argent à l'émetteur pendant une période déterminée. Sa rémunération provient des intérêts (appelés «coupons») versés périodiquement (en général, semestriellement) durant toute la période d'investissement et de la différence entre le prix d'achat et le montant remboursé à l'échéance.

4. Le taux de rendement affiché sur les obligations est un taux nominal à capitalisation semestrielle. Il fluctue constamment sur le marché pour refléter, entre autres, les perceptions des investisseurs quant à l'évolution du niveau du risque de l'entreprise. Quand ce risque augmente, le taux de rendement s'ajuste automatiquement à la hausse, ce qui a pour effet de provoquer la diminution immédiate du prix de l'obligation.

5. Une obligation convertible est une obligation dont les caractéristiques sont semblables à celles d'une obligation classique. De plus, elle donne à l'investisseur la possibilité d'échanger son obligation contre un certain nombre d'actions ordinaires, et ce, au cours d'une période donnée.

6. Contrairement aux actions ordinaires, les actions privilégiées ne donnent pas droit au partage des fruits du succès de l'entreprise. Les droits du porteur d'actions privilégiées se limitent à un montant fixe de dividendes et à un droit de priorité sur les actionnaires ordinaires en cas de faillite de l'entreprise et de liquidation de ses actifs.

7. On définit la prime de conversion comme étant la différence entre la valeur de l'obligation (le cours boursier si le titre est coté) et le prix de la conversion.

8. Le refinancement consiste à émettre de nouveaux titres afin de rembourser et de remplacer les titres déjà en cours. Le refinancement peut se faire dans deux cas. Dans le premier cas, le produit en circulation arrive à échéance; le refinancement est alors inévitable. Dans le second cas, une société rappelle un titre en cours pour le remplacer par un autre.

9. Une option est un contrat entre deux parties qui procure à son acheteur (détenteur) le droit d'acheter, s'il s'agit d'une option d'achat, ou de vendre, s'il s'agit d'une option de vente, une quantité donnée d'un actif sous-jacent à une date prédéterminée (appelée «date d'exercice») et à un prix fixé (appelé «prix d'exercice»).

10. L'acheteur d'une option d'achat vise, ou cherche à se protéger contre, l'augmentation du prix de marché de l'actif sous-jacent. Ainsi, l'option peut être utilisée à des fins de spéculation ou de couverture.

TERMES-CLÉS

SOMMAIRE DES ÉQUATIONS

La valeur d'une action ordinaire

$$P_0 = \sum_{t=1}^{\infty} \frac{D_t}{(1+r)^t} \tag{4.1}$$

La valeur d'une action privilégiée

$$P_0 = \frac{D_1}{r} \tag{4.2}$$

La valeur d'une action à dividendes croissants (modèle de Gordon)

$$P_0 = \frac{D_1}{r - g} \tag{4.3}$$

La valeur d'un bon du Trésor

$$P = \frac{VN}{(1+r)^T} \tag{4.4}$$

La valeur d'une obligation

$$P = C\left(\frac{1-(1+r)^{-T}}{r}\right) + \frac{VN}{(1+r)^T} \tag{4.5}$$

PORTRAIT D'ENTREPRISE

Rio Tinto Alcan

C'est sous le nom de Northern Aluminum Company (une filiale canadienne de la Pittsburgh Reduction Company) qu'Alcan a commencé ses activités en 1903. En 1925, elle change de nom pour celui de Aluminium Company of Canada, puis en 2001, la société est rebaptisée Alcan Inc. En 2003, elle acquiert Pechiney, une entreprise française. En 2007, Alcan passe aux mains du groupe minier international Rio Tinto pour former Rio Tinto Alcan[2] et devient une société de premier plan, tant à titre de fournisseur de matières premières (bauxite, alumine et aluminium) qu'à titre de fabricant de produits finis usinés et d'emballage. Avec ses trois groupes d'exploitation (bauxite et alumine, aluminium et ventes), Rio Tinto Alcan occupe une position clé en Amérique, en Europe et en Asie[3].

Bauxite et alumine

Productrice mondiale de bauxite, Rio Tinto Alcan extrait la bauxite de ses mines situées en Australie, au Brésil et en Guinée. Ses usines d'alumine, situées en Australie, au Brésil, au Canada et en France, effectuent la transformation en alumine avant de transformer cette dernière en aluminium[4].

Aluminium

Dotée d'une forte capacité mondiale de production d'aluminium grâce à l'exploitation de ses usines en Amérique du Nord et en Europe ainsi que de ses centrales hydro-électriques, Rio Tinto Alcan offre de nombreux produits d'aluminium tels que les « lingots de laminage et d'extrusion, du métal destiné au forgeage, du fil machine, des lingots de fonderie et de refonte, ainsi que des produits de spécialité comme des barres conductrices d'électricité (omnibus), le Duralcan et d'autres composites à matrice métallique[5] ».

Ventes

Rio Tinto Alcan est l'un des principaux fournisseurs mondiaux de produits et services d'aluminium.

---

2. Rio Tinto Alcan. «Notre histoire», [En ligne], www.riotintoalcan.com/FRA/whoweare/28.asp# (Page consultée le 3 décembre 2012).

3. Rio Tinto Alcan. «Nos produits», [En ligne], www.riotintoalcan.com/FRA/index_ourproducts.asp (Page consultée le 22 mars 2013).

4. Rio Tinto Alcan. «Bauxite et alumine», [En ligne], www.riotintoalcan.com/FRA/ourproducts/1555.asp (Page consultée le 3 décembre 2012).

5. Rio Tinto Alcan. «Aluminium», [En ligne], www.riotintoalcan.com/FRA/ourproducts/1554.asp (Page consultée le 25 mars 2013).

Parmi les produits qu'elle offre, on trouve:

- des lingots de laminage pouvant être transformés en différentes catégories de tôles destinées à la fabrication de canettes, de plaques lithographiques et de divers produits d'emballage. Ces produits servent également à d'autres applications dans les secteurs de l'aéronautique, du bâtiment et de la construction[6];

- des profilés d'aluminium servant à la fabrication de divers produits standards dans les marchés du bâtiment et de la construction, du transport, des biens de consommation et des produits usinés[7];

- des alliages de fonderie pouvant être ajoutés et mélangés dans des fours d'attente spécialisés afin de réduire la contamination, avant d'être coulés sous forme de lingots[8];

- des fils machine en aluminium de divers alliages et duretés, servant à la demande de produits de transport d'électricité et de câblage électrique commercial et industriel[9].

Le tableau suivant[10] présente les faits saillants financiers, extraits des rapports financiers de 2005 et de 2006, de l'entreprise Alcan les deux dernières années précédant son acquisition par Rio Tinto:

(en millions de dollars US)	2005	2006
Ventes et produits d'exploitation	20 320	23 641
Bénéfice net	129	1 786
Total de l'actif	26 638	28 939
Flux monétaires provenant des activités d'exploitation	1 535	3 040
Flux monétaires affectés aux dépenses en immobilisations et acquisitions d'entreprises	1 854	2 282
Flux monétaires disponibles	−433	690
(en dollars US par action ordinaire)		
Bénéfice net (dilué)	0,33	4,75
Dividendes	0,60	0,70
Cours à la Bourse de New York (à la clôture de l'exercice)	40,95	48,74
Livraisons (Kt)		
Produits en lingots	3 070	3 018
Aluminium utilisé dans les produits usinés et les emballages	1 269	1 315
Volume total d'aluminium (incluant les coentreprises)	4 339	4 333

Les principaux objectifs financiers stratégiques d'Alcan à la fin de l'année 2006 sont présentés dans le tableau suivant[11]:

---

6. Rio Tinto Alcan. «Plaques (lingots de laminage)», [En ligne], www.rtapublicsales.riotinto.com/Fr/OurProducts/Pages/RollingSlab.aspx (Page consultée le 25 mars 2013).

7. Rio Tinto Alcan. «Billettes», [En ligne], www.rtapublicsales.riotinto.com/Fr/OurProducts/Pages/ExtrusionBillet.aspx (Page consultée le 25 mars 2013).

8. Rio Tinto Alcan. «Alliages et fonderies», [En ligne], www.rtapublicsales.riotinto.com/Fr/OurProducts/Pages/FoundryAlloys.aspx (Page consultée le 25 mars 2013).

9. Rio Tinto Alcan. «Fil machine (tige)», [En ligne], www.rtapublicsales.riotinto.com/Fr/OurProducts/Pages/WireRod.aspx (Page consultée le 25 mars 2013).

10. Données tirées de CNW Canada Newswire. (31 janvier 2007). «Alcan announces strong fourth quarter to cap record year – Quarterly operating cash flow reaches all-time high of $1.1 billion», [En ligne], www.newswire.ca/en/story/84123/alcan-announces-strong-fourth-quarter-to-cap-record-year-quarterly-operating-cash-flow-reaches-all-time-high-of-1-1-billion (Page consultée le 18 janvier 2013).

11. *Ibid.*

Cibles financières à long terme	
Croissance du bénéfice d'exploitation par action	15%/an
Flux monétaires provenant des activités d'exploitation	Minimum de 2 G$ à partir de 2006
Rendement du capital investi	Couvrir le coût du capital en 2008
Pourcentage de la dette par rapport au capital investi	35%

Le tableau suivant[12] présente les faits saillants financiers, extraits des rapports financiers de 2010 et de 2011, de Rio Tinto Alcan :

(en millions de dollars US)	2010	2011
Ventes et produits d'exploitation	55 171	60 537
Bénéfice net	15 098	16 765
Total de l'actif	26 638	119 545
Fonds propres	59 208	59 208
Flux monétaires provenant des activités d'exploitation	23 530	27 388
Flux monétaires disponibles	64 512	22 126
Dettes à long terme		20 967
Intérêts		8 666
(en dollars US par action ordinaire)		
Bénéfice net (dilué)	7,21	3,01
Dividendes par action	0,90	1,17
Cours à la Bourse de New York	71,94	
(à la clôture de l'exercice)		8,81

Exerçons nos connaissances

Nous montrons dans la présente section les étapes qu'il est recommandé de suivre pour effectuer le calcul du prix et du rendement réalisé sur un investissement dans des obligations ainsi que pour l'interprétation des résultats obtenus.

Supposez qu'en date du 1er mai 2009, vous avez acheté des obligations gouvernementales fédérales, sur lesquelles on pouvait lire les informations suivantes :

	Coupon	Échéance	Prix	Rendement
Canada	3	1er octobre 2015	--	4

À quel prix auriez-vous acheté ces obligations ?

Il est important de bien interpréter l'information donnée dans le tableau ci-dessus :

- La première colonne nous informe sur l'émetteur de cette obligation. Il s'agit ici d'une obligation gouvernementale fédérale.

- La deuxième colonne nous indique que cette obligation verse un coupon semestriel de 15 $ pour une valeur nominale de 1 000 $, puisque le taux de coupon affiché est un taux annuel nominal capitalisé semestriellement. Le coupon est donc égal à $(3\%/2) \times 1\,000$.

12. Données tirées de Rio Tinto Alcan. «2011 Annual report», [En ligne], www.riotinto.com/ documents/Investors/Rio_Tinto_2011_Annual_report.pdf (Page consultée le 3 décembre 2012).

- L'échéance nous indique les dates de versement de coupons. Comme un dernier coupon est toujours versé à l'échéance et que les coupons sont semestriels, les dates de versement sont donc le 1er octobre et le 1er avril de chaque année.

- Il s'ensuit qu'en achetant l'obligation le 1er mai 2009 et en la gardant jusqu'à l'échéance, vous recevrez 13 coupons, soit un coupon le 1er octobre 2009 et 2 coupons par année de 2010 jusqu'à 2015.

- Le rendement promis de 4 % est un rendement annuel nominal capitalisé semestriellement. Il est donc équivalent à 2 % par semestre. Ce rendement étant supérieur au taux de coupon, l'obligation était certainement à escompte ce jour-là.

Démonstration

À partir de toutes ces informations, on peut tracer l'axe de temps suivant :

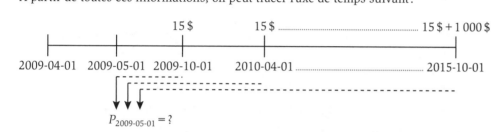

Dans cet exemple, la date d'achat n'est pas une date de coupon. On peut cependant appliquer l'équation 4.5 pour trouver la valeur de l'obligation en date du 1er avril 2009, qui est une date de coupon. Par la suite, il suffit de capitaliser la valeur trouvée au 1er mai 2009 :

$$P_{2009\text{-}04\text{-}01} = 15\,\$\left(\frac{1-(1+0,02)^{-13}}{0,02}\right)+\frac{1000}{(1+0,02)^{13}} = 943,26\,\$$$

$$P_{2009\text{-}05\text{-}01} = P_{2009\text{-}04\text{-}01} \times (1+0,02)^{\frac{1}{6}} = 943,26(1,02)^{\frac{1}{6}} = 946,38\,\$$$

Tel qu'attendu, ce prix est inférieur à la valeur nominale. L'obligation était donc à escompte.

Supposez maintenant que vous avez vendu vos obligations 940 $ l'unité le 1er avril 2010. Quel rendement auriez-vous réalisé sur cet investissement ?

On peut maintenant retracer l'axe de temps qui couvre la période effective de l'investissement, soit celle du 1er mai 2009 au 1er avril 2010 :

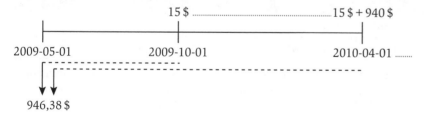

L'investissement aura alors coûté 946,38 $ et rapporté 15 $ 5 mois plus tard et 955 $ (940 + 15) 11 mois plus tard. Le rendement annuel effectif réalisé est le taux d'actualisation qui donne l'égalité suivante :

$$946,38 = \frac{15}{(1+r)^{\frac{5}{12}}} + \frac{955}{(1+r)^{\frac{11}{12}}}$$

D'où $r = 2,7\,\%$

1. Énumérez les différences entre une obligation, une action ordinaire et une action privilégiée.

2. Quelles sont les deux hypothèses émises lors de l'évaluation des actions? Pourquoi doit-on formuler de telles hypothèses? Laquelle de ces deux hypothèses vous paraît la plus plausible?

3. Pourquoi le mode de financement par actions privilégiées est-il impopulaire?

4. À quelles conditions peut-on réaliser le rendement promis sur une obligation au moment de son achat?

5. Dans quels cas une obligation se négocie-t-elle à prime, à escompte ou au pair?

6. Quelle est la différence entre le taux de coupon et le taux de rendement d'une obligation?

7. Parmi les énoncés suivants, en quoi les actions privilégiées diffèrent-elles des obligations?
   a) Elles offrent plus de garanties.
   b) Elles se négocient sur le marché des valeurs mobilières.
   c) Les dividendes privilégiés sont versés à même les bénéfices après impôts.
   d) Elles sont comprises dans le coût moyen pondéré du capital.
   e) Elles prévoient un fonds d'amortissement.

8. À votre avis, lequel de ces trois investissements est le plus risqué et lequel est le moins risqué: acheter une obligation, une action ordinaire ou une action privilégiée?

9. Qu'est-ce qu'une obligation convertible?

10. Qu'est-ce que le ratio de conversion d'une obligation convertible?

11. Quand le refinancement est-il souhaitable?

Exercices

1. L'obligation de type A dont l'échéance est de 10 ans possède un taux de coupon de 5% et promet un rendement de 6,26%. L'obligation de type B dont l'échéance est de 15 ans possède un taux de coupon de 4% et promet un rendement de 3,85%. Laquelle des deux obligations est la plus chère?

2. Quel est le rendement promis sur chacune des quatre obligations suivantes à coupons zéro?

Obligation	A	B	C	D
Échéance (années)	1	2	3	4
Prix (en dollars)	970,87	924,56	863,84	792,09

3. Une action privilégiée ayant une valeur nominale de 100$ rapporte un dividende annuel de 12%. Si les investisseurs veulent obtenir un rendement de 14%, quel est le cours actuel de l'action?

4. Prenez l'obligation suivante: valeur nominale (VN) = 1 000$, taux effectif $r = 8\%$, les coupons étant semestriels. Combien accepteriez-vous de payer pour acquérir cette obligation si le taux de coupon est de 8% et que l'échéance est dans 20 ans?

5. Reprenez la question précédente en supposant que le taux de coupon est de 10% et l'échéance, dans 15 ans.

6. Le prix actuel d'une obligation est de 793,35$, sa VN = 1 000$, son échéance est dans 15 ans et les investisseurs exigent un taux de rendement nominal annuel de 12% (capitalisation semestrielle). Quel est le taux de coupon si les coupons sont payés tous les six mois?

7. Une obligation dont l'échéance est de 5 ans et qui offre un taux de coupon annuel de 5 % promet un rendement annuel effectif de 6,09 %. En supposant que les coupons sont versés semestriellement, quel devrait être le prix de cette obligation?

8. Une obligation dont l'échéance est de 7 ans et qui offre un taux de coupon annuel de 8 % affiche un rendement annuel nominal de 7 %. En supposant que les coupons sont versés semestriellement, quel devrait être le prix de cette obligation?

9. Une entreprise vient de verser un dividende ordinaire de 2$ par action. Fidèle à ses habitudes, ce dividende représente une augmentation de 4 % par rapport à celui de l'année précédente. Donnez une estimation du prix des actions ordinaires de cette entreprise si ses actionnaires exigent un rendement annuel de 7 %.

10. Les actions de l'entreprise ABC, qui vient de verser un dividende de 2$, s'échangent au début de l'année 2013 à 45$ l'unité. Si les actionnaires d'ABC exigent un rendement de 10 % par année, quelles prévisions sont-ils en train de faire sur les perspectives de croissance future de leur entreprise?

Problèmes

1. Le 15 novembre 2012, vous disposiez d'un montant de 12 000$, que vous avez investi dans l'obligation qui était alors cotée comme suit:

	Coupon	Échéance	Prix	Rendement
Ottawa	12	1er octobre 2018	--	9,25

a) Combien d'obligations avez-vous achetées le 15 novembre 2012?

b) Si, le 1er mars 2014, vous vendez vos obligations et que cette journée-là on peut lire l'information présentée dans le tableau suivant, quel sera le rendement annuel effectif que vous aurez réalisé sur cet investissement?

	Coupon	Échéance	Prix	Rendement
Ottawa	12	1er octobre 2018	--	8,5

2. Les actions ordinaires de l'entreprise DEF se négociaient à la fin de l'année 2012 à 80$ à la Bourse de Toronto. L'entreprise venait alors de distribuer à ses actionnaires ordinaires un dividende annuel de 8,00$ par action. On dispose des informations suivantes sur les dividendes historiques de l'entreprise DEF, payés le 31 décembre de chaque année:

Année	Dividende (en dollars)
2012	8,00
2011	7,78
2010	7,50
2009	7,02
2008	3,27
2007	2,99

Par ailleurs, l'entreprise a effectué un fractionnement de ses actions en 2008 à raison de deux pour un. En vous basant sur ces données, et sachant que le rendement du bon du Trésor est de 3 % et qu'étant donné le risque que représente DEF, ses actionnaires exigent une prime de rendement de 17 %, l'action de DEF était-elle surévaluée ou sous-évaluée par le marché?

3. Les analystes prévoient que l'entreprise XYZ versera un dividende annuel de 1,50$ par action pendant les 5 prochaines années. Après cinquième année, ils prévoient que ce dividende augmentera de 8 % par année, et ce, indéfiniment. Le taux de rendement sur les titres sans risque est de 4 %, tandis que la prime pour le risque sur les titres comparables est de 5 %. Si l'action vous est offerte aujourd'hui au prix de 100$, devez-vous l'acheter?

4. Une obligation offre des coupons au taux de 6 % pendant 10 ans. La valeur nominale est de 1 000 $ et l'échéance est de 10 ans. Le taux de rendement affiché est de 8 % annuellement.

   a) Quel devrait être le prix de cette obligation aujourd'hui, sachant que les coupons sont versés semestriellement ?

   b) Supposez maintenant que cette obligation se vend 850 $. Quel devrait être le taux de rendement annuel effectif promis à l'acheteur ?

5. On prévoit que le dividende de l'action X s'élèvera à 0,45 $ à la fin de l'année et qu'il augmentera de 6 % pendant les 4 années suivantes. Par la suite, il se stabilisera au même niveau, et ce, indéfiniment. Les investisseurs prévoient que les actions dont le risque est comparable à celui de l'action X devraient rapporter un taux de rendement de 10 % pendant les 5 premières années et de 8 % par la suite.

   Si l'action se vendait aujourd'hui 12 $, quelle devrait être la VAN de cet investissement pour un acheteur éventuel ?

6. Une obligation dont l'échéance est de 5 ans et dont la valeur nominale est de 1 000 $ offre un taux de coupon annuel de 5,5 %. Les coupons sont versés annuellement. Cette obligation s'échange actuellement à 1 021,64 $. Étant donné le niveau de risque de ce titre, les investisseurs exigent une prime de risque de 2 %. À partir de ces informations, on vous demande de faire une estimation du taux d'intérêt sans risque.

7. Soit les trois obligations suivantes :

Obligation	X	Y	Z
Échéance (en années)	15	15	15
Rendement annuel promis tel qu'affiché (en pourcentage)	10	10	10
Taux de coupon annuel (versement semestriel) tel qu'affiché (en pourcentage)	20	10	6

   Calculez le prix de chacune de ces obligations.

8. Une obligation gouvernementale fédérale (considérée par les investisseurs comme étant sans risque) dont l'échéance est de 10 ans se négocie aujourd'hui au pair. Cette obligation offre un taux de coupon annuel de 4 % versé semestriellement.

   L'entreprise QWE envisage d'émettre de nouvelles obligations ayant la même échéance et le même taux de coupon que l'obligation fédérale. Étant donné le secteur d'activité de QWE, les investisseurs exigent une prime de risque annuelle effective de 3,08 %.

   À quel prix QWE peut-elle espérer émettre ses obligations ?

9. L'entreprise TUV réalise d'année en année un bénéfice net stable d'environ 1 000 000 $, qu'elle a l'habitude de distribuer entièrement sous forme de dividendes répartis entre ses 250 000 actions ordinaires. Étant donné le niveau de risque que présente TUV, les actionnaires exigent un rendement annuel de 15 %.

   L'an prochain, elle envisage d'effectuer de nouveaux investissements au montant total de 2 000 000 $, qui sera financé entièrement par dette et entraînera un accroissement du bénéfice net de 10 %.

   a) Quel est le prix actuel de l'action TUV avant l'annonce du projet ?

   b) Si les bénéfices supplémentaires sont entièrement distribués aux actionnaires, quel effet cela aura-t-il sur le prix de l'action TUV ?

   c) Si l'entreprise continue à maintenir le même taux de croissance d'année en année, quel effet cela aura-t-il sur le prix de son action ?

10. Reprenez le problème précédent, en supposant cette fois que l'entreprise décide d'utiliser la moitié de ces bénéfices de l'année prochaine (soit 500 000 $) pour financer un nouveau projet qui aura un rendement de 15 % et de distribuer l'autre moitié sous forme de dividendes. Pensez-vous que cela représente une bonne ou une mauvaise nouvelle pour les actionnaires ? Vérifiez votre réponse en calculant l'effet de cette décision sur le prix de l'action.

Chapitre 5

La relation rendement-risque

MISE EN CONTEXTE

Nous avons mentionné, dans les chapitres 3 et 4, l'importance du choix du taux de rendement dans tout calcul d'actualisation ou de capitalisation, par exemple lorsqu'on évalue les actifs financiers des entreprises. Nous avons alors souligné que ce taux de rendement dépend essentiellement du niveau de risque subi par l'investisseur qui achète ces actifs. Nous avons plus particulièrement noté, dans le chapitre 2, que les investisseurs, par nature, ont une **aversion pour le risque**. Donc, pour accepter de courir un risque supplémentaire, ils exigent un rendement supérieur. Il en découle qu'il existe une relation directe et positive entre le rendement et le risque. Par définition, investir équivaut à renoncer à une consommation immédiate actuelle pour espérer une meilleure consommation à l'avenir.

L'objectif derrière un tel sacrifice est donc la recherche d'enrichissement. Or, cet enrichissement éventuel est étroitement lié au niveau du risque qui est pris. Investir, comme nous l'avons défini plus haut, englobe plusieurs types de comportements dans la recherche d'un tel profit, allant du comportement prudent quant à la recherche d'un rendement sûr et garanti avec préservation du capital jusqu'au comportement spéculatif à la recherche de rendements élevés, mais risqués. La notion de risque est donc primordiale lorsqu'on définit le rendement.

Heureusement, il y a de la place entre ces deux comportements extrêmes. Il est indispensable pour l'investisseur de définir sa propre tolérance au risque et de se constituer un portefeuille qui y répond. Bien que le niveau de tolérance puisse varier d'un investisseur à l'autre en fonction de plusieurs facteurs, tels que l'âge, le revenu, la culture, etc., l'investisseur doit être conscient qu'une prise de risque excessive et démesurée peut avoir des conséquences catastrophiques sur son investissement. La crise immobilière de 2008 aux États-Unis constitue un bel exemple des conséquences d'une prise de risque exagérée par les institutions financières américaines.

Les premières décisions d'investissement que nous sommes amenés à prendre concernent l'éducation et le travail (capital humain). On peut considérer qu'il s'agit d'un investissement à risque pour lequel il existe différentes protections, qu'elles soient du domaine gouvernemental (assurance-maladie et assurance chômage) ou privé ou qu'elles soient offertes par l'employeur (assurance-groupe). L'un des premiers actifs que l'on acquiert est souvent une maison. L'investissement dans l'immobilier est lui aussi risqué, d'où l'importance d'avoir une assurance habitation. Les voitures de luxe et les objets précieux sont aussi des biens que l'on peut acquérir dans le but de spéculer. Les participations aux régimes de retraite sont également une forme d'investissements dont l'objectif est de préserver le niveau de vie à la retraite.

Dans le présent chapitre, nous établirons les caractéristiques de la relation qui existe entre le rendement et le risque. Pour y parvenir, nous définirons d'abord le taux de rendement sans risque ainsi que les notions de risque et de rendement. Nous étudierons ensuite les mesures du rendement et du risque.

Bien qu'il existe plusieurs mesures du risque en finance, la notion de risque reste en général étroitement liée à celle d'incertitude. Nous aborderons la théorie du portefeuille et la notion de portefeuille efficient afin de voir la façon dont les investisseurs gèrent cette incertitude et arrivent à la réduire grâce à une méthode scientifique nommée «**processus de diversification**».

Après avoir défini et mesuré le risque, nous présenterons deux modèles qui caractérisent la relation existant entre le risque et le rendement. Il s'agit du modèle du marché et du modèle d'évaluation des actifs financiers.

5.1 Le taux de rendement sans risque

Au chapitre 3, nous avons appris que les bons du Trésor sont des titres d'endettement à court terme émis par le gouvernement pour emprunter de l'argent auprès des investisseurs. En raison de la nature de leur émetteur (gouvernement) et de leur échéance (court terme), on considère le risque des titres financiers que sont les bons du Trésor comme tellement faible qu'il est presque nul et que le rendement qui en découle est sûr.

Au chapitre 4, nous avons étudié la façon de calculer le rendement des bons du Trésor. Une partie de ce rendement sert à compenser la perte de pouvoir d'achat causée par l'inflation durant la période d'investissement. Ainsi, l'augmentation réelle de la richesse de l'investisseur, ou le rendement réel, est le solde du rendement une fois éliminé l'effet de l'inflation prévue. Comme le taux d'inflation n'est pas connu d'avance avec certitude, le taux de rendement des bons du Trésor n'est pas, rationnellement, un taux de rendement sûr.

Dans la réalité, les investisseurs raisonnent aussi en fonction de l'impôt. Ils évaluent donc le rendement réel net, après inflation et après impôts. De plus, ils savent que les revenus provenant des titres n'ont pas le même traitement fiscal que les autres revenus. En effet, le gouvernement encourage les investissements risqués en accordant aux revenus qui en découlent des traitements fiscaux plus favorables. Par exemple, les revenus de dividendes, moins certains que les revenus d'intérêts, bénéficient d'un meilleur traitement fiscal.

5.2 La notion de risque

Un investisseur en valeurs mobilières peut percevoir le risque comme étant la possibilité que son investissement ne donne pas le rendement qu'il a exigé, ou espéré, au moment de l'achat de son titre financier. Lorsque l'investisseur est un détenteur d'actions ou d'obligations d'entreprises, il existe un lien étroit entre ce risque et les performances financières de l'entreprise émettrice. En effet, l'actionnaire obtient son rendement, entre autres, grâce aux dividendes que l'entreprise lui verse. L'obligataire prête son argent à l'entreprise en espérant recevoir des coupons et être remboursé à l'échéance. Or, la capacité de l'entreprise à répondre à ces attentes dépend de sa capacité à survivre et à générer des flux monétaires.

L'entreprise court elle-même un risque dans ses activités d'investissement relatives à la production ou à la commercialisation et dans ses activités de financement. On peut répartir le risque total auquel fait face une entreprise en deux catégories: le risque d'exploitation (ou risque d'affaires) et le risque financier.

5.2.1 Le risque d'exploitation

Le **risque d'exploitation** émane de l'incertitude relative aux flux monétaires générés par les investissements actuels et futurs d'une entreprise. Toute entreprise y est confrontée. En effet, il est impossible de connaître à l'avance et avec certitude la quantité de biens qui seront produits et vendus, le chiffre d'affaires, les coûts et les profits futurs, ni d'assurer la stabilité de ces éléments. Ce risque est donc étroitement lié à la nature des activités de l'entreprise. Ainsi, une entreprise du secteur agroalimentaire, par exemple, a un risque d'exploitation inférieur à celui d'une entreprise du secteur pétrolier, puisque l'on s'attend à une plus grande fluctuation des ventes dans le second secteur que dans le premier.

Comme les investisseurs sont conscients de l'existence de ce risque inévitable, ils exigent une rémunération supplémentaire chaque fois qu'ils estiment ce risque plus grand dans un secteur que dans un autre.

Ainsi, pour accepter d'acheter et de détenir une action, un investisseur exige un taux de rendement comprenant, d'une part, une rémunération de base équivalente au taux de rendement des titres sans risque et, d'autre part, une prime liée au risque d'exploitation de l'entreprise.

Dans ce cas, on peut écrire:

$$R_o = R_f + \text{prime pour le risque d'exploitation} \tag{5.1}$$

où

R_o est le rendement exigé par les actionnaires;

R_f est le rendement des titres sans risque.

Nous savons que la relation entre la prime liée au risque d'exploitation et le niveau même de ce risque est positive. De plus, si l'on suppose que cette relation est linéaire, l'équation 5.1 peut être représentée comme suit :

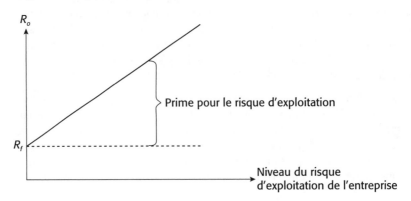

5.2.2 Le risque financier

Contrairement au risque d'exploitation, le **risque financier** n'est pas lié à la nature des activités de l'entreprise, mais à son mode de financement. En effet, la structure habituelle du capital de chaque entreprise repose sur des dettes et des fonds propres. Le financement par dette offre l'avantage d'augmenter la rentabilité de l'entreprise (cet aspect sera étudié en détail au chapitre 7). Or, ce mode de financement présente aussi un inconvénient non négligeable : plus une entreprise est endettée, plus la probabilité qu'elle soit incapable d'honorer ses engagements envers ses créanciers augmente. À la limite, si une entreprise se trouve dans l'incapacité de rembourser ses dettes, elle est acculée à la faillite. Étant conscients de ce risque, les actionnaires exigent un rendement d'autant plus élevé que la part de la dette dans le capital de l'entreprise est élevée.

Si l'on incorpore cette nouvelle prime de risque dans le rendement total exigé par les actionnaires, l'équation 5.1 devient :

$$R_o = R_f + \text{prime pour le risque d'exploitation} + \text{prime pour le risque financier} \qquad (5.2)$$

où

R_o et R_f sont les variables définies dans l'équation 5.1.

Nous savons que la relation entre la prime pour le risque financier et le niveau même de ce risque financier est positive. Si l'on suppose en plus que cette relation est linéaire, l'équation 5.2 peut être représentée comme suit :

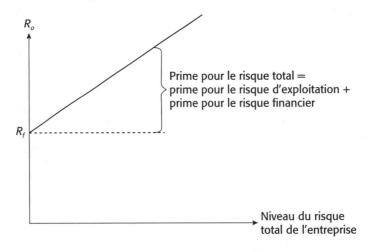

5.3 Les mesures du rendement et du risque

Dans le cadre d'un investissement, on s'entend généralement sur la façon dont on définit et mesure le rendement, mais il n'en est pas de même du risque. En effet, les différentes théories financières proposent plusieurs mesures du risque.

5.3.1 Le rendement

Sur le plan financier, on peut définir le rendement comme la vitesse à laquelle un investisseur s'enrichit (ou s'appauvrit) grâce aux revenus périodiques générés par son investissement et à la variation de la valeur de cet investissement. Le rendement périodique d'un investissement se traduit donc par l'équation suivante:

$$R_t = \frac{\text{revenu} + \text{gain (ou perte) en capital}}{\text{prix initial}} = \frac{D_t + \Delta P_t}{P_{t-1}} \qquad (5.3)$$

où

R_t est le rendement périodique du titre;

D_t est le revenu périodique (dividendes, intérêts ou autres flux monétaires);

P_{t-1} est le prix en début de période t;

P_t est le prix en fin de période t;

ΔP_t est le gain (ou perte) en capital $= P_t - P_{t-1}$.

Exemple 5.1

Une action payée 100$ en début d'année, rapportant 5$ de dividende en fin d'année et valant 105$ après versement du dividende, aurait connu un rendement annuel de:

$$\frac{5\,\$ + (105\,\$ - 100\,\$)}{100} = \frac{10}{100} = 10\,\%$$

En réalité, on ne peut pas toujours connaître avec certitude les revenus futurs à recevoir et encore moins la valeur de l'investissement en fin de période. Par exemple, dans le cas des actions, même si le dividende pourrait déjà être déclaré par l'entreprise et donc connu par les investisseurs, il est impossible de connaître le prix futur de l'action. On ne peut que prévoir différents scénarios (états possibles), avec un rendement pour chaque scénario éventuel, et assigner à chacun une probabilité de réalisation. On calcule ainsi le **rendement espéré** de la façon suivante:

$$E(R_i) = \sum_{j=1}^{N} R_{i,j} p_j \qquad (5.4)$$

où

$E(R_i)$ est l'espérance de rendement de l'investissement i;

$R_{i,j}$ est le rendement de l'investissement i selon le scénario j;

p_j est la probabilité de réalisation du scénario j;

N est le nombre de scénarios j possibles (*voir l'exemple 5.2 à la page suivante*).

Si l'on ne dispose pas d'informations permettant d'établir des prévisions futures selon les différents scénarios possibles, leur probabilité de réalisation et le rendement associé à chacun, mais que l'on dispose d'informations sur les rendements historiques du même investissement, on peut alors estimer le rendement espéré pour la période à venir à partir de la moyenne des rendements observés au cours des périodes passées:

$$E(R_i) = \sum_{t=1}^{T} \frac{R_{i,t}}{T} \equiv \overline{R_i} \qquad\qquad (5.5)$$

où

$E(R_i)$ est l'espérance de rendement de l'investissement i;

$R_{i,t}$ est le rendement de l'investissement i à la période t;

T est le nombre de périodes historiques.

Exemple 5.2

Supposons les prévisions suivantes sur les rendements futurs d'un projet d'investissement i en fonction de cinq scénarios économiques j possibles :

Scénario	Probabilité	Rendement (en pourcentage)
j	p_j	$R_{i,j}$
Forte expansion	0,1	18
Légère expansion	0,2	17
Statu quo	0,2	15
Légère récession	0,2	14
Forte récession	0,3	12

Cette distribution de probabilités peut être représentée graphiquement comme suit :

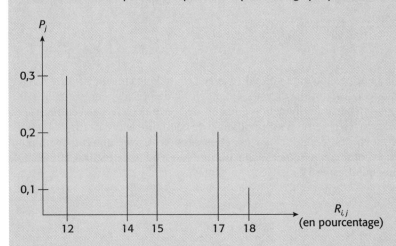

D'après l'équation 5.4, le rendement espéré de l'investissement i est alors égal à :

$$E(R_i) = \sum_{j=1}^{N} R_{i,j}\, p_j = 12\,\% \times 0{,}3 + 14\,\% \times 0{,}2 + 15\,\% \times 0{,}2 + 17\,\% \times 0{,}2 + 18\,\%$$

$$= 14{,}6\,\%$$

Deux remarques importantes doivent être faites à ce stade. D'abord, le rendement espéré de 14,6 % dans l'exemple 5.2 ne sera en réalité jamais atteint. Les seuls rendements possibles à la fin de la période sont de 12 %, 14 %, 15 %, 17 % ou 18 %. L'espérance n'est donc qu'une estimation de la moyenne de ces rendements possibles. À elle seule, cette valeur de 14,6 % ne nous informe pas sur la dispersion possible du rendement qui sera réalisé par rapport à cette moyenne.

5.3.2 La variance

Pour un investisseur, il est utile de connaître à l'avance le rendement qu'il peut obtenir sur son investissement. Cependant, le rendement qui sera effectivement obtenu s'écarte souvent de celui espéré et calculé en début de période. Cet aspect représente le risque auquel fait face l'investisseur. Tel que nous l'avons mentionné dans la sous-section précédente, l'espérance est un opérateur qui ne nous indique pas l'ampleur du risque de s'écarter de cette valeur. Un autre opérateur statistique nous fournit une estimation de ce risque, soit l'opérateur nommé «variance». La variance des rendements est utilisée pour mesurer le risque associé au rendement d'un titre, puisqu'elle indique la dispersion des rendements possibles par rapport au rendement espéré.

La variance des rendements se calcule comme suit :

$$var(R_i) \text{ ou } \sigma^2(R_i) \text{ ou } \sigma_i^2 = \sum_{j=1}^{N} [R_{i,j} - E(R_i)]^2 \times p_j \qquad (5.6)$$

où

$E(R_i)$, $R_{i,j}$, p_j et N sont les variables définies dans l'équation 5.4.

Les expressions possibles de la variance

$$\sigma_i^2 = E[R_i - E(R_i)]^2 \qquad (5.7)$$

L'écart type est égal à la racine carrée de la variance :

$$\sigma_i = \sqrt{\sigma_i^2} \qquad (5.8)$$

Le concept d'écart type est important si l'on considère que la distribution des rendements possibles suit une loi normale. Les caractéristiques statistiques de la loi normale nous disent qu'il y a une probabilité d'environ 68 % que le rendement obtenu soit compris dans l'intervalle englobant l'espérance plus ou moins un écart type, c'est-à-dire $[E(R_i) - \sigma_i, E(R_i) + \sigma_i]$, et que cette probabilité augmente à 95 % si l'on élargit l'intervalle à $[E(R_i) - 2\sigma_i, E(R_i) + 2\sigma_i]$.

Ainsi, en combinant les opérateurs espérance et écart type, nous disposons de plus d'informations sur l'éventail des rendements qui pourront être obtenus en fin de période.

Si l'on ne dispose pas d'informations permettant d'établir des prévisions futures concernant les différents scénarios possibles, leur probabilité de réalisation et leur rendement, mais que l'on dispose d'informations sur les rendements historiques du même investissement, on peut alors estimer la variance pour la période à venir à partir des rendements observés au cours des périodes passées :

$$\sigma_i^2 = \frac{1}{T} \sum_{t=1}^{T} [R_{i,t} - E(R_i)]^2 \qquad (5.9)$$

où

$E(R_i)$, $R_{i,t}$ et T sont les variables définies dans l'équation 5.5.

Lorsque l'espérance du rendement, inconnue au départ, est elle-même estimée à l'aide de la même suite de rendements historiques, on dit alors qu'il y a perte d'un degré de liberté et l'équation 5.9 devient :

$$\sigma_i^2 = \frac{1}{T-1} \sum_{t=1}^{T} (R_{i,t} - \overline{R}_i)^2 \qquad (5.10)$$

L'écart type est alors égal à :

$$\sigma_i = \sqrt{\frac{1}{T-1} \sum_{t=1}^{T} (R_{i,t} - \overline{R}_i)^2} \qquad (5.11)$$

Exemple 5.3

Supposons les prévisions suivantes concernant l'évolution future des flux monétaires de deux projets d'investissement, A et B:

Scénario	Projet A		Projet B	
	Probabilité	Flux monétaire (en dollars)	Probabilité	Flux monétaire (en dollars)
j	p_j	FM_A	p_j	FM_B
Augmentation	0,2	1 200	0,1	1 300
Stabilité	0,6	1 000	0,8	1 100
Diminution	0,2	800	0,1	700

La distribution des flux monétaires de ces deux projets peut être représentée par les graphiques suivants:

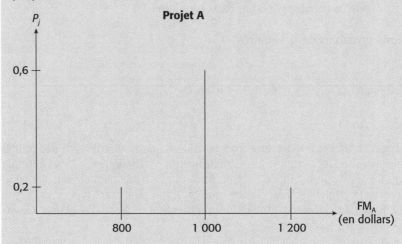

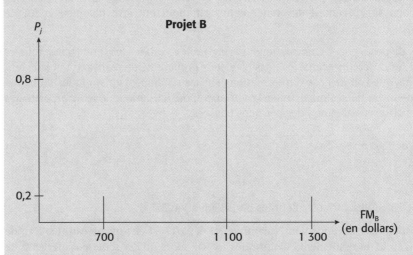

Pour déterminer le meilleur projet en se basant sur le critère des flux monétaires futurs, on calcule d'abord le flux monétaire espéré de chaque projet:

$$E(\text{FM}_A) = \sum_{j=1}^{N} \text{FM}_{A,j}\, p_j = 800\,\$ \times 0,2 + 1\,000\,\$ \times 0,6 + 1\,200\,\$ \times 0,2 = 1\,000\,\$$$

$$E(\text{FM}_B) = \sum_{j=1}^{N} \text{FM}_{B,j}\, p_j = 700\,\$ \times 0,1 + 1\,100\,\$ \times 0,8 + 1\,300\,\$ \times 0,1 = 1\,080\,\$$$

D'après l'opérateur espérance, le projet B est le meilleur. Cependant, on peut voir dans les graphiques de distribution des flux monétaires de ces deux projets que le projet B semble plus risqué, puisque la dispersion de ses flux monétaires est plus grande. On peut maintenant calculer la variance et l'écart type des flux monétaires des deux projets.

Projet A:

$$\sigma_A^2 = \sum_{j=1}^{N} [FM_{A,j} - E(FM_A)]^2 p_j$$

$$= 0{,}2 \times (1\,200\,\$ - 1\,000\,\$)^2 + 0{,}6 \times (1\,000\,\$ - 1\,000\,\$)^2 + 0{,}2 \times (800\,\$ - 1\,000\,\$)^2$$

$$= 16\,000\,\$$$

$$\sigma_A = \sqrt{\sigma_A^2} = \sqrt{16\,000\,\$} = 126{,}49\,\$$$

Projet B:

$$\sigma_B^2 = \sum_{j=1}^{N} [FM_{B,j} - E(FM_B)]^2 p_j$$

$$= 0{,}1 \times (1\,300\,\$ - 1\,080\,\$)^2 + 0{,}8 \times (1\,100\,\$ - 1\,080\,\$)^2 + 0{,}1 \times (700\,\$ - 1\,080\,\$)^2$$

$$= 19\,600\,\$$$

$$\sigma_B = \sqrt{\sigma_B^2} = \sqrt{19\,600\,\$} = 140\,\$$$

Le projet B est effectivement plus risqué que le projet A. Ainsi, si l'on se base sur les opérateurs espérance des flux monétaires et variance (ou écart type) des flux monétaires pour évaluer ces projets, on constate qu'aucun ne domine l'autre. En effet, le projet B promet, en moyenne, des flux monétaires futurs plus élevés que ceux du projet A, mais, en même temps, il est plus risqué. Dans ce genre de situation, on peut utiliser un autre critère pour comparer les projets. Il s'agit du critère du coefficient de variation.

5.3.3 Le coefficient de variation

Le coefficient de variation représente le nombre d'unités d'écart type par rapport à une unité d'espérance mathématique. En termes financiers, on peut dire que ce critère indique le risque total par unité de rendement moyen espéré. Ainsi, plus ce coefficient est élevé, plus le risque relatif est élevé:

$$CV_i = \frac{\sigma(R_i)}{E(R_i)} \tag{5.12}$$

Exemple 5.4

Revenons aux projets A et B de l'exemple 5.3:

CV du projet A = 126,49 \$/1 000 \$ = 0,126

CV du projet B = 140 \$/1 080 \$ = 0,13

Sur la base de ce critère par unité de rendement espéré, le projet B est le plus risqué.

Enfin, il faut noter que les critères d'espérance et de variance (appelés «moments d'ordre 1 et 2») et, conséquemment, de coefficient de variation, ne sont suffisants pour caractériser une distribution de rendements ou de flux monétaires que si cette distribution suit la loi normale. Dans le cas contraire, il devient dangereux de se limiter à ces deux premiers moments et il est nécessaire de calculer des moments d'ordre supérieur. La démonstration de ce calcul dépasse l'objectif du présent manuel. Le tableau 5.1, à la page suivante, illustre les étapes du calcul de la moyenne, de la variance et des écarts types des projets d'investissements A et B étudiés dans les exemples 5.3 et 5.4.

TABLEAU 5.1 **Les calculs de la moyenne, de la variance et des écarts types**

Scénario	Projet A				Projet B			
	Probabilité (1)	Flux monétaire (en dollars) (2)	$(1) \times (2)$	$(1) \times [(2) - (3)]^2$	Probabilité (4)	Flux monétaire (en dollars) (5)	$(3) \times (4)$	$(4) \times [(5) - (3)]^2$
J	P_j	FM_A			P_j	FM_B		
Augmentation	0,2	1 200	240	8000	0,1	1 300	130	4840
Stabilité	0,6	1000	600	0	0,8	1 100	880	320
Diminution	0,2	800	160	8000	0,1	700	70	14440
Moyenne (3)			1000				1080	
Variance			16000				19600	
Écart type			126,49				140	

5.4 Une introduction à la théorie du portefeuille

Afin de diversifier le risque total de son investissement, un investisseur détient généralement un ensemble varié de titres (actions de différentes entreprises, obligations et autres titres) appelé «portefeuille». Il est donc important de pouvoir mesurer le rendement et le risque agrégé de tout le portefeuille. Il en est de même pour les entreprises qui investissent, de façon générale, simultanément dans plusieurs projets dans différents secteurs industriels et à divers endroits géographiques. Si le rendement d'un portefeuille d'investissements ne dépend que des rendements de chacun de ces investissements, le risque, quant à lui, ne dépend pas uniquement du risque de chaque investissement, mais aussi de la façon dont ces investissements sont liés les uns aux autres. C'est la nature de ce lien qui incite le plus souvent les investisseurs à constituer un portefeuille qui, dans la mesure où ses composantes sont bien choisies, leur permet de bénéficier d'un effet de diversification du risque total.

5.4.1 Le rendement d'un portefeuille

Le rendement d'un portefeuille d'investissements est égal à la moyenne pondérée des rendements de chaque investissement. Il en est de même de l'espérance de rendement.

Ainsi, le rendement et l'espérance de rendement d'un portefeuille composé de N investissements dans des proportions x_i sont donnés par :

$$\tilde{R}_p = \sum_{i=1}^{N} x_i \tilde{R}_i \tag{5.13}$$

et

$$E(R_p) = \sum_{i=1}^{N} x_i E(R_i) \tag{5.14}$$

où

$E(R_i)$ est l'espérance de rendement de l'investissement i ;

$\tilde{R}_i$ est le rendement aléatoire de l'investissement i ;

x_i est la proportion de l'investissement i dans le portefeuille ;

N est le nombre d'investissements dans le portefeuille.

Ainsi, dans le cas d'un portefeuille d'actions comportant deux titres, 1 et 2, dans des proportions x_1 et x_2, on a :

$R_p = x_1 R_1 + x_2 R_2 = x_1 R_1 + (1 - x_1) R_2$

et

$E(R_p) = x_1 E(R_1) + x_2 E(R_2) = x_1 E(R_1) + (1 - x_1) E(R_2)$

5.4.2 La variance du rendement d'un portefeuille

Contrairement au rendement, la variance du rendement d'un portefeuille de N investissements est égale à la moyenne pondérée des N variances individuelles de chaque investissement, ainsi que des $N(N-1)$ covariances des investissements pris deux par deux :

$$\sigma_P^2 = \sum_{i=1}^{N} x_i^2 \sigma_i^2 + \sum_{i=1}^{N} \sum_{j=1}^{N} x_i x_j \sigma_{i,j} \tag{5.15}$$
$$i \neq j$$

où

$\sigma_{i,j}$ est la covariance entre les rendements des investissements i et j ;

σ_i est la variance du rendement de l'investissement i;

x_i est la proportion de l'investissement i dans le portefeuille.

Ainsi, dans le cas d'un portefeuille comportant deux titres, nous avons (*voir la démonstration de l'annexe 1 du chapitre 5 à la page 149*):

$$\sigma_P^2 = x_1^2\sigma_1^2 + (1-x_1)^2\sigma_2^2 + 2x_1(1-x_1)\sigma_{1,2} \tag{5.16}$$

Cette équation indique que le risque du portefeuille σ_P^2 ne dépend pas seulement des risques propres aux titres qui le composent (variance), mais aussi de la covariance entre les rendements des titres, c'est-à-dire du synchronisme plus ou moins grand entre ces titres.

5.4.3 La covariance

On définit la covariance comme la mesure de l'aptitude de deux variables aléatoires à varier ensemble. Quand les rendements des titres tendent à varier dans le même sens, la covariance est positive. Elle est négative quand les variations tendent à s'opposer. La covariance peut être décomposée en **coefficient de corrélation** et en écarts types:

$$cov(R_1, R_2) \equiv \sigma_{1,2} = \rho_{1,2} \times \sigma_1 \times \sigma_2 \tag{5.17}$$

où

$\rho_{1,2}$ est le coefficient de corrélation entre les rendements des investissements 1 et 2. Il est compris entre -1 et 1 et donne le signe de la covariance.

Les expressions possibles de la covariance

$$\sigma_{i,j} = E\{[R_i - E(R_i)][R_j - E(R_j)]\}$$
$$i \neq j \tag{5.18}$$

où

$$\sigma_{i,j} = \sum_i \sum_j [R_i - E(R_i)][R_j - E(R_j)]p(R_i, R_j)$$
$$i \neq j \tag{5.19}$$

où

$p(R_i, R_j)$ est une probabilité conjointe, c'est-à-dire la probabilité qu'une certaine valeur de R_i soit observée conjointement avec une certaine valeur de R_j.

Si les rendements tendent à varier dans le même sens, les écarts par rapport à la moyenne ont le même signe, et la covariance est positive et élevée.

5.4.4 La mesure de la covariance

Si l'on dispose d'une suite de rendements passés, la moyenne des T produits des écarts de ces rendements passés par rapport à l'espérance de rendement constitue une estimation de la covariance:

$$\sigma_{1,2} = \frac{1}{T}\sum_{t=1}^{T}[R_{i,t} - E(R_i)][R_{j,t} - E(R_j)] \tag{5.20}$$

Si les rendements espérés proviennent de la même suite historique, on perd alors un degré de liberté et l'équation devient:

$$\sigma_{1,2} = \frac{1}{T-1}\sum_{t=1}^{T}(R_{i,t} - \overline{R}_i)(R_{j,t} - \overline{R}_j) \tag{5.21}$$

Exemple 5.5

Supposons une série de rendements historiques de deux titres, 1 et 2, au cours des six dernières années :

Année	1	2	3	4	5	6
$R_{1,t}$ (en pourcentage)	6	7	7	8	9	11
$R_{2,t}$ (en pourcentage)	9	9	10	11	12	9

Quel est le coefficient de corrélation entre les titres 1 et 2 ?

Selon l'équation 5.17, on obtient : $\sigma_{1,2} = \rho_{1,2} \times \sigma_1 \times \sigma_2$.

Pour calculer le coefficient de corrélation, on doit d'abord calculer la covariance et l'écart type des rendements des deux titres. Ces deux derniers calculs nécessitent aussi le calcul du rendement moyen de chaque titre.

D'après l'équation 5.5, on a :

$$E(R_1) = \sum_{t=1}^{T} \frac{R_{1,t}}{T} = \frac{6\% + 7\% + 7\% + 8\% + 9\% + 11\%}{6} = 8\%$$

$$E(R_2) = \sum_{t=1}^{T} \frac{R_{2,t}}{T} = \frac{9\% + 9\% + 10\% + 11\% + 12\% + 9\%}{6} = 10\%$$

D'après l'équation 5.21, on a :

$$\sigma_{1,2} = \frac{1}{T-1} \sum_{t=1}^{T} (R_{1,t} - \overline{R}_1)(R_{2,t} - \overline{R}_2)$$

Année	1	2	3	4	5	6
$R_{1,t} - \overline{R}_1$ (en pourcentage)	−2	−1	−1	0	1	3
$R_{2,t} - \overline{R}_2$ (en pourcentage)	−1	−1	0	1	2	−1

$$\sigma_{1,2} = \frac{1}{5}[2(\%)^2 + 1(\%)^2 + 0(\%)^2 + 0(\%)^2 + 2(\%)^2 - 3(\%)^2] = \frac{2(\%)^2}{5} = 0,4\%$$

La covariance est positive, car les titres ont tendance à varier dans le même sens en même temps.

Selon l'équation 5.11, on a :

$$\sigma_1 = \sqrt{\frac{1}{T-1} \sum_{t=1}^{6} (R_{1,t} - \overline{R}_1)^2}$$

$$= \sqrt{\frac{1}{5}[(-2\%)^2 + (-1\%)^2 + (-1\%)^2 + (0\%)^2 + (1\%)^2 + (3\%)^2]}$$

$$= \frac{(16\%)^{\frac{1}{2}}}{5} = 1,79\%$$

De même :

$$\sigma_2 = \sqrt{\frac{1}{T-1} \sum_{t=1}^{6} (R_{2,t} - \overline{R}_2)^2}$$

$$= \sqrt{\frac{1}{5}[-1(\%)^2 + -1(\%)^2 + 0(\%)^2 + 1(\%)^2 + 2(\%)^2 + -1(\%)^2]}$$

$$= \frac{(8\%)^{\frac{1}{2}}}{5} = 1,26\%$$

donc :

$$\rho_{1,2} = \frac{\sigma_{1,2}}{\sigma_1 \sigma_2} = \frac{0,4\%}{17,9\% \times 12,6\%} = 0,18$$

▶

Comme on s'y attendait, le coefficient de corrélation entre les deux titres est légèrement positif:

Année	$R_{1,t}$	$R_{2,t}$
1	6%	9%
2	7%	9%
3	7%	10%
4	8%	11%
5	9%	12%
6	11%	9%
Moyenne	0,080 000 000	0,100 000 000
Écart type	0,017 888 544	0,012 649 111
Coefficient de corrélation	0,176 776 695	

5.4.5 La diversification

L'équation 5.16 illustre bien l'importance de la covariance dans la mesure du risque d'un portefeuille bien diversifié. En intégrant l'équation 5.17 dans l'équation 5.16, on obtient:

$$\sigma_P^2 = x_1^2 \sigma_1^2 + (1 - x_1)^2 \sigma_2^2 + 2x_1(1 - x_1)\rho_{1,2} \times \sigma_1 \times \sigma_2 \qquad (5.22)$$

Le risque d'un portefeuille dépend ainsi du risque individuel et du poids de chaque investissement, de même que du coefficient, de corrélation entre ces investissements. En choisissant des investissements ayant un faible coefficient de corrélation, l'investisseur peut réduire le risque total de son portefeuille et bénéficier d'un effet de **diversification**. Illustrons cela par un exemple.

Exemple 5.6

Soit un portefeuille équipondéré d'actions de deux entreprises, A et B, ayant les caractéristiques suivantes:

$$\overline{R}_A = 1,54\% \qquad \sigma_A = 5\%$$
$$\overline{R}_B = 1,05\% \qquad \sigma_B = 3,46\%$$

Le rendement de ce portefeuille est alors égal à:

$$\overline{R}_P = \sum_{i=A}^{B} x_i \overline{R}_i = 0,5 \times 1,54 + 0,5 \times 1,05 = 1,30\%$$

D'après l'équation 5.22, le risque total de ce portefeuille est égal à:

$$\sigma_P^2 = x_A^2 \times \sigma_A^2 + (1 - x_A)^2 \times \sigma_B^2 + 2 \times x_A \times (1 - x_A) \times \rho_{A,B} \times \sigma_A \times \sigma_B$$
$$= 0,5^2 \times (5\%)^2 + 0,5^2 \times (3,46\%)^2 + 2 \times 0,5 \times 0,5 \times 5\% \times 3,46\% \times \rho_{A,B}$$

Analysons l'effet du coefficient de corrélation sur le risque du portefeuille en nous appuyant sur trois cas.

Premier cas: les deux titres sont parfaitement positivement corrélés. Quand le rendement de l'une des deux actions varie d'un certain pourcentage relatif, celui de l'autre variera du même pourcentage relatif et dans le même sens:

$$\rho_{A,B} = 1$$
$$\sigma_P^2 = x_A^2 \times \sigma_A^2 + (1 - x_A)^2 \times \sigma_B^2 + 2 \times x_A \times (1 - x_A) \times \sigma_A \times \sigma_B$$
$$= 0,5^2 \times (5\%)^2 + 0,5^2 \times (3,46\%)^2 + 2 \times 0,5 \times 0,5 \times 5\% \times 3,46\%$$
$$= 17,89(\%)^2$$

et

$$\sigma_p = \sqrt{\sigma_P^2} = \sqrt{x_A^2 \times \sigma_A^2 + (1-x_A)^2 \times \sigma_B^2 + 2 \times x_A \times (1-x_A) \times \sigma_A \times \sigma_B}$$
$$= \sqrt{(x_A \times \sigma_A + x_B \times \sigma_B)^2} = (x_A \times \sigma_A + x_B \times \sigma_B)$$
$$= 4,23\%$$

Dans le cas où le coefficient de corrélation entre les deux investissements est égal à 1, le risque du portefeuille, tel qu'il est mesuré par l'écart type de son rendement, est égal à la moyenne des risques des différents investissements, pondérée par la proportion de chaque investissement dans le portefeuille. Celui-ci est alors à son niveau maximal de risque possible et aucun effet de diversification n'est possible. Ce risque maximal est ainsi égal à :

$$x_A \times \sigma_A + x_B \times \sigma_B$$

Deuxième cas : les deux titres sont indépendants

$$\rho_{A,B} = 0$$
$$\sigma_p^2 = x_A^2 \times \sigma_A^2 + (1-x_A)^2 \times \sigma_B^2$$
$$= 0,5^2 \times (5\%)^2 + 0,5^2 \times (3,46\%)^2$$
$$= 9,24(\%)^2$$

et

$$\sigma_p = \sqrt{\sigma_p^2} = \sqrt{x_A^2 \times \sigma_A^2 + (1-x_A)^2 \times \sigma_B^2}$$
$$= 3,04\%$$

Dans ce cas, le risque du portefeuille est plus faible. L'investisseur bénéficie d'un effet de diversification en choisissant des investissements peu corrélés.

Troisième cas : les deux titres sont parfaitement négativement corrélés. Quand le rendement de l'une des deux actions varie d'un certain pourcentage relatif, celui de l'autre variera du même pourcentage relatif et dans le sens contraire :

$$\rho_{A,B} = -1$$
$$\sigma_p^2 = x_A^2 \times \sigma_A^2 + (1-x_A)^2 \times \sigma_B^2 - 2 \times x_A \times (1-x_A) \times \sigma_A \times \sigma_B$$
$$= 0,5^2 \times (5\%)^2 + 0,5^2 \times (3,46\%)^2 - 2 \times 0,5 \times 0,5 \times 5\% \times 3,46\%$$
$$= 0,59(\%)^2$$

et

$$\sigma_p = \sqrt{\sigma_P^2} = \sqrt{x_A^2 \times \sigma_A^2 + (1-x_A)^2 \times \sigma_B^2 - 2 \times x_A \times (1-x_A) \times \sigma_A \times \sigma_B}$$
$$= \sqrt{(x_A \times \sigma_A - x_B \times \sigma_B)^2} = |x_A \times \sigma_A - x_B \times \sigma_B|$$
$$= 0,77\%$$

Ici, le risque du portefeuille est encore plus faible que dans les deux cas précédents. Il en ressort que plus le coefficient de corrélation est faible, plus le risque du portefeuille diminue, sans pour autant que son rendement en soit affecté. En choisissant des titres très faiblement corrélés, l'investisseur bénéficie pleinement des avantages de la diversification.

L'effet de diversification (EDD) est ainsi mesuré par la différence entre le risque maximal que le portefeuille pourrait avoir, et qui correspond au cas où le coefficient de corrélation entre les deux titres est égal à 1, et le risque réel de ce même portefeuille étant donné le vrai coefficient de corrélation :

$$EDD = (x_A \times \sigma_A + x_B \times \sigma_B) - \sigma_p \qquad (5.23)$$

5.5 La notion de portefeuille efficient

La diversification scientifique consiste à choisir un portefeuille optimal, c'est-à-dire un portefeuille présentant un risque minimal pour un rendement donné, ou un rendement maximal pour un risque donné.

Ici, le problème consiste à résoudre l'algorithme de Markowitz suivant :

- Choix des proportions x_i du portefeuille de telle sorte que l'on minimise la variance :

$$\sigma_p^2 = \sum_{i=1}^{N} x_i^2 \sigma_i^2 + \sum_{j=1 \atop i \ne j}^{N} \sum_{i=1}^{N} x_i x_j \sigma_{i,j}$$

- à la condition que son rendement espéré corresponde au niveau désiré :

$$E(R_p) = \sum_{i=1}^{N} x_i E(R_i) = E_p^*$$

- et que la somme de ses proportions soit égale à 1 :

$$\sum_{i=1}^{N} x_i = 1$$

On peut combiner ces trois égalités dans une fonction objectif de Lagrange :

$$\min(Z) = \left(\sum_{i=1}^{N} x_i^2 \sigma_i^2 + \sum_{i=1 \atop i \ne j}^{N} \sum_{j=1}^{N} x_i x_j \sigma_{i,j} \right) + \lambda_1 \left(\sum_{i=1}^{N} x_i E(R_i) - E_p^* \right) + \lambda_2 \left(\sum_{i=1}^{N} x_i - 1 \right)$$

En égalant les dérivées partielles de Z par rapport aux x_i et λ_k à zéro, on obtient le vecteur des proportions recherchées.

Ainsi, pour chaque niveau de rendement désiré du portefeuille, on obtient le meilleur portefeuille, soit celui qui présente le risque le plus faible. L'ensemble de ces portefeuilles optimaux s'appelle «frontière efficiente». C'est le lieu des points qui correspondent à un rendement espéré maximal pour une variance donnée, ou à une variance minimale pour un rendement espéré donné. Cette frontière peut être représentée graphiquement comme suit :

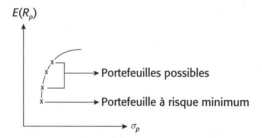

Dans ce graphique, on remarque que plus le rendement minimal exigé est élevé, plus l'investisseur doit accepter de subir un risque élevé. Tous les portefeuilles situés sur cette frontière sont efficients. Cependant, le choix définitif dépendra de l'aversion au risque de chaque investisseur. Si l'objectif est de choisir le portefeuille le moins risqué, celui-ci se trouve à l'extrême gauche de la frontière. Ses coordonnées peuvent être obtenues en égalisant à zéro la dérivée par rapport à x_1 (ou x_2) de la variance dans l'équation 5.22 :

$$\sigma_p^2 = x_1^2 \sigma_1^2 + x_2^2 \sigma_2^2 + 2x_1 x_2 \sigma_{1,2} = x_1^2 \sigma_1^2 + x_2^2 \sigma_2^2 + 2x_1 x_2 \sigma_1 \sigma_2 \rho_{1,2}$$

$$\sigma_p^2 = x_1^2 \sigma_1^2 + \left(1 - x_1\right)^2 \sigma_2^2 + 2x_1 \left(1 - x_1\right) \sigma_1 \sigma_2 \rho_{1,2}$$

$$\frac{\partial \sigma_p^2}{\partial x_1} = 2x_1 \sigma_1^2 + 2\sigma_1 \sigma_2 \rho_{1,2} - 4x_1 \sigma_1 \sigma_2 \rho_{1,2} + 2x_1 \sigma_2^2 - 2\sigma_2^2 = 0$$

$$x_1 = \frac{\sigma_2^2 - \sigma_1 \sigma_2 \rho_{1,2}}{\sigma_1^2 + \sigma_2^2 - 2\sigma_1 \sigma_2 \rho_{1,2}} = \frac{\sigma_2 \left(\sigma_2 - \rho_{1,2} \sigma_1\right)}{\sigma_1^2 + \sigma_2^2 - 2\sigma_1 \sigma_2 \rho_{1,2}}$$

Dans notre exemple 5.6, à la page 132, si le coefficient de corrélation est de 57,46 %, ce portefeuille à risque minimum sera :

$$x_1 = \frac{3,46(3,46 - 0,5746 \times 5)}{(5)^2 + (3,46)^2 - (2 \times 0,5746 \times 5 \times 3,46)} = 0,1188$$

Donc $x_1 = 12\%$ et $x_2 = 88\%$, et l'écart type de ce portefeuille (écart type minimal):

$$\sigma_p = \sqrt{x_1^2\sigma_1^2 + x_2^2\sigma_2^2 + 2x_1x_2\sigma_1\sigma_2\rho_{1,2}} = 3,42\%$$

5.6 Le modèle du marché

Lorsqu'un portefeuille comporte plusieurs investissements, le calcul de son risque total à l'aide de l'équation 5.15 devient fastidieux. Pour réduire le nombre de calculs nécessaires à l'estimation du risque d'un portefeuille, on peut recourir au modèle du marché. Selon ce modèle, en toute période t, le rendement global de l'économie, généralement représenté par le rendement aléatoire du marché des titres risqués, est le principal facteur commun permettant d'expliquer les rendements aléatoires des actifs. Les titres ne seraient donc corrélés entre eux qu'en raison de leur relation commune avec le marché. Ainsi, selon ce modèle, le rendement d'un titre financier s'écrit comme suit:

$$\tilde{R}_{i,t} = \alpha_i + \beta_i\tilde{R}_{m,t} + \varepsilon_{i,t} \tag{5.24}$$

où

α_i est la constante caractéristique du titre i qui correspond à la partie du rendement ($\tilde{R}_{i,t}$) explicable par des facteurs propres au titre i;

β_i est le coefficient de sensibilité au regard des mouvements du marché; il s'agit d'un coefficient de **risque systématique** que l'on traduit par $cov(\tilde{R}_{i,t}, \tilde{R}_{m,t})/var(\tilde{R}_{m,t})$;

$\varepsilon_{i,t}$ est le terme résiduel aléatoire possédant les propriétés suivantes:

$$E(\varepsilon_{i,t}) = 0; cov(\varepsilon_{i,t}, \tilde{R}_{m,t}) = 0; cov(\varepsilon_{i,t}, \varepsilon_{i,t+1}) = 0; cov(\varepsilon_{i,t}, \varepsilon_{j,t}) = 0$$

En d'autres termes, les résidus en cause sont, respectivement, de moyenne nulle, indépendants des rendements du marché, indépendants dans leur suite temporelle et indépendants d'un actif à un autre.

En pratique, on obtient des estimateurs de α_j et de β_j en effectuant une régression linéaire avec deux suites historiques parallèles de $\tilde{R}_{j,t}$ et de $\tilde{R}_{m,t}$ à l'aide de la méthode traditionnelle des moindres carrés. La droite de régression est appelée «ligne caractéristique» et peut être représentée graphiquement comme suit:

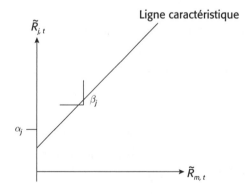

Ainsi, pour un portefeuille, on a (*voir la démonstration à l'annexe 2 du chapitre 5 à la page 149*):

$$\tilde{R}_{p,t} = \alpha_p + \beta_p\tilde{R}_{m,t} + \varepsilon_{p,t} \tag{5.25}$$

où

$$\alpha_p = \sum_i x_i\alpha_i$$

$$\beta_p = \sum_i x_i\beta_i$$

$$\varepsilon_{p,t} = \sum_i x_i\varepsilon_{i,t}$$

On peut alors déterminer deux résultats intéressants (*voir la démonstration à l'annexe 3 du chapitre 5 à la page 149*) :

1. La covariance entre deux titres :

$$\sigma_{i,j} = \beta_i \beta_j \sigma_m^2 \tag{5.26}$$

2. La variance d'un portefeuille :

$$\sigma_p^2 = \beta_p^2 \sigma_m^2 + \sigma_{\tilde{\varepsilon}_p}^2 \tag{5.27}$$

Bref, le risque total du portefeuille est égal à la somme du risque systématique (ou non diversifiable) lié à l'effet d'entraînement du système économique et du risque non systématique (ou risque résiduel) diversifiable.

Un portefeuille parfaitement diversifié ne présente qu'un risque systématique ; donc, pour ce portefeuille :

$$\sigma_p^2 = \beta_p^2 \sigma_m^2$$

et

$$\sigma_p = \beta_p \sigma_m$$

5.7 Le modèle d'évaluation des actifs financiers

Le **modèle d'évaluation des actifs financiers (MEDAF)** est un modèle d'équilibre général, en ce sens qu'il permet de déterminer le prix d'équilibre des titres qui se négocient sur les marchés financiers si tous les investisseurs détiennent un portefeuille optimal, soit un portefeuille à rendement espéré maximal pour un risque donné ou à risque minimal pour un rendement espéré donné (portefeuille efficient).

Les hypothèses et postulats de ce modèle sont les suivants :

- l'investisseur a une aversion pour le risque ; donc, pour un risque plus élevé, il exige un rendement plus élevé ;

- l'investisseur est rationnel et veut maximiser la richesse provenant de ses placements ;

- l'investisseur perçoit ses possibilités d'investissement au regard du rendement espéré et de la variance de ces rendements ;

- la variance ou l'écart type des rendements est une mesure pertinente du risque d'un portefeuille ;

- les perceptions des investisseurs sont homogènes, de sorte que la frontière efficiente est la même pour tous ;

- l'horizon est identique pour tous et limité à une période ;

- on ignore les complications liées aux impôts, aux frais de transaction et à l'inflation.

En fonction de ces hypothèses et de l'équilibre entre l'offre et la demande des titres, le rendement de tout titre financier s'écrit comme suit :

$$E(\tilde{R}_i) = R_f + [E(\tilde{R}_m) - R_f]\beta_i \tag{5.28}$$

où

R_f est le rendement du titre sans risque ;

$E(\tilde{R}_m)$ est l'espérance de rendement du portefeuille du marché ;

β_i est le coefficient du risque systématique du titre i.

Il s'agit là de l'équation du MEDAF, mieux connue sous le nom de « droite d'équilibre des actifs ».

Selon cette équation, le rendement d'un actif i est égal à celui du titre sans risque bonifié d'une prime de risque égale au niveau du risque systématique du titre i multiplié par la prime de risque du marché. Donc, d'après le MEDAF, seul le risque systématique doit être rémunéré. La droite d'équilibre des actifs peut être représentée comme suit:

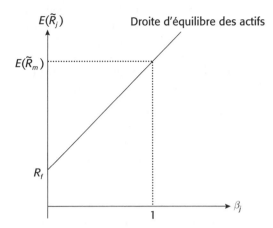

Le MEDAF est un modèle très séduisant, compte tenu de sa simplicité et de sa logique. Son inconvénient réside dans les hypothèses restrictives qu'il pose. Notamment, pour tester sa validité, il faut émettre une hypothèse supplémentaire de façon à estimer le portefeuille du marché à l'aide de l'indice du marché boursier. Ce test devient ainsi une nécessité quant au MEDAF et à cette hypothèse. Malgré cet inconvénient et l'élaboration d'autres modèles concurrents d'évaluation des actifs, le MEDAF reste encore le modèle le plus connu en finance et le plus utilisé, aussi bien par les théoriciens que par les praticiens.

En pratique

Le risque est le vecteur principal pour déterminer le rendement espéré. En finance, son évaluation est une tâche aussi primordiale que difficile. Plusieurs modèles tentent de fournir la meilleure estimation possible du risque. Le MEDAF est l'un des premiers modèles élaborés en finance à cette fin. En dépit des critiques faites à son endroit, et malgré l'arrivée d'autres modèles concurrents, le MEDAF continue de nos jours à être le modèle le plus connu au niveau universitaire, mais aussi le plus utilisé en pratique par les gestionnaires financiers. En effet, la rémunération des analystes en placements dépend souvent de leur capacité à «battre le marché», c'est-à-dire à réaliser un rendement supérieur à celui prévu par le MEDAF étant donné le niveau de risque de leurs portefeuilles.

Par ailleurs, la recherche de la diversification du risque n'est pas une tâche exclusive aux analystes en placements. Les entreprises poursuivent souvent elles aussi des stratégies de diversification sectorielle ou géographique. La multinationale canadienne Bombardier en est un excellent exemple.

Dans le présent chapitre, nous traiterons de cette entreprise. Vous aurez alors l'occasion de faire une analyse du rendement et du risque de l'action de Bombardier. Des données historiques vous sont fournies à cette fin.

CONCLUSION

La notion de risque est fondamentale en finance. Les investisseurs, par nature, ont une aversion pour le risque: plus le risque qu'ils courent est élevé, plus ils exigent un rendement supérieur sur leur investissement. Nous avons, dans le présent chapitre, défini et mesuré le risque, puis caractérisé la relation entre le risque et le rendement. Plus particulièrement, nous avons vu que le risque est en grande partie lié à l'incertitude quant aux performances futures de l'entreprise. Cette incertitude découle de la nature des activités de l'entreprise (risque d'exploitation) ainsi que de son mode de financement (risque financier). Nous avons alors mesuré le risque en fonction de la variance (ou de l'écart type) des rendements.

Nous avons vu la façon dont l'investisseur peut réduire une grande partie de ce risque en diversifiant ses investissements, c'est-à-dire en choisissant des titres financiers peu corrélés. Il investit ainsi dans un portefeuille efficient qui, pour chaque niveau de rendement désiré, présente le risque le plus faible.

Lorsqu'un portefeuille comporte plusieurs investissements, le modèle du marché nous permet de réduire le nombre de calculs nécessaires à l'estimation du risque du portefeuille. Selon ce modèle, en toute période t, le rendement global de l'économie, généralement représenté par le rendement aléatoire du marché des titres risqués, est le principal facteur commun permettant d'expliquer les rendements aléatoires des actifs. Les titres ne seraient donc corrélés qu'en raison de leur relation commune avec le marché.

Le MEDAF est un modèle d'équilibre qui définit une relation directe entre le rendement que devrait rapporter chaque investissement et son niveau de risque systématique. Ce modèle est d'une grande importance; nous verrons au chapitre 6 la façon dont il est utilisé lors de l'évaluation du coût du capital d'une entreprise et, par conséquent, de la rentabilité de ses projets d'investissement.

À RETENIR

1. Les investisseurs ont naturellement une aversion pour le risque. Ainsi, pour accepter de courir un risque supplémentaire, ils exigent un rendement supérieur. Il en découle une relation directe et positive entre le rendement et le risque.

2. Pour un investisseur en valeurs mobilières, le risque représente la possibilité qu'il n'obtienne pas le rendement exigé, ou espéré, au moment de l'achat de son titre financier.

3. On peut répartir le risque total auquel fait face une entreprise dans deux catégories: le risque d'exploitation (ou risque d'affaires) et le risque financier.

4. Le risque d'exploitation est étroitement lié à la nature des activités de l'entreprise.

5. Le risque financier est étroitement lié au mode de financement de l'entreprise.

6. Sur le plan financier, on peut définir le rendement comme la vitesse à laquelle un investisseur s'enrichit (ou s'appauvrit) grâce aux revenus périodiques générés par son investissement et à la variation de la valeur de cet investissement.

7. La variance des rendements est utilisée pour mesurer le risque associé au rendement d'un titre, puisqu'elle indique la dispersion des rendements possibles par rapport au rendement espéré.

8. En choisissant des investissements ayant un faible coefficient de corrélation, l'investisseur peut réduire le risque total de son portefeuille et ainsi bénéficier de l'effet de diversification.

9. Le risque total du portefeuille est égal à la somme du risque systématique (ou non diversifiable) lié à l'effet d'entraînement du système économique et du risque non systématique (ou risque résiduel) diversifiable.

10. Selon le MEDAF, seul le risque systématique doit être rémunéré.

TERMES-CLÉS

SOMMAIRE DES ÉQUATIONS

Le rendement exigé par les actionnaires

En fonction du risque d'exploitation

$$R_o = R_f + \text{prime pour le risque d'exploitation} \tag{5.1}$$

En fonction des risques d'exploitation et financier

$R_o = R_f$ + prime pour le risque d'exploitation + prime pour le risque financier (5.2)

Le rendement et l'espérance du rendement d'un titre

Rendement périodique

$$R_t = \frac{\text{revenu} + \text{gain (ou perte)en capital}}{\text{prix initial}} = \frac{D_t + \Delta P_t}{P_{t-1}}$$ (5.3)

Rendement espéré

$$E(R_i) = \sum_{j=1}^{N} R_{i,j} p_j$$ (5.4)

$$E(R_i) = \sum_{t=1}^{T} \frac{R_{i,t}}{T} \equiv \overline{R_i}$$ (5.5)

Les expressions possibles de la variance

$$var(R_i) \text{ ou } \sigma^2(R_i) \text{ ou } \sigma_i^2 = \sum_{j=1}^{N} [R_{i,j} - E(R_i)]^2 \times p_j$$ (5.6)

$$\sigma_i^2 = E[R_i - E(R_i)]^2$$ (5.7)

$$\sigma_i = \sqrt{\sigma_i^2}$$ (5.8)

$$\sigma_i^2 = \frac{1}{T} \sum_{t=1}^{T} [R_{i,t} - E(R_i)]^2$$ (5.9)

$$\sigma_i^2 = \frac{1}{T-1} \sum_{t=1}^{T} (R_{i,t} - \overline{R_i})^2$$ (5.10)

Écart type

$$\sigma_i = \sqrt{\frac{1}{T-1} \sum_{t=1}^{T} (R_{i,t} - \overline{R_i})^2}$$ (5.11)

Le coefficient de variation

$$CV_i = \frac{\sigma(R_i)}{E(R_i)}$$ (5.12)

Le rendement d'un portefeuille de titres

$$\tilde{R}_p = \sum_{i=1}^{N} x_i \tilde{R}_i$$ (5.13)

$$E(R_p) = \sum_{i=1}^{N} x_i E(R_i)$$ (5.14)

La variance du rendement d'un portefeuille

$$\sigma_P^2 = \sum_{i=1}^{N} x_i^2 \sigma_i^2 + \sum_{i=1}^{N} \sum_{j=1}^{N} x_i x_j \sigma_{i,j}$$
$$i \neq j$$ (5.15)

$$\sigma_P^2 = x_1^2 \sigma_1^2 + (1-x_1)^2 \sigma_2^2 + 2x_1(1-x_1)\sigma_{1,2}$$ (5.16)

Les expressions possibles de la covariance

$$cov(R_1, R_2) \equiv \sigma_{1,2} = \rho_{1,2} \times \sigma_1 \times \sigma_2$$ (5.17)

$$\sigma_{i,j} = E\{[R_i - E(R_i)][R_j - E(R_j)]\}$$ (5.18)

$$\sigma_{i,j} = \sum_i \sum_j [R_i - E(R_i)][R_j - E(R_j)]p(R_i, R_j)$$ (5.19)

La mesure de la covariance

$$\sigma_{1,2} = \frac{1}{T}\sum_{t=1}^{T}[R_{i,t} - E(R_i)][R_{j,t} - E(R_j)]$$ (5.20)

$$\sigma_{1,2} = \frac{1}{T-1}\sum_{t=1}^{T}(R_{i,t} - \overline{R}_i)(R_{j,t} - \overline{R}_j)$$ (5.21)

La covariance dans la mesure du risque d'un portefeuille diversifié

$$\sigma_p^2 = x_1^2\sigma_1^2 + (1-x_1)^2\sigma_2^2 + 2x_1(1-x_1)\rho_{1,2}\times\sigma_1\times\sigma_2$$ (5.22)

L'effet de diversification

$$EDD = (x_A \times \sigma_A + x_B \times \sigma_B) - \sigma_p$$ (5.23)

Le rendement d'un titre et d'un portefeuille selon le modèle du marché

$$\tilde{R}_{i,t} = \alpha_i + \beta_i\tilde{R}_{m,t} + \varepsilon_{i,t}$$ (5.24)

$$\tilde{R}_{p,t} = \alpha_p + \beta_p R_{m,t} + \varepsilon_{p,t}$$ (5.25)

La covariance entre deux titres selon le modèle du marché

$$\sigma_{i,j} = \beta_i\beta_j\sigma_m^2$$ (5.26)

La variance d'un portefeuille selon le modèle du marché

$$\sigma_p^2 = \beta_p^2\sigma_m^2 + \sigma_{\varepsilon_p}^2$$ (5.27)

Le rendement d'un titre selon le MEDAF

$$E(\tilde{R}_i) = R_f + [E(\tilde{R}_m) - R_f]\beta_i$$ (5.28)

PORTRAIT D'ENTREPRISE

Bombardier inc.[1]

Bombardier inc. est une entreprise spécialisée dans la fabrication d'unités de transport sur rail et d'unités aériennes. Elle est considérée comme une chef de file dans ce domaine sur le plan international. Son siège social est situé à Montréal et ses actions se négocient aux Bourses de Toronto, de Bruxelles et de Francfort.

Le profil de l'entreprise

La construction d'avions régionaux, de biréacteurs d'affaires et d'équipement de transport sur rail a rapporté à Bombardier des revenus de 18,3 milliards de dollars américains au cours de l'exercice terminé le 31 janvier 2011. Ses domaines d'activités sont le matériel de transport sur rail, les avions régionaux et les biréacteurs d'affaires et les services financiers. En matière de marchés, Bombardier est présent sur les cinq continents, avec une forte concentration en Amérique du Nord et en Europe. Plus de 96 % de ses revenus sont réalisés sur des marchés situés à l'extérieur du Canada. Bombardier compte environ 70 000 employés, dont plus de 36 000 pour Bombardier Transport et plus de 33 500 pour Bombardier Aéronautique.

---

1. Bombardier. «Historique», [En ligne], www.bombardier.ca/fr/bombardier/a-propos-de-nous/histo rique?docID=0901260d8001ec92 (Page consultée le 5 février 2013).

L'historique de l'entreprise

En 1942, Joseph-Armand Bombardier fonde une société qui construit des véhicules chenillés destinés au transport sur terrain enneigé, L'Auto-Neige Bombardier ltée.

En 1967, L'Auto-Neige Bombardier ltée devient Bombardier ltée.

Le 23 janvier 1969, le titre de Bombardier est inscrit aux Bourses de Montréal et de Toronto pour une offre publique de deux millions d'actions. Les actions sont aujourd'hui inscrites aux Bourses de Toronto, de Bruxelles et de Francfort (sous les symboles respectifs BBD, BOM et BBDd.F.).

En 1972, les filiales Crédit Bombardier ltée, au Canada, et Bombardier Credit Inc., aux États-Unis, sont créées pour assurer le financement des stocks des concessionnaires Ski-Doo[MC].

En décembre 1986, Bombardier acquiert Canadair, principal avionneur canadien.

En décembre 1987, une entente est signée avec GEC Alsthom concernant la commercialisation du train à grande vitesse (TGV) en Amérique du Nord.

À l'automne 1988, Bombardier procède à l'acquisition, en partenariat avec une société finlandaise, d'installations de construction de motoneiges en Finlande. Cette activité sera cédée en décembre 2003, lors de la vente du secteur Produits récréatifs, à un groupe composé de membres de la famille Bombardier, de Bain Capital et de la Caisse de dépôt et placement du Québec.

En octobre 1989, Bombardier procède à l'acquisition de la société Short Brothers plc (Shorts) d'Irlande du Nord, fabricant d'avions civils militaires, de composants aéronautiques et de systèmes de défense. Fondée en 1901, Shorts a notamment reçu, en 1909, la première commande de production d'avions de l'histoire des frères Wright.

En décembre 1989, Bombardier acquiert ANF-Industrie, deuxième constructeur français de matériel roulant ferroviaire.

En novembre 1990, Bombardier procède à l'acquisition de Procor Engineering Limited, constructeur britannique de caisses de locomotives et de caisses de voitures de passagers.

En mars 1992, Bombardier acquiert l'exploitation et l'actif de l'avionneur ontarien de Havilland, constructeur de la gamme d'avions de transport régional à turbopropulsion Dash 8. Cette acquisition est réalisée par l'entremise d'une nouvelle société, de Havilland inc., dont 51 % du capital est détenu par Bombardier et 49 %, par la province de l'Ontario.

En janvier 1997, Bombardier achève l'acquisition de 49 % du capital que détenait la province de l'Ontario dans de Havilland.

En mai 1992, Bombardier acquiert le constructeur mexicain de matériel roulant de transport sur rail Constructora Nacional de Carros de Ferrocarril par l'entremise d'une nouvelle filiale mexicaine, Bombardier-Concarril, S.A. de C.V.

En février 1995, Bombardier élargit la gamme de ses produits récréatifs en faisant l'acquisition des actifs de la société québécoise AMT Marine inc., déjà fournisseur et partenaire dans le domaine des bateaux à propulsion par jet Sea-Doo[MC]. En février 1995, par l'entremise de sa filiale Learjet Inc., elle acquiert quatre centres d'entretien d'avions de la société américaine AMR Combs.

En avril 1995, Bombardier fait l'acquisition de Waggonfabrik Talbot GmbH & Co. KG, constructeur allemand de matériel de transport.

En février 1996, Bombardier crée Bombardier Services pour renforcer sa présence sur le marché mondial des services de soutien, de maintenance, de formation et de gestion des opérations dans les secteurs public et privé.

En février 1997, Bombardier fait l'acquisition de NorRail inc., entreprise de location et de gestion de véhicules ferroviaires qui dessert une clientèle aux États-Unis, au Canada et au Mexique.

En 1998, Bombardier est réorganisée en cinq groupes: Bombardier Aéronautique, Bombardier Transport, Bombardier Produits récréatifs, Bombardier Services et Bombardier Capital. Les activités de Bombardier Services seront réintégrées au sein des groupes manufacturiers en janvier 1999.

En mars 1998, Bombardier Transport annonce la conclusion d'une entente en vue de l'acquisition de 26 % du capital-actions de la société viennoise ELIN EBG Traction d'Autriche.

En mars 1998, Bombardier International est créé pour accélérer la croissance de la société dans des régions ciblées du globe, à l'extérieur de l'Amérique du Nord et de l'Europe de l'Ouest.

En mai 2001, Bombardier achève l'acquisition (commencée en août 2000) de DaimlerChrysler Rail Systems GmbH (Adtranz), de Berlin, en Allemagne, et devient, sur les marchés mondiaux, le chef de file de l'industrie de la production de véhicules ferroviaires. Cette acquisition permet à Bombardier d'étendre ses activités de transport sur de nouveaux marchés et de compléter la gamme de ses produits et services. Elle apporte, en outre, des actifs tangibles, une expertise et des technologies additionnelles.

En octobre 2002, Bombardier dévoile la locomotive à grande vitesse Bombardier JetTrain. À la fine pointe de la technologie, la locomotive JetTrain est propulsée par une turbine qui présente la vitesse et l'accélération des trains électriques, mais ne nécessite pas l'électrification coûteuse des rails.

Le 3 avril 2003, le président et chef de la direction alors en poste, Paul M. Tellier, présente un programme d'augmentation du capital qui comprend une émission d'actions et la vente de certains actifs, dont le groupe Bombardier Produits récréatifs, les Services à la défense et l'aéroport municipal de Belfast. Ces dispositions ainsi que l'émission d'actions avaient pour but de générer plus de deux milliards de dollars, de renforcer le bilan de Bombardier, de rétablir sa crédibilité auprès des investisseurs et de recentrer ses activités sur les secteurs de l'aéronautique et du transport.

Le 7 avril 2003, Bombardier conclut le plus gros contrat de son histoire avec un projet visant la modernisation du métro de Londres. D'une valeur globale de 7,9 milliards de dollars, ce contrat prévoit la fourniture de matériel roulant et de signalisation, ainsi que de services de maintenance et de gestion de projet. En août 2003, Bombardier annonce qu'elle a conclu une entente pour vendre la majeure partie du portefeuille de marché d'avions d'affaires de Bombardier Capital à GE Commercial Equipment Financing pour 339 millions de dollars américains (475 millions de dollars canadiens).

En 2006, Bombardier renforce son leadership dans le secteur du transport sur rail grâce à d'importantes commandes de véhicules légers sur rail, de trains suburbains et de trains interurbains, qu'elle reçoit respectivement d'Allemagne, de France et d'Afrique du Sud. La même année, Bombardier lance le système de maintenance prédictive ORBITA, le système de gestion de la sécurité SEKURFLO et le système de contrôle et de gestion de trains MITRAC.

En 2007, Bombardier lance le biréacteur régional CRJ1000. Il s'agit d'une nouvelle étape importante dans l'évolution de la série CRJ, le programme le plus populaire de toute l'histoire de l'aviation régionale. Bombardier lance également la dernière génération de biréacteurs régionaux: la gamme d'appareils CRJ NextGen. Ces appareils présentent d'importantes améliorations sur le plan des coûts d'exploitation, une cabine entièrement nouvelle et une utilisation accrue de matériaux composites.

Exerçons nos connaissances

On vous fournit les informations boursières suivantes sur l'évolution du prix de l'action de l'entreprise Bombardier inc., de l'indice boursier de la Bourse de Toronto et du rendement des bons du Trésor. À l'aide de ces données, faites une analyse du rendement et du risque de l'action de l'entreprise Bombardier inc., en prenant soin de calculer le rendement espéré, le risque total et le risque systématique de cette action. Représentez l'équation du MEDAF en vous fondant sur ces données et en estimant le rendement du marché au moyen de celui de l'indice boursier, puis le rendement sans risque au moyen de celui des bons du Trésor.

Bombardier inc.		Indice du marché (TSX)		Bons du Trésor	
Année	Prix (en dollars)	Année	Prix (en dollars)	Année	Rendement (en pourcentage)
2008	4,950	2008	8 951,85	2008	0,85
2007	4,450	2007	13 907,73	2007	3,99
2006	2,980	2006	12 924,53	2006	4,17
2005	2,620	2005	11 304,64	2005	3,65
2004	5,990	2004	9 204,05	2004	2,58
2003	5,120	2003	8 521,39	2003	2,57
2002	14,700	2002	6 569,49	2002	2,75
2001	24,540	2001	7 648,49	2001	1,72
2000	14,650	2000	9 321,87	2000	4,84
1999	11,250	1999	8 481,11	1999	5,53
1998	7,025	1998	6 485,94	1998	4,36
1997	6,500	1997	6 699,44	1997	5,04
1996	4,969	1996	5 927,03	1996	5,01

Source : Données tirées de StockGuide. (12 décembre 2012). [En ligne], www.stockguide.ca (Page consultée le 12 décembre 2012).

Démonstration

Le tableau de la page suivante présente les résultats de l'analyse du rendement et du risque de Bombardier, basée sur les données ci-dessus. Cette analyse a été effectuée en utilisant le chiffrier Microsoft Excel, comme le montre le tableau suivant.

Où :

R_i et R_m sont respectivement les rendements annuels de l'action de Bombardier et de l'indice du marché TSX. Ils sont calculés en utilisant l'équation 5.3 ;

$E(R_i)$, $E(R_m)$ et $E(R_f)$ sont respectivement les rendements annuels espérés de l'action de Bombardier, de l'indice du marché TSX et du bon du Trésor. Ils sont calculés en utilisant l'équation 5.4 ;

σ_i^2 et σ_m^2 sont respectivement les variances des rendements annuels de l'action de Bombardier et de l'indice du marché TSX. Ils sont calculés en utilisant l'équation 5.10 ;

σ_i et σ_m sont respectivement les écarts types des rendements annuels de l'action de Bombardier et de l'indice du marché TSX. Ils sont calculés en utilisant l'équation 5.11 ;

$\sigma_{i,m}$ est la covariance entre les rendements annuels de l'action de Bombardier et ceux de l'indice du marché TSX. Elle est calculée en utilisant l'équation 5.21 ;

ε_i sont les résidus de la régression des rendements annuels de l'action de Bombardier sur ceux de l'indice du marché TSX. Ils sont calculés en utilisant l'équation 5.23 ;

β_i est le coefficient de risque systématique de l'action de Bombardier calculé à partir de la régression 5.23.

On remarque ainsi qu'au cours de la période allant de 1996 à 2008, les actions de Bombardier ont connu de fortes fluctuations. Bien que le rendement moyen annuel de 10,5 % ait été positif, l'écart type de ce rendement a aussi été très élevé (43,5 %) dénotant un niveau de risque total très élevé.

La décomposition de la variance totale (1 893,24) en risque systématique (61,37) et risque spécifique (1 831,86) démontre que cette dernière partie du risque a été plus importante durant cette période. En effet, le bêta négatif confirme que, durant la période allant de 1996 à 2008, le prix des actions de Bombardier a connu des fluctuations souvent opposées à celles du marché qui s'expliquent par des événements propres à l'entreprise :

Année	Prix	Indice	R_i	R_m	R_f	$R_m - R_f$	ε_i	ε_i^2
1996	4,969	5 927,03			5,01			
1997	6,500	6 699,44	30,811030	13,811030	5,04	7,991991	23,242700	540,22310
1998	7,025	6 485,94	8,076923	−3,186830	4,36	−7,546830	−5,850790	34,23179
1999	11,250	8 481,11	60,142350	30,761460	5,53	25,231460	59,527300	3 543,31300
2000	14,650	9 321,87	30,222220	9,913325	4,84	5,073325	21,431070	459,29060
2001	24,540	7 648,49	67,508530	−17,951100	1,72	−19,671100	47,791750	2 284,05100
2002	14,700	6 569,49	−40,097800	−14,107400	2,75	−16,857400	−58,307400	3 399,75800
2003	5,120	8 521,39	−65,170100	29,711590	2,57	27,141590	−66,198300	4 832,22000
2004	5,990	9 204,05	16,992190	8,011134	2,58	5,431134	7,455185	55,57978
2005	2,620	11 304,64	−56,260400	22,822450	3,65	19,172450	−59,989900	3 598,79200
2006	2,980	12 924,53	13,740460	14,329430	4,17	10,159430	6,680853	44,63379
2007	4,450	13 907,73	49,328860	7,607240	3,99	3,617240	39,634900	1 570,81400
2008	4,950	8 951,85	11,235960	−35,634000	0,85	−36,484000	−15,414300	237,59970

$E(R_i)$	$E(R_m)$	$E(R_f)$	$E(R_m - R_f)$	σ_i^2	σ_i	σ_m^2	σ_m	$\sigma_{i,m}$	β_i	σ_ε^2	$\beta_i^2 \sigma_i^2$
10,5442	5,4424428	3,504	1,9382761	1 893,24	43,5113	399,196	19,9799	−156,52	−0,3921	1 831,86	61,3731

Questions de révision

1. Définissez la notion de risque.

2. De quoi dépendent le risque d'exploitation et le risque financier d'une entreprise ?

3. Définissez la notion de rendement espéré.

4. Définissez la notion de coefficient de corrélation.

5. Quelle est la différence entre le risque systématique et le risque spécifique ?

6. À quoi sert la mesure de covariance des rendements ?

7. Définissez la notion de portefeuille efficient.

8. Comment un investisseur peut-il diversifier le risque de son portefeuille ?

9. Quelles sont les hypothèses du MEDAF ?

10. Selon le MEDAF, quel est le seul type de risque qui doit être rémunéré ? Pourquoi ?

Exercices

Pour les questions 1 à 4, reportez-vous au tableau ci-dessous. On vous y fournit les prévisions concernant les rendements futurs d'un projet d'investissement i en fonction de cinq scénarios économiques j possibles :

Scénario	Probabilité	Rendement (en pourcentage)
j	p_j	$R_{i,j}$
Forte expansion	0,1	15
Légère expansion	0,2	13
Statu quo	0,4	12
Légère récession	0,2	11
Forte récession	0,1	9

1. Calculez le rendement espéré du projet i.

2. Calculez la variance du projet i.

3. Calculez l'écart type des rendements du projet i.

4. Démontrez que la variance du rendement d'un portefeuille qui contient n titres dépend de n variances et de n(n−1) covariances.

Pour les questions 5 et 6, reportez-vous au tableau ci-dessous. On y propose cinq scénarios au sujet du rendement du marché l'an prochain :

Scénario	Probabilité	Rendement (en pourcentage)
1	0,3	10
2	0,2	12
3	0,2	13
4	0,2	15
5	0,1	16

5. Calculez le rendement espéré du marché.

6. Quelle est la probabilité que ce rendement espéré soit réalisé ?

Pour les questions 7 à 9, reportez-vous au tableau suivant. Supposez les trois scénarios suivants pour les deux titres i et k :

Scénario	R_k (en pourcentage)	P_k	R_i (en pourcentage)	P_i
1	8	0,2	7	0,1
2	10	0,6	11	0,8
3	12	0,2	13	0,1

7. Calculez le rendement espéré de chaque titre.

8. Calculez l'écart type du rendement de chaque titre.

9. En supposant que les rendements des titres i et k suivent une distribution normale, quelles informations pouvez-vous tirer de l'écart type du rendement de chaque titre?

10. On vous fournit le prix de l'action d'ABC ainsi que le dividende par action à la fin des cinq dernières années:

Année	Prix (en dollars)	Dividende (en dollars)
2012	20	1,50
2011	18	1,25
2010	16	0,75
2009	17	1,00
2008	15	1,00

a) Calculez le rendement moyen de l'action d'ABC.

b) Calculez la variance de l'action d'ABC.

c) Calculez l'écart type du rendement de l'action d'ABC.

Problèmes

1. Une entreprise a le choix entre investir dans un nouveau projet en Europe ou aux États-Unis. On vous fournit les prévisions suivantes sur l'évolution future des flux monétaires de ces deux projets d'investissement en milliers de dollars canadiens:

Scénario	Probabilité	A: Europe Flux monétaire (en dollars)	B: États-Unis Flux monétaire (en dollars)
j	P_j	FM_A	FM_B
Augmentation	0,3	1 000	1 100
Stabilité	0,4	800	900
Diminution	0,3	500	300

a) Lequel de ces projets est le plus risqué?

b) Calculez le coefficient de corrélation entre ces deux projets.

c) Du point de vue de la diversification, serait-il intéressant d'investir à la fois en Europe et aux États-Unis?

d) Si l'entreprise décide d'investir respectivement des montants de 500 000 $ et de 700 000 $ dans les projets A et B ci-dessus, quel sera le risque de son investissement total?

2. Vous possédez un montant de 100 000 $ à investir et vous intéressez particulièrement à deux titres: les actions A et les actions B. Le tableau suivant décrit le rendement espéré de chaque titre selon diverses conjonctures économiques:

Conjoncture économique	Probabilité	Rendement de A (en pourcentage)	Rendement de B (en pourcentage)
Mauvaise	0,30	8	10
Passable	0,40	12	10
Bonne	0,30	20	25

a) Calculez le rendement espéré et l'écart type du rendement des actions A et B.

b) Si vous souhaitez investir votre argent dans un seul de ces deux titres, lequel choisirez-vous? Pourquoi?

3. Reprenez les données du problème précédent et, en supposant que vous désirez investir dans les deux titres de façon équipondérée :

    a) calculez la covariance et le coefficient de corrélation entre les rendements de ces deux titres ;

    b) indiquez à combien s'élèveront le rendement espéré, l'écart type et le coefficient de variation de votre portefeuille.

4. On vous fournit les données suivantes concernant les trois titres A, B et C :

(en pourcentage)	Titre A	Titre B	Titre C
Rendement espéré	10,1000	10,1500	9,6500
Écart type du rendement	1,5133	1,6132	2,2478

    a) Si vous désiriez investir dans un seul de ces trois titres, lequel considérez-vous ? Pourquoi ?

    b) Supposez que vous investissez votre argent dans un portefeuille P constitué de 69 % de titres A et de 31 % de titres B. Sachant que le coefficient de corrélation entre les rendements de ces deux titres est de 0,8336, calculez le rendement espéré et le risque de ce portefeuille, estimé au moyen de l'écart type de ses rendements.

5. Reprenez les données du problème précédent et supposez qu'il existe un quatrième titre, D, qui possède les caractéristiques suivantes :

(en pourcentage)	Espérance du rendement	Écart type du rendement
Titre D	10,150	2,6025
Combinaison 50 % A + 50 % D	10,125	1,1319

    a) Quel est le coefficient de corrélation entre les rendements des titres A et D ?

    b) Si vous investissez votre argent dans un portefeuille Q constitué de 67 % de titres A et de 33 % de titres D, calculez le rendement espéré et le risque de ce portefeuille, estimé au moyen de l'écart type de ses rendements.

    c) Si vous aviez à investir tout votre argent dans l'un des deux portefeuilles, P ou Q, quel serait alors votre choix ? Énumérez les raisons le motivant.

6. Soit les trois portefeuilles suivants :

    a) 50 % de bons du Trésor, 50 % d'actions de A inc. ;

    b) 50 % d'actions de B inc., 50 % d'actions de C inc., le coefficient de corrélation entre les rendements de ces deux titres étant de + 1 ;

    c) 50 % d'actions de B inc., 50 % d'actions de D inc., le coefficient de corrélation entre les rendements de ces deux titres étant de 0,4.

    Dans quel(s) cas l'effet de diversification est-il nul ?

7. Observez la série de rendements historiques suivante de deux titres, 1 et 2, au cours des six dernières années :

Année	1	2	3	4	5	6
$R_{1,t}$ (en pourcentage)	5	6	6	8	11	12
$R_{2,t}$ (en pourcentage)	8	8	9	13	14	10

    a) Lequel de ces deux titres a présenté le plus grand risque ?

    b) Calculez le coefficient de corrélation entre les deux titres 1 et 2 ci-dessus.

8. L'action de Y a un bêta de 1,4. L'action de Z a un bêta de 0,4. Le rendement du marché est de 8 % et celui des bons du Trésor, de 4 %.

    a) Calculez le rendement espéré de chacun de ces titres.

b) Sachant que la covariance entre les rendements de l'action Y et ceux du marché est de 1,36, calculez la covariance entre les rendements de l'action Y et ceux de l'action Z.

Quelles sont les hypothèses sur lesquelles sont basés vos calculs?

9. Les actions de la société A se vendent 15 $ chacune et celles de la société B, 30 $. Le coefficient de corrélation entre les rendements de ces sociétés est de 0,5. Les rendements espérés et l'écart type des rendements des deux sociétés sont les suivants:

Société	Rendement espéré	Écart-type
A	0,10	0,20
B	0,20	0,30

Si vous achetez 50 actions de chaque société, quel sera le rendement espéré de votre portefeuille ainsi que son niveau de risque?

10. Supposez que le rendement du portefeuille du marché est de 15 % et que son risque mesuré au moyen de l'écart type est de 30 %. Le rendement sans risque est de 5 %. Dans quelles proportions investirez-vous dans ces deux titres si vous voulez constituer un portefeuille dont le risque total mesuré au moyen de l'écart type est de:

a) 0 % ?

b) 30 % ?

c) 40 % ?

d) Quelles seront ces proportions si votre objectif est plutôt d'avoir un rendement de 10 % ?

Annexes du chapitre 5

1. Démonstration de l'équation 5.16

$$\sigma_p^2 = E[R_p - E(R_p)]^2$$
$$= E\{x_1 R_1 + x_2 R_2 - [x_1 E(R_1) + x_2 E(R_2)]\}^2$$
$$= E\{x_1[R_1 - E(R_1)] + x_2[R_2 - E(R_2)]\}^2$$
$$= E\{x_1[R_1 - E(R_1)] + x_2[R_2 - E(R_2)]\}\{x_1[R_1 - E(R_1)] + x_2[R_2 - E(R_2)]\}$$
$$= E\{x_1^2[R_1 - E(R_1)]^2 + x_2^2[R_2 - E(R_2)]^2 + x_1 x_2[R_1 - E(R_1)][R_2 - E(R_2)] +$$
$$\quad x_2 x_1[R_2 - E(R_2)][R_1 - E(R_1)]\}$$
$$= x_1^2 E[R_1 - E(R_1)]^2 + x_2^2 E[R_2 - E(R_2)]^2 + x_1 x_2 E\{[R_1 - E(R_1)][R_2 - E(R_2)]\} +$$
$$\quad x_2 x_1 E\{[R_2 - E(R_2)][R_1 - E(R_1)]\}$$
$$= x_1^2 \sigma_1^2 + x_2^2 \sigma_2^2 + x_1 x_2 \sigma_{1,2} + x_2 x_1 \sigma_{2,1}$$
$$= x_1^2 \sigma_1^2 + x_2^2 \sigma_2^2 + 2x_1 x_2 \sigma_{1,2}$$

Comme $\sum_{i=1}^{N} x_i = 1$, donc :

$$\sigma_p^2 = x_1^2 \sigma_1^2 + (1 - x_1)^2 \sigma_2^2 + 2x_1(1 - x_1)\sigma_{1,2} \tag{5.16}$$

où

σ_1^2 et σ_2^2 sont les variances des rendements des titres 1 et 2 ;

$\sigma_{1,2}$ est la covariance entre les rendements des titres 1 et 2.

2. Démonstration de l'équation 5.25

D'après l'équation 5.13, on a :

$$\tilde{R}_{p,t} = \sum_{i=1}^{N} x_i \tilde{R}_{i,t}$$

D'après le modèle du marché (équation 5.24), on a :

$$\tilde{R}_{i,t} = \alpha_i + \beta_i \tilde{R}_{m,t} + \varepsilon_{i,t}$$

Alors, si le rendement de tous les titres suit le modèle du marché, on a :

$$\tilde{R}_{p,t} = \sum_{i=1}^{N} x_i \tilde{R}_i = \sum_{i=1}^{N} x_i(\alpha_i + \beta_i \tilde{R}_{m,t} + \varepsilon_{i,t}) = \sum_{i=1}^{N} x_i \alpha_i + \tilde{R}_{m,t} \sum_{i=1}^{N} x_i \beta_i + \sum_{i=1}^{N} x_i \varepsilon_{i,t}$$

Donc :

$$\tilde{R}_{p,t} = \alpha_p + \beta_p \tilde{R}_{m,t} + \varepsilon_{p,t} \tag{5.25}$$

où

$$\alpha_p = \sum_i x_i \alpha_i$$
$$\beta_p = \sum_i x_i \beta_i$$
$$\varepsilon_{p,t} = \sum_i x_i \varepsilon_{i,t}$$

3. Démonstration des équations 5.26 et 5.27

Selon les expressions possibles de la variance et de la covariance, on a :

$$\sigma_{i,j} = E\{[R_i - E(R_i)][R_j - E(R_j)]\} \tag{5.18}$$

et

$$\sigma_i^2 = E[R_i - E(R_i)]^2 \tag{5.7}$$

D'après le modèle du marché (équation 5.24), on a:

$$\tilde{R}_{i,t} = \alpha_i + \beta_i \tilde{R}_{m,t} + \varepsilon_{i,t}$$

Alors, si le rendement de tous les titres suit le modèle de marché, on a:

$$\begin{aligned}
\sigma_{i,j} &= E\{[R_i - E(R_i)][R_j - E(R_j)]\} \\
&= E\{[\alpha_i + \beta_i \tilde{R}_{m,t} + \varepsilon_{i,t} - E(\alpha_i + \beta_i \tilde{R}_{m,t} + \varepsilon_{i,t})][\alpha_j + \beta_j \tilde{R}_{m,t} + \varepsilon_{j,t} \\
&\quad - E(\alpha_j + \beta_j \tilde{R}_{m,t} + \varepsilon_{j,t})]\}
\end{aligned}$$

et

$$\sigma_1^2 = E\{[\alpha_i + \beta_i \tilde{R}_{m,t} + \varepsilon_{i,t} - E(\alpha_i + \beta_i \tilde{R}_{m,t} + \varepsilon_{i,t})]^2\}$$

Or, comme selon le modèle du marché:

$$E(\varepsilon_{i,t}) = 0 \, ; cov(\varepsilon_{i,t}, \tilde{R}_{m,t}) = 0 \, ; cov(\varepsilon_{i,t}, \varepsilon_{i,t+1}) = 0 \, ; cov(\varepsilon_{i,t}, \varepsilon_{j,t}) = 0$$

on obtient alors:

$$\sigma_{i,j} = \beta_i \beta_j \sigma_m^2 \tag{5.26}$$

et

$$\sigma_p^2 = \beta_p^2 \sigma_m^2 + \sigma_{\varepsilon_p}^2 \tag{5.27}$$

Chapitre 6

Le coût du capital

6.1 **Le coût des fonds propres**

6.2 **Le coût moyen pondéré du capital**

MISE EN CONTEXTE

Selon un communiqué de presse émis par l'entreprise Couche-Tard[1], «[...] le 19 juin 2012, la société a acquis 81,2% des 300 000 000 actions émises et en circulation de Statoil Fuel & Retail pour une contrepartie en espèces de 51,20 couronnes norvégiennes («NOK») par action, soit un total de 12,47 milliards NOK ou approximativement 2,10 milliards $ par l'entremise d'une offre publique volontaire («l'offre»). Du 22 juin 2012 au 29 juin 2012, la société a acquis 53 238 857 actions supplémentaires de Statoil Fuel & Retail pour une contrepartie en espèces de 51,20 NOK par action, soit 2,73 milliards NOK ou approximativement 0,45 milliard $, portant sa participation à 98,9%. Ayant atteint une participation supérieure à 90%, en conformité avec les lois norvégiennes, le 29 juin 2012, Couche-Tard a procédé à l'acquisition forcée, auprès de leurs porteurs, de toutes les actions de Statoil Fuel & Retail restantes qui n'avaient pas été déposées en réponse à l'offre. Par conséquent, depuis cette date, la société a la propriété de 100% des actions de Statoil Fuel & Retail émises et en circulation. La contrepartie en espèces de 51,20 NOK par action pour l'acquisition forcée de toutes les actions de Statoil Fuel & Retail restantes non déposées en réponse à l'offre a été versée le 11 juillet 2012. La Bourse d'Oslo a confirmé que la radiation des actions de Statoil Fuel & Retail de sa cote a pris effet le 12 juillet 2012, après la clôture des marchés en Norvège. L'acquisition des 300 000 000 actions émises et en circulation de Statoil Fuel & Retail s'est donc faite pour une contrepartie totale en espèces de 15,36 milliards NOK, soit 2,58 milliards $. Durant la période de 12 semaines terminée le 22 juillet 2012, la société a enregistré des frais de transaction de 1,2 million $ aux résultats en rapport avec cette acquisition. Statoil Fuel & Retail est un important détaillant scandinave de carburant pour transport routier avec plus de 100 ans d'opérations dans la région».

Dans le présent chapitre, nous présenterons les différentes approches utilisées pour calculer le coût du capital d'une société.

Comme pour toutes les ressources exploitées par l'entreprise, le capital a un coût. Celui de la dette est relativement facile à calculer : l'institution financière se charge d'en fournir une estimation, qu'il faut toutefois ajuster en fonction de l'impôt et des coûts liés à l'obtention de prêts. La situation se complique dès qu'il est question du coût du financement des fonds propres (que nous appellerons ici «coût des fonds propres»). En effet, il n'existe pas d'approche consensuelle de ce coût, bien qu'il joue pourtant un rôle déterminant dans le processus de création de valeur ou dans le choix des projets d'investissement.

À tout moment, l'actionnaire d'une entreprise en bonne santé financière se trouve devant le choix suivant : investir dans son entreprise ou prélever des capitaux pour les investir ailleurs, dans un placement équivalent. Par exemple, s'il désire détenir des placements de même risque, il peut acheter des actions d'une entreprise du même secteur dont le taux de rendement normal (attendu) est de 20%. S'il décide d'investir dans son entreprise, l'actionnaire renonce alors à un taux de rendement attendu de 20%.

Il n'investira dans son entreprise que si celle-ci lui promet un taux de rendement équivalent (si nous négligeons les considérations liées à la fiscalité, au désir de détenir sa propre entreprise et aux possibilités de prélèvements). Le taux de rendement requis par l'actionnaire pour son entreprise sera donc de 20%, et ce taux deviendra le coût des fonds propres de l'entreprise. On peut tirer les leçons suivantes de cet exemple : tout d'abord, le coût des fonds propres est un coût de renonciation (on utilise également la notion équivalente de coût d'option ou de coût d'opportunité) pour les actionnaires, puisque c'est le taux de rendement auquel ils renoncent pour investir dans leur entreprise. Ensuite, les notions de taux de rendement requis sur les fonds propres (taux de rendement exigé par le marché compte tenu du risque de l'entreprise) et de coût des fonds propres pour l'entreprise sont équivalentes, si l'on fait référence au réinvestissement total ou partiel des bénéfices réalisés par l'entreprise. Enfin, le coût des fonds propres est une fonction du risque de l'entreprise.

---

1. Alimentation Couche-Tard inc. (5 septembre 2012). «Alimentation Couche-Tard annonce les résultats de son premier trimestre de l'exercice 2013», [En ligne], www.couche-tard.com/corporatif/modules/AxialRealisation/img_repository/files/documents/Communique_Q1%202013_francais.pdf (Page consultée le 29 janvier 2013).

Pour évaluer le coût des fonds propres de l'entreprise, on doit donc disposer d'une estimation du risque et d'un modèle qui lie ce risque au taux de rendement requis par les actionnaires. Toutefois, il n'existe pas de modèle simple pour estimer sans erreur le coût des fonds propres. Nous consacrerons la première section du présent chapitre à l'estimation des fonds propres en utilisant un modèle connu sous le nom de «modèle d'évaluation des actifs financiers» (MEDAF) ou CAPM, en anglais, pour *Capital Asset Pricing Model* (*voir le chapitre 5*). Nous élargirons ensuite, dans la seconde section, la notion de coût de financement au cas, plus général, où l'on prend en considération les diverses sources de fonds. Cet élargissement conduit à l'estimation du coût moyen pondéré du capital, utilisé dans l'évaluation des projets d'investissement lorsqu'on se place du point de vue de l'ensemble des bailleurs de fonds.

6.1 Le coût des fonds propres

Nous présentons dans la section qui suit le calcul des fonds propres à l'aide du MEDAF puis du modèle de Gordon.

6.1.1 Le calcul du coût des fonds propres à l'aide du modèle d'évaluation des actifs financiers

Le **modèle d'évaluation des actifs financiers (MEDAF)** décrit une relation d'équilibre entre le rendement exigé sur un titre et le risque encouru en le détenant. Ce modèle considère que seul le risque non diversifiable d'un actif financier (ou risque systématique), mesuré par le bêta, doit être rémunéré. Le risque systématique de chaque titre est mesuré par rapport au risque de l'ensemble des titres sur le marché. Le MEDAF établit une relation linéaire entre le taux de rendement requis sur un titre i et son risque systématique, ou risque non diversifiable, noté β_i.

Taux de rendement requis = taux sans risque + bêta (prime unitaire de risque) ou, plus formellement:

$$E(R_i) = R_f + \beta_i \left[E(R_M) - R_f\right] \tag{6.1}$$

Le taux de rendement requis par les investisseurs est noté $E(R_i)$ pour souligner qu'il s'agit d'une prévision. Cette espérance est égale au taux sans risque plus une prime de risque, égale à la prime par unité de risque $[E(R_M) - R_f]$ multipliée par la quantité de risque encouru β_i. Cette prime par unité de risque est égale à la différence entre le taux de rendement prévu pour le marché $[E(R_M)]$ et le taux de rendement sans risque (R_f). La quantité de risque systématique (seul pris en compte dans ce modèle) est égale au bêta de l'action de l'entreprise.

Ainsi, l'évaluation du **coût des fonds propres** nécessite que l'on estime successivement le taux sans risque, le bêta, puis la prime de risque.

Le taux sans risque

Le taux de base, en dessous duquel les investisseurs n'accepteront pas de financer un projet, est le taux sans risque. Ce taux est égal à la rémunération exigée par un investisseur pour un placement dont le risque de marché serait nul, c'est-à-dire dont la rentabilité évoluerait indépendamment des fluctuations du marché. C'est le taux sur les bons du Trésor qui est généralement considéré comme le **taux sans risque**.

Le bêta

Le risque systématique d'une entreprise inscrite en Bourse peut être mesuré en fonction de ses rendements boursiers passés. Dans le cas d'une entreprise de petite taille, on doit utiliser des bêtas sectoriels ou, idéalement, ceux d'entreprises inscrites en Bourse, de même taille et évoluant dans le même secteur d'activité.

Le coefficient **bêta** mesure la sensibilité relative du titre par rapport au rendement du portefeuille de marché.

Un coefficient bêta égal à 2 signifie que, dans le cas d'une variation de 1 % du marché à la hausse (à la baisse), le rendement du titre variera de $+2\%$ (-2%). Un coefficient bêta égal à 0,5 signifie que, dans le cas d'une variation de 1 % du marché à la hausse (à la baisse), le rendement du titre variera de $+0,5\%$ $(-0,5\%)$. Le bêta du portefeuille de marché est égal à 1.

La prime de risque

La **prime de risque** est l'écart que l'on prévoit entre le taux de l'ensemble du marché boursier et le taux sans risque attendu sur le marché des actions. À moins que l'on dispose d'une prévision de ces taux futurs, il est généralement commode d'évaluer cet écart à l'aide des données historiques.

Prenons comme exemple un titre ayant un $\beta_i = 0,6$. Sachant que $R_f = 6\%$ et $E(R_M) = 11\%$, nous aurons :

$$K_{AO} = 6\% + 0,6(11\% - 6\%) = 9\%$$

Si nous avions supposé que le titre était plus risqué que la moyenne, c'est-à-dire que $\beta_i > 1$, soit, par exemple, $\beta_i = 1,3$, alors :

$$K_{AO} = 6\% + 1,3(11\% - 6\%) = 12,5\%$$

6.1.2 Les limites du modèle d'évaluation des actifs financiers

Le modèle du MEDAF est un point de départ commode pour estimer le coût des fonds propres, mais on ne peut passer sous silence le fait qu'il est souvent et fortement remis en cause. De nombreux arguments théoriques et pratiques ont été évoqués pour critiquer ce modèle. En effet, on estime que la prime du risque du marché est difficile à déterminer. De plus, l'estimation du β n'est pas chose facile, surtout dans le cas d'entreprises non cotées. Par ailleurs, plusieurs travaux, dont les plus connus sont ceux de Fama et French[2], ont mis en évidence le fait, d'une part, que le bêta et le rendement étaient faiblement liés et que, d'autre part, divers autres facteurs semblent liés de façon significative aux rendements attendus. En d'autres termes, le coût des fonds propres des entreprises ne serait pas seulement lié au risque systématique, mais également à différents facteurs non prévus par la théorie. Le MEDAF ne serait donc pas un modèle parfait, mais on ne lui connaît pas de concurrents sérieux.

Toutefois, lorsqu'on s'intéresse au cas particulier des entreprises de petite taille, il devient important de prendre en compte l'une des faiblesses majeures révélées par les travaux de différents chercheurs : il s'agit de l'effet de la taille. Alors que le modèle ne reconnaît aucun effet prévisible de cette caractéristique, les travaux empiriques ont montré que les entreprises de petite taille commandaient, toutes choses étant égales par ailleurs, un taux de rendement plus élevé que les entreprises de grande taille. Cet écart peut être évalué en établissant la différence entre le taux de rendement des titres de petite capitalisation et celui des grandes entreprises. Plusieurs auteurs recommandent de réajuster le coût des fonds propres des petites entreprises à l'aide de cette prime ; d'autres suggèrent plutôt de procéder au réajustement à cause du manque de liquidités de ces entreprises.

6.1.3 Le calcul du coût des fonds propres à l'aide du modèle de Gordon

Dans le cas où l'entreprise augmente son capital en effectuant une nouvelle émission d'actions, les investisseurs apportent le produit brut de l'émission. En contrepartie, ils espèrent encaisser une suite infinie de dividendes aléatoires pour lesquels ils auront à payer des impôts personnels. L'entreprise dispose, de son côté, du produit net de l'émission (produit brut diminué des frais d'émission après impôts). Elle devra, à

---

2. Fama, E. F. et K. R. French. (1992). «The Cross-section of Expected Stock Returns», *Journal of Finance*, n° 47, p. 427-465.

l'avenir, assurer le paiement de dividendes non déductibles. Par ailleurs, en raison des frais d'émission, le coût des capitaux propres obtenus au moyen d'une émission d'actions nouvelles (k_{AO}) est plus élevé que le taux de rentabilité exigé par le marché (k^*_{AO}).

En supposant une croissance stable et en appliquant le **modèle de Gordon**, on obtient:

$$k_{AO} = \frac{D_1}{P_0 - \text{FE}(1-T)} + g \qquad (6.2)$$

où

D_1 est le dividende prévu dans un an;

g est le taux de croissance annuel prévu des dividendes;

P_0 est le prix de l'action ordinaire sur le marché secondaire;

FE sont les frais d'émission;

T est le taux d'imposition de l'entreprise.

Si l'on suppose que la croissance annuelle des dividendes n'est pas stable, le coût de financement se calcule à l'aide de l'équation suivante:

$$P_0 = \sum_{t=1}^{\infty} \frac{D_t}{(1+k_{AO})^t}$$

L'entreprise peut également s'autofinancer en utilisant ses bénéfices non répartis (BNR). Dans ce cas, elle ne supporte pas de frais d'émission. Par conséquent, le coût des fonds propres autofinancés (k_{BNR}) est égal au taux de rentabilité exigé par le marché (k^*_{AO}).

En supposant une croissance annuelle stable et en appliquant le modèle de Gordon, on obtient alors:

$$k^*_{AO} = k_{BNR} = \frac{D_1}{P_0} + g$$

où

k_{BNR} est le coût des bénéfices non répartis;

D_1 est le dividende prévu dans un an;

g est le taux de croissance annuel prévu des dividendes;

P_0 est le prix de l'action ordinaire sur le marché secondaire.

Exemple 6.1

Supposons que le prix des actions ordinaires d'une entreprise est de 15$, que le prochain dividende espéré est de 0,50$ et que le taux de croissance prévu est de 13%. Les frais d'émission déductibles représentent 4% du prix d'émission; le taux d'imposition est de 40%. Il faut ici calculer a) le coût de financement interne (en supposant que l'on recourt aux bénéfices non répartis) ainsi que b) le coût de financement externe (en supposant qu'il y a une nouvelle émission d'actions).

a) Coût de financement interne:

$$K_{BNR} = \frac{0,50}{15} + 0,13 = 16,3\%$$

b) Coût de financement externe:

$$K_{AO} = \frac{0,50}{15 - [(15 \times 0,04)(1-0,4)]} + 0,13 = \frac{0,50}{14,64} + 0,13 = 16,4\%$$

6.2 Le coût moyen pondéré du capital

Jusqu'ici, nous n'avons envisagé que le point de vue de l'actionnaire. Toutefois, il est également courant d'évaluer les projets du point de vue global de l'entreprise, ce qui requiert le calcul du coût moyen pondéré par l'importance de chaque source de fonds, soit le **coût moyen pondéré du capital (CMPC)**. Si l'on se place du point de vue global des bailleurs de fonds, le coût du financement est une moyenne pondérée des coûts des diverses sources de financement.

On exprime généralement ce coût moyen pondéré du capital de la façon suivante :

CMPC = coût de la dette × part de la dette + coût des actions ordinaires × part des actions ordinaires + coût des actions privilégiées × part des actions privilégiées

Il faut noter que le coût de la dette doit être mesuré après impôts, puisque les intérêts sont déductibles sur le plan fiscal. Par exemple, si le taux d'intérêt est de 6 % et que le taux d'imposition est de 20 %, alors le coût net de l'emprunt est de 6 % $(1 - 0,20) = 4,8 %$.

Les proportions de dettes et de fonds propres devraient en principe être estimées suivant la valeur marchande de ces deux éléments. En pratique, on utilise le plus souvent les valeurs comptables des éléments de financement à long terme, évaluées en fonction de l'entreprise et non du projet. En effet, même si le niveau de risque peut être ajusté pour tenir compte du fait que le projet ne se situe pas parmi les activités habituelles de l'entreprise, les pondérations des modes de financement sont généralement celles de l'entreprise.

Si l'on suppose que l'entreprise a deux projets d'investissement en tous points similaires et qu'elle finance le premier en contractant une dette et le second, en recourant à des fonds propres, cela conduit à attribuer un coût de capital différent à deux projets pourtant identiques. On suppose donc que les projets d'investissement sont financés, en règle générale, de la même façon que l'entreprise.

Le CMPC est le coût global moyen des sources de fonds d'une entreprise. Il s'agit d'un coût marginal représentant le coût d'obtention d'un dollar de financement supplémentaire. Il représente le taux de rentabilité minimal que les actionnaires doivent exiger des projets d'investissement de manière à ce qu'au pire, la valeur sur le marché des actions reste inchangée (pour que le projet permette de payer les créanciers et procure aux actionnaires le taux de rendement qu'ils exigent en tenant compte du risque qu'ils supportent). Ainsi, un projet d'investissement est recommandé si son taux de rendement excède le CMPC. Les trois étapes du calcul du CMPC sont :

1. l'estimation du coût des différentes sources de financement ;

2. la détermination des pondérations de chaque source (dans le total des sources) ;

3. le calcul du coût moyen pondéré.

Formellement :

$$\text{CMPC} = \sum_{i=1}^{N} W_i K_i \tag{6.3}$$

où

CMPC est le coût moyen pondéré du capital de la firme ;

K_i est le coût de la source de financement i ;

W_i est le poids de la source i ;

N est le nombre de sources de financement.

Exemple 6.2

Supposons que Couche-Tard[3] souhaite obtenir du financement à l'aide de trois sources de financement : des obligations, des actions privilégiées et des actions ordinaires. Ces trois sources représentent respectivement 36 %, 16 % et 48 % du financement total. De plus, on sait que leurs coûts après impôts respectifs sont de 7,5 %, de 9,1 % et de 16,3 %. Quel est le coût moyen pondéré du capital ?

---

3. Dans le présent chapitre, nous formulons des hypothèses en utilisant l'entreprise Couche-Tard. Toutes ces hypothèses sont purement fictives et utilisées dans un but pédagogique, sans aucune autre intention.

Source	Coût (en pourcentage)	Poids (en pourcentage)	Coût × Poids (en pourcentage)
Obligations	7,5	36	2,700
Actions privilégiées	9,1	16	1,456
Actions ordinaires	16,3	48	7,820
Coût moyen pondéré du capital			11,980

Examinons maintenant la façon d'estimer le coût de chacune des sources de financement.

6.2.1 Le coût de la dette (k_D)

Le coût de la dette d'une entreprise se calcule après impôts. Si les intérêts versés sur l'emprunt sont déductibles d'impôts, alors le **coût de la dette** (k_D) est égal au taux effectif sur la dette (k^*_D) multiplié par $(1 - T)$. T est le taux d'imposition de l'entreprise.

$$k_D = k^*_D(1 - T) \tag{6.4}$$

Le coût du financement par dette (k_D) est donc inférieur au taux de rendement requis par l'institution financière (k^*_D).

Il est important de préciser que le coût de la dette est calculé en fonction du taux d'intérêt appliqué aux nouvelles dettes, et non en fonction de celui relatif aux dettes déjà contractées.

Question de réflexion

Supposons que Couche-Tard contracte un emprunt sur 5 ans au taux effectif annuel de 6,5 %. Le taux d'imposition de l'entreprise est de 20 %. Quel est le coût de la dette (k_D)?

Réponse: $k_D = 6,5\%(1 - 20\%) = 5,2\% < 6,5\% = k^*_D$

6.2.2 Le coût des obligations (k_{OB})

Lorsqu'une entreprise obtient du financement par des obligations, les positions de l'investisseur et de l'émetteur sont les suivantes: l'investisseur débourse initialement le produit brut de l'émission (PBE) et encaisse les coupons semestriels après paiement de l'impôt personnel ainsi que le remboursement du principal (souvent égal à la valeur nominale); pour l'émetteur, la source de fonds initiale est égale au produit net de l'émission (PNE = produit brut de l'émission − frais d'émission [FE] $(1 - T)$). Les décaissements ultérieurs sont égaux à la somme des intérêts, généralement semestriels, payés après l'impôt sur les sociétés, majorés, le cas échéant, des frais de service des coupons après impôts et du montant du remboursement du principal.

Il en découle que le taux de rendement exigé par le marché (k^*_{OB}) est supérieur au **coût du financement par obligations** (k_{OB}).

Il faut noter que les frais d'émission désignent essentiellement les frais de vérification et les frais juridiques liés à la préparation du prospectus, ainsi que les frais de souscription (services rendus et risques encourus par les courtiers).

On a donc la relation suivante :

$$\text{PNE} = \text{coupons nets} \times \left[\frac{1 - (1 + k_{OB\,sem})^{-2N}}{k_{OB\,sem}} \right] + \text{VN} \times (1 + k_{OB\,sem})^{-2N} \tag{6.5}$$

où

PNE est le produit net de l'émission, soit le produit brut de l'émission (PBE) − frais d'émission FE$(1 - T)$ (représente ce que l'entreprise reçoit effectivement) ;

coupons nets sont les coupons $x(1 - T)$;

T est le taux d'imposition de l'entreprise ;

VN est la valeur nominale ;

2 indique que les coupons sont versés semestriellement.

Exemple 6.3

Supposons que Couche-Tard désire émettre des nouvelles obligations ayant une échéance de 13 ans et verser des coupons annuels. On tient pour acquis ici que la valeur nominale d'une obligation est de 1 000 $, que le taux d'imposition s'élève à 20 % et que les frais d'émission déductibles représentent 5 % du montant brut. Quel est le coût de financement d'une nouvelle émission d'obligations, sachant que, sur le marché, il existe des obligations de la même entreprise (ou d'une entreprise comparable) qui ont encore 13 ans à courir jusqu'à leur échéance, une valeur nominale et de remboursement de 1 000 $, dont le taux des coupons annuels est égal à 8 % et dont le cours en Bourse s'élève à 1 177,05 $?

Pour répondre à cette question, on peut, dans un premier temps, estimer, en fonction du cours coté de l'obligation, le taux de rendement exigé (TRE) par les investisseurs. Le cours de 1 177,05 $ suppose un taux de 6 %.

$$1\,177,05\$ = \frac{80 \times [1 - (1 + k^*_{OB})^{-13}]}{k^*_{OB}} + 1\,000(1 + k^*_{OB})^{-13}$$

$$k^*_{OB} = 6\%$$

Dans un deuxième temps, on détermine le coupon à payer afin que la nouvelle obligation rapporte autant aux investisseurs, soit 6 %. Si l'émission se fait au pair, la valeur de vente de l'obligation (encore égale au produit brut d'émission PBE) est de 1 000 $. Si le remboursement se fait aussi au pair, le coupon annuel doit être égal à 60 $ pour que le taux de rendement s'établisse à 6 %.

On peut alors, dans un troisième temps, estimer le coût pour l'émetteur. Il faut d'abord prendre en compte le montant des frais d'émission après impôts, soit :

FE $(1 - T)$ = prix d'émission × 5 % $(1 - 20\%)$ = 1 000 × 5 % × 80 % = 40 $

Le produit net d'émission s'élève donc à 1 000 $ − 40 $ = 960 $ par obligation, et le montant net du coupon par titre est de :

Coupon net = 60 × $(1 - 20\%)$ = 60 × 80 % = 48 $

Le coût pour l'émetteur peut alors être estimé à l'aide de l'équation suivante :

$$\text{PNE} = \frac{C(1 - T) \times [1 - (1 + k_{OB})^{-13}]}{k_{OB}} + 1\,000(1 + k_{OB})^{-13}$$

$$960 = \frac{48 \times [1 - (1 + k_{OB})^{-13}]}{k_{OB}} + 1000(1 + k_{OB})^{-13}$$

On obtient donc $k_{OB} = 5,2\%$ (à l'aide de la calculatrice financière).

6.2.3 Le coût des actions privilégiées (k_{AP})

Si une entreprise acquiert du financement par des actions privilégiées (AP), les positions de l'investisseur et de l'émetteur sont les suivantes : l'investisseur débourse initialement le produit brut de l'émission pour recevoir des dividendes fixes après impôts personnel, jusqu'à l'infini. Quant à l'émetteur, il reçoit le produit net de l'émission (produit brut de l'émission, moins les frais d'émission, plus l'économie d'impôts) et doit débourser les dividendes fixes périodiquement, jusqu'à l'infini ou jusqu'à la date de rachat, le cas échéant.

Comme les dividendes ne sont pas déductibles, seuls les frais d'émission amènent une différence entre le taux de rendement exigé par le marché (k^*_{AP}) et le **coût du financement par actions privilégiées** (k_{AP}). Donc, on a $k^*_{AP} < k_{AP}$.

Calculons k^*_{AP} à l'aide de l'équation vue au chapitre 4 :

$$P_{AP} = \frac{D_P}{k_{AP}}$$

$$k_{AP} = \frac{D_P}{P_{AP}}$$

où

P_{AP} est le prix d'émission de l'action privilégiée ;

D_P est le dividende privilégié.

On doit noter que si l'entreprise doit assumer des frais d'émission (FE), on a alors la relation suivante :

$$k_{AP} = \frac{D_P}{P_{AP} - \text{FE}(1-T)} \tag{6.6}$$

où

T est le taux d'imposition de l'entreprise.

Question de réflexion

Supposons que le prix des actions privilégiées de Couche-Tard est de 25 $ et que le taux de dividendes annuel est de 10 % de la valeur nominale (22,50 $). Les frais d'émission sont de 0,40 $ par nouvelle action et sont déductibles ; le taux d'imposition est de 40 %. Quel est le coût de financement par action privilégiée ?

Réponse : Le dividende annuel est de 10 % de 22,50 $, soit 2,25 $.

$$k_{AP} = \frac{2,25}{25 - 0,40(1-0,4)} = \frac{2,25}{24,76} = 9,1\%$$

6.2.4 La détermination des pondérations de chaque source

Pour déterminer les pondérations de chaque source de financement, on peut se baser sur la valeur comptable ou sur la valeur marchande. Nous examinons ci-dessous chacune de ces possibilités.

Les pondérations selon la valeur comptable

Ces pondérations sont calculées en fonction des états financiers de l'entreprise. Elles sont fondées, essentiellement, sur des montants historiques. Dans le cas des actions ordinaires, le résultat peut être très différent de celui obtenu en se basant sur la valeur marchande.

Exemple 6.4

Supposons que le total d'un investissement dans Couche-Tard est de 20 000 $ et que le financement se fait par émission d'actions ordinaires et d'obligations selon les valeurs suivantes :

Actions ordinaires : 14 000 $

Obligations : 6 000 $

Les pondérations selon la valeur comptable seraient alors les suivantes :

Actions ordinaires : $\dfrac{14\,000\,\$}{20\,000\,\$} = 70\%$

Obligations : $\dfrac{6\,000\,\$}{20\,000\,\$} = 30\%$

Les pondérations selon la valeur marchande

Ces pondérations sont plus intéressantes, car elles sont liées à la véritable valeur de l'entreprise, mais elles sont sujettes aux fluctuations temporaires du marché financier.

Exemple 6.5

Supposons qu'il y a sur le marché 1 000 actions en circulation, valant chacune 10 $. La valeur marchande de ces actions est alors de $1\,000 \times 10 = 10\,000\,\$$.

Si, en plus, les obligations en circulation sont au nombre de 500 et que leur prix est de 60 $, alors leur valeur marchande est de $500 \times 60\,\$ = 30\,000\,\$$.

Par conséquent, les pondérations sont les suivantes :

Actions ordinaires : $\dfrac{10\,000\,\$}{(10\,000\,\$ + 30\,000\,\$)} = 25\,\%$

Obligations : $\dfrac{30\,000\,\$}{(10\,000\,\$ + 30\,000\,\$)} = 75\,\%$

En règle générale, il est préférable d'utiliser les valeurs marchandes si elles sont disponibles, car elles reflètent mieux les prévisions des investisseurs.

6.2.5 Les conditions d'utilisation du coût moyen pondéré du capital

Premièrement, le risque d'exploitation du projet doit être identique à celui de l'entreprise. Si le risque d'exploitation du projet est plus faible que celui de l'entreprise, on risque de refuser le projet si on l'actualise au CMPC. Il faut donc l'actualiser à un taux plus faible. À l'inverse, si le risque d'exploitation du projet est plus élevé que celui de l'entreprise, on risque d'accepter le projet si on l'actualise au CMPC. Il faut donc l'actualiser à un taux plus élevé. C'est souvent le cas d'entreprises qui ont plusieurs types d'activités dans différentes filiales. Si elles utilisent aveuglément le CMPC, elles favorisent les activités les plus risquées au détriment des activités les moins risquées. Deuxièmement, le rapport des composantes de la structure du capital évaluées à leur valeur marchande doit demeurer constant.

En pratique

Voyons la façon de calculer le CMPC de la société Couche-Tard. On peut d'abord déterminer le coût des fonds propres en faisant la moyenne des valeurs du taux de rendement requis calculées à l'aide de deux modèles. Le premier est le MEDAF, qui permet de mesurer le rapport entre le risque d'un placement en actions et le rendement qu'offre ce placement en raison de ce risque. Nous présentons ci-dessous les calculs pertinents pour trouver le coût des fonds propres de Couche-Tard.

Supposons que $R_f = 3,50\,\%$, $\beta_{Couche\text{-}Tard} = 1,45$, $E(R_M) = 9,92\,\%$. Nous avons alors :

$k_{AO} = 0,0350 + 1,45 \times (0,0992 - 0,0350) = 0,0350 + 0,0931 = 0,1281$

$k_{AO} = 12,81\,\%$

On peut aussi calculer le taux de rendement requis des fonds propres à l'aide du modèle de Gordon, dont il a été question précédemment. Selon ce modèle, le taux de rendement est fonction de la croissance des rentrées nettes de fonds attribuables aux dividendes à l'avenir. On calcule le taux de rendement requis suivant le modèle de Gordon à l'aide de l'équation suivante :

$$k_{AO} = \frac{D_1}{P_0} + g = \frac{D_0(1+g)}{P_0} + g$$

où

D_0 est le dividende versé dans l'année courante ;

P_0 est le prix courant de l'action ;

g est le taux de croissance annuel attendu des dividendes.

Appliquons maintenant l'équation ci-dessus au cas de Couche-Tard.

Si $D_0 = 1,96\,\$$, $P_0 = 29,75\,\$$ et $g = 3,00\,\%$, alors :

$k_{AO} = (1,96/29,75) \times (1 + 0,0300) + 0,0300 = 0,0979 = 9,79\,\%$

En faisant la moyenne arithmétique des taux de rendement requis calculés à l'aide de chacun des modèles, on obtient 11,30 % comme coût des fonds propres.

Supposons maintenant que Couche-Tard contracte un emprunt sur 5 ans au taux nominal annuel de 6,5 %. Le taux d'imposition de l'entreprise est de 20 %.

Le coût de la dette (k_D) équivaut à 6,5 %(1 − 20 %) = 5,2 %.

À l'étape précédente, nous avons déterminé le coût de chacune des composantes de la structure du capital de Couche-Tard. À cette étape-ci, nous pondérons ces coûts selon les proportions respectives de chaque moyen de financement dans le financement global de l'entreprise pour trouver le coût moyen pondéré du capital :

Coût	Poids (en pourcentage)	Taux (en pourcentage)	Poids × taux (en pourcentage)
Dette	20	5,2	1,04
Fonds propres	80	11,3	9,04
CMPC	100		10,08

CONCLUSION

Dans le présent chapitre, nous avons présenté les méthodes de calcul du coût des fonds propres en utilisant le MEDAF. Ce calcul nécessite que l'on détermine le taux sans risque et que l'on estime le bêta de même que le rendement espéré du marché pour calculer la prime de risque. Nous avons ensuite présenté les méthodes de calcul du coût moyen pondéré des sources de fonds de l'entreprise.

Les étapes du calcul du CMPC sont, premièrement, l'estimation du coût de chacune des sources de financement, deuxièmement, la détermination des pondérations de chaque source par rapport au total des sources et, troisièmement, le calcul du coût moyen pondéré du capital. Il est important toutefois de noter que l'équation du coût moyen pondéré du capital donne le taux d'actualisation pour les seuls projets similaires au profil de l'entreprise. Autrement dit, le coût moyen pondéré du capital calculé ne s'applique ni aux projets plus risqués, ni aux projets moins risqués que la moyenne des projets actuels de l'entreprise. Il peut être utilisé comme taux de référence et être ajusté pour tenir compte des risques de chaque projet. Notons également que dans l'équation du coût moyen pondéré du capital, le rapport des composantes de la structure du capital évaluées à leur valeur marchande doit demeurer constant.

À RETENIR

1. Idéalement, tout projet doit être financé de façon à préserver la structure de capital optimale de l'entreprise (le risque financier étant le même, les taux exigés par le marché ne changeront pas à cause de la structure financière).

2. Les pondérations des sources de financement dans une structure de capital donnée peuvent être évaluées en fonction d'une base comptable ou financière. Il est préférable, toutefois, d'utiliser les valeurs marchandes si elles sont disponibles.

3. Les sources de financement opérationnelles, comme les comptes fournisseurs, l'impôt à payer et les autres passifs à court terme non négociés, ne sont habituellement pas incluses dans le calcul du CMPC.

4. La marge de crédit, qui est souvent utilisée à différents moments de l'année, fait généralement partie du calcul du CMPC.

5. Les pondérations sont multipliées par les différents coûts de financement de façon à obtenir le CMPC.

6. Les coûts de chaque source de financement peuvent être difficiles à déterminer et ne sont, dans bien des cas, que des approximations. Il faut alors penser à l'analyse de sensibilité.

SOMMAIRE DES ÉQUATIONS

Le taux de rendement requis sur un titre

$$E(R_i) = R_f + \beta_i \left[E(R_M) - R_f \right] \tag{6.1}$$

Le coût des actions ordinaires avec frais d'émission

$$k_{AO} = \frac{D_1}{P_0 - FE(1-T)} + g \tag{6.2}$$

Le coût moyen pondéré du capital (CMPC)

$$CMPC = \sum_{i=1}^{N} W_i K_i \tag{6.3}$$

Le coût de la dette (k_D)

$$k_D = k_D^*(1 - T) \tag{6.4}$$

Le coût des obligations (k_{OB})

$$PNE = \text{coupons nets} \times \left[\frac{1 - (1 + k_{OB\,sem})^{-2N}}{k_{OB\,sem}} \right] + VN \times (1 + k_{OB\,sem})^{-2N} \tag{6.5}$$

Le coût des actions privilégiées (k_{AP})

$$k_{AP} = \frac{D_P}{P_{AP} - FE(1-T)} \tag{6.6}$$

PORTRAIT D'ENTREPRISE

Alimentation Couche-Tard inc.

Le profil de l'entreprise

L'entreprise Alimentation Couche-Tard inc. occupe le rang de leader au Canada dans le domaine du commerce de dépannage. Par le nombre de magasins qu'elle gère, elle est la plus importante chaîne de magasins d'accommodation en Amérique du Nord. Avec un chiffre d'affaires annuel de plus de 15,8 milliards $, elle se positionne au premier rang grâce aux 53 000 employés qui travaillent dans son réseau de magasins et dans ses bureaux de direction.

Forte d'un réseau de plus de 5 800 magasins, dont plus de 4 220 sont dotés d'un service de distribution de carburant, elle est constituée de 13 unités d'affaires, dont 9 aux États-Unis et 4 au Canada, couvrant les 10 provinces canadiennes. De plus, elle possède un réseau d'environ 4 130 magasins qui s'étend dans 9 pays d'Asie et du Moyen-Orient (Chine, Guam, Hong Kong, Indonésie, Japon, Macao, Mexique, Vietnam et Émirats arabes unis)[4].

---

4. Alimentation Couche-Tard inc. «Notre entreprise», [En ligne], www.couche-tard.com/corporate/le-reseau.html (Page consultée le 22 janvier 2013).

Les données boursières

Alimentation Couche-Tard inc. a deux classes d'actions ordinaires. La catégorie A constitue des actions à droit de vote multiple et est principalement détenue par les fondateurs et certains investisseurs institutionnels. Elle comporte 10 droits de vote par action et son symbole à la Bourse de Toronto est ATD.A. La catégorie B est constituée d'actions à droit de vote subalterne. Elle est généralement la plus négociée, puisqu'elle est détenue par un plus grand nombre d'actionnaires. Cette catégorie donne droit à un vote par action et son symbole à la Bourse de Toronto est ATD.B.

Le 15 novembre 2005, l'entreprise, par la voie de son conseil d'administration, a adopté une politique de dividendes trimestriels sur ses actions à droit de vote multiple de catégorie A ainsi que sur ses actions à droit de vote subalterne de catégorie B. Le 23 novembre 2010, afin que ses investisseurs puissent conserver leur rendement procuré par leurs actions, le conseil d'administration a corrigé à la hausse le dividende trimestriel à 0,05 $ CA par action[5]. Selon les informations boursières émises par Couche-Tard à l'intention de ses investisseurs, «la figure ci-dessous compare le rendement total cumulatif pour l'actionnaire d'une somme de 100 $ investie à la fin d'avril 2007 dans les actions à vote multiple et les actions à vote subalterne de la Compagnie et le rendement total cumulatif de l'indice composé S&P/TSX[6]».

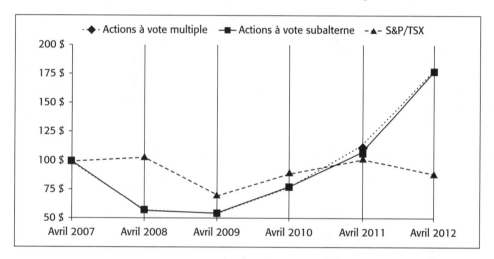

Au quatrième trimestre de l'exercice 2011, Couche-Tard a connu une hausse de son chiffre d'affaires de 837,6 millions $ pour atteindre 4,8 milliards $. Cette augmentation de 20,9 % a été causée par plusieurs facteurs, telles l'augmentation des ventes de carburant tant au Canada qu'aux États-Unis, la hausse du prix de vente moyen à la pompe, la force du dollar canadien ainsi qu'une forte croissance interne des ventes de marchandises par magasin. Celles-ci ont augmenté de 3,6 % aux États-Unis, tandis qu'elles ont diminué de 2,1 % au Canada[7].

Par ailleurs, le quatrième trimestre de l'exercice 2011 s'est terminé avec un bénéfice net de 64,0 millions $, représentant un bénéfice de 0,35 $ par action (ou 0,34 $ par action sur une base diluée). Pour l'exercice 2010, le bénéfice net représentait 68,8 millions $ (ou 0,37 $ par action sur une base diluée), soit une baisse de 7,0 % représentant 4,8 millions $. Le renforcement du dollar canadien a eu un impact favorable d'approximativement 1,0 million $ sur le bénéfice net. Si l'on exclut le gain sur disposition des actions de Casey's et le renversement non récurrent de provisions enregistrées aux résultats du quatrième trimestre de l'exercice 2010, au quatrième trimestre de l'exercice 2011, le bénéfice net de Couche-Tard a connu une hausse de 19,0 % représentant 10,2 millions $, soit une augmentation de 0,05 $ par action sur une base diluée[8].

5. Alimentation Couche-Tard inc. «FAQ», [En ligne], www.couche-tard.com/corporate/faq-fra.html#A5 (Page consultée le 2 janvier 2013).

6. Alimentation Couche-Tard inc. «Informations boursières», [En ligne], www.couche-tard.com/corporatif/informations-boursieres.html (Page consultée le 13 février 2013).

7. Alimentation Couche-Tard inc. «Chiffre d'affaires», *Rapport annuel 2011 – Alimentation Couche-Tard*, p. 12, [En ligne], www.couche-tard.com/corporatif/modules/AxialRealisation/img_repository/files/documents/Rapport%20Annuel%20(FINAL)(2).pdf (Page consultée le 22 janvier 2013).

8. Alimentation Couche-Tard inc. «Alimenation Couche-Tard annonce les résultats de son quatrième trimestre de l'exercice 2011», p. 9 [En ligne], www.couche-tard.com/.../Communique_Q4%20 2011%20FINAL(2) (Page consultée le 11 janvier 2013).

Selon les informations boursières émises par Couche-Tard à l'intention de ses investisseurs, «[...] le tableau suivant présente certaines informations financières consolidées concernant [les] opérations pour la période de 53 semaines terminée le 29 avril 2012 et pour les périodes de 52 semaines terminées les 24 avril 2011 et 25 avril 2010[9]»:

(en millions de dollars US, sauf indication contraire)	2012 – 53 semaines	2011 – 52 semaines	2011 – 52 semaines	2010 – 52 semaines
	IFRS	IFRS	PCGR	PCGR
Données sur les résultats d'exploitation:				
Ventes de marchandises et services[(1)]:				
États-Unis	4 408,0	4 133,6	4 171,8	3 986,0
Canada	2 190,9	2 049,9	2 050,0	1 895,5
Total des ventes de marchandises et services	6 598,9	6 183,5	6 221,8	5 881,5
Vente de carburant:				
États-Unis	13 673,8	10 218,7	10 595,8	8 819,8
Canada	2 724,8	2 148,2	2 148,3	1 738,3
Total des ventes de carburant	16 398,6	12 366,9	12 744,1	10 558,1
Total des ventes	22 997,5	18 550,4	18 965,9	16 439,6
Marge brute sur les marchandises et services[(1)]:				
États-Unis	1 452,6	1 369,8	1 381,7	1 308,1
Canada	729,8	702,9	702,9	638,3
Marge brute totale sur les marchandises et services	2 182,4	2 072,7	2 084,6	1 946,4
Marge brute sur le carburant:				
États-Unis	637,9	537,3	564,9	488,7
Canada	148,8	135,7	135,7	118,2
Marge brute totale sur le carburant	786,7	673,0	700,6	606,9
Marge brute totale	2 969,1	2 745,7	2 785,2	2 553,3
Frais d'exploitation, de vente, administratifs et généraux	2 151,7	2 028,9	2 050,4	1 906,7
Amortissement des immobilisations et des autres actifs	239,8	213,7	216,3	204,5
Bénéfice d'exploitation	577,6	503,1	518,5	442,1
Bénéfice net	457,6	369,2	370,1	302,9
Autres données d'exploitation:				
Marge brute sur les marchandises et services[(1)]:				
Consolidée	33,1 %	33,5 %	33,5 %	33,1 %
États-Unis	33,0 %	33,1 %	33,1 %	32,8 %
Canada	33,3 %	34,3 %	34,3 %	33,7 %
Croissance des ventes de marchandises par magasin comparable[(2)(3)(4)]:				
États-Unis	2,7 %	4,2 %	4,2 %	2,9 %
Canada	2,8 %	1,8 %	1,8 %	4,8 %

---

9 Alimentation Couche-Tard inc. «Informations financières consolidées choisies», *Rapport annuel 2012 – Alimentation Couche-Tard*, p. 30, [En ligne], www.couche-tard.com/corporatif/modules/AxialRealisation/img_repository/files/documents/RAPPORT%20ANNUEL.pdf (Page consultée le 22 janvier 2013).

(en millions de dollars US, sauf indication contraire) (suite)	2012 – 53 semaines	2011 – 52 semaines	2011 – 52 semaines	2010 – 52 semaines
	IFRS	IFRS	PCGR	PCGR
Marge brute sur le carburant[3] :				
États-Unis (cents par gallon)	16,99	15,54	15,79	14,51
Canada (cents CA par litre)	5,45	5,38	5,38	5,31
Volume de carburant vendu[5] :				
États-Unis (millions de gallons)	3 896,2	3 517,7	3 649,1	3 484,8
Canada (millions de litres)	2 173,5	2 565,4	2 565,1	2 395,5
Croissance (diminution) du volume de carburant par magasin comparable[3][4] :				
États-Unis	0,1 %	0,7 %	0,7 %	1,0 %
Canada	−0,9 %	2,9 %	3,9 %	3,0 %
Données par action :				
Bénéfice net de base par action (dollars par action)	2,54	2,00	2,00	1,64
Bénéfice net dilué par action (dollars par action)	2,49	1,96	1,97	1,60
Situation financière :				
Actif total	4 453,2	3 926,2	3 999,6	3 696,7
Dette portant intérêts	665,2	501,5	526,4	741,2
Capitaux propres	2 174,6	1 979,4	1 936,1	1 614,3
Ratios d'endettement :				
Dette nette à intérêts/capitalisation totale[6]	0,14:1	0,09:1	0,10:1	0,24:1
Dette nette à intérêts/BAIIA[7]	0,43:1	0,26:1	0,28:1	0,80:1
Dette nette à intérêts/BAIIAL[8]	2,10:1	2,09:1	2,10:1	2,69:1
Rentabilté :				
Rendement des capitaux propres[9]	22,0 %	20,3 %	20,8 %	
Rendement des capitaux employés[10]	19,0 %	18,1 %	17,9 %	

(1) Comprend les autres revenus tirés des redevances de franchisage, des royautés et des remises sur certains achats effectués par les franchisés et les affiliés.

(2) Ne comprend pas les services et autres revenus (décrits à la note 1 ci-dessus). La croissance au Canada est calculée en dollars canadiens.

(3) Pour les magasins corporatifs seulement.

(4) Sur une base comparable de 52 semaines.

(5) Comprend les volumes des franchises et des agents à commission ainsi que le volume de carburant vendu à des opérateurs indépendants en vertu de contrats d'approvisionnement.

(6) Ce ratio est présenté à titre d'information seulement et représente une mesure de la santé financière surtout utilisée par les milieux financiers. Il représente le calcul suivant : la dette à long terme portant intérêts, déduction faite de la trésorerie et des équivalents de trésorerie ainsi que des placements temporaires, divisée par l'addition de l'avoir des actionnaires et de la dette à long terme, déduction faite de la trésorerie et des équivalents de trésorerie ainsi que des placements temporaires. Il n'a pas de sens normalisé prescrit par les IFRS et ne pourrait donc être comparé à des mesures du même type présentées par d'autres compagnies publiques.

(7) Ce ratio est présenté à titre d'information seulement et représente une mesure de la santé financière surtout utilisée par les milieux financiers. Il représente le calcul suivant : la dette à long terme portant intérêts, déduction faite de la trésorerie et des équivalents de trésorerie ainsi que des placements temporaires, divisée par le BAIIA (bénéfice avant impôts, intérêts et amortissement). Il n'a pas de sens normalisé prescrit par les IFRS et ne pourrait donc être comparé à des mesures du même type présentées par d'autres compagnies publiques.

(8) Ce ratio est présenté à titre d'information seulement et représente une mesure de la santé financière surtout utilisée par les milieux financiers. Il représente le calcul suivant : la dette à long terme portant intérêts plus la dépense de loyer multipliée par huit, déduction faite de la trésorerie et des équivalents de trésorerie ainsi que des placements temporaires, divisée par le BAIIAL (bénéfice avant impôts, intérêts, amortissement et dépense de loyer). Il n'a pas de sens normalisé prescrit par les IFRS et ne pourrait donc être comparé à des mesures du même type présentées par d'autres compagnies publiques.

(9) Ce ratio est présenté à titre d'information seulement et représente une mesure de la performance surtout utilisée par les milieux financiers. Il représente le calcul suivant : le bénéfice net divisé par l'avoir des actionnaires moyen. Il n'a pas de sens normalisé prescrit par les IFRS et ne pourrait donc être comparé à des mesures du même type présentées par d'autres compagnies publiques.

(10) Ce ratio est présenté à titre d'information seulement et représente une mesure de la performance surtout utilisée par les milieux financiers. Il représente le calcul suivant : le bénéfice avant impôts et intérêts divisé par les capitaux employés moyens. Les capitaux employés représentent l'actif total moins le passif à court terme ne portant pas intérêts. Il n'a pas de sens normalisé prescrit par les IFRS et ne pourrait donc être comparé à des mesures du même type présentées par d'autres compagnies publiques.

Exerçons nos connaissances

1. La compagnie XYZ, qui a une structure de capital optimale, dispose des sources de financement suivantes :

	Valeur comptable (en dollars)
Dettes à long terme	35 000 000
Action privilégiées (250 000 actions)	10 000 000
Actions ordinaires (3 500 000 actions)	38 000 000
BNR	17 000 000

La dette à long terme est constituée d'obligations émises au pair il y a 5 ans et échéant dans 15 ans. Le taux de coupon de ces obligations est de 12 %, payable semi-annuellement. Les obligations se négocient actuellement à 950 $. Une émission semblable coûterait 5 % de la valeur nominale en frais d'émission totalement déductibles à l'émission.

Les actions privilégiées sont actuellement cotées 44 $ l'action. Le dividende privilégié annuel prochain est de 3,50 $ l'action. Une nouvelle émission d'actions privilégiées amènerait des frais d'émission de l'ordre de 1,5 $ par action après impôts.

Les actions ordinaires sont actuellement cotées 20 $ l'action. Le dernier dividende ordinaire annuel était de 1,15 $ l'action. Les frais d'émission des nouvelles actions représentent 2 % de la valeur émise avant impôts.

Le coût d'imposition marginal de XYZ est de 40 %.

La compagnie a toujours versé 40 % du bénéfice en dividendes. Son profit par action au cours des cinq dernières années se présente comme suit :

Année	2007	2008	2009	2010	2011
BPA	1,5871	1,7022	1,9852	2,5569	2,8954
Dividende	1,0000	1,0356	1,0725	1,1106	1,1500

Les investisseurs prévoient que le taux de croissance du dividende continuera au même rythme que dans le passé.

a) Calculez le montant du dividende prévu en 2012.

b) Calculez le coût du capital (avant et après le point de rupture) de XYZ.

c) En 2012, XYZ tient à garder la même structure de capital, laquelle est optimale. Sachant que le BNR représentera 60 % du montant du bénéfice prévu en 2012, calculez le montant de financement additionnel maximal que l'entreprise pourra trouver sans avoir recours à l'émission de nouvelles actions ordinaires.

d) Calculez la valeur marchande de XYZ si le rendement du marché sur les obligations de même risque et de même échéance changeait à 14 % sans affecter le cours des actions ordinaires et privilégiées.

Démonstration

1. a) Le taux de croissance du dividende

$$g = \left(\frac{1,15}{1}\right)^{\frac{1}{4}} - 1 = 0,0356$$

$$D_{2012} = D_{2011}(1+g) = 1,15(1+0,0356) = 1,1993$$

b) Le coût moyen pondéré du capital

Le coût des obligations :

$$1000 - 5\%(1-0,4) \times 1000 = 60(1-0,4)\left[\frac{1-(1+i)^{-30}}{i}\right] + 1000(1-i)^{-30}$$

$i = 3,7687\%$ (semestriel)

$$k_{obligations} = \left(1+i\right)^2 - 1 = \left(1+3,7687\%\right)^2 - 1 = 7,6794\%$$

Le coût des actions privilégiées :

$$44 - 1,5 = \frac{3,5}{k_{\text{actions privilégiées}}} \Rightarrow k_{\text{actions privilégiées}} = \frac{3,5}{42,5} = 8,2353\%$$

Le coût des actions ordinaires :

$$20 - 2\% \times 20\left(1-0,4\right) = \frac{1,1993}{k_{\text{actions ordinaires}} - 3,56\%}$$

$$k_{\text{actions ordinaires}} = 9,63\%$$

Le coût des BNR :

$$20 = \frac{1,1993}{k_{BNR} - 3,56\%} = k_{BNR} = 9,55\%$$

Les valeurs marchandes :

des obligations : $950 \times \dfrac{35\,000\,000}{1\,000} = 33\,250\,000$

des actions privilégiées : $44 \times 250\,000 = 11\,000\,000$

des actions ordinaires : $20 \times 3\,500\,000 = 70\,000\,000$

Les poids (W) :

$$W_{obligations} = \frac{33\,250\,000}{33\,250\,000 + 11\,000\,000 + 70\,000\,000} = 29,10\%$$

$$W_{\text{actions ordinaires}} = \frac{70\,000\,000}{33\,250\,000 + 11\,000\,000 + 70\,000\,000} = 61,27\%$$

$$W_{\text{actions privilégiées}} = \frac{11\,000\,000}{33\,250\,000 + 11\,000\,000 + 70\,000\,000} = 9,63\%$$

CMPC avant rupture avec la structure financière actuelle (en utilisant les BNR) :

$29,10\% \times 7,6794\% + 9,63\% \times 8,2353\% + 61,27\% \times 9,55\% = 8,88\%$

CMPC après rupture en considérant l'émission d'actions ordinaires :

$29,10\% \times 7,6794\% + 9,63\% \times 8,2353\% + 61,27\% \times 9,63\% = 8,93\%$

c) Le point de rupture $= \dfrac{\text{BNR prévu}}{W_{\text{actions ordinaires}}}$

$\text{BNR prévu} = \dfrac{\text{dividende par action}_{2012}}{0,40} \times 0,6 \times \text{nombre d'actions ordinaires}$

$\text{BNR prévu} = \dfrac{1,1993}{0,4} \times 0,6 \times 3\,500\,000 = 6\,296\,325$

$\text{Point de rupture} = \dfrac{6\,296\,325}{61,27\%} = 10\,276\,358,74$

d) Le prix des obligations

$$P = c\left[\frac{1-(1+i)^{-n}}{i}\right] + 1000(1+i)^{-n}$$

$$P = 60\left[\frac{1-\left(1+\dfrac{14\%}{2}\right)^{-30}}{\dfrac{14\%}{2}}\right] + 1000\left(1+\dfrac{14\%}{2}\right)^{-30}$$

$$P = 875,30$$

La valeur marchande totale = valeur marchande des obligations

$$+ \text{ valeur marchande des actions ordinaires}$$

$$+ \text{ valeur marchande des actions privilégiées}$$

$$= 875,30 \times \frac{35\,000\,000}{1\,000} + 11\,000\,000 + 70\,000\,000$$

$$= 111\,565\,000$$

2. Au début de l'année 1, on trouve notamment les informations suivantes au bilan de la compagnie Omega inc. :

	(en dollars)
Obligations	40 000 000
Actions privilégiées	20 000 000
Actions ordinaires (3 000 000 d'actions)	15 000 000
Bénéfices non répartis	30 000 000

Les obligations en circulation ont été émises à leur valeur nominale (1 000 $) il y a 5 ans. Elles se négocient présentement au pair sur le marché hors Bourse et offrent aux investisseurs un taux de coupon annuel de 10 % (les intérêts sont payés semestriellement). De nouvelles obligations comportant une échéance identique (10 ans) pourraient être vendues à leur valeur nominale à des investisseurs institutionnels. Les frais d'émission et de souscription peuvent être considérés comme négligeables.

La compagnie a 200 000 actions privilégiées en circulation. Le dividende annuel versé aux actionnaires privilégiés est de 7,4997 $. Ces actions se négocient actuellement à 80,875 $ sur le marché. Une nouvelle émission entraînerait des frais d'émission de souscription après impôts correspondant à 3 % du prix de l'action.

Les actions se négocient à 20 $ à la Bourse et une nouvelle émission rapporterait 18 $ nets à la compagnie. Le plus récent dividende ordinaire versé s'est élevé à 0,54 $ l'action. Pour l'avenir prévisible, la direction de l'entreprise pense que le taux de croissance annuel du dividende et du bénéfice par action se situera autour de 10 %. Par ailleurs, le dividende par action ordinaire de la compagnie correspond normalement à 40 % de son bénéfice par action.

L'an dernier, la compagnie a réalisé un bénéfice par action de 1,35 $. Les bénéfices non répartis de cette année (année 1) pourront financer, en partie, les investissements envisagés par l'entreprise.

La compagnie considère que sa structure de capital actuelle est optimale. Son taux d'imposition marginal est de 40 %.

En utilisant les pondérations basées sur les valeurs marchandes des titres, déterminez, au début de l'année 1, le coût moyen pondéré du capital d'Omega inc. si :

a) les besoins de financement requis s'élèvent à 2 000 000 $;

b) les besoins de financement requis s'élèvent à 10 000 000 $.

Démonstration

a) Le calcul des pondérations:

	Nombre		Valeur du marché		Total partiel (en dollars)
Obligations	40 000	$\times$	1 000,000	=	40 000 000
Actions privilégiées	200 000	$\times$	80,875	=	16 175 000
Actions ordinaires	3 000 000	$\times$	20,000	=	60 000 000
Total				=	116 175 000

d'où

$$w_{obligations} = \frac{40\,000\,000}{116\,175\,000} = 34,43\%$$

$$w_{\text{actions privilégiées}} = \frac{16\,175\,000}{116\,175\,000} = 13,92\%$$

$$w_{\text{actions ordinaires}} = \frac{60\,000\,000}{116\,175\,000} = 51,65\%$$

Il faut maintenant déterminer si les bénéfices par action (BNR) de l'année 1 suffiront à combler les besoins de financement en capitaux propres, en supposant que les fonds s'élèvent à 2 000 000 $.

Bénéfices de l'année 1 disponibles à des fins de réinvestissement

$$= (1,35) \times (1+10\%) \times (3\,000\,000) \times (1-0,40) = 2\,673\,000\,\$$$

Le montant maximal que peut investir la compagnie, compte tenu de sa structure de capital, sans avoir à émettre de nouvelles actions ordinaires est donc de:

$$\frac{2\,673\,000}{0,5165} = 5\,175\,218\,\$$$

Par conséquent, si les fonds requis s'élèvent à 2 000 000 $, on utilise le k_{BNR} dans le calcul du coût du capital.

Le coût des obligations $(k_{obligations})$

$$1000 = 50(1-0,40)\,A\frac{}{20/i} + 1000(1+i)^{-20}$$

d'où

$$i = 3\% \text{ et } k_{obligations} = (1-0,03)^2 - 1 = 6,09\%$$

Le coût des actions privilégiées $\left(k_{\text{actions privilégiées}}\right)$

$$k_{\text{actions privilégiées}} = \frac{D_p}{P(1-FE)} = \frac{7,49970}{80,875(1-3\%)} = 9,56\%$$

Le coût des BNR $\left(k_{BNR}\right)$

$$k_{BNR} = \frac{D_1}{P_0} + g$$

$$k_{BNR} = \frac{0,54(1+10\%)}{20} + 0,10 = 12,97\%$$

Le CMPC est alors de:

$$CMPC = (2,3443)(6,09\%) + (0,1392)(9,56\%) + (0,5165)(12,97\%) = 10,13\%$$

b) Si les fonds requis s'élèvent à 10 000 000 $, la compagnie devra émettre de nouvelles actions ordinaires. On utilise alors $k_{\text{actions ordinaires}}$ pour calculer le coût du capital.

$$k_{\text{actions ordinaires}} = \frac{0,54(1+0,10)}{18} + 0,10 = 13,30\,\%$$

$$\text{CMPC} = (0,3443)(6,09\,\%) + (0,1392)(9,56\,\%) + (0,5165)(13,30\,\%) = 10,30\,\%$$

Questions de révision

1. Que signifie un coût du capital d'une société de 15 % ?

2. Comment calcule-t-on le coût des fonds propres ?

3. Peut-on utiliser le MEDAF pour calculer le CMPC ?

4. Comment calcule-t-on le coût de la dette ?

5. Comment calcule-t-on le CMPC ?

6. Quelle est la différence entre le coût des fonds propres et le CMPC ?

7. Dans quel cas le coût des fonds propres est-il égal au CMPC ? En l'absence de dette, le coût des fonds propres est-il équivalent au CMPC ?

8. Doit-on prendre en considération les dettes à court terme dans le calcul du CMPC ?

9. Comment calcule-t-on le coût des actions privilégiées ?

10. Expliquez l'affirmation suivante : l'équation permettant de calculer le CMPC ne fonctionne que pour des projets qui sont similaires au profil de l'entreprise.

Exercices

1. Supposons que Couche-Tard vient tout juste de verser un dividende de 3 $ par action sur ses actions ordinaires. L'entreprise s'attend à maintenir un taux de croissance constant de 5 % de ses dividendes, et ce, indéfiniment. Si les actions se négocient à 60 $ chacune, quel est le coût des fonds propres de Couche-Tard ?

2. Supposons que le ratio dette-fonds propres visé par Couche-Tard est de 1,50. Le CMPC est de 10,52 % et le taux d'imposition est de 35 %.

   a) Si le coût des fonds propres de Couche-Tard est de 18 %, quel est le coût de la dette avant impôts ?

   b) Si l'on sait que le coût de la dette après impôts est de 7,5 %, quel est alors le coût des fonds propres ?

3. Supposons que Couche-Tard utilise les trois sources de financement à long terme suivantes : les actions ordinaires à concurrence de 10 %, les actions privilégiées à concurrence de 35 % et la dette à concurrence de 55 %. Le tableau suivant donne le coût de financement de chacune de ces sources de financement :

Sources de financement	Poids (en pourcentage)	Coût (en dollars)
Actions privilégiées	35	8
Actions ordinaires	10	15
Dette	55	6

Quel est alors le CMPC de Couche-Tard ?

4. Supposons que Couche-Tard veut émettre des obligations dont la valeur nominale est de 1 000 $ chacune. Le prix des obligations sur le marché est aussi de 1 000 $, donc l'obligation se vend au pair. Si l'on suppose que l'échéance est de 20 ans, que le coupon est semestriel et que le taux de coupon est de 10 %, quel est le coût effectif annuel de financement par obligation ($T = 30\,\%$) ?

5. Supposons que le prix de l'action privilégiée de Couche-Tard, qui paie un dividende de 10 $ par action privilégiée, est de 80 $. L'entreprise envisage d'émettre de nouvelles actions privilégiées, ce qui lui coûterait 2 % du prix actuel (après impôts). Quel est, dans ce cas, le coût des actions privilégiées ?

6. Supposons que Couche-Tard contracte un emprunt sur 5 ans au taux nominal annuel de 12 %. Le taux d'imposition de l'entreprise est de 37,5 %. Quel est le coût effectif de la dette (k_D) ?

7. Supposons que le prix actuel de l'action de Couche-Tard est de 25 $, que le dividende prévu dans 1 an est nul et qu'il sera dans 2 ans de 0,50 $, dans 3 ans, de 0,75 $ et, dans 4 ans, de 1,00 $. On prévoit que, par la suite, le taux de croissance des dividendes sera stable à 10 %. Compte tenu du fait que le taux d'imposition de l'entreprise est de 10 %, quel est le coût du financement interne (on a recours aux bénéfices non répartis) et du financement externe (il y a une nouvelle émission d'actions) de Couche-Tard ?

8. Supposons que Couche-Tard est actuellement financée par des obligations et par des actions ordinaires, les deux ayant la même proportion dans la structure de capital. Les obligations, dont l'échéance est de 7 ans et qui offrent un coupon de 8 % versé semestriellement, se vendent actuellement 800 $. Les actions ordinaires sont cotées à 30 $ sur le marché. Le dividende sur les actions ordinaires est versé annuellement. Le dernier dividende versé était de 0,13 $ et le taux de croissance futur devrait être le même que celui observé par le passé. Les dividendes passés sont présentés dans le tableau suivant :

Année	2012	2011	2010	2009	2008
Dividende (en dollars)	0,13	0,09	0,09	0,08	0,07

Le taux d'imposition de Couche-Tard est de 38 %.

Si des frais d'émission (après impôts) de 3 % pour les obligations et de 4 % pour les actions ordinaires sont exigés, quel est le coût moyen pondéré du capital de Couche-Tard ?

9. Supposons que Couche-Tard a déjà des obligations de série A à son bilan, émises il y a 2 ans au pair. Le taux du coupon est de 11,5 % (coupon semestriel), le prix de l'obligation (P_0) est de 936,54 $, l'échéance est de 13 ans et le taux d'imposition de l'entreprise est de 40 %. La société désire émettre une nouvelle série d'obligations (série B) dont l'échéance est de 15 ans. Le taux de rendement à l'échéance (TRE_B) égalera le taux de rendement à l'échéance (TRE_A) + 0,5 %. Les frais d'émission sont de 4 %.

Quel est le taux de rendement sur l'obligation B ?

10. Supposons que le capital total de Couche-Tard au 25 juin 2012 est évalué à 30 millions de dollars. Cette entreprise acquiert du financement par des dettes, des fonds propres et par le réinvestissement de ses bénéfices. Une occasion d'expansion se présente à l'entreprise et ses gestionnaires doivent déterminer le taux de rendement à exiger pour un tel projet. Comme vous êtes l'un de ses gestionnaires, votre patron vous demande d'estimer le coût moyen pondéré du capital de Couche-Tard après le point de rupture. Pour effectuer vos calculs, vous avez un extrait du bilan de l'entreprise Couche-Tard à la fin du dernier exercice ainsi que d'autres renseignements :

	(en milliers de dollars)
Dette bancaire	5 400
Obligations	10 000
Actions privilégiées	6 600
Actions ordinaires	5 000
Bénéfices non répartis	3 000
Total	30 000

La dette bancaire porte intérêt au taux de 11,5 %. Ce taux a été fixé après négociation avec l'institution financière et les gestionnaires de la compagnie.

Les obligations ont un taux de coupon annuel de 8 % (les intérêts sont payables semestriellement). Ces obligations se négocient présentement au prix de 1 015 $, ont une échéance de 20 ans et une valeur nominale de 1 000 $. Pour émettre de nouvelles obligations avec une échéance de 20 ans, Couche-Tard devrait supporter des frais d'émission de 3 % par obligation. Ces frais sont des dépenses admissibles sur le plan fiscal.

Les actions privilégiées ont une valeur nominale de 20 $ chacune. Le dividende trimestriel par action est de 1,9 $. Ces actions se négocient actuellement au prix de 19,50 $ à la Bourse. L'entreprise pourrait émettre d'autres actions identiques et recevrait la somme nette de 18,75 $ par action après les frais d'émission, lesquels ne donnent pas, dans ce cas, lieu à une déduction fiscale.

Les actions ordinaires de Couche-Tard se négocient au prix de 18 $ chacune. L'entreprise pourrait émettre des actions ordinaires au prix actuel. Elle devrait cependant débourser des frais d'émission déductibles de 1,12 $ par action. Le dernier dividende annuel versé par l'entreprise est de 0,50 $. Les analystes financiers de Couche-Tard estiment que ce dividende devrait augmenter à 8 % par année.

Vous estimez que les dividendes sont réinvestis au taux annuel de 10,7 %. Couche-Tard est imposé à 35 %.

Chapitre 7

Les politiques financières de l'entreprise

7.1   La structure du capital

7.2   La politique de dividendes

MISE EN CONTEXTE

Au chapitre 3, nous avons décrit les différents moyens dont dispose l'entreprise pour financer ses projets d'investissement. Au chapitre 6, nous avons étudié les coûts de chaque source de financement ainsi que le coût global de financement de l'entreprise, appelé «coût moyen pondéré du capital». L'objectif de chaque entreprise est de réduire ses coûts de financement pour s'assurer d'une rentabilité maximale sur ses investissements. Cette dernière correspond en réalité à la différence entre le taux de rendement interne du projet et le coût du capital de chaque dollar investi dans les actifs de la société.

Pour assurer cette rentabilité, les gestionnaires financiers sont appelés à se prononcer sur une décision cruciale pour l'entreprise, à savoir celle relative au financement des projets retenus, soit la structure du capital. Plus précisément, parmi toutes les sources de financement disponibles, ils doivent sélectionner les moins coûteuses. De plus, ils doivent déterminer la proportion dans laquelle chacune de ces sources contribuera au financement. Les sources de financement de l'entreprise comprennent, en plus des fonds propres et de la dette, les bénéfices réalisés. Ces derniers constituent une source de financement non négligeable, dépendamment de la disponibilité des fonds. La portion des bénéfices à garder sous forme d'autofinancement et celle qu'il faut distribuer aux actionnaires sous forme de dividendes sont d'autres décisions financières importantes. En fait, dans ce cadre, l'entreprise doit décider si elle doit effectuer un paiement de dividendes et, si oui, le montant qui doit être versé aux actionnaires. Par ailleurs, il est essentiel de comprendre l'impact sur la valeur de l'entreprise de la politique de dividendes mise en place. Selon certains[1], celle-ci n'a pas d'incidence sur la valeur de l'entreprise, mais selon d'autres[2], une augmentation des dividendes peut agir comme un signal positif des perspectives futures de l'entreprise, influençant par là même sa valeur aux yeux des investisseurs.

Les exemples de telles décisions jalonnent la presse financière tous les jours. Pourquoi, par exemple, Kellog, parmi les plus grands manufacturiers de céréales du monde, utilise-t-il massivement la dette pour financer ses investissements? Quel impact le choix d'un tel mode de financement et la structure du capital qui en résulte ont-ils sur la valeur de l'entreprise? De même, pourquoi Microsoft, récemment reconnue[3] comme l'entreprise qui a le plus de valeur sur les marchés boursiers, n'a-t-elle commencé à payer des dividendes qu'en 2003? Comment les actionnaires ont-ils perçu une telle décision? Voilà autant de questions relatives aux décisions financières d'une entreprise que nous allons essayer d'explorer et d'expliquer.

Dans le présent chapitre, nous verrons les deux principales politiques financières de l'entreprise, soit celle relative à la structure du capital et celle relative aux dividendes, la politique de l'investissement ayant déjà été abordée au chapitre 3.

7.1 La structure du capital

Parmi les décisions financières les plus importantes d'une entreprise, on trouve le choix du mode de financement des projets retenus. En d'autres termes, comment une entreprise finance-t-elle sa croissance? Dans quelle proportion doit-elle s'endetter? Dans quelle proportion doit-elle (et peut-elle) émettre du capital-actions? Le choix

---

1. Par exemple, se reporter à Masulis, R. W. (1980). «The effects of capital structure change on security prices: a study of exchange offers», *Journal of Financial Economics,* vol. 8, p. 139-177.

2. Par exemple, se reporter à Dann, L. et W. Mikkelson (1984). «Convertible Debt issuance, capital structure change and Financing related information: Some new evidence», *Journal of Financial Economics,* vol. 13, p. 157-186.

3. Armitstead, L. (20 août 2012). «Apple: the most valuable company», *The Telegraph,* [En ligne], www.telegraph.co.uk/technology/apple/9488458/Apple-the-most-valuable-company.html (Page consultée le 14 février 2013).

d'une **structure du capital** est donc un problème de choix de financement. Ainsi, on définit la structure du capital d'une entreprise comme le rapport entre sa dette à long terme et ses capitaux propres. Plusieurs questions se posent dans le contexte du choix de financement. Comment les gestionnaires déterminent-ils la structure du capital? Quel est le lien entre la structure du capital et la valeur de l'entreprise? Existe-t-il une structure du capital optimale qui permette de maximiser la valeur de l'entreprise?

Nous allons essayer de répondre à toutes ces questions dans ce qui suit. Nous verrons que, dans un monde où les marchés sont en équilibre et où il n'y a pas d'imperfections relatives à la fiscalité ou à l'asymétrie informationnelle, entre autres, la valeur de l'entreprise est en fait indépendante de la structure du capital. Lorsque nous nous éloignons de ce monde «parfait» et abandonnons les hypothèses restrictives relatives aux imperfections des marchés, nous découvrons qu'en fait, la structure du capital affecte la valeur. Pour commencer, et afin de mieux comprendre ces différentes théories, nous étudierons, dans la sous-section suivante, le lien *conceptuel* entre la structure du capital et la valeur de l'entreprise dans un monde parfait sans frictions.

7.1.1 La structure du capital et la valeur de l'entreprise

La relation entre la structure du capital et la valeur de l'entreprise a suscité l'intérêt des académiciens depuis plus d'un demi-siècle. La première formalisation de cette relation a été réalisée par Modigliani et Miller en 1958. Selon ces deux auteurs, et dans un monde parfait où il n'y a ni coûts de faillite, ni asymétrie d'information entre les investisseurs, ni fiscalité, la valeur de l'entreprise est indépendante de la structure du capital. En d'autres termes, l'entreprise pourrait s'endetter à 100 % s'il le fallait sans que cela n'affecte sa valeur. On peut simplifier cet argument, apparemment peu intuitif, de la manière suivante: la valeur de l'entreprise est souvent schématisée au moyen d'un diagramme circulaire (camembert), comme l'indique la figure 7.1.

| **FIGURE 7.1** | **L'indépendance de la structure du capital dans la valeur de l'entreprise** |

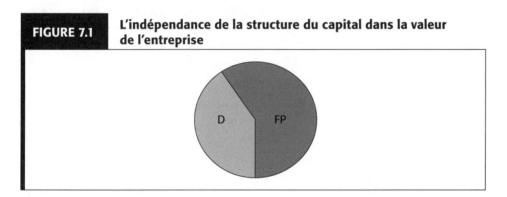

En supposant que ce diagramme représente la valeur de l'entreprise et qu'il se subdivise en dette et en fonds propres, on peut écrire l'équation suivante:

$$V = D + FP \tag{7.1}$$

où

D est la valeur marchande de la dette;

FP est la valeur marchande des fonds propres.

Il est clair que les proportions de dette et de fonds propres ne changent en rien la valeur de l'entreprise. En effet, que celle-ci soit endettée à 70 %, à 30 % ou encore à 50 %, sa valeur totale (grandeur du diagramme) ne change pas. Lorsque l'entreprise émet de nouvelles dettes, l'argent sert à rembourser des emprunts. C'est pour ces raisons que la valeur ne change pas.

La formalisation de la proposition 1 de Modigliani et Miller[4] se fait donc de la manière suivante: la valeur totale d'une entreprise endettée est égale à la valeur d'une entreprise non endettée en l'absence d'impôts:

---

4. Modigliani, F. et M. H. Miller (Juin 1958). «The Cost of Capital, Corporate Finance and the Theory of Investment», *American Economic Review*, p. 261-297.

$$V_E = \text{FP} + D = V_{NE} \qquad\qquad (7.2)$$

où

V_E est la valeur marchande totale de l'entreprise endettée;

FP est la valeur marchande des fonds propres de l'entreprise endettée;

D est la valeur marchande de la dette;

V_{NE} est la valeur marchande de l'entreprise non endettée.

Si l'on examine cette proposition, on note qu'il ne peut y avoir de structure optimale du capital particulière qui maximise la richesse des actionnaires. Toute structure du capital ou tout niveau d'endettement permet d'atteindre cet objectif.

Modigliani et Miller font aussi une proposition sur le taux de rendement exigé par les actionnaires (ou **coût des fonds propres**), ou coût du capital k de l'entreprise endettée ou non endettée. Cette proposition sur le **coût du capital**, appelée «proposition 2 de Modigliani et Miller», s'énonce comme suit:

$$k_E = k_{NE} + (k_{NE} - k_D)\frac{D}{\text{FP}_E} \qquad\qquad (7.3)$$

où

k_E est le taux de rendement exigé par les actionnaires (ou coût des fonds propres) de l'entreprise endettée;

k_{NE} est le taux de rendement exigé par les actionnaires (ou coût des fonds propres) de l'entreprise non endettée;

k_D est le coût de la dette avant impôts.

Selon cette proposition, le taux de rendement exigé sur les fonds propres, soit le coût des fonds propres d'une entreprise endettée (k_E), est égal au taux de rendement d'une entreprise non endettée k_{NE} auquel s'ajoute une prime de risque qui correspond au terme suivant:

$$(k_{NE} - k_D)\frac{D}{\text{FP}_E}$$

Selon la proposition 2 (équation 7.3), plus le niveau d'endettement est élevé, plus la différence entre k_E et k_{NE} s'accroît. En effet, le terme $(k_{NE} - k_D)D/\text{FP}_E$, qui correspond à la **prime de risque**, augmente aussi.

7.1.2 Les imperfections du marché

Comme nous l'avons mentionné plus haut, la non-pertinence de l'endettement pour la valeur de l'entreprise, telle que l'ont énoncée Modigliani et Miller, repose sur une hypothèse de marchés parfaits. Ces marchés sont caractérisés, entre autres, par l'inexistence de la fiscalité, par l'asymétrie de l'information entre les investisseurs et les gestionnaires et par l'inexistence de coûts de faillite. Les théories de la structure du capital qui ont été élaborées à partir du modèle de Modigliani et Miller renoncent une à une à ces hypothèses restrictives d'un marché parfait, résultant chaque fois en une nouvelle théorie explicative du lien entre endettement et valeur de l'entreprise. Dans ce qui suit, nous allons procéder à ce même exercice et évaluer ces hypothèses une à une afin de déterminer si la dette reste toujours non pertinente pour la valeur de l'entreprise.

Les avantages de la dette

Nous étudierons dans un premier temps la fiscalité d'entreprise, puis nous verrons la fiscalité personnelle.

La fiscalité d'entreprise Si l'on tient compte des impôts sur les sociétés, les propositions énoncées plus haut sont-elles encore valables? En d'autres termes, devrait-on s'attendre à l'existence d'un lien entre la structure du capital et la valeur de l'entreprise? Nous allons démontrer que de non pertinente en l'absence d'impôts, la dette devient avantageuse en leur présence. En fait, l'entreprise aurait tout avantage à s'endetter au maximum pour bénéficier d'économies d'impôts substantielles, ce qui aurait pour conséquence d'augmenter sa valeur. Cette idée se trouve formalisée dans la proposition 1 de Modigliani et Miller[5]. Si l'on tient compte des impôts corporatifs, la valeur d'une entreprise endettée est égale à la valeur d'une entreprise non endettée à laquelle s'ajoute l'avantage fiscal de la dette. Ce dernier est constitué par la déductibilité des intérêts versés sur la dette.

$$V_E = V_{NE} + T_C \times D \tag{7.4}$$

où

V_E est la valeur de l'entreprise endettée;

V_{NE} est la valeur de l'entreprise non endettée;

T_C est le taux d'imposition corporatif de l'entreprise;

D est la valeur marchande de la dette.

De plus:

$$V_{NE} = \text{BAII} \times \frac{(1 - T_C)}{k_{NE}}$$

où

BAII est le bénéfice avant charges financières et impôts.

Exemple 7.1

Prenons l'exemple d'une entreprise non endettée. Supposons que le taux d'imposition est de 20% et que le taux de rendement requis sur les fonds propres d'une entreprise non endettée est de 5%. On doit calculer la valeur de l'entreprise si elle contracte une dette de 10000$ (au taux de 2%). On suppose aussi que cette dette lui permettra de réaliser un bénéfice avant charges financières et impôts de 4000$.

Ainsi, d'après Modigliani et Miller, on a:

$$V_E = V_{NE} + T_C \times D$$

où

$$V_{NE} = \text{BAII} \times \frac{(1 - T_C)}{k_{NE}}$$

Donc:

$$V_E = \frac{4\,000\,(1 - 0{,}20)}{0{,}05} + 0{,}02 \times 10\,000 = 64\,200 \ \$$$

Ayant obtenu la valeur de l'entreprise une fois qu'elle s'est endettée, on peut en déduire la valeur de l'entreprise non endettée. Cette valeur correspond à la valeur des fonds propres, que l'on obtient comme suit:

$$\text{FP} = V_E - D = 64\,200\$ - 10\,000\$ = 54\,200\$$$

Modigliani et Miller offrent aussi une deuxième proposition au sujet du lien entre la structure de capital et le coût du capital. Cette proposition soutient que le coût des fonds propres d'une entreprise endettée est égal au coût des fonds propres d'une entreprise non endettée en plus d'une prime de risque. On calcule cette prime après impôts en établissant la différence entre k_{NE} et k_D, que l'on multiplie par un moins le taux d'imposition de l'entreprise. La résultante est aussi multipliée par le ratio du niveau d'endettement sur les fonds propres.

Ainsi, le coût des fonds propres de l'entreprise endettée s'écrit comme suit:

$$k_E = k_{NE} + D/\text{FP} \times (1 - T_C) \times (k_{NE} - k_D) \tag{7.5}$$

---

5. Modigliani, F. et M. H. Miller. (Juin 1963). «Corporate Income Taxes and the Cost of Capital», *American Economic Review,* p. 433-443.

Par la même occasion, il faut noter que le coût moyen pondéré du capital s'écrit de la manière suivante:

$$\text{CMPC} = [\text{FP}/(\text{FP} + D)] \times k_E + [D/(\text{FP} + D)] \times k_D \times (1 - T_C) \tag{7.6}$$

Ainsi, l'avantage de la dette est que celle-ci augmente la valeur de l'entreprise (selon la proposition 1 de Modigliani et Miller). Cependant, lorsque l'on tient compte de la fiscalité d'entreprise, on remarque que l'avantage de la dette est diminué du montant des impôts qui vont être prélevés sur le revenu de l'entreprise, ce qui constitue la proposition 2 de Modigliani et Miller.

La fiscalité personnelle En 1977, Miller reprend le modèle de Modigliani et Miller avec impôts d'entreprise et y ajoute l'effet de la fiscalité personnelle. Ainsi, il tient compte de l'incidence que pourrait avoir le taux d'imposition des investisseurs sur la relation entre la structure du capital et la valeur de l'entreprise.

Miller prend donc pour point de départ le modèle avec impôts d'entreprise de Modigliani et Miller, soit:

$$V_E = V_{NE} + T_C \times D$$

où

$T_C \times D$ est la valeur actuelle des économies d'impôts.

Miller exprime ensuite la relation entre la valeur de l'entreprise endettée et la valeur de l'entreprise non endettée de la manière suivante:

$$V_E = V_{NE} + \left[1 - \frac{(1 - T_C) \times (1 - T_S)}{(1 - T_p)} \right] \times D \tag{7.7}$$

où

T_p est le taux d'imposition personnel sur les revenus en intérêts;

T_S est le taux d'imposition personnel sur les dividendes et les gains en capital;

T_C est le taux d'imposition de l'entreprise.

On constate que la valeur d'une entreprise endettée est plus grande que la valeur d'une entreprise non endettée, en fonction du terme entre crochets (souvent appelé «B»), que multiplie le niveau de la dette. Ce terme représente le **gain lié à l'endettement**. On en déduit que la dette peut garder son aspect avantageux malgré l'existence des fiscalités d'entreprise et personnelle. En effet, le gain peut être positif, négatif ou nul selon le niveau de T_p, de T_C et de T_S. Par exemple, si T_S est nul et si l'entreprise et le particulier sont imposés au même taux (donc $T_C = T_p$), alors V_E est égale à V_{NE} puisque la valeur entre crochets est nulle, ou $B = 0$.

De même, si l'on a $T_p = T_S$, alors on obtient la relation de base de Modigliani et Miller, laquelle est $V_E = V_{NE} + T_C \times D$.

Exemple 7.2

D'un côté, supposons que l'entreprise Piaffe est imposée à un taux égal à 20 %. Les activités de cette entreprise engendrent un BAII de 10 000 $. D'un autre côté, les investisseurs sont imposés au taux de 30 % pour les dividendes et de 35 % pour les revenus d'intérêts. Sachant que le taux d'actualisation (k_{NE}) est de 10 %, on calcule la valeur de cette entreprise ainsi:

$$V_{\text{Piaffe}} = 10\,000\$ \times (1 - 0{,}20)/0{,}10$$

La valeur de l'entreprise Piaffe est donc de 80 000 $.

On peut récapituler la théorie de la structure du capital dans la figure 7.2. Cette illustration présente les avantages de l'endettement en l'absence de fiscalité, en présence d'impôts d'entreprise et en présence d'impôts personnels et d'entreprise (Miller, 1977)[6].

---

6. Miller, M. H. (Mai 1977). «Debt and Taxes», *Journal of Finance*, p. 261-275.

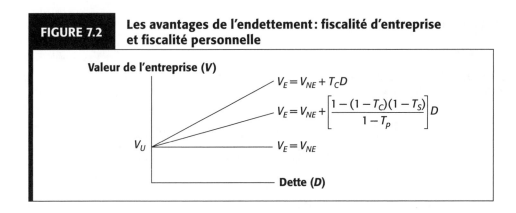

FIGURE 7.2 Les avantages de l'endettement : fiscalité d'entreprise et fiscalité personnelle

Jusqu'à présent, nous avons pris l'hypothèse qui tient compte de la fiscalité d'entreprise ou de la fiscalité personnelle et démontré que la dette est bénéfique, puisqu'elle augmente la valeur de l'entreprise. Dans ce qui suit, nous aborderons les **coûts de la faillite** et les **coûts de mandat** liés à l'endettement, ce qui nous amènera à nuancer les bienfaits de la dette. En d'autres termes, après avoir décrit les avantages de la dette, nous allons maintenant tenir compte de ses coûts.

Les coûts associés à l'endettement : les limites de la dette

Dans ce qui précède, nous avons mis l'accent sur les avantages dérivés de la dette (effet sur la valeur de l'entreprise en présence de fiscalité). Dans ce qui suit, nous étudierons la possibilité de faire faillite, les coûts de mandats entre actionnaires et gestionnaires et l'asymétrie informationnelle entre investisseurs et gestionnaires. Dans chaque cas, nous démontrerons que la dette n'est plus neutre au sens de Modigliani et Miller, mais qu'elle affecte bel et bien la valeur de l'entreprise. Dans le même ordre d'idées, nous verrons que, dans certains cas, mais pas dans d'autres, il y a une structure du capital optimale.

Les coûts de la faillite   Précédemment, nous avons vu que, dans le cadre d'un marché parfait, la valeur de l'entreprise est indépendante du niveau d'endettement (propositions 1 et 2 de Modigliani et Miller). Nous avons établi, d'une part, que l'entreprise pouvait bénéficier d'une réduction d'impôts grâce à la déductibilité des intérêts, ce qui augmenterait l'attrait de la dette, et d'autre part que cet avantage ne disparaîtrait pas si nous tenions aussi compte de l'imposition personnelle.

Si tel était le cas, on observerait des taux d'endettement très élevés dans la réalité. En effet, il n'y aurait aucune raison de limiter l'endettement s'il ne présentait que des avantages.

Voyons maintenant la raison pour laquelle ce n'est pas le cas. Jusqu'à présent, notre analyse a fait abstraction des problèmes liés aux difficultés financières. Cependant, on ne peut ignorer le fait qu'un endettement qui augmente engendre un risque financier plus élevé. Avec un risque financier de plus en plus élevé, l'entreprise pourrait éprouver des difficultés financières et, le cas échéant, faire faillite. C'est pour cette raison que les entreprises ne peuvent s'endetter à outrance. De ce fait, elles choisissent leur niveau d'endettement selon les bienfaits qu'elles retirent de la déductibilité des intérêts, mais aussi selon leur niveau de risque financier tolérable. Ainsi, si le risque financier est élevé, le fait que le bénéfice imposable diminue si l'on augmente le niveau d'endettement ne conduit pas nécessairement l'entreprise à contracter une dette additionnelle. Selon ce point de vue, il existe un niveau de **dette optimale** qui permet d'équilibrer les avantages issus de l'endettement et les coûts liés aux difficultés financières qui peuvent en résulter. Dans ce cas, l'endettement n'est plus neutre ; il affecte la valeur de la société. Les entreprises, selon cette théorie, font en sorte de converger vers cette **structure optimale du capital** où les avantages de la dette compensent ses coûts.

À partir du modèle de Modigliani et Miller, et si l'on tient compte à la fois de la fiscalité et des coûts liés aux difficultés financières, on peut obtenir la figure 7.3, à la page suivante.

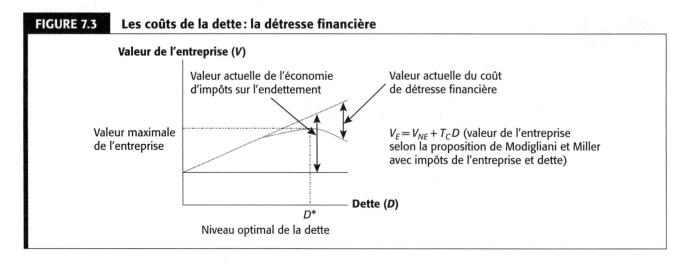

FIGURE 7.3   **Les coûts de la dette : la détresse financière**

Selon la figure 7.3, lorsque l'on tient compte de ces deux éléments (économie d'impôts et détresse financière), la valeur de l'entreprise s'accroît jusqu'à un niveau donné, puis commence à décroître (courbe en U inversé ou en cloche). La courbe est croissante à mesure que l'on s'endette, quand l'avantage fiscal l'emporte sur les coûts liés aux difficultés financières. En d'autres termes, dans cette portion de la courbe, le risque financier de l'entreprise n'est pas très élevé. Toutefois, si l'entreprise continue de s'endetter, le risque financier augmente aussi et elle risque d'éprouver des difficultés financières. La dette devient moins avantageuse et, par conséquent, influe négativement sur la valeur.

Les coûts de mandat   Les coûts de mandat (aussi appelés «coûts d'agence») résultent des relations conflictuelles pouvant exister entre les principaux agents au sein de l'entreprise, par exemple les actionnaires et les gestionnaires, ou entre les créanciers et les actionnaires. En effet, la politique d'endettement de l'entreprise peut provoquer des conflits d'intérêts particuliers entre ces différentes parties, notamment en cas de difficultés financières.

Ces problèmes découlent du fait que, dans une entreprise à endettement élevé, les actionnaires pourraient prendre des décisions qui sont au détriment des créanciers. De telles actions sont appelées «problèmes de substitution d'actifs». Par exemple, les actionnaires peuvent investir dans des projets hautement risqués en utilisant l'argent que les créanciers auraient initialement prêté pour investir dans des projets à risque modéré ou faible. Les actionnaires ont intérêt à substituer des projets hautement risqués à des projets moyennement ou faiblement risqués afin de maximiser leur richesse, puisque leur rendement anticipé est d'autant plus élevé que le risque est élevé. Il s'ensuit donc une expropriation des créanciers, surtout lorsque l'entreprise est fortement endettée. Dans ce cas particulier, les actionnaires sont les seuls bénéficiaires, et ce, au détriment des obligataires. Par ailleurs, les actionnaires peuvent se faire verser des dividendes importants, ce qui exclut les obligataires qui, on le sait, sont prioritaires par rapport aux actionnaires dans le cas d'une faillite.

Un autre coût de mandat qui découle du comportement des actionnaires peut être le problème de sous-investissement. En effet, les actionnaires pourraient laisser passer des opportunités de croissance positives, en l'occurrence des projets à VAN positive, s'ils pensent que les créanciers vont davantage bénéficier de ces investissements qu'eux-mêmes. Dans le but de limiter ce genre de comportements et d'éviter d'être exclus, les créanciers peuvent exiger des clauses protectrices qui limitent la marge décisionnelle des dirigeants et des actionnaires.

Un autre conflit de mandat peut survenir entre les dirigeants et les actionnaires. En effet, dans les entreprises matures ayant atteint un stade de développement avancé, les opportunités de croissance sont moins nombreuses. Ces entreprises produisent en général des flux monétaires libres (flux monétaires non distribués) très élevés, ce qui pourrait donner l'occasion aux dirigeants de les investir dans des projets qui les enrichissent personnellement, et ce, au détriment des actionnaires. À cette occasion, la dette constitue une solution aux problèmes de mandat, dans la mesure où l'endettement représente un usage optimal de ces flux monétaires libres, ceux-ci servant désormais à rembourser la dette. C'est le rôle disciplinaire de la dette.

La théorie des préférences ordonnées, ou théorie du signal La **théorie des préférences ordonnées** a été formulée par Myers et Majluf[7] dans le cadre d'un modèle de choix de structure du capital lorsqu'il y a une **asymétrie d'information** entre les dirigeants de l'entreprise et les investisseurs. Dans ce modèle, la dette devient un signal. Dans la mesure où les dirigeants connaissent mieux que les investisseurs la valeur intrinsèque de l'entreprise, ils vont choisir de financer les investissements requis à l'aide des fonds internes ou encore de la dette et, en tout dernier recours, en émettant des actions. Les dirigeants ne choisiront l'émission d'actions que si celles-ci sont surévaluées sur le marché. Dans ce cas, ils s'attendent à ce que les investisseurs qui sont optimistes au sujet des perspectives futures de l'entreprise achètent les titres émis. Or, étant rationnels, les investisseurs réagissent de manière négative à l'annonce d'une émission d'actions, car ils savent pertinemment que l'entreprise n'a recours au marché boursier que si elle a épuisé les possibilités (ou ne peut plus se permettre) de s'endetter.

Dans la pratique, le choix d'une structure financière cible ou optimale ne semble pas obéir à une quelconque théorie. En fait, les entreprises choisissent leur niveau d'endettement selon les flux monétaires produits par l'exploitation, le niveau de risque établi par l'entreprise et la conjoncture économique. La plupart des dirigeants d'entreprise déterminent le ratio cible de structure du capital en prenant pour donnée de référence le ratio d'endettement moyen du secteur. Certaines compagnies spécialisées publient les ratios d'endettement par secteurs d'activité, permettant ainsi aux dirigeants des entreprises de les utiliser comme indices de référence.

Par exemple, Dun and Bradstreet est une source d'information exhaustive sur les entreprises et les secteurs d'activité de partout dans le monde. L'agence publie des données sur plus de 200 millions d'entreprises concernant leur niveau de risque, leurs activités sectorielles, leurs ratios de rentabilité, d'efficience et d'endettement, lesquels sont notamment nécessaires à l'évaluation du risque de crédit d'une entreprise donnée. Dun and Bradstreet calcule aussi des pointages de détresse financière et des pointages sur la qualité de crédit des entreprises. Les sources d'information par excellence sur les entreprises canadiennes sont Financial Post Corporate Analyzer et Value Line. Le Financial Post Corporate Analyzer rapporte, par exemple, des statistiques sur le prix de l'action ainsi que sur les ratios financiers des entreprises pour l'année courante. Cependant, cette information est accompagnée d'états financiers historiques couvrant les neuf années les plus récentes, ainsi que de la série de ratios suivants durant la décennie la plus récente. À titre d'exemple, on y trouve les ratios de rentabilité et d'efficience, les taux de croissance des bénéfices par action, des ventes ou flux monétaires des opérations, les ratios de liquidité ainsi que plusieurs indicateurs de risque. Value Line est aussi une excellente source d'information sur les entreprises canadiennes. La particularité de cette source de données est qu'elle fournit des informations sur la situation macroéconomique et sur celle du secteur dans lequel évolue l'entreprise. De plus, toutes les annonces faites par l'entreprise durant une année donnée sont rapportées par Sedar[8], ce qui permet de suivre les événements que l'entreprise a vécus.

La structure du capital dans la littérature empirique Plusieurs études empiriques ont examiné les déterminants de la structure optimale du capital des entreprises et déterminé plusieurs facteurs en relation directe avec le niveau d'endettement choisi. On trouve, par exemple, que des variables liées à la fiscalité, telles qu'elles ont été décrites dans le modèle de Modigliani et Miller, et des variables liées à la taille de l'entreprise et à son secteur d'activité jouent un rôle déterminant. D'autres déterminants possibles de la structure du capital sont le niveau de risque de l'entreprise et la conjoncture économique.

---

7. Myers, S. C. et N. S. Majluf. (1984). «Corporate financing and investment decisions when firms have information that investors do not have», *Journal of Financial Economics*, vol.13, n° 2, p. 187-221.

8. Sedar. *Site de Sedar*, [En ligne], http://sedar.com/homepage_fr.htm (Page consultée le 26 mars 2013).

Ainsi, la structure de coûts de l'entreprise est un déterminant important de la structure du capital, dans la mesure où la variabilité élevée du chiffre d'affaires (risque d'exploitation élevé) devrait être associée à un risque financier faible ou être compensée par celui-ci. Dans ce cas, les entreprises n'ont pas intérêt à trop s'endetter pour ne pas augmenter leurs frais fixes en raison des intérêts à payer, ce qui les mettrait en difficulté financière.

De même, il semble que les perspectives de croissance jouent un rôle dans la détermination de la structure du capital, puisque les jeunes entreprises, ayant surtout des actifs intangibles, ont plutôt tendance à obtenir du financement à l'aide de fonds propres, alors que les entreprises matures, dont les actifs sont pour la plupart tangibles et qui produisent des flux monétaires élevés, ont tendance à s'endetter.

7.2 La politique de dividendes

L'une des plus importantes décisions financières prises par une entreprise, et qui peut l'engager durant une longue période, consiste à déterminer sa politique de dividendes. En effet, l'entreprise doit établir la part des bénéfices de fin d'année à distribuer aux actionnaires et, par là même, la partie résiduelle de ces bénéfices qu'elle gardera en vue d'un réinvestissement.

7.2.1 Une introduction

On peut se demander s'il existe une **politique optimale de dividendes**, c'est-à-dire une proportion particulière des bénéfices à verser aux actionnaires qui leur permettrait de maximiser leur richesse, ou bien si la politique de dividendes est neutre par rapport à la valeur, auquel cas l'entreprise n'aurait pas à se préoccuper d'établir des proportions optimales de redistribution. Ainsi, qu'est-ce qui explique que des entreprises telles que Walmart, Dell ou encore Texas Instruments Inc. paient peu de dividendes malgré leur succès et leur rentabilité, alors que d'autres, aussi performantes que Verizon et General Motors, paient des dividendes relativement plus élevés?

Afin de répondre à ces questions, il convient de rappeler certaines définitions importantes:

- le dividende est la fraction du bénéfice net qu'une entreprise distribue à ses actionnaires en proportion des actions qu'ils détiennent;

- le bénéfice net est l'excédent du total des produits et des gains d'un exercice donné sur le total des charges et des pertes de cet exercice;

- les flux monétaires, obtenus en prenant la différence entre décaissements et encaissements, peuvent être estimés comme les revenus provenant de l'exploitation et correspondant au bénéfice net redressé en fonction de l'amortissement.

FIGURE 7.4 **Les dividendes**

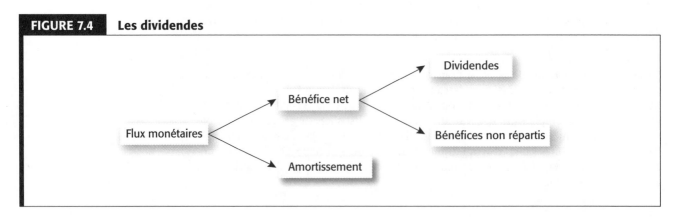

La figure 7.4 illustre les notions importantes qui suivent:

- Les flux monétaires ne sont pas pris en compte directement dans le calcul du rendement attribué aux actionnaires, car l'amortissement permet à l'entreprise de poursuivre son exploitation et, par conséquent, de produire d'autres bénéfices, flux monétaires et dividendes.

- Les bénéfices nets donnent lieu à une distribution aux actionnaires et à un réinvestissement interne sous forme de bénéfices non répartis. Si ces bénéfices non répartis sont bien investis, c'est-à-dire à un taux de rendement supérieur au coût du capital, le prix de l'action devrait s'apprécier. Comme nous l'avons déjà vu, le rendement des actionnaires est constitué de deux éléments: le rendement en dividendes et le rendement lié à la croissance (ou gain en capital).

$$R = \frac{D_{t+1}}{P_t} + \frac{P_{t+1} - P_t}{P_t}$$

où

R est le taux de rendement sur l'action;

$\frac{D_{t+1}}{P_t}$ représente le rendement en dividendes;

$\frac{P_{t+1} - P_t}{P_t}$ représente le rendement en capital;

D est le dividende;

P est le prix de l'action;

t est l'indice de temps.

En conséquence, il ne faut pas perdre de vue que l'alternative au rendement en dividendes est le gain ou la perte en capital.

Pour une entreprise, fixer sa politique de dividendes revient à déterminer la fraction des bénéfices à répartir. Cette variable est communément appelée «**ratio de distribution des dividendes**». La question que l'on se pose est alors la suivante: cette variable influe-t-elle sur la richesse des actionnaires?

7.2.2 Les conséquences de la politique de dividendes

Tout comme pour la structure du capital, les modèles proposés afin de déterminer si le dividende a une influence sur la richesse des actionnaires ont été formulés dans l'hypothèse de marchés de capitaux parfaits.

Les dividendes et la valeur des actions

Ces marchés se caractérisent, tel que décrit plus haut, par une information accessible à tous, par l'absence de frais de transaction et d'impôts ainsi que par des investisseurs rationnels dont l'objectif ultime est de maximiser leurs revenus. Nous analysons ci-dessous deux de ces modèles: le **modèle de Gordon** et le modèle de Modigliani et Miller. Alors que le premier conclut à l'importance de la politique de dividendes, le second maintient que celle-ci est neutre pour l'entreprise.

Le modèle de Gordon: un plaidoyer pour le dividende Selon Gordon, l'incertitude et l'aversion au risque de l'investisseur sont les principaux paramètres qui déterminent le prix d'une action. Dans ce contexte, l'investisseur aimerait davantage recevoir dès aujourd'hui des versements réguliers de dividendes plutôt que la promesse de gains en capital incertains liés aux bénéfices futurs.

Pour illustrer ce modèle, prenons le cas d'une entreprise qui distribue 100 % de ses bénéfices sous forme de dividendes et qui n'a pas recours au financement externe.

Cette entreprise ne fait aucun autre investissement que ceux qu'elle possède déjà et ne réalise ainsi aucune croissance. Par conséquent, ses bénéfices sont constants ($BN_0 = BN_1 = BN_2 = ...$) d'une année à l'autre. Dans ce cas, le prix de ses actions est de:

$$P_0 = \frac{BN_0}{(1+R_0)} + \frac{BN_0}{(1+R_0)^2}... \qquad (7.8)$$

où

R_0 est le taux de rendement exigé par les actionnaires;

BN_0 est le bénéfice de l'année 0.

Supposons maintenant que cette entreprise décide de ne pas verser de dividendes la première année et de réinvestir tout son bénéfice au taux de rendement R_0. Par la suite, elle commence à distribuer tous ses bénéfices aux actionnaires. Le prix de ses actions est alors de:

$$P_0 = \frac{0}{(1+R_0)} + \frac{BN_0 + R_0 BN_0}{(1+R_0)^2} + \frac{BN_0 + R_0 BN_0}{(1+R_0)^3}...$$

où

$R_0 BN_0$ est l'augmentation du bénéfice provenant de l'investissement supplémentaire effectué à l'année 0.

Ainsi, l'investisseur ayant renoncé à un dividende égal à BN_0 à la fin de la première année recevra par la suite un dividende additionnel de $R_0 BN_0$ à perpétuité (pour toujours). Ce revenu additionnel et perpétuel, une fois actualisé au taux de R_0, vaut BN_0, soit le dividende sacrifié au départ. Le prix de l'action est donc le même, quelle que soit la stratégie adoptée par l'entreprise. En se basant sur ce qui précède, on serait tenté de conclure que le dividende n'a pas d'effet sur la richesse des actionnaires.

Cependant, selon Gordon, en raison de l'incertitude sans cesse croissante concernant les dividendes futurs, les investisseurs appliquent un taux d'actualisation croissant dans le temps. Le prix de l'action devient donc:

$$P_0' = \frac{0}{(1+R_1)} + \frac{BN_0 + R_0 BN_0}{(1+R_2)^2} + \frac{BN_0 + R_0 BN_0}{(1+R_3)^3}... \qquad (7.9)$$

où

$R_1 < R_2 < R_3 ...$

Ainsi, le dividende supplémentaire perpétuel de $R_0 BN_0$ actualisé à un taux croissant sera inférieur au dividende sacrifié de BN_0 et, par conséquent, P_0' sera inférieur à P_0. La politique de dividendes influe donc, selon Gordon, sur le prix de l'action, ce prix étant d'autant plus élevé que l'entreprise verse dans l'immédiat des dividendes plus élevés.

Modigliani et Miller: la non-pertinence des dividendes Modigliani et Miller critiquent le modèle de Gordon en avançant que la question n'est pas d'échanger des dividendes sûrs dans l'immédiat contre des dividendes futurs incertains, mais plutôt d'échanger des dividendes sûrs dans l'immédiat contre un gain en capital sûr dans l'immédiat.

Selon ces auteurs, la politique de dividendes n'a aucun effet sur la valeur des actions. Ce sont plutôt les flux monétaires futurs provenant des investissements réalisés par l'entreprise qui déterminent le prix de l'action. Une fois la politique d'investissement fixée, la politique de dividendes est réduite à une simple décision de financement.

Pour illustrer le modèle de Modigliani et Miller, considérons le cas d'une entreprise qui n'acquiert du financement que par du capital-actions. Le prix de l'action est ainsi égal à:

$$P_t = \frac{1}{1+R_0}(D_{t+1} + P_{t+1})$$

où

P_t est le prix de l'action à la fin de l'année t;

D_{t+1} est le dividende par action à la fin de l'année $t + 1$;

R_0 est le taux de rendement exigé par les actionnaires.

Supposons que l'entreprise possède n actions en circulation. Le total de ses dividendes distribués est donc de $D_{t+1} = n \times d_{t+1}$. La valeur des actions à l'année $t + 1$ est de $V_{t+1} = n \times P_{t+1}$. L'équation précédente devient alors :

$$V_t = \frac{1}{1 + R_0}(D_{t+1} + V_{t+1})$$

Après le versement des dividendes à $t + 1$, si l'entreprise décide d'obtenir du financement supplémentaire auprès de nouveaux actionnaires en émettant m nouvelles actions au prix de P_{t+1}, le nouveau financement est de $m \times P_{t+1}$. La part des anciens actionnaires dans la valeur de l'entreprise à cette date est alors égale à $V_{t+1} - m \times P_{t+1}$.

L'équation précédente devient alors :

$$V_t = \frac{1}{1 + R_0}(D_{t+1} + V_{t+1} - mP_{t+1})$$

Or, par une simple égalité entre les emplois et les ressources de l'entreprise, le financement est égal au montant d'investissement (I_{t+1}) et de dividendes (D_{t+1}), qui ne sont pas couverts par les bénéfices de l'entreprise (BN_{t+1}) :

$$mP_{t+1} = I_{t+1} + D_{t+1} - BN_{t+1}$$

En insérant cette dernière expression dans l'équation précédente, on a :

$$V_t = \frac{1}{1 + R_0}(D_{t+1} + V_{t+1} - I_{t+1} - D_{t+1} + BN_{t+1})$$

ou encore

$$V_t = \frac{1}{1 + R_0}(V_{t+1} - I_{t+1} + BN_{t+1}) \tag{7.10}$$

Dans l'équation 7.10, les dividendes sont absents. Par un raisonnement récursif, on peut aussi montrer que V_{t+1} ne serait pas touchée par D_{t+2}, etc.

Modigliani et Miller concluent qu'une fois la politique d'investissement de l'entreprise déterminée, sa politique de dividendes n'influe pas sur la valeur de ses actions ni sur le rendement qu'obtiendraient ses actionnaires.

Pourquoi les entreprises distribuent-elles des dividendes ?

Plusieurs études empiriques montrent que les entreprises, en Amérique du Nord en général et au Canada en particulier, continuent de verser un dividende, ce dernier se caractérisant par sa grande stabilité (voir, par exemple, Adjaoud[9]). Le dividende par action varie beaucoup moins que le bénéfice par action. Les dirigeants des entreprises n'augmentent le dividende par action que lorsqu'ils ont la certitude d'en maintenir le versement à l'avenir. Par ailleurs, ces études montrent qu'en général, le prix des actions sur les marchés boursiers réagit soit positivement à une hausse du dividende, soit très négativement à une baisse du dividende.

Si, tel que le préconisent Modigliani et Miller dans leur modèle, le dividende n'intervient pas dans le calcul du prix de l'action, qu'est-ce qui explique cette réaction des marchés boursiers et, par conséquent, le comportement des gestionnaires d'entreprise en faveur de la politique de dividendes ?

Modigliani et Miller, comme de nombreux observateurs des marchés financiers, reconnaissent que les prix des actions subissent l'influence de la valeur informative des dividendes. En effet, dans un monde caractérisé par l'asymétrie de l'information

9. Adjaoud, S. F. (1984). « The information content of dividends : A Canadian Test », *Canadian Journal of Administrative Sciences,* vol. 16, p. 338-351.

entre les dirigeants de l'entreprise, d'une part, et ses actionnaires, de l'autre, une annonce de dividendes constitue un message pour les investisseurs, qui interprètent une hausse (une baisse) comme un signal que les gestionnaires prévoient de plus grands (de plus faibles) bénéfices à l'avenir. Les actionnaires réagissent alors positivement à ce message, et le prix des actions est révisé à la hausse (à la baisse). Cette théorie est connue sous le nom de **théorie du signal**.

Une autre théorie susceptible d'expliquer la raison pour laquelle les entreprises distribuent des dividendes est celle des coûts de mandat. Ces coûts résultent du conflit d'intérêts entre les dirigeants et les actionnaires de l'entreprise. En effet, après avoir financé leur budget d'investissement optimal en entreprenant tous les projets rentables possibles, les gestionnaires pourraient utiliser les flux monétaires résiduels à des fins improductives (par exemple, les gaspiller dans des projets non rentables). Une autre possibilité serait de les distribuer aux investisseurs sous forme de dividendes. En recourant à cette dernière éventualité, les dirigeants signaleraient au marché qu'ils gèrent bien les ressources de l'entreprise, ce qui entraînerait une réaction positive des cours boursiers des titres visés. Évidemment, une telle réaction du marché n'aurait pas de lien avec la rentabilité future de l'entreprise, mais signifierait plutôt que les gestionnaires utilisent les flux monétaires libres dans le meilleur intérêt des investisseurs.

Les déterminants de la politique de dividendes

Il convient de tenir compte de plusieurs facteurs lorsque l'entreprise décide de fixer sa politique de dividendes. Nous analysons dans ce qui suit les principaux facteurs en jeu.

Les possibilités d'investissement de l'entreprise   Pour réaliser tous les investissements rentables qui s'offrent à elle, l'entreprise doit les financer. À cette fin, elle doit allouer ses bénéfices à l'autofinancement avant de décider si elle va distribuer des dividendes et, si oui, de déterminer la mesure dans laquelle elle le fera. Dès lors que l'entreprise est généralement capable d'obtenir un rendement sur son investissement supérieur à celui que l'actionnaire pourrait obtenir sur d'autres placements de risque comparable, l'actionnaire sera favorable à une politique de réinvestissement des bénéfices. L'entreprise adoptera ainsi une politique de dividendes dite «résiduelle», c'est-à-dire qu'elle ne versera que le *résidu* de ses bénéfices une fois qu'elle aura financé ses projets rentables.

Le contrôle de l'entreprise   L'entreprise veut-elle restreindre la vente d'actions aux actionnaires actuels ou l'étendre aux actionnaires potentiels? Si l'entreprise est contrôlée par un petit nombre d'actionnaires, ce qui est le cas de nombreuses entreprises canadiennes, elle recourra davantage à l'autofinancement, c'est-à-dire qu'elle obtiendra son financement à partir de son propre bénéfice, ce qui limitera son taux de distribution de dividendes.

Les effets des impôts   Un certain taux d'imposition s'applique au revenu en dividendes et à celui sur les gains en capital. Les dividendes et les gains en capital ne sont donc pas imposés de la même façon. Pour ce qui est du gain en capital, le taux marginal ne s'applique que sur 50 % du gain et n'est payable qu'une fois celui-ci réalisé. Les actionnaires fortement imposés préfèrent recevoir moins de dividendes et laisser les bénéfices accroître la valeur de leurs actions. Il faut noter que, lorsque l'entreprise appartient à plusieurs actionnaires, il est difficile de tenir compte de ce facteur. Une politique de dividendes donnée attirera ainsi une catégorie fiscale particulière d'actionnaires. C'est la notion d'effet de clientèle fiscale. Ainsi, si l'entreprise décide de distribuer un dividende généreux, elle attirera des actionnaires peu imposés qui comptent sur les dividendes comme source de revenus. Les actionnaires appartenant à une classe d'imposition plus élevée investiront plutôt dans les titres des entreprises qui versent peu ou pas de dividendes.

La nature du dividende   Comment le dividende est-il payé? Le plus souvent, il l'est en argent, mais il peut aussi l'être en actions. Dans ce dernier cas, les actions sont distribuées au prorata du nombre d'actions déjà détenu par les actionnaires, ce qui ne modifie pas la participation *relative* de chacun d'entre eux.

Le besoin des investisseurs Dans quelle mesure les actionnaires comptent-ils sur les dividendes versés afin de combler tous leurs besoins en liquidités? Pour ceux qui vivent en partie ou en totalité de leurs dividendes, la stabilité de ceux-ci est importante. Même si ces actionnaires pouvaient vendre une partie de leurs actions et encaisser le gain en capital si leurs revenus en dividendes baissaient, ils pourraient refuser de le faire pour diverses raisons:

- les actionnaires peuvent ne pas vouloir influer sur leur capital investi et, par conséquent, sur leur contrôle de l'entreprise;
- la vente d'actions entraîne des frais de transaction non négligeables;
- la valeur des actions peut fortement chuter à la suite d'une vente importante, ce qui entraîne une perte en capital.

Les dividendes et le rachat d'actions

Une solution au paiement «traditionnel» de dividendes est le rachat d'actions. Les programmes de rachat d'actions consistent à racheter les actions en circulation de l'entreprise. Plusieurs études récentes montrent que, depuis une vingtaine d'années, les programmes de rachat d'actions sont de plus en plus populaires partout dans le monde. Que les actions soient américaines, canadiennes ou européennes, on observe la popularité croissante de ces programmes, et ce, parfois au détriment d'une politique de dividendes traditionnelle.

En permettant aux dirigeants de distribuer les flux financiers générés par l'entreprise sous une autre forme, les programmes de rachat d'actions se sont rapidement positionnés comme une politique financière dominante, amenant plusieurs chercheurs à se demander s'ils allaient complètement se substituer aux dividendes traditionnels. Une entreprise telle que Microsoft, par exemple, a annoncé en 2004 que tous les actionnaires recevraient un paiement comptant de 3 $ l'action (pour un total de 32 millions de dollars). En même temps, cependant, l'entreprise a annoncé un programme de rachat d'actions s'étendant jusqu'à 2008 qui était évalué approximativement à 32 millions de dollars. Que cherchait donc à réaliser Microsoft en mettant en place ce programme de rachat?

En théorie, les rachats d'actions ont plusieurs avantages: tout comme la politique de dividendes, ils réduisent les flux monétaires à la disposition des dirigeants (et par le fait même les problèmes d'agence entre actionnaires et gestionnaires). Par ailleurs, ils permettent une concentration plus élevée sur le plan de la structure de propriété de l'entreprise, ce qui, en retour, augmente les incitatifs des actionnaires à exercer une surveillance plus stricte des actions des dirigeants. Plus important encore, ces programmes permettent une appréciation du cours de l'action, ce qui peut constituer une politique de choix lorsque le cours de l'action est sous-évalué sur le marché. Plusieurs études montrent ainsi que l'annonce d'un programme de rachat est accueillie favorablement par le marché.

Les programmes d'achat sont aussi devenus populaires pour certains, car ils agissent comme un mécanisme de défense contre les prises de contrôle hostiles. Il devient plus difficile à l'acquéreur potentiel d'absorber l'entreprise si sa structure de propriété (et les droits de vote) est plus concentrée et s'il n'y a plus d'actions en circulation à acquérir.

Les programmes de rachat ne sont pas seulement bénéfiques à l'entreprise. En effet, ils offrent aux actionnaires plus de flexibilité, surtout dans un régime fiscal où les dividendes sont plus taxés que les gains en capital.

Malgré toutes ces observations et les avantages des programmes de rachat, la politique de dividendes traditionnelle perdure, ce qui dément l'affirmation que ces deux politiques financières de redistribution peuvent se substituer l'une à l'autre.

Sur le site de la Banque de Montréal (BMO), on peut lire les détails de la politique de dividendes de BMO comme suit: «De façon générale, nous augmentons les dividendes en fonction des tendances à long terme en matière de croissance du résultat par action, tout en conservant une part suffisante de revenu net pour soutenir la croissance prévue du volume d'affaires, financer les investissements stratégiques et fournir un soutien continu aux déposants. La politique de BMO est de maintenir un ratio de distribution de dividendes de 40% à 50%, avec le temps[10].»

CONCLUSION

Dans la première section, portant sur la structure du capital, nous avons passé en revue les différentes théories de la structure du capital. En partant du modèle de base de Modigliani et Miller, nous avons découvert que, dans un monde parfait, la structure du capital n'a pas d'effet sur la valeur de l'entreprise: c'est la proposition de non-pertinence. En présentant les imperfections du marché, d'abord la fiscalité d'entreprise puis la fiscalité personnelle, nous avons vu que le niveau d'endettement procurait des avantages à l'entreprise en augmentant sa valeur. Ainsi, la valeur de l'entreprise se trouve maximisée si l'endettement est lui-même maximal. Cependant, l'endettement est coûteux dans la mesure où un niveau de dette plus élevé augmente la probabilité de défaut et de faillite de l'entreprise. En tenant compte des coûts de difficultés financières, nous avons alors réalisé que le choix d'une structure optimale devait nécessairement contrebalancer les coûts et les avantages de la dette. C'est seulement dans ce cadre que l'on arrive à déterminer le niveau d'endettement optimal pour maximiser la valeur de l'entreprise et minimiser son coût de capital.

Par ailleurs, nous avons vu que la dette pouvait aussi constituer un signal de la qualité de l'entreprise. Dans ce cas, plus d'endettement signale la qualité des flux monétaires anticipés de l'entreprise et, par conséquent, augmente sa valeur. De la même manière, une baisse d'endettement tendrait à signaler que l'entreprise est incapable de faire face aux paiements périodiques associés à la dette et constituerait donc un signal négatif de la performance future de l'entreprise, ce qui devrait se solder en une diminution de valeur. Finalement, la dette peut représenter une solution aux problèmes liés aux coûts de mandat et aux conflits d'intérêts entre actionnaires et gestionnaires, dans la mesure où l'endettement élimine les flux monétaires libres générés par l'entreprise et les oriente vers les échéances de paiement de la dette au lieu de les laisser à la disposition des gestionnaires, qui pourraient être tentés de les accaparer et de les employer à des fins non productives au détriment de la richesse des actionnaires.

Dans la seconde section, portant sur la politique de dividendes, nous avons vu qu'avant de décider de l'utilisation de ses bénéfices, l'entreprise doit étudier ses possibilités d'investissement. Elle ne devrait décider de son dividende qu'après avoir choisi ses investissements, c'est-à-dire après avoir adopté tous les projets dont le rendement est au moins égal au coût du capital. La politique de dividendes est donc une politique résiduelle et ne doit pas remettre en cause les opportunités de croissance de l'entreprise. Par conséquent, la politique de dividendes ne doit pas déterminer la politique d'investissement comme elle le fait de la politique de financement. En effet, plus le ratio de distribution des dividendes est élevé, moins l'autofinancement est une option appropriée et, par conséquent, plus il faut recourir au financement externe.

---

10. BMO Groupe financier. «Information destinée aux actionnaires, dividendes, politique et restrictions relatives aux dividendes», [En ligne], www.bmo.com/accueil/a-propos-de-bmo/services-bancaires/relations-avec-les-investisseurs/information-destinee-aux-actionnaires/dividendes#5 (Page consultée le 14 février 2013).

En outre, la politique de dividendes peut être un signal de la qualité de l'entreprise: un dividende à la hausse est généralement bien perçu par le marché, alors qu'un dividende à la baisse est mal perçu. En effet, le fait de diminuer ou d'éliminer les dividendes est interprété par les investisseurs comme une incapacité de l'entreprise à faire face à ses versements périodiques et signale donc sa situation précaire.

Nous avons finalement expliqué qu'une alternative à la distribution de dividendes est la politique de rachats d'actions, devenue de plus en plus populaire au cours des 20 dernières années. Bien que certains considèrent que ces deux politiques se substituent l'une à l'autre, nous avons montré que cela n'est pas le cas.

À RETENIR

1. Dans un monde parfait où il n'y a ni coûts de faillite, ni asymétrie d'information entre les investisseurs, ni fiscalité, la valeur de l'entreprise est indépendante de la structure du capital.

2. En tenant compte des impôts, la valeur d'une entreprise endettée est égale à la valeur d'une entreprise non endettée à laquelle s'ajoute l'avantage fiscal de la dette.

3. Le coût des fonds propres de l'entreprise endettée est égal au coût des fonds propres de l'entreprise non endettée, auquel s'ajoute une prime de risque. Celle-ci correspond à la différence entre k_{NE} et k_D, multipliée par le niveau d'endettement et le taux d'imposition de l'entreprise.

4. Il existe un niveau de dette optimale qui permet d'équilibrer les avantages issus de l'endettement et les coûts liés aux difficultés financières pouvant en résulter. Dans ce cas, l'endettement n'est plus neutre, mais exerce un effet sur la valeur. Les entreprises, selon cette théorie, vont faire en sorte de converger vers cette structure optimale du capital, où les avantages de la dette compensent ses coûts.

5. On définit les coûts ou les problèmes de mandat comme étant les relations conflictuelles qui peuvent exister, par exemple, entre les actionnaires et les gestionnaires ou entre les créanciers et les actionnaires.

6. La théorie des préférences ordonnées a été formalisée par Myers et Majluf en 1984 dans le cadre d'un modèle de choix de structure du capital où il y a une asymétrie d'information entre les dirigeants de l'entreprise et les investisseurs.

7. La structure des coûts de l'entreprise, en l'occurrence son risque d'exploitation, est un déterminant important de la structure du capital, dans la mesure où la variabilité élevée du chiffre d'affaires (risque d'exploitation élevé) devrait être associée à un risque financier faible ou être compensée par celui-ci. Dans ce cas, les entreprises n'ont pas intérêt à trop s'endetter pour ne pas augmenter leurs frais fixes en raison des intérêts à payer, ce qui les placerait en situation de difficultés financières.

8. Le rendement des actionnaires est constitué de deux éléments: le rendement en dividendes et le rendement lié à la croissance (ou gain en capital).

9. Pour une entreprise, fixer sa politique de dividendes revient à déterminer la fraction des bénéfices versée aux actionnaires. Cette variable est communément appelée «ratio de distribution des dividendes».

10. Selon Gordon, l'incertitude et l'aversion de l'investisseur à l'égard du risque sont les principaux paramètres qui déterminent le prix d'une action. Dans ce contexte, l'investisseur apprécierait davantage des versements réguliers de dividendes que des gains en capital hypothétiques liés aux bénéfices futurs.

11. Selon Modigliani et Miller, la politique de dividendes n'a aucun effet sur la valeur des actions. Ce sont plutôt les flux monétaires futurs provenant des investissements réalisés par l'entreprise qui déterminent le prix de ses actions.

12. Le prix des actions subit l'influence de la valeur informative liée aux dividendes.

13. La politique de dividendes d'une entreprise ne doit pas déterminer sa politique d'investissement. Par contre, elle déterminera sa politique de financement.

14. Une alternative à la politique de dividendes traditionnelle consiste à racheter les actions en circulation de l'entreprise.

TERMES-CLÉS

SOMMAIRE DES ÉQUATIONS

La structure du capital

Valeur de l'entreprise

$$V = D + FP \tag{7.1}$$

Valeur totale d'une entreprise endettée dans un monde sans impôts

$$V_E = FP + D = V_{NE} \tag{7.2}$$

Coût du capital d'une entreprise endettée

$$k_E = k_{NE} + \left(k_{NE} - k_D\right)\frac{D}{FP_E} \tag{7.3}$$

Valeur d'une entreprise endettée compte tenu des impôts

$$V_E = V_{NE} + T_C \times D \tag{7.4}$$

Coût des fonds propres d'une entreprise endettée

$$k_E = k_{NE} + D/FP \times (1 - T_C) \times (k_{NE} - k_D) \tag{7.5}$$

Coût moyen pondéré du capital

$$CMPC = [FP/(FP + D)] \times k_E + [D/(FP + D)] \times k_D \times (1 - T_C) \tag{7.6}$$

Relation entre la valeur de l'entreprise endettée et la valeur de l'entreprise non endettée

$$V_E = V_{NE} + \left[1 - \frac{(1-T_C)\times(1-T_S)}{(1-T_p)}\right] \times D \tag{7.7}$$

La politique de dividendes

Modèle de Gordon

$$P_0 = \frac{BN_0}{(1+R_0)} + \frac{BN_0}{(1+R_0)^2} \cdots \tag{7.8}$$

$$P_0' = \frac{0}{(1+R_1)} + \frac{BN_0 + R_0 BN_0}{(1+R_2)^2} + \frac{BN_0 + R_0 BN_0}{(1+R_3)^3} \cdots \tag{7.9}$$

Modèle de Modigliani et Miller

$$V_t = \frac{1}{1 + R_0}(V_{t+1} - I_{t+1} + BN_{t+1})$$

(7.10)

Exerçons nos connaissances

Supposons l'exemple de l'entreprise Selecta, dont l'action se négocie à 32 $. Le dividende est aujourd'hui de 3,5 $. Le taux de croissance de l'entreprise à perpétuité est de 5 %.

1. Selon le modèle de Gordon, quel est le taux de rendement du dividende (défini comme le dividende par dollar payé) ?

2. Quel est le rendement exigé sur les fonds propres de cette entreprise ?

3. Si le dividende était de 5 $ par action, toutes choses étant égales par ailleurs, pensez-vous que le taux de rendement exigé par les actionnaires augmenterait ?

4. Calculez le nouveau taux de rendement.

Démonstration

1. Le modèle de Gordon stipule que $P = (D_2(1 + g))/(k - g)$.

   Le taux de rendement du dividende est de $D1/p$, ou encore de $D_2(1 + g)/p = (3,5 \times (1 + 0,05))/32 = 0,1148$.

2. Le rendement exigé sur les fonds propres est de $k = (D_1/p) + g = 0,1148 + 0,05 = 0,1648$.

3. et 4. Si le dividende est de 5 $ par action, le taux de rendement augmentera et s'établira à $(5 \times (1 + 0,05))/32 + 0,05 = 0,2140$, donc 21,40 %.

Questions de révision

1. Pourquoi l'endettement est-il avantageux ?

2. Existe-t-il un ratio cible ou une structure optimale du capital ?

3. Comment les coûts de la faillite sont-ils conciliables avec la structure optimale du capital ?

4. Comment la dette peut-elle constituer une solution aux problèmes de mandat ?

5. Quel problème pose la substitution d'actifs ?

6. Quel est le lien entre le risque d'exploitation et le recours à l'endettement ?

7. Quelles critiques peut-on formuler au sujet du modèle de Gordon et de ses recommandations en matière de versement de dividendes ?

8. Quels sont, selon Modigliani et Miller, les facteurs qui déterminent la valeur d'une entreprise ?

9. Par quoi se caractérise la politique de dividendes des entreprises canadiennes ?

10. Pourquoi les dirigeants d'entreprise tiennent-ils à verser des dividendes sans avoir à diminuer ces dividendes dans le temps ?

11. Quels sont les facteurs dont les dirigeants d'entreprise doivent tenir compte lors de l'élaboration de leur politique de dividendes ?

12. Qu'entend-on par la notion d'effet de clientèle fiscale ?

13. Pour quelles raisons les programmes de rachat d'actions sont-ils devenus populaires ces 20 dernières années ? Quels sont leurs avantages par rapport à une politique de dividendes traditionnelle ?

Exercices

1. Une entreprise qui a toujours pratiqué une politique de dividendes de type résiduel veut choisir sa politique d'investissement pour l'année suivante. Quatre projets s'offrent à elle:

Projet	Investissement (en dollars)	TRI (en pourcentage)
A	200 000	12
B	100 000	9
C	300 000	15
D	400 000	13

Sachant que le bénéfice disponible est de 1 million de dollars et que le coût du capital de l'entreprise est de 10 %, déterminez le montant de dividendes à distribuer si les dirigeants ne veulent pas émettre de nouveaux titres financiers.

2. Une entreprise possède 200 000 actions en circulation et acquiert du financement uniquement par des fonds propres. Ses dirigeants sont en train d'évaluer deux politiques de distribution des dividendes. La première politique consiste à continuer la distribution, comme ce fut toujours le cas, de 2 $ de dividende annuel par action. Le rendement exigé par les actionnaires demeurera dans ce cas à son niveau habituel de 10 %. La seconde politique consiste à ne pas verser de dividendes les 2 prochaines années, ce qui lui permettra, dans 3 ans à partir d'aujourd'hui, de distribuer un dividende annuel perpétuel de 2,40 $ par action. Dans ce cas, les dirigeants pensent que le rendement exigé par les actionnaires augmentera à 15 %.

   a) À quel modèle de politique de dividendes les dirigeants adhèrent-ils?

   b) Dans ce cas, quel choix les dirigeants doivent-ils faire?

3. L'entreprise ABC a toujours adopté un ratio de distribution des dividendes de 100 %. C'est ainsi que ses 500 000 actions en circulation, qui se négocient actuellement à 50 $ l'action, ont permis l'obtention d'un dividende de 10 $ l'année dernière. Ce dividende n'a pas changé depuis les 10 dernières années.

   Pour l'année en cours, les dirigeants de l'entreprise prévoient réaliser le même bénéfice que celui des années antérieures. Ils envisagent cependant de ne pas distribuer de dividendes, mais plutôt d'investir la totalité de ce bénéfice dans un nouveau projet qui rapportera un bénéfice supplémentaire annuel et perpétuel de 12 % du montant investi. Par la suite, les dirigeants reviendraient à leur politique de dividendes habituelle, qui consiste à distribuer la totalité du bénéfice sous forme de dividendes.

   a) Quel est le taux de rendement exigé par les actionnaires de l'entreprise ABC?

   b) Si les actionnaires d'ABC sont bien informés au sujet de la politique d'investissement de leur entreprise et continuent à exiger le même taux de rendement sur leurs actions, quel sera l'effet du changement de la politique du dividende sur le prix de l'action de la société?

   c) Dans un contexte d'asymétrie d'information entre les dirigeants et les actionnaires de cette entreprise, quel serait l'effet du changement de la politique du dividende sur le prix de l'action de la société?

4. L'entreprise XYZ, qui obtient un financement de 20 % grâce aux dettes et de 80 % grâce aux fonds propres, a un coût du capital de 15 %. Ses dirigeants estiment que leur structure du capital actuelle est optimale et désirent la maintenir. Sachant que l'entreprise vient de réaliser un bénéfice net de 500 000 $, les dirigeants veulent décider de l'utilisation de ce bénéfice en fixant leur politique d'investissement ainsi que leur politique de dividendes.

Quatre projets d'investissement s'offrent à l'entreprise :

Projet	Investissement (en dollars)	TRI (en pourcentage)
A	100 000	17
B	70 000	12
C	150 000	16
D	175 000	19

Sachant que l'entreprise possède 100 000 actions en circulation, quel sera le montant du dividende par action ?

5. AXE est une entreprise sans dettes. Pour entreprendre une expansion, elle prévoit financer le projet par dette ou par une combinaison de dette et de fonds propres. Le projet a une probabilité de réussite de 50 %. Dans le tableau suivant, on rapporte les scénarios de financement, selon que le projet réussisse ou non. Supposons que le taux sans risque est de 10 % (le bêta de l'entreprise est de 0) :

(en millions de dollars)	Sans endettement	Sans endettement	Avec endettement	Avec endettement
	Succès	Échec	Succès	Échec
Fonds propres	300	100	100	0
Dette			200	80
Total	300	100	300	80

a) Quel est le coût de capital de cette entreprise ?

b) Calculez la valeur de la dette de l'entreprise endettée.

c) Sachant que la valeur des fonds propres est de 181,81, établissez la valeur V_L de l'entreprise.

6. En utilisant les données de l'exercice précédent, supposez que le taux sans risque est de 5 % (il est aussi égal au coût de capital de l'entreprise, K_{NE}, dont le bêta est supposé nul).

Si la probabilité de réussite du projet est de 60 % :

a) Établissez la valeur des fonds propres de l'entreprise non endettée.

b) Établissez la valeur des fonds propres de l'entreprise endettée.

c) Établissez la valeur de la dette de l'entreprise.

d) Calculez ensuite la valeur totale de l'entreprise endettée et celle de l'entreprise non endettée. Que pouvez-vous en conclure ?

7. Supposons qu'une entreprise évolue dans un cadre de marchés parfaits, c'est-à-dire dans un marché sans taxe.

Le taux de rendement exigé sur sa dette est de 6 % et celui sur les fonds propres est de 14 %. Quel est le ratio dette/fonds propres de cette entreprise, sachant que le coût moyen pondéré du capital est de 10 % ?

8. Exile inc. est une entreprise endettée dont le coût de la dette est de 9 %. Son taux marginal d'imposition est nul. Le taux de rendement sur les fonds propres d'Exile inc. est de 15 %.

Si le ratio dettes/actifs est de 0,45, calculez le coût moyen pondéré du capital.

9. Sigmund est une entreprise dont les actifs sont évalués à 100 millions de dollars. L'entreprise a 10 millions d'actions en circulation et une dette évaluée à 40 millions de dollars.

a) Calculez le prix de l'action de Sigmund.

b) Combien d'actions l'entreprise devra-t-elle émettre pour payer sa dette ?

c) Quel serait l'impact de ce remboursement sur le prix de l'action? Que pouvez-vous en conclure?

10. Une entreprise va payer un dividende de trois dollars par action. L'entreprise s'attend à générer un flux monétaire constant de 50 millions tous les ans à perpétuité et espère verser un dividende de 4 dollars par action tous les ans à perpétuité. L'entreprise n'a pas de dettes.

Calculez le prix de l'action le jour où l'entreprise verse son dividende si le coût de capital est de 10 %.

Problèmes

1. Zéphir est une entreprise entièrement financée par des fonds propres. Elle considère émettre 10 millions de dollars de dette au taux d'intérêt de 8 %. Zéphir entend utiliser cette dette pour racheter 40 000 actions en circulation (sur un total de 100 000). En supposant qu'il n'y a pas de taxe, calculez la valeur de l'entreprise.

2. XZ est une entreprise dont la structure du capital est de 0,75 (D/FP). L'entreprise a un rendement sur les actifs de 15 % et un coût de la dette de 8 %.

   S'il n'y pas de taxe, quel sera le taux de rendement exigé sur les fonds propres de XZ?

3. Entreprise SIC a un coût de la dette avant taxes de 7 % et un coût des fonds propres de 15 %. En supposant que le taux d'imposition est de 35 % et que le coût de capital est de 14 %, calculez le ratio D/FP de cette entreprise.

4. Aztek est une entreprise dont les fonds propres valent 6 000 $. L'entreprise a des actifs évalués à 5 400 $ (leur valeur marchande est égale à leur valeur comptable) et des liquidités évaluées à 600 $. Le bénéfice net de cette entreprise est de 1 000 $. En supposant qu'Aztek a 600 actions en circulation et qu'elle entend utiliser ses liquidités pour racheter des actions :

   a) Quel est le prix de l'action?

   b) Quel est le nombre d'actions rachetées?

   c) Quel sera le bénéfice par action après le rachat?

Chapitre 8

L'analyse financière à l'aide des ratios

8.1   Les utilisateurs des états financiers

8.2   Les différents documents comptables

8.3   L'analyse financière

8.4   Les ratios de l'analyse financière

8.5   L'impact des Normes internationales d'information financière sur l'analyse financière

MISE EN CONTEXTE

Investisseurs, gestionnaires ou salariés, tous ont besoin d'**information** pour prendre des décisions éclairées. Certes, les sources d'information sont souvent nombreuses et difficiles à examiner en profondeur, mais l'une d'elles, facilement accessible, est utilisée par les entreprises pour transmettre des renseignements sur leurs opérations et activités. Il s'agit des états financiers.

La comptabilité décrit la situation financière de l'entreprise ; on peut y déceler ses forces et ses faiblesses. Les états financiers aident les utilisateurs dans leur prise de décision en leur fournissant de l'information sur différents aspects de l'entreprise, notamment ce qu'elle possède et doit à une date donnée, de même que sur sa performance durant une période définie, appelée «exercice comptable».

La comptabilité peut être définie différemment selon que l'on adopte le point de vue des rédacteurs des états financiers ou celui des utilisateurs. Les premiers s'assurent que les états financiers reflètent de façon fiable les données qui s'y trouvent. Par exemple, ils doivent veiller à ce que ces états traduisent correctement la situation financière et que les données y soient enregistrées selon les principes comptables généralement reconnus (PCGR). Les utilisateurs, quant à eux, désirent que les états financiers contiennent de l'information utile pour les aider à prendre la «bonne» **décision**. Durant les dernières années, la comptabilité a beaucoup été critiquée. En effet, on lui reprochait de ne pas refléter fidèlement et correctement la situation de l'entreprise. De plus, certains la tiennent responsable des désastres financiers des marchés nord-américains et mondiaux, donc des pertes faramineuses des investisseurs. Les différents gouvernements ont ainsi adopté des lois très sévères pour punir les gestionnaires qui manipulent les données comptables, et ce, afin de redonner aux états financiers la crédibilité qu'ils méritent.

Dans le présent chapitre, nous découvrirons les outils (appelés «ratios») utilisables pour étudier les états financiers. Nous les décrirons brièvement tout en détaillant les façons de les calculer et de les interpréter adéquatement. Nous verrons également l'impact des nouvelles normes de présentation des données financières, que l'on appelle communément International Financial Reporting Standards (IFRS) ou Normes internationales d'information financière (en français), sur le calcul des ratios et l'analyse financière en général. Pour bien illustrer nos propos, nous utiliserons les états financiers de l'entreprise Richelieu. Les principales données sur cette entreprise se trouvent dans la rubrique Portrait d'entreprise, à la page 221. Nous verrons que les outils envisagés sont faciles à utiliser. Toutefois, tout utilisateur des états financiers doit être conscient des précautions à prendre pour rationaliser sa prise de décision.

8.1 Les utilisateurs des états financiers

La comptabilité est une source d'information, par exemple, pour les investisseurs actuels ou potentiels, les créanciers, les institutions financières, les gouvernements provinciaux et fédéral, les gestionnaires, les syndicats, les clients, etc. Ces **utilisateurs** forment deux groupes : les utilisateurs externes et les utilisateurs internes. Les besoins sont différents d'un groupe à l'autre. Ainsi, les investisseurs cherchent dans les états financiers les données susceptibles de les aider à cerner le risque et le rendement de leur investissement dans l'entreprise. Ils ont ainsi besoin de connaître la performance de celle-ci, notamment le montant de son bénéfice par action, sa stabilité ou sa fluctuation, son niveau d'endettement et les bénéfices accumulés. Les syndicats peuvent, par exemple, utiliser les états financiers pour leur stratégie de négociation avec l'employeur, tandis que les institutions financières peuvent y trouver une réponse concernant la solvabilité de l'entreprise et le risque encouru.

Les gestionnaires ont également besoin de ces renseignements pour élaborer leurs stratégies à court ou à long terme, mieux déterminer les secteurs ou les clients les plus rentables, décider de fermer des secteurs d'activité non rentables ou, au contraire, ouvrir de nouveaux marchés. Un gestionnaire ne peut pas gérer son entreprise sans l'information adéquate pour guider ses décisions.

La comptabilité présente, entre autres, un ensemble de documents importants, les états financiers, que nous allons décrire brièvement.

8.2 Les différents documents comptables

Les états financiers se composent du bilan, de l'état des résultats et de l'état des flux de trésorerie. Chacun a des objectifs précis et répond aux différents besoins en information des utilisateurs.

8.2.1 Le bilan

Le **bilan** (nous verrons plus loin dans le présent chapitre la terminologie propre aux IFRS) est un document qui présente la situation patrimoniale de l'entreprise à une date donnée, généralement le 31 décembre. Il contient, d'un côté, ce que possède l'entreprise (actif) et, de l'autre, ce qu'elle doit (dettes ou passif) de même que ce que les propriétaires ont investi dans l'entreprise (capitaux propres). Les comptables résument ces notions à l'aide de l'équation comptable suivante :

Actif = passif + capitaux propres

Les actifs peuvent être à court ou à long terme. Dans la première catégorie, on trouve l'encaisse, les clients et les stocks de marchandises. Dans la catégorie des actifs à long terme, on trouve les immobilisations corporelles (matériel, équipement et terrains) ou incorporelles (brevets et fonds commercial).

Les dettes de l'entreprise peuvent être à court terme ou à long terme. Dans la première catégorie, on trouve les fournisseurs (ou comptes à payer), les impôts à payer ainsi que les emprunts bancaires, tandis que la seconde catégorie comprend les obligations non garanties, les obligations et tout emprunt bancaire dont l'échéance est à plus d'un an.

Les capitaux propres comprennent la mise de fonds initiale des propriétaires sous forme de capital-actions ou de parts sociales ainsi que les bénéfices non répartis sous forme de dividendes.

Les actifs représentent les emplois des ressources de l'entreprise, c'est-à-dire les investissements. Ce sont eux qui influencent la rentabilité future de l'entreprise et, par conséquent, la richesse des propriétaires. Pour cette raison, une multitude de critères permet au gestionnaire de choisir les meilleurs projets d'investissement.

Les dettes et les capitaux propres constituent les sources de financement de l'entreprise. Cet aspect est très important pour sa gestion et sa solvabilité. Ces éléments du bilan renseignent sur le risque encouru par l'entreprise.

Le bilan contient beaucoup d'information pour l'utilisateur des états financiers. Par exemple, en comparant les actifs à court terme avec le passif à court terme, on obtient des renseignements sur le fonds de roulement ; en comparant le total du passif avec le total de l'actif, on obtient le ratio d'endettement de l'entreprise et donc son niveau de solvabilité ou de risque financier.

8.2.2 L'état des résultats

Ce document comptable montre, à la fin d'un exercice, la performance de l'entreprise exprimée en bénéfice ou en perte. Il comprend les produits et les charges d'exploitation qui déterminent le résultat d'exploitation. L'**état des résultats** est très important pour les investisseurs, puisqu'il les renseigne sur le bénéfice ou la perte par action et leur permet donc d'estimer la rentabilité future de leur investissement.

Par exemple, l'investisseur sait que la valeur de ses actions est fonction des revenus futurs et que, par conséquent, le bénéfice par action peut être un élément important pour déterminer la valeur des actions. C'est ainsi que les marchés financiers prêtent une attention toute spéciale à la publication des états financiers, au bénéfice par action en particulier, ce qui explique la fluctuation du prix de l'action en fonction des bénéfices de l'entreprise.

8.2.3 L'état des flux de trésorerie

Ce document montre les liquidités de l'entreprise ainsi que leur provenance.

Généralement, l'entreprise génère ses liquidités grâce aux trois sources suivantes :

1. les activités d'exploitation courante ;
2. les activités d'investissement ;
3. les activités de financement.

Ce document complète l'information contenue dans le bilan et l'état des résultats. En effet, alors que le bilan présente le patrimoine, l'état des résultats indique la rentabilité. Par contre, une entreprise peut être rentable tout en éprouvant des difficultés de trésorerie. L'utilisateur doit savoir que rentabilité et solvabilité ne signifient pas la même chose, d'où le besoin de consulter l'état des résultats et l'**état des flux de trésorerie**.

8.2.4 Les caractéristiques des états financiers

L'utilisateur doit être conscient que certaines caractéristiques des états financiers doivent être prises en considération lors de l'interprétation de leur contenu. Voici ces caractéristiques :

- La comptabilité est une obligation légale. En effet, la publication des états financiers est obligatoire pour les entreprises ayant fait un appel public à l'épargne. C'est le cas des entreprises cotées en Bourse.

- Les états financiers doivent être présentés selon les PCGR. Depuis 2011, les entreprises publiques canadiennes doivent publier leurs états financiers selon les IFRS, tandis que les entreprises privées ont le choix d'adopter les IFRS ou les **Normes comptables pour les entreprises à capital fermé (NCECF)**.

- Les états financiers doivent être vérifiés par un expert-comptable, généralement un comptable agréé (CA) ou, dans certains cas, par un comptable général accrédité (CGA) ou encore un comptable en management accrédité (CMA). Au Québec, au printemps 2012, ces trois ordres professionnels se sont unifiés pour donner naissance à un titre unique, soit celui de comptable professionnel agréé (CPA).

- Les états financiers contiennent de l'information historique sur le passé de l'entreprise. Ils en constituent donc la mémoire.

8.3 L'analyse financière

Afin de demeurer dans la pratique, nous utiliserons les états financiers de l'entreprise Richelieu qui, selon son rapport annuel 2011, « est un importateur, distributeur et fabricant de quincaillerie spécialisée et de produits complémentaires[1] ».

De nombreuses données financières de l'entreprise se trouvent dans la rubrique Portrait d'entreprise, à la page 221. Dans le tableau 8.1, nous reproduisons les états financiers que nous utiliserons tout au long de l'analyse.

---

1. Richelieu. « Aperçu général des activités de l'entreprise au 30 novembre 2011 », *Rapport annuel 2011*, p. 22, [En ligne], www.richelieu.com/html/Fr/statique/infoFinanciere/fichier/Rapport%20 Annuel%202011.pdf (Page consultée le 5 février 2013).

TABLEAU 8.1	Les bilans consolidés de l'entreprise Richelieu au 30 novembre	
(en milliers de dollars)	**2011**	**2010**
ACTIF		
Actif à court terme		
Trésorerie et équivalents de trésorerie	29 095	39 289
Débiteurs	72 366	65 017
Impôts sur les bénéfices à recevoir	1 645	–
Stocks	118 753	117 609
Frais payés d'avance	1 157	837
Total de l'actif à court terme	**223 016**	**222 752**
Immobilisations corporelles	25 399	19 132
Actifs incorporels	22 189	13 242
Actifs d'impôts futurs	2 658	2 327
Écarts d'acquisition	70 870	63 363
Total de l'actif	**344 132**	**320 816**
PASSIF ET AVOIR DES ACTIONNAIRES		
Passif à court terme		
Créditeurs et charges à payer	51 453	54 212
Impôts sur les bénéfices à payer	–	3 741
Tranche de la dette à long terme échéant à court terme	4 309	2 072
Total du passif à court terme	**55 762**	**60 025**
Dette à long terme	1 235	786
Passifs d'impôts futurs	6 160	2 706
Part des actionnaires sans contrôle	5 341	3 430
Total du passif	**68 498**	**66 947**
Avoir des actionnaires		
Capital-actions	19 714	17 623
Surplus d'apport	3 586	3 906
Bénéfices non répartis	257 955	237 907
Cumul des autres éléments du résultat étendu	−5 621	−5 567
Total de l'avoir	**275 634**	**253 869**
Total du passif et de l'avoir	**344 132**	**320 816**

Source: Richelieu. «Bilan consolidé au 30 novembre (en milliers de dollars)», *Rapport annuel 2011*, p. 35, [En ligne], www.richelieu.com/html/Fr/statique/infoFinanciere/fichier/Rapport%20Annuel%202011.pdf (Page consultée le 5 février 2013).

8.3.1 L'importance de bien se familiariser avec la terminologie comptable

Avant de commencer l'analyse financière, il est important de consulter attentivement le contenu des états financiers afin de bien comprendre la signification des différents postes (ou comptes) et leur impact sur les ratios. Le bilan (*voir le tableau 8.1*) et l'état des résultats (*voir le tableau 8.2 à la page suivante*) de Richelieu nous aideront à illustrer ces propos. Dans le bilan, au moins trois comptes méritent l'attention de l'utilisateur des états financiers : l'écart d'acquisition, les passifs d'impôts futurs et la part des actionnaires sans contrôle. Ces trois comptes peuvent être considérés différemment selon les ratios et ainsi en influencer l'interprétation.

L'écart d'acquisition

Ce compte est un actif intangible (incorporel ou fictif). C'est la différence entre le prix payé lors de l'acquisition d'une entreprise et la valeur de l'actif net acquis. Cette différence représente la valeur comptable de l'entreprise acquise et constitue le prix du fonds commercial. Par exemple, si l'entreprise acquise possède des actifs d'une juste valeur comptable de 1 000 $ et des dettes d'une juste valeur comptable de 600 $, alors la valeur comptable des actions est de 400 $. Si l'entreprise acquéreuse paie un prix de 500 $, un écart d'acquisition de 100 $ est enregistré dans son bilan.

TABLEAU 8.2	Les états consolidés des résultats de l'entreprise Richelieu au 30 novembre	
(en milliers de dollars)	**2011**	**2010**
Ventes	523 786	446 963
Coût des marchandises vendues et autres*	456 467	383 131
Bénéfice avant les éléments suivants	**67 319**	**63 832**
Amortissement des immobilisations corporelles	5 906	5 160
Amortissement des actifs incorporels	2 139	1 303
Frais financiers	−13	−201
	8 032	**6 262**
Bénéfice avant impôts sur les bénéfices, part des actionnaires sans contrôle et activités abandonnées	**59 287**	**57 570**
Impôts sur les bénéfices	19 416	18 698
Bénéfice avant part des actionnaires sans contrôle et activités abandonnées	**39 871**	**38 872**
Part des actionnaires sans contrôle	379	298
Bénéfice net des activités poursuivies	**39 492**	**38 574**
Bénéfice net des activités abandonnées	−	659
Bénéfice net	39 492	39 233
Bénéfice par action (en dollars)		
De base	1,88	1,82
Dilué	1,86	1,81

* Charges liées aux entrepôts et charges de vente et d'administration

Source : Richelieu. « États consolidés des résultats, exercices clos le 30 novembre (en milliers de dollars, sauf les données par action », *Rapport annuel 2011*, p. 36, [En ligne], www.richelieu.com/html/Fr/statique/infoFinanciere/fichier/Rapport%20Annuel%202011.pdf (Page consultée le 5 février 2013).

Certains analystes ignorent les actifs intangibles dans leur analyse financière. Ils tiennent uniquement compte de l'actif tangible dans les ratios impliquant le total de l'actif, comme celui du rendement de l'actif.

Les passifs d'impôts futurs

Il y a impôts futurs lorsque les impôts comptables diffèrent des impôts fiscaux réellement payés. Les impôts futurs découlent du fait que l'entreprise utilise des déductions fiscales différentes de celles respectant les PCGR. Par exemple, l'entreprise peut utiliser la méthode de l'amortissement linéaire dans ses états financiers, alors que, pour ses déductions fiscales, elle utilise l'amortissement accéléré. On part du principe selon lequel cette différence constitue un impôt qui sera payé plus tard, d'où l'appellation «passifs d'impôts futurs». Par contre, il ne s'agit pas d'une dette à payer à une échéance précise, comme l'est un prêt hypothécaire ou un emprunt bancaire. C'est pourquoi certains analystes ignorent les impôts futurs dans le calcul des ratios qui comportent le total du passif, jugeant que ce n'est pas un passif réel au même titre que les autres dettes figurant au bilan.

La part des actionnaires sans contrôle

Ce compte découle du principe de la consolidation des actifs et passifs des filiales contrôlées par l'entreprise. Il correspond à la part de l'avoir de la filiale possédée par les actionnaires autres que l'entreprise contrôlante. De façon simplifiée, disons que si l'entreprise achète 80 % de la filiale pour un actif net de 100 $, alors la part des actionnaires sans contrôle (ou minoritaires), qui représente 20 %, est de 20 $. C'est donc la fraction de l'actif net qui leur revient.

Certains analystes excluent du passif la part des actionnaires sans contrôle, car ils jugent qu'il ne s'agit pas d'une dette au même titre que les autres dettes de l'entreprise.

Le cumul des autres éléments du résultat étendu

Le chapitre 1530 du *Manuel de l'Institut Canadien des Comptables Agréés* (ICCA) établit les normes d'information et de présentation relatives au résultat étendu. Celui-ci s'entend de la variation des capitaux propres ou de l'actif net d'une entreprise découlant d'opérations et d'autres événements sans rapport avec les propriétaires. C'est ainsi que, par «autres éléments cumulés du résultat étendu», on entend les éléments comptabilisés dans le résultat étendu, mais exclus du résultat net, lequel est calculé selon les IFRS ou les NCECF.

8.3.2 Les états financiers en pourcentage : l'analyse verticale

Pour avoir une vision rapide de l'évolution des différents postes des états financiers, l'analyste peut débuter par une présentation en pourcentage. Ainsi, il obtient une meilleure idée des modifications de l'actif, du passif et de la rentabilité. Cette façon est également utile pour comparer des entreprises de taille différente.

Elle consiste à établir le total de l'actif à 100 % et à calculer toutes les autres valeurs par rapport à cette base. C'est ce que nous faisons dans le tableau 8.3, à la page suivante, avec le bilan de Richelieu. On y voit que la trésorerie et les équivalents de trésorerie, ainsi que les comptes de débiteurs, ont augmenté, puisqu'ils représentaient, en 2011, 21,03 % de l'actif par rapport à 20,27 % en 2010. Les principaux éléments de la dette à court et à long terme ont connu une baisse relative en 2011, faisant passer le total de 20,87 % en 2010 à 19,90 % en 2011. Les bénéfices non répartis (BNR) s'accumulent, atteignant 74,96 % en 2011, alors qu'ils ne représentaient que 74,16 % du financement total en 2010. L'entreprise Richelieu semble donc privilégier cette source de financement. Par contre, si l'on conjugue cette constatation et l'accumulation des liquidités, on pourrait penser que les gestionnaires de l'entreprise cherchent des occasions d'investissement rentables à l'avenir.

L'état des résultats en pourcentage est présenté dans le tableau 8.4, à la page 203. Ici, ce sont les ventes qui égalent 100 %, et l'on compare toutes les autres rubriques à cette base. On peut ainsi cerner aisément les postes expliquant les variations du résultat d'exploitation au cours des deux années. On constate que le coût des marchandises vendues est le seul poste ayant connu une augmentation en pourcentage des ventes en 2011, ce qui explique la baisse du bénéfice brut, passé de 14,28 % en 2010 à 12,85 % en 2011. Le recours à l'autofinancement a fait baisser substantiellement le recours à l'endettement, entraînant une baisse importante des frais financiers, qui sont en fait des revenus. Toutefois, globalement, le pourcentage du bénéfice net par rapport aux ventes ne représentait que 7,54 % des ventes en 2011, comparativement à 8,78 % en 2010. Cette baisse s'explique largement par la croissance du coût des ventes, puisque les autres charges sont demeurées stables durant les deux années.

TABLEAU 8.3	Les bilans consolidés de l'entreprise Richelieu au 30 novembre		
(en pourcentage)		**2011**	**2010**
ACTIF			
Actif à court terme			
Trésorerie et équivalents de trésorerie		8,45	12,25
Débiteurs		21,03	20,27
Impôts sur les bénéfices à recevoir		0,48	–
Stocks		34,51	36,66
Frais payés d'avance		0,34	0,26
Total de l'actif à court terme		**64,81**	**69,43**
Immobilisations corporelles		7,38	5,96
Actifs incorporels		6,45	4,13
Actifs d'impôts futurs		0,77	0,73
Écarts d'acquisition		20,59	19,75
Total de l'actif		**100,00**	**100,00**
PASSIF ET AVOIR DES ACTIONNAIRES			
Passif à court terme			
Créditeurs et charges à payer		14,95	16,90
Impôts sur les bénéfices à payer		–	1,17
Tranche de la dette à long terme échéant à court terme		1,25	0,65
Total du passif à court terme		**16,20**	**18,71**
Dette à long terme		0,36	0,25
Passifs d'impôts futurs		1,79	0,84
Part des actionnaires sans contrôle		1,55	1,07
Total du passif		**19,90**	**20,87**
Avoir des actionnaires			
Capital-actions		5,73	5,49
Surplus d'apport		1,04	1,22
Bénéfices non répartis		74,96	74,16
Cumul des autres éléments du résultat étendu		−1,63	−1,74
Total de l'avoir		**80,10**	**79,13**
Total du passif et de l'avoir		**100,00**	**100,00**

Source: Données tirées de Richelieu. «Rapport annuel 2011», [En ligne], www.richelieu.com/html/Fr/statique/infoFinanciere/fichier/Rapport%20Annuel%202011.pdf (Page consultée le 21 février 2013).

TABLEAU 8.4	Les états consolidés des résultats de l'entreprise Richelieu au 30 novembre		
(en pourcentage des ventes)		2011	2010
Ventes		100,00	100,00
Coût des marchandises vendues et autres*		87,15	85,72
Bénéfice avant les éléments suivants		**12,85**	**14,28**
Amortissement des immobilisations corporelles		1,13	1,15
Amortissement des actifs incorporels		0,41	0,29
Frais financiers		−0,0	−0,04
		1,53	**1,40**
Bénéfice avant impôts sur les bénéfices, part des actionnaires sans contrôle et activités abandonnées		**11,32**	**12,88**
Impôts sur les bénéfices		3,71	4,18
Bénéfice avant part des actionnaires sans contrôle et activités abandonnées		**7,61**	**8,70**
Part des actionnaires sans contrôle		0,07	0,07
Bénéfice net des activités poursuivies		**7,54**	**8,63**
Bénéfice net des activités abandonnées		0,00	0,15
Bénéfice net		7,54	8,78

* Charges liées aux entrepôts et charges de vente et d'administration

Source : Données tirées de Richelieu. «Rapport annuel 2011», [En ligne], www.richelieu.com/html/Fr/statique/infoFinanciere/fichier/Rapport%20Annuel%202011.pdf (Page consultée le 21 février 2013).

8.3.3 Les états financiers en pourcentage : l'analyse horizontale

On peut également dresser les états financiers en pourcentage, mais de façon horizontale, afin de déterminer une tendance. Il suffit alors de choisir une période de base, que l'on établit à 100 pour y comparer les autres périodes. On applique ce concept aux états financiers de Richelieu et on choisit l'année 2006 comme année de base.

Commençons par les postes du bilan (*voir le tableau 8.5 à la page suivante*). On y constate qu'en 2011, les débiteurs et les stocks représentaient respectivement 126 % et 137 % des montants de 2006. On peut également dire qu'ils sont égaux à 1,26 fois et 1,37 fois ceux de 2006. Enfin, la troisième interprétation consisterait à dire qu'en 2011, ces deux postes ont respectivement augmenté de 26 % et de 37 % par rapport à 2006. Durant la même période, soit 2011, les bénéfices non répartis ont augmenté de 54 % comparativement à 2006. D'ailleurs, on constate qu'alors que la plupart des postes ont connu des fluctuations à la hausse ou à la baisse de 2006 à 2011, les bénéfices non répartis ont maintenu une progression constante durant cette période. Il semble donc que la direction de Richelieu a choisi les bénéfices non répartis comme source privilégiée de financement.

En ce qui concerne les postes de l'état des résultats (*voir le tableau 8.6 à la page 205*), plusieurs constatations intéressantes peuvent être faites. D'abord, on y voit que les ventes de Richelieu semblent avoir connu une augmentation constante d'environ 10 % à 16 % par rapport aux ventes de 2006, avant de bondir en 2011, affichant une hausse de 36 % relativement à l'année de base. Ensuite, durant la même période, le bénéfice net a connu une augmentation maximale de 24 % en 2011, en dépit d'une hausse du coût des marchandises vendues de 37 %. Si l'on conjugue les résultats des analyses verticale et horizontale, on constate qu'en dépit d'une légère baisse du bénéfice net en 2011 par rapport à celui de 2010, durant la période 2006-2011, Richelieu a maintenu une progression notable de sa rentabilité. Au cours de cette période de référence, le prix de l'action de Richelieu en Bourse s'est apprécié d'environ 14 % par rapport à 2006.

| TABLEAU 8.5 | Les bilans consolidés de 2006 à 2011 de l'entreprise Richelieu au 30 novembre |

(en pourcentage)	2011	2010	2009	2008	2007	2006
ACTIF						
Actif à court terme						
Trésorerie et équivalents de trésorerie	418	564	696	88	113	100
Débiteurs	126	113	97	105	106	100
Impôts sur les bénéfices à recevoir	–	–	–	–	–	–
Stocks	137	136	100	119	111	100
Frais payés d'avance	214	155	60	235	135	100
Total de l'actif à court terme	147	147	126	112	109	**100**
Immobilisations corporelles	138	104	106	119	107	100
Actifs incorporels	168	100	97	115	98	100
Actifs d'impôts futurs	–	–	–	–	–	–
Écarts d'acquisition	115	103	101	107	98	100
Total de l'actif	140	131	117	112	106	**100**
PASSIF ET AVOIR DES ACTIONNAIRES						
Passif à court terme						
Créditeurs et charges à payer	134	141	104	101	97	100
Impôts sur les bénéfices à payer	0	160	29	29	46	100
Tranche de la dette à long terme échéant à court terme	61	1	0	4	87	100
Total du passif à court terme	117	126	86	83	93	**100**
Dette à long terme	19	12	5	6	13	100
Passifs d'impôts futurs	334	147	76	125	95	100
Part des actionnaires sans contrôle	245	157	144	130	115	100
Total du passif	117	115	79	77	85	**100**
Capital-actions	113	101	97	98	102	100
Surplus d'apport	328	357	359	278	181	100
Bénéfices non répartis	154	142	133	122	116	100
Cumul des autres éléments du bénéfice étendu	–	–	–	–	–	–
Total de l'avoir	148	136	129	122	112	**100**
Total du passif et de l'avoir	140	131	117	112	106	**100**

Source: Données tirées de Richelieu. «Rapport annuel 2011», [En ligne], www.richelieu.com/html/Fr/statique/infoFinanciere/fichier/Rapport%20Annuel%202011.pdf (Page consultée le 21 février 2013).

TABLEAU 8.6 | Les états consolidés des résultats de 2006 à 2011 de l'entreprise Richelieu au 30 novembre

(en pourcentage des ventes)	2011	2010	2009	2008	2007	2006
Ventes	136	116	110	114	113	100
Coût des marchandises vendues et autres*	137	115	112	115	114	100
Bénéfice avant les éléments suivants	127	120	97	110	108	100
Amortissement des immobilisations corporelles	165	144	141	116	105	100
Amortissement des actifs incorporels	546	332	344	331	239	100
Frais financiers	−18	−279	0	144	1169	100
	198	155	158	137	137	100
Bénéfice avant impôts sur les bénéfices, part des actionnaires sans contrôle et activités abandonnées	121	117	92	107	105	100
Impôts sur les bénéfices	115	111	84	100	103	100
Bénéfice avant part des actionnaires sans contrôle et activités abandonnées	124	121	95	112	107	100
Part des actionnaires sans contrôle	150	118	116	130	129	100
Bénéfice net des activités poursuivies	124	121	95	112	106	100
Bénéfice net des activités abandonnées	–	–	–	–	–	100
Bénéfice net	124	123	95	112	106	100

* Charges liées aux entrepôts et charges de vente et d'administration

Source: Données tirées de Richelieu. «Rapport annuel 2011», [En ligne], www.richelieu.com/html/Fr/statique/infoFinanciere/fichier/Rapport%20 Annuel%202011.pdf (Page consultée le 21 février 2013).

8.3.4 L'analyse combinée

On peut également combiner l'**analyse horizontale** et l'**analyse verticale** pour avoir une idée de la tendance des ratios dans le temps et dans l'espace. Ici, l'analyste désire connaître le comportement des ratios de l'entreprise d'une période à l'autre et, en même temps, faire une comparaison avec le secteur d'activité.

8.4 Les ratios de l'analyse financière

Le but de l'analyse financière est d'évaluer les forces et les faiblesses financières de l'entreprise. On utilise des outils, appelés «**ratios**», c'est-à-dire le rapport entre au moins deux comptes, calculés à partir des états financiers présentés précédemment. Les principaux ratios sont:

- les ratios de liquidité;

- les ratios de gestion;

- les ratios d'endettement;

- les ratios de rentabilité.

Avant d'entreprendre l'analyse financière, mentionnons quelques précautions utiles.

- Un ratio n'a de sens que s'il est comparé avec d'autres ratios. En effet, un ratio est un chiffre significatif que si on le compare à d'autres chiffres.

- Un ratio ne peut être comparé qu'à lui-même dans le temps pour dégager une tendance.

- Un ratio peut être comparé avec celui du secteur d'activité de l'entreprise. Dans ce cas, il faut, d'une part, disposer des ratios du secteur et, d'autre part, que les entreprises soient vraiment comparables.

8.4.1 Les ratios de liquidité

Les ratios de liquidité permettent d'évaluer la capacité de l'entreprise à honorer ses dettes à court terme. On calcule deux ratios:

1. le ratio de fonds de roulement;
2. le ratio de liquidité immédiate ou de trésorerie immédiate.

$$\text{Ratio de fonds de roulement} = \frac{\text{actif à court terme}}{\text{passif à court terme}} \qquad (8.1)$$

Au numérateur, il faut prendre l'actif à court terme, dont les éléments les plus courants sont la trésorerie et les équivalents trésorerie, les clients et les stocks. Au dénominateur, le passif à court terme est composé des comptes de fournisseurs et de toutes les autres dettes dont l'échéance est inférieure à un exercice. Il est à noter que:

Fonds de roulement = actif à court terme – passif à court terme

Pour calculer le ratio de fonds de roulement, il faut diviser l'actif à court terme par le passif à court terme. Dans le vocabulaire des IFRS, on dit qu'il faut diviser le total des actifs courants par le total des passifs courants.

Le but de ce ratio est de vérifier si l'actif à court terme permet de payer les dettes à court terme. Ainsi, un ratio de 2:1 (ou de deux pour un) signifie qu'effectivement l'entreprise dispose de 2 dollars d'actif à court terme pour payer 1 dollar de dettes à court terme, si celles-ci arrivaient à échéance immédiatement, et ce, sans avoir à liquider son actif à long terme.

Dans le cas de Richelieu et de ses concurrents, les résultats sont les suivants:

	2011	2010
Ratio de fonds de roulement de Richelieu	4,00	3,71
Secteur	1,89	2,05

Ce ratio signifie qu'en 2011, Richelieu disposait de 4,00 $ d'actif à court terme pour chaque dollar de dettes à court terme. Est-ce une bonne chose? L'interprétation mérite d'être nuancée. La réponse devrait être positive; elle signifierait que Richelieu est solvable, cette **solvabilité** s'étant améliorée en 2011 par rapport à 2010. Pour ces deux années, l'entreprise dépasse largement les ratios de ses concurrents, mais l'ampleur du ratio appelle à la prudence. En effet, il pourrait signifier que l'entreprise Richelieu accumule des stocks en raison de difficultés relatives aux ventes ou que sa production augmente sans tenir compte d'un ralentissement des ventes. Il pourrait également signifier que les comptes clients sont mal gérés et que la décision de crédit laisse à désirer. Un ratio faible ne signifierait pas nécessairement que l'entreprise connaît des difficultés. Bien au contraire, il pourrait être dû à une meilleure gestion des stocks (grâce à la méthode du juste-à-temps) et des comptes clients.

$$\text{Ratio de liquidité immédiate} = \frac{\text{actif à court terme – stocks}}{\text{passif à court terme}} \qquad (8.2)$$

On veut savoir si l'entreprise dispose de ressources (liquidités) suffisantes pour payer ses dettes de façon immédiate, c'est-à-dire sans avoir à attendre la liquidation des stocks, laquelle, par définition, nécessite plus de temps. C'est ce qui rend ce ratio «immédiat».

Ainsi, si ce ratio dépasse l'unité, cela signifie que l'entreprise dispose d'assez de liquidités pour faire face aux exigences, et ce, sans être obligée de vendre ses stocks de marchandises ou de produits. L'entreprise est donc solvable.

Dans le cas de Richelieu et de ses concurrents, les résultats sont les suivants:

	2011	2010
Ratio de liquidité immédiate de Richelieu	1,87	1,75
Secteur	1,19	1,32

On constate que Richelieu dispose, en 2011, de 1,87 $ d'actif à court terme (sans les stocks) pour chaque dollar de dettes à court terme, alors que ce ratio était de 1,75 en 2010, ce qui dénote une nette amélioration. Richelieu est, en plus, dans une meilleure position que ses concurrents les deux années.

Dans le calcul du ratio, certains auteurs excluent, outre les stocks, le compte frais payés d'avance, s'il y a lieu.

8.4.2 Les ratios de gestion

Les ratios de **gestion** permettent d'évaluer l'efficacité de la gestion des actifs de l'entreprise, notamment celle des comptes clients et des stocks. Cette catégorie permet de calculer plusieurs ratios, dont les plus importants sont :

- la rotation des comptes clients ;
- le délai de recouvrement des comptes clients ;
- la rotation des stocks.

$$\text{Rotation des comptes clients} = \frac{\text{ventes}}{\text{comptes clients}} \qquad (8.3)$$

Au dénominateur, il faut prendre le solde au bilan à la fin de l'exercice. Au numérateur, il est conseillé de prendre les ventes à crédit si l'information est disponible. Dans le cas contraire, on prend les ventes totales.

$$\text{Délai de recouvrement des comptes clients} = \frac{\text{comptes clients} \times 365 \text{ jours}}{\text{ventes}} \qquad (8.4)$$

Ici, il faut également prendre en considération les ventes à crédit, dans la mesure où l'information est disponible. Ce ratio renseigne sur le nombre de jours que l'entreprise met à recouvrer les sommes que lui doivent ses clients. Évidemment, plus ce délai est court, plus l'entreprise dispose rapidement de ses ressources (liquidités) et évite de recourir à sa marge de crédit. Par contre, l'inverse signifie que l'entreprise donne plus de temps à ses clients pour payer, signe d'une possible mauvaise gestion de son crédit et de l'éventualité de mauvaises créances. Pour Richelieu et ses concurrents, les résultats en nombre de jours sont :

	2011	2010
Délai de recouvrement des comptes clients de Richelieu	50,43	53,09
Secteur	43,13	42,34

Ce ratio signifie que Richelieu met en moyenne 50,43 et 53,09 jours pour recouvrer ses comptes clients, respectivement en 2011 et en 2010. Par contre, le ratio du secteur est inférieur, ce qui signifie que Richelieu donne plus de jours à ses clients pour payer que ses principaux concurrents.

Un long délai de recouvrement expliquerait l'ampleur du ratio de fonds de roulement calculé précédemment, puisque l'on constatait alors que Richelieu affichait un ratio largement supérieur à celui de son secteur d'activité. Toutefois, on constate une amélioration du délai de recouvrement en 2011 par rapport à 2010, ce qui laisse penser que Richelieu tend à aligner sa politique de recouvrement sur celle de son secteur.

Certes, un long délai de recouvrement pourrait annoncer des difficultés, mais un délai très court par rapport au secteur d'activité pourrait également être un problème. En effet, les fournisseurs qui pratiquent une politique de crédit très restrictive pourraient perdre des ventes au profit de leurs concurrents ayant une politique plus souple.

Ainsi, un délai de recouvrement plus grand que la moyenne du secteur amènerait l'entreprise à faire le point sur la gestion de son crédit clients, une meilleure analyse de la qualité de ses créances et, éventuellement, à radier de mauvaises créances. Pour ce faire, elle devrait classer chronologiquement ses créances pour déterminer celles qui sont en souffrance, en vue de prendre les décisions qui s'imposent.

Pour améliorer la gestion des comptes clients, l'entreprise devrait adopter les mesures suivantes :

- nommer un gestionnaire de projet ;
- déterminer les clients dont le paiement est en retard ;
- informer les retardataires qu'ils doivent payer des intérêts en cas de retard ;
- radier les créances irrécouvrables ;
- revoir la politique de crédit pour les nouveaux clients.

Ces mesures ramènent les ratios de fonds de roulement et de liquidité immédiate à un niveau comparable à celui des concurrents. Ainsi, si le délai de recouvrement des comptes clients de Richelieu était ramené à celui de ses concurrents, le compte clients s'élèverait à 61 892 850 $, soit des liquidités supplémentaires de 10 473 150 $, utilisables pour rembourser une partie de la marge de crédit.

$$\text{Rotation des stocks} = \frac{\text{coût des marchandises vendues}}{\text{stock moyen}} \qquad (8.5)$$

Le coût des marchandises vendues (CMV) est obtenu en faisant la somme des éléments suivants :

$$\text{CMV} = \text{stock de début} + \text{achats} - \text{stock de fin} \qquad (8.6)$$

Le stock moyen est égal à la somme des stocks de début et de fin d'année, divisée par 2.

Parfois, le calcul est fait en prenant le total des ventes divisé par le montant du stock au bilan.

Évidemment, cette façon de faire facilite les calculs, mais elle n'est pas nécessairement juste, puisqu'on divise le total des ventes, soit un montant exprimé en dollars de vente, par le total des stocks, exprimé en dollars d'achat. Mais comme l'interprétation des ratios consiste à comparer différentes entreprises ou différents ratios dans le temps, ce qui est important est d'utiliser la même équation dans les deux cas. Pour calculer la rotation des stocks de Richelieu, on utilise cette dernière façon en raison de sa simplicité.

L'utilisateur des états financiers doit être prudent au moment d'interpréter ce ratio, principalement s'il ne le calcule pas lui-même et le prend directement dans une source comme une base de données.

Ce ratio mesure le nombre de fois où l'entreprise renouvelle ses stocks durant l'exercice. En principe, plus la rotation est élevée, meilleure est la gestion. Par contre, il faut nuancer cette interprétation, puisque la passation des commandes pourrait être coûteuse. Toutefois, elle serait compensée par un niveau de stocks plus faible, ce qui réduirait le coût de possession des stocks.

Pour Richelieu et ses concurrents, les résultats sont (en utilisant ventes/stock au bilan) :

	2011	2010
Rotation des stocks de Richelieu	4,41	3,80
Secteur	12,24	12,30

L'entreprise Richelieu a renouvelé ses stocks 4,41 fois en 2011 comparativement à une rotation moyenne de 12,24 fois par an dans son secteur d'activité. Cette rotation plus lente se reflétait également en 2010. Ainsi, Richelieu renouvelle ses stocks tous les 82,77 jours (365/4,41) environ, alors que la moyenne du secteur est d'environ 29,82 jours. Il semble donc que les stocks tournent moins bien chez Richelieu que chez ses concurrents, ce qui contribue à rehausser les ratios de fonds de roulement et à réduire celui de liquidité immédiate.

En utilisant le CMV/stock, on obtient des résultats légèrement différents pour Richelieu et pour ses concurrents. Dans le cas de Richelieu, la rotation des stocks est de 3,84 jours, ce qui indique que l'entreprise est dans une situation encore moins reluisante. Pour résoudre ses problèmes de gestion des stocks, l'entreprise pourrait mettre en œuvre les mesures suivantes :

- réduire et même arrêter les approvisionnements ou la production ;
- écouler les stocks supplémentaires en accordant des rabais ;
- assurer une meilleure consultation entre les services de vente et des achats (production) ;
- implanter la méthode quantité économique à commander[2] ;
- implanter la méthode juste-à-temps[3] ;
- revoir la qualité des produits.

L'application de telles mesures pourrait ramener la rotation des stocks au niveau de celle de ses concurrents. Dans le cas de Richelieu, les stocks seraient ramenés à 42 793 000 $ en 2011, ce qui générerait des liquidités supplémentaires de 75 960 000 $ environ.

8.4.3 Les ratios d'endettement

Rappelons que l'**endettement** peut être à court terme (fournisseurs) ou à long terme. Pour l'entreprise, l'endettement crée un coût fixe (intérêts) qui peut entraîner des problèmes de solvabilité et même la faillite. Les ratios d'endettement permettent d'évaluer le niveau d'endettement de l'entreprise et, par conséquent, la proportion de son actif financé par des dettes. On calcule les ratios suivants :

- le ratio d'endettement total ;
- le ratio de structure financière ;
- le ratio de couverture des intérêts.

$$\text{Ratio d'endettement total} = \frac{\text{dette totale}}{\text{actif total}} \qquad (8.7)$$

Au numérateur, la dette totale comprend toutes les dettes à court et à long terme. Au dénominateur, l'actif total comprend l'actif à court et à long terme. Ce ratio donne le pourcentage de l'actif total financé par l'endettement. Évidemment, plus ce pourcentage est élevé, plus l'entreprise « appartient » aux créanciers et peut connaître des problèmes financiers. Cette façon de calculer le ratio d'endettement n'est pas unique. Certains auteurs proposent de le calculer en prenant en compte, au numérateur, la dette à long terme, en y ajoutant la portion à court terme, et, au dénominateur, la dette à long terme et les capitaux propres. C'est cette façon que nous adoptons pour calculer le ratio d'endettement de Richelieu et de ses concurrents.

Les investisseurs accordent beaucoup d'importance à ce ratio, puisqu'il les informe sur le risque financier de l'entreprise et sur la fluctuation de sa rentabilité. En effet, plus l'endettement est élevé, plus la fluctuation des bénéfices est élevée. Ainsi, l'endettement produit deux effets interdépendants :

1. il augmente le bénéfice espéré par action (aspect positif) ;

2. il augmente la variation du bénéfice par action (aspect négatif).

Ce sont là les deux effets de l'endettement que l'on appelle « levier financier ».

Pour Richelieu et ses concurrents, les résultats sont les suivants :

	2011	2010
Ratio d'endettement à long terme de Richelieu	0,02	0,01
Secteur	0,39	0,38

L'entreprise Richelieu utilise très peu le financement par dettes. En effet, ce type de financement ne représentait que 2 % en 2011 et 1 % en 2010. Durant ces 2 années, le

---

2. Il s'agit de la quantité qui minimise le coût total de passation des commandes et de possession des stocks.

3. Cette méthode suppose de maintenir les stocks à leur niveau minimal et de commander les marchandises au fur et à mesure des besoins.

financement par dettes est utilisé à raison de 39 % (en 2011) et de 38 % (en 2010) par les concurrents de Richelieu. Ce ratio signifie que les créanciers finançaient 2 % de l'actif à long terme en 2011 et 1 % en 2010, alors que les actionnaires en finançaient la différence, respectivement, durant les 2 années. Pour cette raison, plus le ratio d'endettement est élevé, plus le risque encouru par les prêteurs est grand. Ces derniers cherchent à minimiser ce risque, dit financier, par rapport au risque d'affaires, ou d'entreprise, qui n'est pas fonction de la structure du financement. Cela oblige les actionnaires à augmenter leur apport au capital-actions ou à maintenir une part plus importante des bénéfices dans l'entreprise. Ils peuvent aussi augmenter les taux d'intérêt qu'ils facturent à celle-ci.

Rappelons que, lors du calcul du ratio d'endettement, il faut prendre plusieurs précautions, surtout lorsque ce ratio n'est pas calculé par l'analyste, mais provient d'une banque de données. Par exemple, on pourrait calculer le ratio d'endettement en additionnant les dettes à court terme, la dette à long terme, les impôts futurs et la part des actionnaires sans contrôle.

Dans ce cas, on obtiendrait, pour Richelieu, 20 % et 21 % en 2011 et en 2010, respectivement. Ces résultats signifient que les actifs totaux de Richelieu sont financés à raison de 20 % et de 21 % par l'endettement en 2011 et en 2010.

En fait, il existe au moins trois façons pour calculer ce ratio:

1. Tout d'abord, on peut exclure la part des actionnaires sans contrôle. En effet, ce montant découle du principe de consolidation des états financiers et représente des capitaux propres (il s'agit de la part des capitaux propres des filiales appartenant aux actionnaires sans contrôle). Si ce montant était exclu de la dette, le ratio d'endettement de Richelieu serait de 18 % (en 2011) et de 20 % (en 2010), ce qui représente une légère baisse par rapport aux derniers ratios calculés précédemment.

2. Certains auteurs excluent également les impôts futurs, puisqu'il ne s'agit pas véritablement de dette au même titre que les dettes à court terme ou à long terme. En les excluant, le ratio d'endettement baisserait également.

3. On pourrait aussi calculer le ratio de structure financière, lequel donne une idée de l'importance du financement par la dette comparé au financement par les actionnaires. Plus précisément, le ratio de structure financière se calcule ainsi:

$$\text{Ratio de structure financière} = \frac{\text{dette totale}}{\text{capitaux propres}} \tag{8.8}$$

Le numérateur comprend les dettes à court et à long terme, le dénominateur est composé des capitaux propres. Mais, dans ce cas aussi, il existe des pièges qui nécessitent une analyse prudente. En effet, la notion de capitaux propres peut être «nuancée». La première nuance consiste à exclure les actifs intangibles, comprenant les écarts d'acquisition, les brevets et le fonds commercial, dont la valeur réelle est difficile à déterminer. Par conséquent, en cas d'insolvabilité de l'entreprise, les créanciers ne pourraient les saisir pour se faire payer.

L'autre nuance consiste à soustraire les actions privilégiées, qui, du point de vue des actionnaires ordinaires, pourraient être assimilées à la dette, parce qu'en cas de liquidation de l'entreprise, elles seraient prioritaires tout comme les dettes. Les créanciers pourraient, quant à eux, être tentés de les exclure de la dette:

	2011	2010
Ratio de structure financière de Richelieu	0,25	0,26
Ratio de structure financière du secteur	1,29	1,19

Ce ratio signifie que les créanciers fournissent environ 0,25 $ de financement pour chaque dollar fourni par les actionnaires ordinaires en 2011. On note une légère amélioration, puisque ce ratio s'élevait à 0,26 $ en 2010. La tendance à la baisse de ce ratio indique que les créanciers de Richelieu courent un risque financier plus faible.

L'endettement crée une charge fixe (intérêts) pour l'entreprise. Pour connaître l'aptitude de celle-ci à répondre aux exigences, on calcule le ratio de couverture des intérêts comme suit:

$$\text{Ratio de couverture des intérêts} = \frac{\text{bénéfice avant intérêts et impôts}}{\text{intérêts}} \qquad (8.9)$$

Ce ratio permet de savoir si l'entreprise génère suffisamment de bénéfices pour pouvoir honorer le paiement des intérêts. L'objectif consiste à avoir la couverture la plus élevée possible. Pour Richelieu et ses concurrents, les résultats sont les suivants:

	2011	2010
Ratio de couverture des intérêts de Richelieu	Non disponible	Non disponible
Secteur	130,18	131,18

Ces calculs confirment que Richelieu est beaucoup moins endettée que ses compétiteurs, puisque les charges financières des deux années sont négligeables. Cette situation donne une marge de sécurité très confortable à Richelieu, ce qui lui permettra éventuellement d'obtenir un coût de financement avantageux.

On peut extrapoler ce ratio pour calculer un ratio de couverture de toutes les charges fixes de l'entreprise, englobant en plus des intérêts, les loyers, les impôts et les amortissements. Ce nouveau ratio serait:

$$\text{Ratio de couverture des charges fixes} = \frac{\text{bénéfice avant intérêts, loyers et impôts}}{\substack{\text{intérêts} + \text{loyers} + \text{amortissements} \\ + \text{ autres débours}}} \qquad (8.10)$$

Pour Richelieu, ce ratio serait respectivement de 8,38 fois et de 10,19 fois en 2011 et en 2010, ce qui confirme les résultats précédents sur la solvabilité de l'entreprise:

	2011	2010
Ratio de couverture des charges fixes de Richelieu	8,38	10,19
Ratio du secteur	Non disponible	Non disponible

8.4.4 Les ratios de rentabilité

L'objectif de l'entreprise étant d'être rentable, il est donc logique d'évaluer l'impact de ses décisions sur sa rentabilité. En effet, la valeur des actions est fonction des bénéfices créés par les décisions des gestionnaires. Par conséquent, l'analyste doit accorder une attention particulière aux ratios de cette catégorie, qui sont, évidemment, influencés par les autres ratios de liquidités, de gestion et d'endettement.

On peut calculer plusieurs ratios de **rentabilité**. Citons les plus courants:

- le ratio de la marge bénéficiaire brute;

- le ratio du rendement de l'actif total;

- le ratio du rendement des capitaux propres;

- le ratio de rotation des actifs.

$$\text{Ratio de marge bénéficiaire brute} = \frac{\text{bénéfice brut}}{\text{ventes}} \qquad (8.11)$$

Au numérateur, on prend le bénéfice brut (aussi appelé «marge brute») donné par la différence entre les ventes (ou produits d'exploitation) et le coût des ventes (ou coût des marchandises vendues). Au dénominateur figure le montant des ventes totales. On peut également le calculer en prenant en considération le bénéfice avant impôts sur les bénéfices et la part des actionnaires sans contrôle, comme nous le faisons dans le cas de Richelieu.

Ce ratio précise la marge bénéficiaire générée sur les ventes de l'entreprise.

Pour Richelieu et ses concurrents, les résultats en pourcentage sont les suivants :

	2011	2010
Ratio de marge bénéficiaire brute de Richelieu	12,85	14,28
Secteur	13,55	13,64

Ce ratio indique que Richelieu dégage un profit brut légèrement en baisse qui passe de 14,28 % en 2010 à 12,85 % en 2011. Cette baisse pourrait s'expliquer par la croissance du coût des ventes de 19 % durant cette période, alors que les ventes n'ont connu qu'une hausse d'environ 17 %. On constate que ce recul est généralisé dans toutes les entreprises du secteur, qui ont vu leur profit brut également baisser de 13,64 % à 13,55 %. En se comparant aux entreprises de son secteur d'activité, Richelieu devrait pouvoir déterminer les raisons d'une marge brute inférieure de ses ventes. On pourrait avancer que la crise financière qui prévalait au Canada, aux États-Unis et dans certains pays européens depuis 2008 a été un facteur explicatif de cette détérioration.

On peut aussi calculer le ratio de marge bénéficiaire nette comme suit :

$$\text{Ratio de marge bénéficiaire nette} = \frac{\text{bénéfice net}}{\text{ventes}} \qquad (8.12)$$

Au numérateur, on prendrait le bénéfice net après impôts avant la part des actionnaires sans contrôle, alors que le dénominateur serait égal au chiffre d'affaires de l'entreprise. Les calculs donneraient un ratio d'environ 8 % (2011) et 9 % (2010), ce qui confirmerait la baisse de rentabilité déjà mentionnée :

	2011	2010
Ratio de marge bénéficiaire nette de Richelieu	7,6	8,7
Secteur	5,0	6,0

$$\text{Ratio de rendement de l'actif total} = \frac{\text{bénéfice net}}{\text{actif total}} \qquad (8.13)$$

Au numérateur, on prend le bénéfice net, au dénominateur, l'actif total, c'est-à-dire l'actif à court terme plus l'actif à long terme. Par contre, l'actif total est amputé de l'actif incorporel pour les raisons indiquées précédemment. Ce ratio, connu en anglais sous le nom de *Return on Investment* (ROI), pour rendement de l'actif total (RAT), renseigne sur la rentabilité de chaque dollar investi dans les actifs de l'entreprise.

Pour Richelieu et ses concurrents, les résultats en pourcentage sont les suivants :

	2011	2010
Ratio de rendement de l'actif total de Richelieu	11,48	12,23
Secteur	5,48	5,57

On voit que la rentabilité des actifs de Richelieu a légèrement baissé, passant de 12,23 % en 2010 à 11,48 % en 2011. Durant cette période, l'actif total a augmenté de 7 %, alors que le bénéfice est demeuré stable. Il semble que les actifs n'aient pas généré la rentabilité attendue. Toutefois, en dépit de cette légère baisse, Richelieu demeure beaucoup plus rentable que les entreprises de son secteur d'activité.

Si l'on excluait l'actif incorporel (comme les écarts d'acquisition) du calcul, alors le ratio se situerait à 14 % en 2011 et à 15 % en 2010, creusant davantage l'écart de Richelieu d'avec ses concurrents.

Toutefois, le calcul de ce ratio exige une mise en garde. Même en ayant une rentabilité identique, deux entreprises peuvent avoir des ratios différents si l'âge de leurs immobilisations est différent. En effet, les actifs de l'entreprise la «plus âgée» seraient davantage amortis et présenteraient une valeur nette comptable plus faible, ce qui avantagerait la rentabilité de ses actifs.

$$\text{Ratio de rendement des capitaux propres} = \frac{\text{bénéfice net}}{\text{capitaux propres}} \qquad (8.14)$$

Au dénominateur, on prend le total des capitaux propres, c'est-à-dire le capital-actions plus les bénéfices non répartis, les surplus d'apports, le cumul du résultat étendu ainsi que les actions privilégiées. Ce ratio renseigne sur la rentabilité de chaque dollar investi par les propriétaires de l'entreprise, contrairement au ratio précédent, qui visait la rentabilité de tous les actifs, et ce, peu importe la source de financement. Ce ratio est aussi connu, en anglais, sous l'appellation *Return on Equity* (ROE), pour rendement des capitaux propres (RCP).

Pour Richelieu et ses concurrents, les résultats en pourcentage sont les suivants:

	2011	2010
Ratio de rendement des capitaux propres de Richelieu	14,33	15,45
Secteur	11,41	10,90

Le calcul de ce ratio confirme la rentabilité de Richelieu par rapport à ses concurrents. Toutefois, ce ratio traduit aussi la baisse de la rentabilité au cours des deux années. Richelieu devrait explorer les raisons de cette insuffisance de la rentabilité des capitaux investis par les propriétaires.

Lors du calcul de ce ratio, on devrait également exclure l'actif incorporel du dénominateur, ce qui se traduirait par une amélioration dans les chiffres. Par ailleurs, on pourrait calculer un ratio qui ne tiendrait compte, au numérateur, que du bénéfice appartenant aux actionnaires ordinaires (après soustraction des dividendes aux actions privilégiées), tandis que le dénominateur ne serait composé que des capitaux propres sans les actions privilégiées.

$$\text{Ratio de rotation des actifs} = \frac{\text{ventes}}{\text{actif total}} \qquad (8.15)$$

Ce ratio informe sur la rentabilité des sommes investies dans les actifs de l'entreprise. En effet, selon le cycle d'exploitation, les actifs génèrent les ventes et, par conséquent, l'objectif est d'obtenir le maximum de ventes pour chaque dollar d'actif.

Pour Richelieu, ce ratio était respectivement de 1,52 fois et de 1,39 fois en 2011 et en 2010:

	2011	2010
Ratio de rotation des actifs de Richelieu	1,52	1,39
Secteur	Non disponible	Non disponible

Le but de l'entreprise consiste à générer le maximum de ventes par dollar investi dans les actifs. Plus les ventes sont élevées, plus la rotation des actifs est appréciable. Dans le cas de Richelieu, on voit que l'entreprise génère 1,52 $ et 1,39 $ de ventes par dollar investi dans les actifs en 2011 et en 2010, respectivement. D'ailleurs, ce ratio se situait à l'intérieur d'une fourchette de 1,48 à 1,69 pour la période 2009-2007. On constate donc que Richelieu a connu 4 années difficiles, puisque ce ratio était de 1,69 en 2007 et atteignait 1,39 en 2010. Toutefois, l'entreprise semble renverser la tendance en 2011, puisque ses actifs génèrent des ventes comparables à celles des années précédentes.

8.4.5 Les relations entre les ratios

Tous ces ratios de rentabilité peuvent être interreliés de manière à obtenir le plus d'information possible lors de l'analyse financière. Ainsi, on peut décomposer le ratio de rendement de l'actif total :

$$\text{Ratio de rendement de l'actif total} = \frac{\text{bénéfice net}}{\text{actif}} = \frac{\text{bénéfice net}}{\text{ventes}} \times \frac{\text{ventes}}{\text{actif total}}$$

On peut facilement voir que le rendement de l'actif de l'entreprise dépend de la marge bénéficiaire nette et de la rotation des actifs. Ainsi, deux entreprises peuvent avoir le même ratio de rendement de l'actif total (RAT), mais chacune selon des stratégies différentes, soit :

- par la maximisation de la marge bénéficiaire ;
- par la maximisation de la rotation des actifs ;
- par les deux stratégies.

Cette décomposition améliorerait l'information sur les stratégies employées par les gestionnaires pour créer de la valeur pour les actionnaires. Il serait en effet utile de savoir si l'accent est mis sur la marge bénéficiaire ou sur la rotation des actifs, parce que les deux stratégies ont des implications différentes pour la fixation des prix des produits, la gestion des coûts, le total des actifs en place ainsi que des ressources financières et physiques en général.

On peut également décomposer le ratio de rendement des capitaux propres (RCP) comme suit :

$$\text{RCP} = \frac{\text{bénéfice net}}{\text{actif total}} \times \frac{\text{actif total}}{\text{capitaux propres}}$$

$$\text{RCP} = \text{RAT} \times \frac{\text{actif total}}{\text{capitaux propres}}$$

$$\text{RCP} = \frac{\text{bénéfice net}}{\text{ventes}} \times \frac{\text{ventes}}{\text{actif total}} \times \frac{\text{actif total}}{\text{capitaux propres}}$$

La dernière composante de l'équation mesure le poids de l'endettement utilisé par l'entreprise pour financer ses actifs. Le rendement des capitaux propres est fonction de trois variables :

1. le bénéfice disponible pour les actionnaires ;
2. le total de l'actif ;
3. le niveau d'endettement.

Sachant que le RAT est fonction de la marge bénéficiaire et de la rotation des actifs, on peut donc dire que :

$$\text{RCP} = \text{ratio de marge bénéficiaire} \times \text{rotation des actifs} \times \frac{\text{actif total}}{\text{capitaux propres}}$$

Le bénéfice de l'entreprise peut être maximisé soit par la hausse des ventes (ou produits d'exploitation), soit par la minimisation des charges. La rotation des actifs est maximisée par le volume des ventes et la minimisation des actifs. Le premier élément est influencé par les prix de vente et les stratégies de différenciation des produits en vigueur dans l'entreprise. Le second peut être réduit grâce à une meilleure gestion des immobilisations en vue d'éliminer les actifs improductifs et en ayant recours à la location d'équipement.

Ainsi, nous venons de décrire ce que nous appelons « l'équation Dupont », schématisée dans la figure 8.1. Cette équation permet de décomposer la rentabilité de l'entreprise sous forme de ratios qui mettent en relief les sources de cette rentabilité et les stratégies sous-jacentes. Ainsi, le ratio de RAT se décompose en rotation des actifs multipliée par la marge bénéficiaire nette. La rotation des actifs se décompose en ventes que l'on divise par le total de l'actif, tandis que la marge bénéficiaire nette est donnée par le bénéfice net après impôts que l'on divise par les ventes. Le total de l'actif est égal à l'actif à court terme plus l'actif à long terme (ou immobilisations corporelles). Le bénéfice de l'entreprise est obtenu en soustrayant des ventes (ou chiffre d'affaires) les charges d'exploitation et les impôts.

L'équation Dupont permet de détailler le RCP comme suit :

$$\text{RCP} = \text{ratio de marge bénéficiaire nette} \times \text{rotation des actifs} \times \frac{\text{actif total}}{\text{avoir}}$$

Ainsi, en décomposant les ratios, comme on le fait dans la figure 8.1, le gestionnaire a tous les leviers (ou inducteurs) sur lesquels agir pour maximiser ou minimiser tel ou tel ratio afin de l'améliorer et d'atteindre les objectifs de rentabilité de l'entreprise. Ce faisant, il est en meilleure posture pour mettre en place les stratégies financières nécessaires de façon à maximiser la valeur de l'entreprise et, par ricochet, le prix des actions, créant ainsi de la richesse pour les propriétaires (ou les actionnaires). D'ailleurs, au chapitre 9, nous reviendrons sur cet aspect important de création et de mesure de la richesse en présentant deux outils assez répandus en pratique : la valeur économique ajoutée (VEA) et la valeur marchande ajoutée (VMA).

| FIGURE 8.1 | Le rendement des capitaux propres et l'équation Dupont |

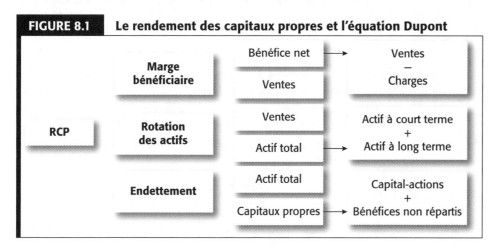

8.4.6 Les autres ratios

On peut calculer plusieurs autres ratios, dont les plus courants sont décrits ci-dessous.

$$\text{Ratio cours/bénéfice} = \frac{\text{cours (prix) de l'action ordinaire}}{\text{bénéfice par action (BPA)}} \tag{8.16}$$

Ce ratio mesure le nombre d'années de bénéfice par action (BPA) nécessaires à l'investisseur pour récupérer la valeur marchande de l'action. C'est la même interprétation que le délai de récupération dans le choix des projets d'investissement. Il permet également de comparer le prix de deux entreprises du même secteur d'activité. Les pages financières des journaux communiquent souvent ce ratio. Pour Richelieu et ses concurrents, les résultats sont les suivants :

	2011	2010
Ratio cours/BPA de Richelieu	14,48	16,41
Secteur	12,36	13,33

On y voit qu'en 2011 et en 2010, l'action de Richelieu se vendait à un prix boursier situé à environ 14 fois et 16 fois le bénéfice net dilué, dépassant largement le ratio moyen du secteur. Cela signifie que les investisseurs (et le marché) sont très confiants dans les bénéfices futurs de Richelieu. En effet, le prix de l'action est basé sur la rentabilité attendue de l'entreprise. Toutes choses étant égales par ailleurs, plus cette rentabilité est stable et moins incertaine, plus elle est appréciée par le marché. Cela se traduit par un prix boursier plus élevé et un ratio cours/BPA supérieur. En d'autres termes, plus l'incertitude sur les BPA futurs est grande – donc plus le risque perçu par le marché est élevé –, plus le ratio cours/BPA est faible. Les résultats présentés ici révèlent soit que le risque est moins élevé pour Richelieu que pour ses concurrents, soit que le marché s'attend à ce que Richelieu affiche une rentabilité future meilleure que ses concurrents ou une combinaison des deux options.

$$\text{Ratio prix boursier/valeur comptable} = \frac{\text{valeur boursière de l'action}}{\text{valeur comptable de l'action}} \qquad (8.17)$$

La valeur comptable de l'action est égale aux capitaux propres qu'on divise par le nombre d'actions.

Ce ratio est souvent utilisé pour évaluer les perspectives, c'est-à-dire les occasions de croissance de l'entreprise telles que les perçoivent les investisseurs. Plus ce ratio est élevé, plus le marché entrevoit un avenir prometteur pour l'entreprise.

Pour Richelieu et ses concurrents, les résultats sont les suivants :

	2011	2010
Ratio prix boursier/valeur comptable de Richelieu	2,06	2,49
Secteur	1,93	1,99

L'action de Richelieu se vend environ de deux à deux fois et demie sa valeur comptable pour chacune des deux années, ce qui la place légèrement au-dessus du ratio du secteur d'activité. Le marché prévoit des occasions futures plus attrayantes pour Richelieu que pour ses concurrents, ce qui se traduit par un prix boursier plus alléchant.

On peut calculer le ratio de la fraction des dividendes versés par rapport au bénéfice net de l'entreprise comme suit :

$$\text{Taux de distribution en dividendes} = \frac{\text{dividendes versés}}{\text{bénéfice net}} \qquad (8.18)$$

Ce ratio renseigne sur la proportion du bénéfice net versée sous forme de dividendes aux actionnaires ordinaires. La contrepartie de ce ratio donne une idée de la proportion du bénéfice sous forme de bénéfices non répartis.

Pour Richelieu et ses concurrents, les résultats en pourcentage sont les suivants :

	2011	2010
Taux de distribution en dividendes de Richelieu	23	20
Secteur	21	19

On voit que Richelieu distribuait environ 23 % du bénéfice net en 2011 et 20 % en 2010 à ses actionnaires ordinaires. Alors qu'en 2010 elle distribuait une fraction presque identique à celle de ses concurrents, elle a haussé substantiellement la fraction versée par rapport au secteur en 2011.

Le BPA est une information que toutes les entreprises doivent mentionner dans leurs états financiers. Cette donnée est souvent utilisée pour évaluer l'évolution de la rentabilité des actions. On calcule habituellement deux sortes de BPA : le bénéfice par action de base et le bénéfice par action dilué.

Le bénéfice par action de base se calcule comme suit :

$$\text{Bénéfice par action de base} = \frac{\text{bénéfice net après impôts} - \text{dividendes aux actions privilégiées}}{\text{nombre moyen des actions ordinaires en circulation}} \qquad (8.19)$$

Pour Richelieu et ses concurrents, les résultats sont les suivants :

	2011	2010
Bénéfice par action de Richelieu	1,88	1,82
Secteur	1,47	1,77

On note que le BPA de Richelieu a progressé au cours des 2 années pour atteindre 1,86 $ en 2011, soit une augmentation proche de 3 % par rapport à l'année précédente. Par contre, le secteur a affiché une baisse beaucoup plus substantielle, soit environ 17 %. Bien que la moyenne du secteur soit peu utile puisqu'elle dépend du nombre d'actions en circulation de chaque entreprise, le marché devrait apprécier le niveau du BPA de Richelieu ; cela devrait se refléter positivement sur le prix des actions sur le marché boursier. D'ailleurs, ce dernier a connu une croissance soutenue durant les dernières années, et ce, en dépit d'un recul substantiel des principales places boursières mondiales.

Le bénéfice par action dilué se calcule comme suit :

$$\text{Bénéfice par action dilué } = \frac{\text{bénéfice net après impôts } - \text{dividendes aux actions privilégiées}}{\text{nombre d'actions moyen}} \qquad (8.20)$$

Ici, le nombre d'actions est obtenu en supposant que tous les titres convertibles émis (options, bons de souscription, droits de souscription, obligations convertibles, actions privilégiées convertibles) ont été exercés. En l'occurrence, on entend par bénéfice par action dilué le BPA qui découle de l'augmentation du nombre total d'actions ordinaires.

8.5 L'impact des Normes internationales d'information financière sur l'analyse financière

Selon le Conseil des normes comptables (CNC), depuis le 1er janvier 2011, les entreprises publiques (cotées en Bourse) canadiennes doivent présenter leurs états financiers selon les **Normes internationales d'information financière (IFRS)**. Ces dernières remplacent les anciennes normes, les PCGR (ou Principes comptables généralement reconnus). Les entreprises qui ne sont pas cotées en Bourse doivent publier leurs états financiers selon des principes différents, les NCECF, à moins qu'elles adoptent volontairement l'application des IFRS. Les organismes à but non lucratif (OBNL) peuvent adopter les normes qui leur sont propres ou opter pour les IFRS.

Il existe plusieurs différences entre les PCGR et les IFRS, mais la principale demeure l'évaluation des actifs selon la valeur au marché, contrairement au concept de coût d'acquisition, qui était au centre des PCGR. Par ailleurs, le format de présentation et la terminologie peuvent être différents. C'est ainsi que, dans le cadre des IFRS, on utilise les expressions « actifs courants » et « passifs courants » au lieu de « actif et passif à court terme ». Le bilan et l'état des résultats s'appellent quant à eux « situation financière » et « comptes de résultats ».

L'impact sur les états financiers et l'analyse financière devrait être majeur, mais très peu d'études ont rapporté des résultats concrets en date de publication de la seconde édition du présent ouvrage. Pour illustrer cet impact, s'il y a lieu, faisons maintenant une comparaison des ratios de Richelieu présentés selon les PCGR et selon les IFRS (*voir le tableau 8.7 à la page suivante*). Nous verrons ainsi si l'analyse financière peut conduire à une différence substantielle dans le calcul des différents ratios et leur interprétation.

Notons que Richelieu a publié, selon les IFRS, ses états financiers datés du 30 novembre 2011 et 2010. Les deux années contenaient une comparaison de chiffres découlant de l'adoption des IFRS et des PCGR. Notre comparaison utilise les données de l'exercice au 30 novembre 2011.

TABLEAU 8.7	La comparaison des ratios de Richelieu calculés selon les PCGR et les IFRS pour l'exercice au 30 novembre 2011	
	PCGR	**IFRS**
Ratio du fonds de roulement	4,00	3,97
Ratio de liquidité immédiate	1,87	1,86
Rotation des comptes clients	7,24	7,24
Délai de recouvrement des comptes clients	50,43	50,43
Rotation des stocks	3,84	3,85
Ratio d'endettement	0,20	0,20
Ratio de structure financière	0,25	0,24
Ratio de couverture des intérêts	—	—
Ratio de couverture des charges fixes	8,38	8,75
Ratio de marge brute	0,13	0,13
Ratio de marge nette	0,08	0,08
Ratio de rendement des actifs	0,11	0,12
Ratio de rendement des capitaux propres	0,14	0,16
Rotation des actifs	1,52	1,64

Source: Données tirées de Richelieu. «Rapport annuel 2011», [En ligne], www.richelieu.com/html/Fr/statique/infoFinanciere/fichier/Rapport%20Annuel%202011.pdf (Page consultée le 21 février 2013).

Plusieurs constatations peuvent être faites à partir du tableau 8.7. Tout d'abord, pour ce qui est des ratios de liquidité, il y a une ressemblance frappante entre les ratios calculés selon les PCGR et ceux qui le sont selon les IFRS. Ensuite, la même remarque peut être faite en ce qui concerne les ratios d'endettement et de structure financière. La seule différence marquée se trouve dans les ratios de rentabilité, notamment ceux concernant la rentabilité des capitaux propres et la rotation des actifs. Ici, les données basées sur les IFRS semblent révéler une rentabilité plus élevée.

CONCLUSION

Les états financiers sont des documents comptables qui contiennent de l'information utile à de nombreux utilisateurs, notamment les investisseurs, les institutions financières, les gouvernements, les clients, les fournisseurs et les gestionnaires. Cette information aide à la prise de décision et à la réduction du risque. En effet, les états financiers peuvent renseigner les décideurs de façon précise sur différents aspects de l'entreprise, en particulier sur ce qu'elle possède (actif), sur ce qu'elle doit (dettes) et sur sa rentabilité.

Quelques outils pratiques aident les utilisateurs à tirer le maximum d'information des documents comptables. Les ratios sont en effet des moyens utiles pour se renseigner sur les liquidités, l'endettement, la gestion et la rentabilité de l'entreprise. Grâce à eux, le gestionnaire peut détecter les forces et les faiblesses de l'entreprise, puis y apporter les correctifs nécessaires. Quant à l'investisseur, il peut cerner davantage les deux importantes variables de sa décision: le rendement et le risque.

Nous avons aussi comparé les ratios découlant des nouvelles normes comptables internationales que doivent dorénavant adopter les entreprises publiques canadiennes pour ne constater que des différences peu significatives.

Les ratios sont certes utiles, mais il est important de prendre conscience de leurs limites. Basés sur des documents comptables, les ratios traduisent le passé. De plus, ces documents doivent respecter les normes comptables en vigueur, soit les NCECF ou les IFRS.

Le décideur doit donc se rendre compte que les ratios peuvent certainement l'aider, mais que d'autres sources d'information sont nécessaires.

À RETENIR

1. Les principaux ratios permettent de diagnostiquer différents aspects financiers, notamment les liquidités, la gestion, l'endettement et la rentabilité.

2. Les ratios de liquidité évaluent la capacité de l'entreprise à honorer ses dettes à court terme et montrent si elle possède des liquidités suffisantes pour payer ses dettes à court terme, donc si elle est solvable.

3. Les ratios de gestion permettent d'évaluer la façon dont l'entreprise gère son actif.

4. Les ratios d'endettement évaluent l'importance de la dette par rapport au financement total de l'entreprise ainsi que son aptitude à assumer ses charges financières (intérêts).

5. Les ratios de rentabilité permettent d'évaluer la capacité de l'entreprise à dégager des bénéfices grâce à l'exploitation efficace de l'actif.

6. Le calcul des ratios se fait à partir des états financiers de l'entreprise à une date donnée. Il nécessite plusieurs précautions, dont la connaissance des normes comptables sous-jacentes, lesquelles peuvent affecter la qualité de l'information et la quantité d'information. Pour cela, les ratios sont des outils utiles à la prise de décision des utilisateurs, mais on doit s'en servir avec prudence.

7. L'analyse financière est un ensemble de critères quantitatifs devant être accompagnés de facteurs qualitatifs, ou non financiers, afin de pouvoir cerner plusieurs autres dimensions de l'entreprise ayant trait à la stratégie, à la gestion des ressources humaines, à la qualité de la gestion, de la gouvernance, à des produits et des relations avec la clientèle.

8. En intégrant l'ensemble des aspects quantitatifs et qualitatifs dans un document (comme un tableau de bord équilibré reflétant plusieurs dimensions de l'entreprise, telles que la clientèle, les actionnaires, les processus internes et les ressources humaines), l'analyste peut se faire une idée, d'une part, des forces et faiblesses de l'entreprise et, d'autre part, des occasions que celle-ci pourrait saisir et des menaces qu'elle devrait éviter.

9. L'analyse financière vise à fournir aux utilisateurs des états financiers de l'information utile pour mieux rationaliser leur prise de décision. Le calcul des ratios permet ainsi de juger différents aspects de l'entreprise, notamment les liquidités, la gestion, l'endettement et la rentabilité. Les utilisateurs peuvent également effectuer une analyse verticale et horizontale des données contenues dans les états financiers pour connaître une tendance ou pour comparer des entreprises de taille différente.

10. Les données contenues dans les états financiers sont liées aux techniques et aux normes comptables sous-jacentes. C'est ainsi que l'adoption des IFRS par les entreprises publiques canadiennes rend leur comparaison temporelle difficile. De la même façon, la comparaison des entreprises publiques aux entreprises à capital fermé serait difficile, parce que les unes utilisent les IFRS et les autres, les NCECF.

TERMES-CLÉS

SOMMAIRE DES ÉQUATIONS

Les ratios de liquidité

$$\text{Ratio de fonds de roulement} = \frac{\text{actif à court terme}}{\text{passif à court terme}} \qquad (8.1)$$

$$\text{Ratio de liquidité immédiate} = \frac{\text{actif à court terme – stocks}}{\text{passif à court terme}} \qquad (8.2)$$

Les ratios de gestion

$$\text{Rotation des comptes clients} = \frac{\text{ventes}}{\text{comptes clients}} \qquad (8.3)$$

$$\text{Délai de recouvrement des comptes clients} = \frac{\text{comptes clients} \times 365 \text{ jours}}{\text{ventes}} \qquad (8.4)$$

$$\text{Rotation des stocks} = \frac{\text{coût des marchandises vendues}}{\text{stock moyen}} \qquad (8.5)$$

$$\text{CMV} = \text{stock de début} + \text{achats} - \text{stock de fin} \qquad (8.6)$$

Les ratios d'endettement

$$\text{Ratio d'endettement total} = \frac{\text{dette totale}}{\text{actif total}} \qquad (8.7)$$

$$\text{Ratio de structure financière} = \frac{\text{dette totale}}{\text{capitaux propres}} \qquad (8.8)$$

$$\text{Ratio de couverture des intérêts} = \frac{\text{bénéfice avant intérêts et impôts}}{\text{intérêts}} \qquad (8.9)$$

$$\text{Ratio de couverture des charges fixes} = \frac{\text{bénéfice avant intérêts, loyers et impôts}}{\text{intérêts + loyers + amortissements} \atop \text{+ autres débours}} \qquad (8.10)$$

Les ratios de rentabilité

$$\text{Ratio de marge bénéficiaire brute} = \frac{\text{bénéfice brut}}{\text{ventes}} \qquad (8.11)$$

$$\text{Ratio de marge bénéficiaire nette} = \frac{\text{bénéfice net}}{\text{ventes}} \qquad (8.12)$$

$$\text{Ratio de rendement de l'actif total} = \frac{\text{bénéfice net}}{\text{actif total}} \qquad (8.13)$$

$$\text{Ratio de rendement des capitaux propres} = \frac{\text{bénéfice net}}{\text{capitaux propres}} \qquad (8.14)$$

$$\text{Ratio de rotation des actifs} = \frac{\text{ventes}}{\text{actif total}} \qquad (8.15)$$

Les autres ratios

$$\text{Ratio cours/bénéfice} = \frac{\text{cours (prix) de l'action ordinaire}}{\text{bénéfice par action (BPA)}} \qquad (8.16)$$

$$\text{Ratio prix boursier/valeur comptable} = \frac{\text{valeur boursière de l'action}}{\text{valeur comptable de l'action}} \qquad (8.17)$$

$$\text{Taux de distribution en dividendes} = \frac{\text{dividendes versés}}{\text{bénéfice net}} \qquad (8.18)$$

$$\text{Bénéfice par action de base} = \frac{\text{bénéfice net après impôts} - \text{dividendes aux actions privilégiées}}{\text{nombre moyen des actions ordinaires en circulation}} \qquad (8.19)$$

$$\text{Bénéfice par action dilué} = \frac{\text{bénéfice net après impôts} - \text{dividendes aux actions privilégiées}}{\text{nombre d'actions moyen}} \qquad (8.20)$$

PORTRAIT D'ENTREPRISE

Richelieu inc.[4]

«L'entreprise Richelieu a acquis une position de chef de file en Amérique du Nord en tant qu'importateur, distributeur et fabricant de quincaillerie spécialisée et de produits complémentaires. Ses produits sont destinés à une importante clientèle de fabricants d'armoires de cuisine et de salles de bains, de meubles, de portes et fenêtres et d'ébénisterie résidentielle et commerciale[5].»

«L'offre de Richelieu regroupe quelque 90 000 articles différents s'adressant à près de 70 000 clients actifs, qui sont desservis par 60 centres en Amérique du Nord, dont 34 centres de distribution au Canada, 24 centres aux États-Unis et deux usines de fabrication au Canada[6].»

L'historique

Quincaillerie Richelieu ltée a été fondée en 1968. Le 27 juillet 1993, elle achève son premier appel public à l'épargne et s'inscrit à la Bourse de Toronto (TSX) sous le symbole RCH. Elle possède plusieurs filiales consolidées dans ses états financiers: Richelieu Hardware Canada Ltd., Distributions 20-20 inc., Les Industries Cédan inc., Richelieu America Ltd. et Menuiseries des Pins ltée[7].

La croissance de Richelieu est surtout due à des acquisitions stratégiques. Au 30 novembre 2011, l'entreprise avait effectué trois acquisitions en Amérique du Nord: Outwater Hardware (New Jersey), Madico inc. (Québec) et Provincial Ltd (Terre-Neuve-et-Labrador). En 2010, Richelieu a réalisé six acquisitions, dont quatre aux États-Unis et deux au Canada.

---

4. Sauf indication contraire, cette section a été adaptée de Richelieu. «Rapport annuel 2011», [En ligne], www.richelieu.com/html/Fr/statique/infoFinanciere/fichier/Rapport%20Annuel%202011. pdf (Page consultée le 21 février 2013).

5. Richelieu. (30 novembre 2012). «Richelieu acquiert PJ White Hardwoods Ltd., un distributeur actif en Colombie-Britannique et en Alberta, et a signé trois nouvelles ententes d'acquisition», *Communiqué de presse*, [En ligne], www.richelieu.com/html/Fr/statique/communiquePresse/ fichier/RCH-CommPJWhiteHard.pdf

6. Richelieu. (6 décembre 2012). «Programme de rachat d'actions ordinaires par Quincaillerie Richelieu Ltée», *Canada Newswire*, [En ligne], www.newswire.ca/en/story/1084925/programme-de-rachat-d-actions-ordinaires-par-quincaillerie-richelieu-ltee (Page consultée le 5 février 2013).

7. Richelieu. (2011). «Notice annuelle – Exercice terminé le 30 novembre 2012», [En ligne], www. richelieu.com/html/Fr/statique/infoFinanciere/fichier/Notice%20annuelle%20-%20francais.pdf (Page consultée le 21 février 2013).

Les dirigeants de Richelieu estiment que ces acquisitions, conjuguées à la croissance interne de l'entreprise, sont prometteuses et permettront d'offrir d'excellentes possibilités de rentabilité tant au Canada qu'aux États-Unis, ce qui contribuera à créer de la richesse pour les actionnaires.

Les données financières

La date de clôture de l'exercice financier est le 30 novembre. Au 30 novembre 2011, l'action de Richelieu a clôturé à 27,22 $ par rapport à 29,87 $ au 30 novembre 2010, soit une baisse d'environ 9 %. Comme le montre la figure suivante, à l'exception de l'année 2008, l'action de Richelieu n'a cessé de prendre de la valeur, procurant ainsi un rendement appréciable aux investisseurs. Cette figure permet de constater que le rendement des actions est de 18 % sur 5 ans, de 112 % sur 10 ans et de 1 173 % depuis son entrée à la Bourse. Les rendements réels sont nécessairement plus élevés si l'on tient compte de la politique de dividendes instaurée depuis 2002. Au 30 novembre 2011, le dividende par action était de 0,44 $, ce qui correspond à une augmentation de 22 % par rapport à l'année précédente et de 57 % par rapport à ce qu'il était en 2007.

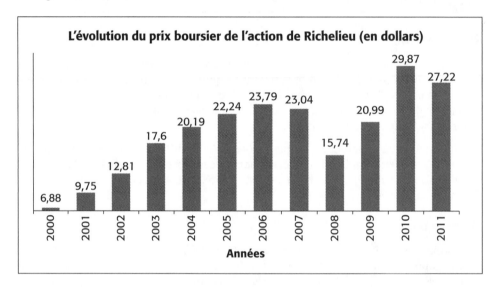

La performance de l'action dépasse largement celle du marché canadien des actions. Pour les mêmes périodes, ce dernier a donné un rendement moyen de −8,70 % en 2011, de 4,16 % sur 5 ans, et de 9,10 % sur 10 ans.

Cette réussite boursière s'explique par les performances financière et comptable qui ressortent des états financiers de Richelieu, dont certains faits saillants sont indiqués dans le tableau suivant:

	2011 (en milliers de dollars)	2010 (en milliers de dollars)	Variation (en pourcentage)
Bénéfice net de base par action	1,88	1,82	3,30
Bénéfice net dilué par action	1,86	1,81	2,80
Flux monétaires des activités poursuivies	2,35	2,08	12,98
Valeur comptable	13,22	12,01	10,08
Dividendes	0,44	0,36	22,22

La répartition géographique des ventes par région en 2011 est montrée dans la figure suivante. On y voit que l'est du Canada générait 44 % des ventes, alors que le marché américain ne générait que 12 %.

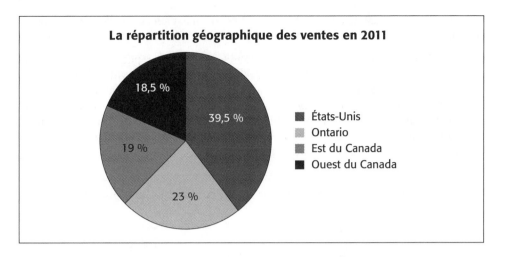

La répartition géographique des ventes en 2011

- États-Unis
- Ontario
- Est du Canada
- Ouest du Canada

39,5 %
23 %
19 %
18,5 %

La figure suivante montre que les clients de Richelieu se répartissent en fabricants pour 81 % des ventes et en détaillants pour 19 %.

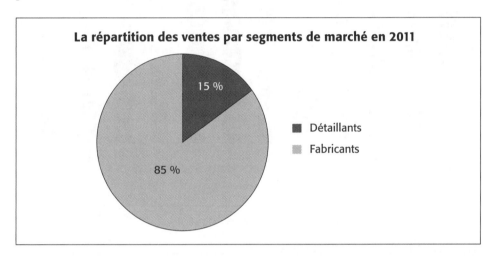

La répartition des ventes par segments de marché en 2011

- Détaillants
- Fabricants

15 %
85 %

D'autre part, l'évolution du BPA est constante depuis plusieurs années, comme le montre clairement la figure suivante.

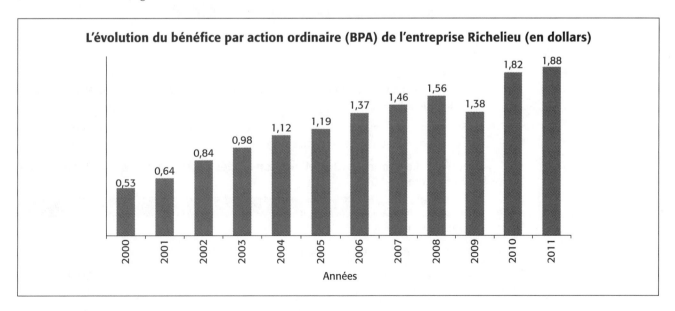

L'évolution du bénéfice par action ordinaire (BPA) de l'entreprise Richelieu (en dollars)

0,53 — 2000
0,64 — 2001
0,84 — 2002
0,98 — 2003
1,12 — 2004
1,19 — 2005
1,37 — 2006
1,46 — 2007
1,56 — 2008
1,38 — 2009
1,82 — 2010
1,88 — 2011

Années

On remarque aussi une très forte corrélation entre le BPA et le prix boursier. On observe une constante augmentation depuis la première inscription à la Bourse de Toronto en 1993. D'ailleurs, les actions de Richelieu ont subi un fractionnement en 1990 et en 2001, ce qui veut dire que la rentabilité de Richelieu se traduit par une appréciation de la valeur boursière de ses actions, ce qui entraîne une création de valeur soutenue pour les investisseurs.

Les investisseurs appréhendent donc la rentabilité de Richelieu, puisque le ratio cours/valeur comptable est toujours supérieur à l'unité, ce qui signifie que le marché prévoit des occasions d'affaires rentables à l'avenir pour l'entreprise. La figure suivante le confirme assez bien. Par contre, la crise financière de 2008 n'a pas épargné l'action de Richelieu, laquelle a atteint un niveau plancher de 1,51. Toutefois, les années suivantes, les investisseurs ont semblé éprouver plus d'incertitude, ce qui d'ailleurs caractérise le comportement des marchés boursiers en général.

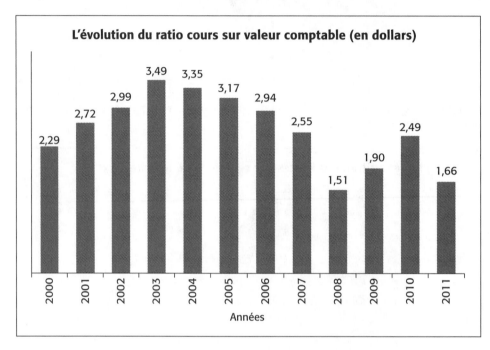

Exerçons nos connaissances

La compagnie Metro est un chef de file dans les secteurs alimentaires et pharmaceutiques au Québec et en Ontario. En 2011, Metro exploite 564 magasins, dont 52 % au Québec, et 257 pharmacies, dont environ 70 % au Québec[8].

Un sommaire des états financiers de 2011 et 2010 de Metro est donné dans les deux annexes qui suivent.

1. Consultez les annexes A et B et effectuez une analyse financière de Metro pour les deux années concernant: a) les liquidités; b) la gestion; c) l'endettement; d) la rentabilité.

2. Sur la base de votre analyse à la question 1, relevez les forces et les faiblesses de Metro pour chacune des quatre catégories.

Annexe A: Le sommaire des bilans consolidés de Metro aux 24 septembre 2011 et 25 septembre 2010

(en millions de dollars)	2011	2010
Actifs à court terme		
Trésorerie et équivalents de trésorerie	255,5	214,7
Débiteurs	306,9	311,3

---

8. Metro. « Une nouvelle perspective sur les besoins de nos clients», *Rapport annuel 2011*, p. 2, [En ligne], www.metro.ca/userfiles/File/Corpo/Rapport-annuel/2011-rapp-annuel-fr-sedar.pdf (Page consultée le 21 février 2013).

(en millions de dollars) (*suite*)	2011 (*suite*)	2010 (*suite*)
Stocks	728,3	699,3
Autres actifs à court terme	33,1	23,7
Actifs à long terme	3 635,0	3 747,9
Total des actifs	4 958,8	4 796,9
Passifs à court terme	1 144,9	1 142,6
Dette à long terme	1 025,5	1 004,3
Autres passifs à long terme	220,4	207,2
Total des dettes	2 390,8	2 354,1
Capitaux propres	2 568,0	2 442,8
Total du passif et des capitaux propres	4 958,8	4 796,9

Source: Adapté de Metro. «Bilans consolidés aux 24 septembre 2011 et 25 septembre 2010 (en millions de dollars)», *Rapport de gestion et états financiers consolidés*, p. 35, [En ligne], http://rapportannuel2011. metro.ca/Etats-financiers/Rapport-de-gestion-et-etats-financiers-consolides/Rapport-de-gestion-et-etats-financiers-consolides.aspx (Page consultée le 5 février 2013).

Annexe B: Le sommaire des états consolidés des résultats de Metro aux 24 septembre 2011 et 25 septembre 2010

(en millions de dollars, sauf bénéfice par action)	2011	2010
Chiffre d'affaires	11 430,6	11 342,9
Coût des marchandises vendues et charges d'exploitation	−10 679,6	−10 595,4
Quote-part dans les résultats d'une société satellite publique	42,6	40,4
Frais de fermeture et autres	−20,2	−0,9
Bénéfice avant frais financiers, impôts et amortissement	773,4	787,0
Amortissement	−195,2	−201,2
Bénéfice d'exploitation	578,2	585,8
Frais financiers	−41,5	−44,7
Bénéfice avant impôts sur les bénéfices	536,7	541,1
Impôts sur les bénéfices	−150,4	−149,3
Bénéfice net	386,3	391,8
Bénéfice net par action		
De base	3,75	3,67
Dilué	3,73	3,65

Source: Adapté de Metro. «États consolidés des résultats, Exercices terminés les 24 septembre 2011 et 25 septembre 2010 (en millions de dollars, sauf le bénéfice net par action)», *Rapport de gestion et états financiers consolidés*, p. 34, [En ligne], http://rapportannuel2011.metro.ca/Etats-financiers/Rapport-de-gestion-et-etats-financiers-consolides/Rapport-de-gestion-et-etats-financiers-consolides.aspx (Page consultée le 5 février 2013).

Démonstration

1. Nous avons calculé les principaux ratios de Metro et les avons comparés avec ceux de Loblaws, qui évolue dans le même secteur d'activité.

a) En ce qui concerne les ratios de liquidité: Dans le tableau suivant, on constate que le ratio de fonds de roulement de Metro est de 1,16 en 2011 en comparaison à 1,09 en 2010. Il y a donc une légère amélioration pour ce qui est des liquidités de Metro. Cette amélioration s'explique par les actifs à court terme (ou actifs courants), qui ont augmenté de 6,0 % en 2011 par rapport à 2010, alors que les passifs courants sont demeurés presque inchangés. Dans la même durée, Loblaws a également amélioré ses liquidités, puisque son ratio est passé de 1,21 en 2010 à 1,37 en 2011:

	2011	2010
Ratio de fonds de roulement de Metro	1,16	1,09
Ratio de fonds de roulement de Loblaws	1,37	1,21

Les ratios de liquidité immédiate figurent dans le tableau suivant et véhiculent la même tendance pour les deux entreprises:

	2011	2010
Ratio de liquidité immédiate de Metro	0,52	0,48
Ratio de liquidité immédiate de Loblaws	0,94	0,82

b) En ce qui concerne les ratios de gestion: Tout d'abord, on calcule le ratio de recouvrement des comptes clients. Dans le tableau suivant, on voit que Metro mettait environ 10 jours, en 2011, à recouvrer ses créances, comparativement à 10,02 jours en 2010. Par contre, Loblaws mettait environ 30 jours en 2011 et 28 jours en 2010 à recouvrer les siennes. La différence pourrait s'expliquer par un recours plus important au paiement par carte de crédit chez Loblaws et au paiement au comptant chez Metro. En outre, alors que ce ratio est en baisse chez Metro, il est en légère croissance chez Loblaws:

	2011	2010
Délai de recouvrement des comptes clients de Metro	9,80	10,02
Délai de recouvrement des comptes clients de Loblaws	29,99	27,97

Puis, en calculant la rotation des stocks, dont les ratios figurant dans le tableau suivant, on constate qu'en moyenne Metro renouvelle 14,66 fois et 15,15 ses stocks en 2011 et en 2010, respectivement. Durant la même période, Loblaws renouvelle ses stocks 11,80 et 12,03 fois en 2011 et en 2010, respectivement. Dans le cas des deux entreprises, on constate une légère détérioration du ratio. Cependant, il est bon de mentionner que les stocks dont il s'agit comprennent des marchandises assez variées et non seulement de «l'épicerie»:

	2011	2010
Rotation des stocks de Metro	14,66	15,15
Rotation des stocks de Loblaws	11,80	12,03

c) En ce qui concerne les ratios d'endettement: Dans le tableau suivant, on voit que le ratio d'endettement de Metro est quasi-stable durant les deux années: l'entreprise finance environ 50 % de ses actifs par de l'endettement. Par contre, Loblaws utilise davantage l'endettement, soit 66 % en 2011 et 67 % en 2010.

Nous avons recalculé le ratio d'endettement en tenant uniquement compte de la dette à long terme et avons obtenu les résultats suivants pour Metro: 21 % en 2011 et en 2010. Nous avons effectué pareil calcul pour Loblaws et obtenu également les mêmes résultats, soit 21 %, pour les 2 années. Ce dernier calcul donne, pour les deux entreprises, une meilleure image de leur niveau d'endettement et du risque financier qu'elles courent aux yeux des actionnaires et des pourvoyeurs de fonds:

	2011	2010
Ratio d'endettement de Metro	48	49
Ratio d'endettement de Loblaws	66	67

Nous avons calculé le ratio de structure financière, dont les résultats figurent dans le tableau suivant. Ils véhiculent le même message que le ratio d'endettement: Metro utilise 0,93 $ (2011) et 0,96 $ (2010) de dette pour chaque dollar de capitaux propres, alors que Loblaws en utilise davantage, soit 1,90 $ (2011) et 2,01 $ (2010) pour chaque dollar de capitaux propres.

Nous avons également effectué le calcul en ne prenant en compte que la dette à long terme. Les résultats sont: 0,40 et 0,41 en 2011 et 2010 pour Metro et 0,61 et 0,63 en 2011 et 2010 pour Loblaws:

	2011	2010
Ratio de structure de Metro	0,93	0,96
Ratio de structure de Loblaws	1,90	2,01

Enfin, nous avons calculé le ratio de couverture des intérêts, donné dans le tableau suivant:

	2011	2010
Ratio de couverture des intérêts de Metro	13,93	13,11
Ratio de couverture des intérêts de Loblaws	4,23	3,82

Metro génère un bénéfice avant intérêts et impôts qui représente 13,93 et 13,11 fois ses frais financiers en 2011 et en 2010, respectivement. Pendant ces deux années, Loblaws réalise un bénéfice équivalent à 4,23 et à 3,82 fois les intérêts. On remarque que ce ratio véhicule un message similaire à celui qui se dégage des ratios d'endettement: le fardeau de la dette est moins élevé pour Metro que pour Loblaws.

d) En ce qui concerne les ratios de rentabilité de Metro, nous pouvons les comparer à ceux de Loblaws. Tout d'abord, nous avons calculé le ratio de la marge bénéficiaire brute en soustrayant le coût des marchandises vendues du montant des ventes. Les résultats figurent dans le tableau suivant. On y voit que Metro réalise une marge de 7 % des ventes en 2011 et en 2010, alors que Loblaws réalise 24 % chacune des 2 années:

	2011	2010
Ratio de marge bénéficiaire brute de Metro	7	7
Ratio de marge bénéficiaire brute de Loblaws	24	24

Toutefois, la comparaison de ce ratio entre les deux entreprises est limitée par l'information disponible dans leurs états financiers. En effet, alors que le CMV est clairement indiqué dans ceux de Loblaws, ce qui permet de calculer la marge bénéficiaire brute, il n'y figure pas dans ceux de Metro, ce qui rend le calcul de la marge brute impossible à faire. Le ratio que nous affichons ici n'est donc pas comparable pour les deux entreprises. Toutefois, nous préférons l'inclure pour souligner la limite de l'analyse par ratios.

Après avoir calculé les ratios de rentabilité nette qui sont montrés dans le tableau suivant, on constate que Metro réalise un bénéfice net de 3 % des ventes en 2011 et en 2010, alors que Loblaws affiche 2 % des ventes pour les mêmes années:

	2011	2010
Ratio de marge bénéficiaire nette de Metro	3	3
Ratio de marge bénéficiaire nette de Loblaws	2	2

Ensuite, dans le tableau suivant, nous avons calculé le ratio du rendement de l'actif total des deux entreprises:

	2011	2010
Ratio de rendement de l'actif total de Metro	8	8
Ratio de rendement de l'actif total de Loblaws	4	4

Il appert que Metro montre une rentabilité de 8 % pour chacune des 2 années, soit le double du ratio de Loblaws, qui s'élève à 4 % à chacune des années visées. Ainsi, il s'avère que chaque dollar investi dans les actifs rapporte 0,08 $ chez Metro, alors qu'il rapporte seulement 0,04 $ chez Loblaws.

Finalement, dans le tableau suivant, nous avons montré le ratio du rendement (ou de rentabilité) des capitaux propres. On voit que Metro affiche 15 % et 16 % en 2011 et en 2010, respectivement. Durant ces 2 années, la rentabilité des capitaux propres s'est élevée à 13 % et à 12 %. Alors que ce ratio est en baisse chez Metro, il est en hausse chez Loblaws :

	2011	2010
Ratio de rentabilité des capitaux propres de Metro	15	16
Ratio de rentabilité des capitaux propres de Loblaws	13	12

En terminant, nous concluons cette analyse de la rentabilité en calculant, dans le tableau suivant, la rotation des actifs :

	2011	2010
Rotation des actifs de Metro	2,31	2,36
Rotation des actifs de Loblaws	1,79	1,83

Tout d'abord, on constate que la rotation des actifs est en baisse en 2011 par rapport à l'année précédente, et ce, pour les deux entreprises. Par contre, chaque dollar investi dans les actifs génère 2,31 $ de ventes en 2011 chez Metro, contrairement à Loblaws, où il s'élève à 1,79 $. Cet écart se vérifie également en 2010.

2. Les forces et faiblesses de Metro pour ce qui est : a) des liquidités ; b) de la gestion ; c) de l'endettement ; d) de la rentabilité.

Nous avons effectué l'analyse financière de Metro et avons comparé cette analyse à celle de Loblaws, qui évolue dans le même secteur. Les ratios de liquidité démontrent que Loblaws est en meilleure posture que son homologue Metro en ce qui concerne le ratio de fonds de roulement, Metro semble avoir moins de liquidités. Par contre, ce ratio peut être influencé par plusieurs facteurs, dont la lenteur du délai de recouvrement. À ce chapitre, il semble que Metro est plus « agressif », puisqu'il recouvre ses comptes clients plus rapidement, ce que démontrent d'ailleurs le délai de recouvrement et la rotation des comptes clients. La gestion des stocks semble également être en faveur de Metro, comme l'indique d'ailleurs la rotation des stocks, plus élevée dans son cas que celle de Loblaws.

En ce qui concerne l'endettement, on constate que les deux entreprises ont des niveaux assez différents, mais Metro semble moins endettée que son homologue Loblaws. Toutefois, ce ratio est influencé par la façon de le mesurer. En effet, la dette à long terme en pourcentage du total des actifs est semblable dans les deux cas. Comme l'endettement donne une idée du risque financier, il est logique de penser que Metro constitue un investissement moins risqué que Loblaws. Par contre, le recours à l'endettement procure des avantages, en ce sens qu'il permet d'augmenter la rentabilité, puisque les intérêts sont déductibles fiscalement. De ce point de vue, Loblaws utilise davantage les effets du levier, ce qui contribue à augmenter sa rentabilité. En ce qui concerne cet aspect, la plupart des ratios semblent en faveur de Metro plutôt que de Loblaws, à l'exception de la marge bénéficiaire brute, qui favoriserait celle-ci.

Questions de révision

1. Quel est le but de l'analyse financière?

2. Définissez le mot «ratio».

3. Qui sont les utilisateurs des états financiers?

4. Pourquoi un investisseur souhaiterait-il consulter les états financiers?

5. Nommez quelques limites des états financiers en tant que source d'information pour les investisseurs.

6. Quel est le but de chacune des quatre catégories de ratios?

7. Que signifie un ratio de fonds de roulement égal à 2?

8. Que signifie un ratio d'endettement de 40 %?

9. Commentez la phrase suivante: «Un ratio n'a de sens que s'il est comparé avec d'autres ratios.»

10. En quoi les principes comptables généralement reconnus (PCGR) influencent-ils les ratios?

11. Comment définissez-vous les Normes internationales d'information financière (IFRS)?

Exercices

1. Voici un extrait du bilan de quatre entreprises, en millions de dollars:

	Actif total	Passif total	Avoir
Entreprise 1	3 531,00	2 220	1 311,00
Entreprise 2	14 915,00		5 041,00
Entreprise 3	3 595,25		2 180,84
Entreprise 4	517,10		302,80

Le passif et l'avoir de ces entreprises comprennent les éléments suivants, en millions de dollars:

Source de financement	Entreprise 1	Entreprise 2	Entreprise 3	Entreprise 4
Dettes à court terme	1 399	2 053	305,55	151,9
Dettes à long terme	821	7 821	108,86	62,4
Capital-actions	245	3 605	2 176,02	150,6
Bénéfices non répartis	1 066	1 436	4,82	152,2

L'actif de ces entreprises comprend, entre autres, les éléments suivants, en millions de dollars:

Emploi	Entreprise 1	Entreprise 2	Entreprise 3	Entreprise 4
Actif à court terme	1 438	10 738,8	1 059,94	373,4
Immobilisations	2 093	4 176,2	2 535,31	143,7

a) Parmi ces entreprises, laquelle utilise plus de dettes? Moins de bénéfices non répartis (BNR)?

b) Parmi ces entreprises, laquelle utilise plus d'actif à long terme? Moins de stocks?

c) Comparez le bilan des entreprises 2 et 3. Quelles sont les ressemblances? Les différences?

d) Supposez que l'entreprise 1 est la compagnie canadienne Jean-Coutu. Avec quelle compagnie canadienne serait-elle comparable? Quelles seraient les ressemblances? Les différences?

2. On vous donne un extrait du compte des résultats de quatre entreprises (en milliers de dollars) au 31 décembre de l'année 1:

	Entreprise 1	Entreprise 2	Entreprise 3	Entreprise 4
Produits	9 848,00	9 774,00	2 145,00	576,40
Charges d'exploitation	?	?	?	?
Bénéfice net	174,00	254,00	247,93	51,00
Bénéfice par action	0,72	1,02	1,40	0,45

L'état des résultats de l'entreprise 2 (en milliers de dollars) pour trois années est le suivant:

	Année Z	Année Y	Année X
Produits	9 774,00	9 989,00	7 594,00
Charges d'exploitation	9 520,00	9 465,00	7 261,00
Bénéfice net	254,00	524,00	333,00
Bénéfice par action	1,02	2,19	1,45

a) De l'année X à l'année Z (trois années), quelle est l'augmentation de chaque poste du compte des résultats de l'entreprise 2?

b) Pour la même période, selon vous, son prix boursier aura-t-il augmenté dans la même proportion que son bénéfice par action? Pourquoi?

c) Quelles seraient les causes de l'augmentation des produits, des charges d'exploitation et du bénéfice net de l'entreprise 2?

d) Comparez le bénéfice avec les produits d'exploitation des entreprises 1 et 4. Quelles sont vos conclusions?

e) À quel secteur d'activité ne peut-on pas associer l'entreprise 2? Pourquoi?

f) Lorsque les ventes augmentent, quelle devrait être la conséquence sur le bénéfice net? Est-ce le cas pour les entreprises ci-dessus?

3. Les ratios de fonds de roulement de l'entreprise ABC et ceux de son secteur sont les suivants:

	2011	2010	2009	2008
Entreprise ABC	2,64	2,99	1,39	1,12
Secteur	2,14	2,28	2,08	2,13

a) Commentez les ratios de l'entreprise ABC.

b) Quelles seraient les causes de la hausse du ratio de fonds de roulement de l'entreprise ABC en 2011?

c) Comment les dirigeants de l'entreprise ABC peuvent-ils «corriger» la situation au besoin?

4. Les délais de recouvrement des comptes clients (en jours) de l'entreprise Tremblay et de son secteur sont les suivants:

	2011	2010	2009	2008
Entreprise Tremblay	60	63	40	30
Secteur	40	40	40	40

a) Commentez l'évolution du délai de recouvrement des comptes clients de l'entreprise Tremblay.

b) Déterminez les facteurs expliquant la hausse du délai de recouvrement de l'entreprise Tremblay.

c) Quelles sont les incidences sur les liquidités de l'entreprise Tremblay?

d) Quelles solutions recommandez-vous?

Problèmes[9]

Le 1er février 2011, le président de Cuisines de luxe ltée (CDL) vous contacte, à titre de conseiller en finance, pour préparer sa réponse à la requête de son institution financière, qui s'inquiète de la santé financière de son entreprise. En effet, lors du renouvellement de son plus récent emprunt, l'institution financière avait imposé plus de contraintes financières, telles que le maintien d'un ratio de fonds de roulement d'au moins 2,0, d'un ratio de trésorerie de 1,0 et d'un ratio passif à court terme/actif total de 40 %. Selon le contrat de prêt, elle a le droit d'en demander le remboursement immédiat. Si le paiement n'a pas lieu dans les 10 jours, elle peut forcer CDL à déclarer faillite.

Le président de CDL vous remet les états financiers récents (*voir les trois tableaux suivants*) et vous demande de préparer un rapport qu'il pourra utiliser pour convaincre l'institution financière de ne pas demander le retrait de son prêt:

Le bilan au 31 décembre (en milliers de dollars)			
	2010	2011	2012
Trésorerie et équivalents de trésorerie	61	28	20
Comptes clients	245	277	388
Stocks	306	510	826
	612	**815**	**1 234**
Terrains et bâtiments	49	130	122
Matériel	151	118	102
Autres immobilisations	29	8	6
Total des actifs	**841**	**1 071**	**1 464**
Effets à payer (institution financière)	0	102	286
Créditeurs	98	155	306
Charges à payer	49	57	77
Total des passifs à court terme	**147**	**314**	**669**
Emprunt hypothécaire	45	41	37
Total des passifs	**192**	**355**	**706**
Capital-actions	365	365	365
Bénéfices non répartis	284	351	393
	649	**716**	**758**
Total des passifs et des capitaux propres	**841**	**1 071**	**1 464**

9. Adapté d'un examen de CGA.

L'état des résultats au 31 décembre (en milliers de dollars)			
	2009	2010	2011
Ventes (nettes)	2 652	2 754	2 856
Coût des marchandises vendues	2 121	2 203	2 284
Bénéfice brut	531	551	572
Frais généraux, frais de vente et d'administration	204	224	244
Amortissement	8	10	12
Charges diverses	41	86	122
Bénéfice net avant impôts	278	231	194
Impôts	97	81	68
Bénéfice net	181	150	126

Les ratios moyens du secteur de l'entreprise CDL (en milliers de dollars)	
	Moyenne du secteur 2009-2011
Ratio de fonds de roulement	2,70
Ratio de trésorerie immédiate	1,00
Délai moyen de recouvrement (en jours)	31,00
Rotation des stocks	7,00
Rotation des immobilisations	13,00
Rotation de l'actif total	2,60
Passif à court terme/actif total	35,00
Passif à long terme/actif total	3,00
Passif total/actif total	50,00
Pourcentage du bénéfice brut	20,00
Bénéfice net avant impôts	7,50
Bénéfice net	4,50
Rendement de l'actif total	11,70
Rendement de l'avoir	23,40

1. Effectuez l'analyse financière de CDL du point de vue de la liquidité, de la gestion, de l'endettement et de la rentabilité. Indiquez les forces et les faiblesses de l'entreprise, en les expliquant.

2. Quelles sont les recommandations que vous feriez aux dirigeants de CDL pour corriger les faiblesses relevées dans votre analyse?

3. Pensez-vous que l'institution financière devrait rappeler le prêt consenti à CDL? Pourquoi?

Chapitre 9

Les stratégies de création de valeur

MISE EN CONTEXTE

La dernière décennie a été marquée par plusieurs scandales financiers, dont les plus retentissants ont été ceux d'Enron aux États-Unis et de Nortel au Canada. Nortel, une entreprise de télécommunications, a été la coqueluche non seulement de l'ensemble des Canadiens, mais aussi du monde entier : l'entreprise employait 94 500 personnes dans le monde, dont 25 900 au Canada. Les marchés financiers aimaient Nortel au point où la valeur marchande de ses actions représentait jusqu'à 30 % de la capitalisation boursière de la Bourse de Toronto. L'action de l'entreprise a grimpé pour atteindre un sommet à 124,50 $ le 26 juillet 2000. Mais, en 2001, l'action se négociait à 8 $ et, en août 2002, elle avait chuté à 0,47 $. Le 14 janvier 2009, Nortel demandait la protection du tribunal et, l'entreprise étant alors en faillite, elle a été liquidée dans les années suivantes.

Il est évident que les nombreux investisseurs et employés de Nortel ont le cœur gros et sont amers vis-à-vis des gestionnaires de l'entreprise. Ils leur reprochent les décisions qui ont provoqué le naufrage de Nortel et leur appauvrissement. Il faut toutefois noter que, le 13 janvier 2013, la Cour supérieure de l'Ontario a déclaré non coupables les hauts dirigeants de Nortel qui étaient poursuivis pour fraude.

Il s'agit d'un exemple frappant de destruction de valeur, puisque plusieurs investisseurs canadiens ont vu leur fortune et leurs rêves disparaître. En effet, la valeur boursière de Nortel a fondu de 99 % en l'espace de 2 ans à peine. Mais cet exemple met encore mieux en avant l'impact des décisions des gestionnaires sur la création ou la destruction de valeur des entreprises. C'est la raison qui nous motive à consacrer le présent chapitre à l'étude de ce thème.

Dans le présent chapitre, nous aurons l'occasion de revoir les différentes connaissances acquises dans les chapitres précédents dans une perspective stratégique afin de découvrir les outils que les gestionnaires utilisent pour rentabiliser l'entreprise et en accroître sa valeur.

Nous nous préoccuperons principalement de la création de richesse pour les propriétaires et de la façon dont les gestionnaires créent cette richesse. Les propriétaires ont pour principal objectif la maximisation de la valeur de leur investissement, c'est-à-dire de leur richesse. Ils désirent ainsi que les **prises de décisions** des gestionnaires se traduisent par une rentabilité appréciable qui se reflètent sur le prix boursier et, par conséquent, sur leur richesse. En théorie, les décisions des gestionnaires doivent être prises dans le meilleur intérêt des propriétaires de l'entreprise. Toutefois, il se peut que les gestionnaires soient guidés par la satisfaction de leurs propres intérêts. On assiste alors à un conflit entre les intérêts des gestionnaires et ceux des propriétaires, ce que l'on appelle « coûts d'agence ». Nous étudierons les mécanismes de gouvernance que les propriétaires peuvent mettre en place afin de faire concorder les intérêts des gestionnaires avec les leurs.

Dans la première section, nous définirons la création de valeur. Pour cela, nous déterminerons les **objectifs des propriétaires** et les décisions prises par les gestionnaires pour répondre à ces objectifs. Ces décisions peuvent être de nature financière, que ce soit à court ou à long terme. Il peut aussi s'agir de décisions de financement au moyen de la dette à court terme, des différents types d'endettement qui existent ou des capitaux propres. Enfin, nous verrons les différentes interprétations qui existent quant à la politique du versement de dividendes.

Dans la deuxième section, nous étudierons les mesures de création de valeur, qui comprennent des mesures comptables et des mesures financières.

Enfin, dans la dernière section, nous verrons les différentes stratégies, que l'on appelle « inducteurs de valeur », à implanter pour créer de la richesse.

9.1 Les décisions des gestionnaires pour créer de la valeur

Dans la plupart des entreprises modernes, il y a une séparation entre la gestion et la propriété. Les propriétaires fournissent le capital et recrutent des mandataires (gestionnaires) qui gèrent l'entreprise. Pour reprendre la terminologie utilisée au chapitre 1 au sujet de la **relation d'agence**, les propriétaires deviennent le «principal» ou le «mandant» et les gestionnaires sont «l'agent» ou le «mandataire».

Ainsi, le «principal» désire la maximisation de sa richesse. L'«agent» est censé prendre des décisions, en tenant compte du risque, d'une part, et de la rentabilité de la décision, d'autre part, dans le but de maximiser la valeur des actions et, par ricochet, la richesse des propriétaires. C'est ce que l'on appelle «processus décisionnel du gestionnaire», que représente la figure 9.1. Ainsi, la création de valeur, c'est-à-dire la maximisation de la valeur de l'entreprise, devient l'objectif sous-jacent à toutes les décisions prises par le gestionnaire.

Toutefois, dans certaines circonstances, l'agent pourrait être tenté de prendre des décisions qui seraient non pas dans l'intérêt des propriétaires, mais qui auraient pour but de maximiser ses intérêts personnels. On assiste alors à la naissance de coûts d'agence, lesquels peuvent conduire à la baisse de la valeur des actions. La théorie nous enseigne que plus la part des gestionnaires dans le capital de l'entreprise est faible, plus les coûts d'agence sont élevés.

Mais alors, quels seraient les mécanismes que les propriétaires pourraient mettre en œuvre pour que les gestionnaires se comportent en «bons gestionnaires»? La réponse est la qualité de la **gouvernance**.

On définit la gouvernance comme l'ensemble des mécanismes mis en place pour contrôler le comportement des gestionnaires afin qu'ils prennent des décisions, non pas dans leur intérêt personnel, mais seulement en accord avec l'intérêt des propriétaires. Il existe plusieurs mécanismes de gouvernance: les mécanismes internes et les mécanismes externes. Parmi les mécanismes internes, on trouve la composition du conseil d'administration, la structure de propriété du capital, la concentration ou non de la propriété, la présence d'une classe d'actions ordinaires (au lieu de classes multiples) et la propriété des gestionnaires dans le capital de l'entreprise. Les mécanismes externes regroupent quant à eux les principaux marchés, soit le marché du travail, des biens et des services de même que le marché des capitaux.

Ces mécanismes visent à discipliner le comportement des gestionnaires afin que leurs décisions cadrent avec les intérêts des propriétaires et ne visent que la création de valeur pour ces derniers.

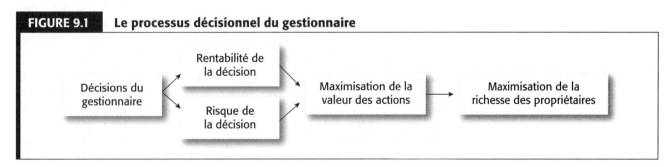

FIGURE 9.1   **Le processus décisionnel du gestionnaire**

Des études ont établi le lien qui existerait entre la qualité de la gouvernance et la performance de l'entreprise. C'est ainsi que plus grande est la qualité de la gouvernance, plus la rentabilité est élevée. L'étude d'Adjaoud et de ses collaborateurs[1] a établi que les entreprises canadiennes qui possèdent des conseils d'administration de qualité créent

---

1. Adjaoud, F., D. Zéghal et S. Andaleeb (2007). «The Effect of the Board's Quality on Performance: A Study of Canadian Firms», *Corporate Governance: an International Review*, vol. 15, n° 4, p. 623-635.

de la valeur pour leurs actionnaires. La qualité de la gouvernance est mesurée par un indice publié annuellement par le «Report on Business» du *Globe and Mail*. Il est basé sur quatre dimensions, soit la composition du conseil d'administration, la rémunération des membres du conseil, la protection des droits des actionnaires et la qualité de l'information. Un pointage est attribué à chaque dimension et un pointage total est calculé sur 100 points. Plus le pointage de gouvernance est élevé, meilleure est la qualité de la gouvernance de l'entreprise. Ainsi, il serait logique de penser que plus le pointage de gouvernance est élevé, plus les coûts d'agence sont faibles. En effet, dans le cas où la gouvernance de l'entreprise est bonne, ce qui se traduit par un pointage élevé, les intérêts des gestionnaires seraient en accord avec ceux des actionnaires, et les décisions seraient alors dans l'intérêt de ces derniers. La performance de l'entreprise serait meilleure et la valeur de ses actions devrait s'accroître. C'est ce résultat qui est confirmé par l'étude d'Adjaoud et de ses collaborateurs.

Les gestionnaires prennent deux types de décisions: celles qui consistent à obtenir les sources de financement, enregistrées du côté droit du bilan de l'entreprise (dettes et capitaux propres), et celles qui consistent à utiliser ces sources pour l'acquisition d'actifs, enregistrées du côté gauche. Les premières sont des décisions de financement, tandis que les secondes sont des décisions d'investissement. Examinons d'abord ces dernières.

9.1.1 Les décisions d'investissement

Les gestionnaires prennent plusieurs sortes de décisions, que l'on peut classer dans deux catégories: les décisions à court terme et les décisions à long terme.

Les décisions à court terme

Parmi les décisions à court terme, mentionnons l'octroi de crédit aux clients, la gestion des stocks et celle de l'encaisse.

L'octroi de crédit aux clients Afin d'augmenter les ventes de l'entreprise, les gestionnaires peuvent décider de vendre au comptant ou à crédit selon les normes du secteur. Dans le cas d'une vente à crédit, ils doivent décider de la durée du crédit en nombre de jours. Cette décision a un effet non seulement sur les liquidités de l'entreprise, mais aussi sur sa rentabilité. En effet, plus le délai accordé aux clients est long, plus l'entreprise doit attendre avant de recevoir ses créances. Pendant ce temps, elle doit trouver d'autres moyens de financer son fonds de roulement, dont possiblement le recours à une marge de crédit et donc le paiement de charges financières à l'institution financière. Cela a une incidence sur la rentabilité, puisque les charges financières accroissent les charges d'exploitation. Afin de rehausser la rentabilité de l'entreprise, les gestionnaires pourraient être tentés de raccourcir au maximum le délai accordé aux clients, mais cette décision est risquée puisqu'elle pourrait faire fuir ces derniers chez les concurrents. On retrouve là la relation rendement-risque étudiée au chapitre 5.

La gestion des stocks La décision des gestionnaires consiste à décider le niveau de stocks à maintenir. Ils peuvent préférer avoir un bas niveau de stock de marchandises ou avoir un niveau de stock qui soit le plus élevé possible. La gestion des stocks occasionne plusieurs coûts, dont les coûts de cette passation et de détention du stock. Les coûts de cette passation sont positivement corrélés au nombre de commandes, ce qui peut inciter les gestionnaires à se procurer le maximum de marchandises à chaque commande afin d'en réduire le nombre et, par ricochet, les coûts de passation. Par contre, le coût de détention du stock augmente avec la quantité de marchandises détenues en stock et représente le coût d'opportunité englouti dans le montant des stocks. Pour minimiser ce coût, les gestionnaires peuvent réduire le niveau des stocks, ce qui augmente, par contre, le coût de passation des commandes. Ils doivent donc trouver un niveau optimal des stocks qui minimise le coût total de passation et de possession, ce qui influence indiscutablement la rentabilité. À l'extrême, les gestionnaires peuvent adopter la méthode de gestion des stocks connue sous l'appellation «juste-à-temps», qui consiste à minimiser le niveau des stocks. Toutefois, une telle décision peut s'avérer assez risquée. En effet, il se peut que les clients désirent acheter une marchandise non disponible au moment où ils le désirent et ne soient pas prêts à attendre que l'entreprise l'obtienne du fournisseur. Une telle méthode n'est efficace que si l'entreprise peut compter sur un système fiable et rapide de livraison des produits dont il a besoin par des fournisseurs bien établis.

La gestion de l'encaisse Le montant détenu en trésorerie et en équivalents de trésorerie ressemble beaucoup au stock de marchandises. En effet, le montant de l'encaisse correspond à la trésorerie disponible à tout moment et qui n'est pas investie dans des véhicules d'investissement qui rapportent davantage. Les gestionnaires tentent donc de réduire le montant de l'encaisse et d'investir tout excédent dans des possibilités d'investissement à plus long terme dont le taux de rendement est supérieur.

Les décisions à long terme

Il s'agit de décisions d'investissement que nous avions étudiées au chapitre 3. Dans ce contexte, les gestionnaires décident d'entreprendre une «dépense» aujourd'hui afin d'augmenter la rentabilité future de l'entreprise. Il y a alors plusieurs facteurs à prendre en considération: la rentabilité future mesurée par les flux monétaires que génère le projet d'investissement, la durée de celui-ci et le coût d'opportunité de l'argent. L'idée principale est que la rentabilité du projet doit être telle que le montant actualisé des flux monétaires dépasse le montant du capital qui est investi dans le projet. Le taux d'actualisation, généralement défini comme le coût du capital, doit refléter le risque du projet. Celui-ci est considéré comme rentable si son taux du rendement dépasse le coût du capital, compte tenu du risque du projet. Ce seuil est atteint lorsque la valeur actuelle nette (VAN) du projet est positive ou lorsque son taux de rendement interne (TRI) dépasse le coût du capital. Ce faisant, les gestionnaires font augmenter la valeur des actions et, conséquemment, la richesse des propriétaires.

9.1.2 Les décisions de financement

En langage comptable, on peut dire que les décisions que nous avons précédemment abordées touchent le côté gauche du bilan ou de la situation financière de l'entreprise. Mais les gestionnaires prennent également des décisions de financement qui, elles, touchent le côté droit du bilan. Leur choix peut porter sur la dette à court terme ou privilégier le financement à long terme, qui comprend l'endettement et les capitaux propres.

La dette à court terme

Les dettes à court terme représentent le solde des achats de marchandises que l'entreprise doit aux créanciers à la fin de l'exercice comptable. Les comptes fournisseurs et la gestion du fonds de roulement en constituent les principales composantes.

Le crédit fournisseurs Les comptes fournisseurs constituent la principale composante des dettes à court terme, celles-ci provenant des achats de marchandises que l'entreprise doit aux créanciers à la fin de l'exercice comptable. Généralement, l'achat des marchandises est financé par l'octroi de crédit de la part des fournisseurs de l'entreprise. Plus le délai de recouvrement est long, plus cela est profitable pour l'entreprise qui en bénéficie. L'idéal est que le paiement aux fournisseurs se fasse après que l'entreprise ait réalisé la vente des marchandises et encaissé les créances de la part de ses clients. Dans ce cas, elle n'a rien investi dans les stocks, puisque ces derniers sont entièrement financés par le crédit fournisseurs. Mais, souvent, la réalité peut être différente, comme nous l'expliquons ci-dessous.

La gestion du fonds de roulement Il est facile de comprendre le cycle d'exploitation et ses conséquences financières: d'une part, l'acquisition des marchandises et le délai pour les vendre et, d'autre part, le délai accordé aux clients pour payer. Si nous supposons que le premier délai est de 35 jours et le second, de 45 jours, alors le cycle d'exploitation est de 80 jours. Supposons que le crédit accordé par les fournisseurs est de 50 jours. Le cycle de l'encaisse est donc égal à la différence entre le cycle d'exploitation et le paiement aux fournisseurs, ce qui équivaut, dans notre exemple, à 30 jours. En d'autres termes, alors que le fonds de roulement, qui correspond à la différence entre le total des actifs courants (comptes clients plus stocks) et celui des comptes fournisseurs, est exprimé en termes monétaires, le cycle de l'encaisse est exprimé en nombre de jours.

Les gestionnaires doivent trouver des moyens pour financer le cycle de l'encaisse, donc le fonds de roulement, comme nous le verrons plus loin. Mais, à ce stade, il est important de réaliser que le cycle d'exploitation peut influencer la rentabilité et le risque de l'entreprise, variables que le gestionnaire doit prendre en considération dans la gestion du délai de recouvrement et celle des stocks. Le fonds de roulement représente donc la partie des actifs à court terme qui n'est pas financée par les passifs à court terme, mais par le financement à long terme. On peut également dire qu'il s'agit de la partie du financement à long terme qui dépasse le financement des actifs non courants et donc qui contribue à financer les actifs courants. C'est, en quelque sorte, une marge de sécurité. Plus elle est élevée, plus le risque d'insolvabilité est faible, mais la réduction de la rentabilité en est une conséquence. Évidemment, le raisonnement inverse est aussi vrai.

Le financement à long terme

Les gestionnaires peuvent recourir à deux grandes catégories de financement à long terme : l'endettement et les capitaux propres.

L'endettement Les dettes sont composées d'emprunts bancaires, d'obligations et de débentures. Leur principale caractéristique est que l'entreprise doit supporter le paiement d'un taux d'intérêt qui est plus ou moins élevé selon le risque qu'elle court. Par contre, puisque les charges financières constituent des charges d'exploitation, ils sont déductibles fiscalement, ce qui rend leur coût effectif moins élevé que les autres sources ; par conséquent, le recours à l'endettement devient attrayant. Ainsi, lorsque le ratio d'endettement de l'entreprise est faible par rapport à celui de son secteur d'activité, son risque financier est faible et elle peut bénéficier de taux d'intérêt avantageux. Dans ce cas, le recours au financement par dette lui procure deux avantages : d'un côté, elle réduit son coût du capital, puisque le taux du financement par dette est généralement plus bas que celui par capitaux propres et, de l'autre côté, elle profite de l'effet de levier financier, puisque le financement par dette accroît le bénéfice par action.

Par contre, plus le ratio d'endettement augmente, plus le risque financier est grand et plus la valeur des actions peut être affectée à la baisse. Les deux principaux effets du levier financier sont l'augmentation de la rentabilité espérée et celle du risque financier, soit les deux variables sous-jacentes à toutes les décisions des gestionnaires.

Les capitaux propres En ce qui concerne le financement par capitaux propres, mentionnons l'émission d'actions privilégiées et d'actions ordinaires ainsi que les bénéfices non répartis.

Les actions privilégiées ne sont pas des dettes. Elles n'offrent pas de droit de vote et peuvent être convertibles ou non en actions ordinaires. Elles apportent aux investisseurs des dividendes qui peuvent être cumulatifs ou non cumulatifs.

Les actions ordinaires font partie du capital social de l'entreprise et supportent le risque de celle-ci. Elles peuvent être assorties ou non d'un droit de vote. Elles sont plus risquées que les obligations et les actions privilégiées. Les revenus futurs d'une action ordinaire peuvent être des bénéfices non répartis, qui peuvent se refléter sur le prix en Bourse ou des dividendes.

La partie des bénéfices non distribués sous forme de dividendes représente les bénéfices non répartis du bilan. Les bénéfices non répartis font partie des capitaux propres. C'est ce que l'on appelle « autofinancement ».

Comme nous l'avons vu au chapitre 6, le coût du capital est le coût moyen des différentes **sources de financement** à long terme. Le coût de la dette est représenté par les charges financières, celui des actions privilégiées l'est par les dividendes versés, et celui des actions ordinaires, par les dividendes versés aux actionnaires ordinaires. Le coût des bénéfices non répartis est un coût d'opportunité que représente le non-versement des dividendes aux actionnaires.

En choisissant la structure du capital, les gestionnaires cherchent à combiner les différentes sources de financement à long terme en vue de minimiser le coût du capital. Ce faisant, ils maximisent la rentabilité des projets d'investissement et, par conséquent, la valeur des actions. Mais leurs décisions peuvent également avoir un effet sur le risque de l'entreprise. Ainsi, plus ils recourent à l'endettement, plus le risque financier de l'entreprise peut s'accroître, d'où la tentation de réduire la dette en utilisant davantage le financement par capitaux propres, notamment les bénéfices non répartis, en réduisant la proportion des dividendes aux actionnaires.

9.1.3 Le versement de dividendes

Réduire la portion des dividendes à verser aux actionnaires n'est pas une décision sans danger. En effet, les actionnaires tiennent énormément à recevoir leurs dividendes, et toute baisse de ceux-ci risque d'être mal interprétée. Plusieurs études sur le sujet montrent que le changement à la hausse (ou à la baisse) des dividendes donne lieu à une hausse (ou à une baisse) du prix boursier. Les investisseurs interprètent l'annonce du changement comme un message sur la rentabilité future de l'entreprise. Ainsi, lorsque les gestionnaires annoncent une hausse (ou une baisse), le marché financier y voit le message que l'avenir de l'entreprise est plus (ou moins) «rose» qu'actuellement et agit en corrigeant les prix des actions en conséquence. Pour prévenir une réaction négative, les gestionnaires sont réticents à modifier à la baisse les dividendes. A contrario, lorsqu'ils annoncent des hausses de dividendes, ils préfèrent le faire en plusieurs fois afin de faire durer le plaisir des actionnaires.

D'autres interprétations ont été proposées pour expliquer le versement ou non des dividendes. Selon certaines, les dividendes serviraient à réduire les coûts d'agence causés par le conflit possible entre les intérêts des gestionnaires et celui des propriétaires. Les gestionnaires utiliseraient les dividendes pour envoyer aux investisseurs le message qu'ils agissent dans leur intérêt. En d'autres termes, l'annonce des dividendes signifie que les gestionnaires réduisent les flux monétaires libres à leur disposition et préfèrent les distribuer aux actionnaires au lieu de les dépenser dans des projets non rentables, c'est-à-dire à VAN négative. Cette annonce réduit les coûts d'agence ; c'est ce qui explique la réaction positive lors d'une annonce de dividendes. Selon cette interprétation, l'annonce de dividendes n'est pas nécessairement liée à la rentabilité future de l'entreprise.

Tout récemment, les dividendes ont été étudiés dans le cadre de la bonne gouvernance. Ainsi, la fraction des bénéfices versée sous forme de dividendes est en corrélation positive avec la qualité de la gouvernance. En effet, dans ce genre d'entreprise (où la gouvernance est bonne), le conseil d'administration et les autres mécanismes de gouvernance forcent les gestionnaires à verser les dividendes plutôt que de gaspiller les ressources dans leur propre intérêt, c'est-à-dire dans des projets non rentables du point de vue des actionnaires. Le raisonnement sous-jacent est que le non-versement de dividendes est une façon pour les gestionnaires d'exproprier les propriétaires, ce que la bonne gouvernance peut corriger. Il y a dans ce cas une corrélation entre la qualité de la gouvernance et le versement de dividendes, ce que révèle clairement l'étude d'Adjaoud et de Ben Amar[2]. Mais une autre interprétation, également présente dans les recherches, indique que dans les entreprises où la qualité de la gouvernance laisse à désirer, les gestionnaires peuvent quand même verser des dividendes pour informer les actionnaires de leur bon comportement.

Il semble donc que les débats entourant la question de verser ou non des dividendes ne permettent pas d'avancer telle ou telle explication. Par contre, la plupart des interprétations soutiennent davantage le point de vue selon lequel le versement de dividendes a plus de côtés positifs que de côtés négatifs. Les gestionnaires doivent donc

---

2. Adjaoud, F. et W. Ben Amar. (2010). «Corporate Governance and Dividend Policy: Shareholders' Protection or Expropriation», *Journal of Business Finance & Accounting*, vol. 37, n° 5-6, p. 648-667.

être prudents au moment d'annoncer une baisse ou une suppression des dividendes ou même s'abstenir de le faire. Il est préférable, pour l'entreprise, qu'ils les versent aux actionnaires, quitte à emprunter sur le marché les ressources financières nécessaires pour financer leurs projets d'investissement. L'entreprise réduit ainsi son coût de capital et peut éventuellement rehausser sa valeur.

Dans la section qui suit, nous nous placerons du point de vue des propriétaires afin de mesurer la valeur créée pour eux par les gestionnaires.

9.2 Les mesures de création de valeur

Les gestionnaires sont censés prendre des décisions dans l'intérêt des propriétaires et non dans leur intérêt personnel. La question qui se pose alors est la suivante : quels sont les outils que les actionnaires peuvent utiliser afin de mesurer la valeur que les gestionnaires ont créée, le cas échéant, en leur faveur? Il existe plusieurs mesures de **création de valeur**. On peut les classer dans deux grandes catégories, que nous allons détailler dans les sous-sections suivantes : les mesures comptables et les mesures financières.

9.2.1 Les mesures comptables

Parmi les mesures comptables les plus couramment utilisées, citons le résultat (bénéfice ou perte), le rendement sur le **capital investi** et la plupart des ratios que nous avons étudiés au chapitre 8.

L'avantage de ces outils est qu'ils sont basés sur des données comptables et sont donc faciles à utiliser. Leur principal inconvénient réside plus précisément dans leur nature «comptable». En effet, toutes les mesures basées sur le résultat comptable souffrent d'une lacune fondamentale : elles ne tiennent pas compte du coût du capital des ressources utilisées. En d'autres termes, elles supposent notamment que les capitaux propres sont «gratuits», puisque l'état des résultats dont découle le résultat comptable tient compte d'une charge financière, mais ne prend en considération aucun coût concernant les capitaux. Cette façon de faire ne constitue pas une mesure économique de la performance, puisque toutes les ressources à long terme «coûtent» quelque chose à l'entreprise : les dettes donnent lieu à des charges financières, mais les capitaux ont un coût d'opportunité qui n'est pas pris en compte dans le calcul du bénéfice comptable. Ce dernier n'est pas une bonne mesure de la performance et ne donne pas une image réelle de la création de valeur. Il n'est pas «économique», comme diraient les analystes financiers, pour qui il n'y a de valeur que lorsque le rendement dépasse le coût d'option du financement à long terme, c'est-à-dire le coût du capital.

9.2.2 Les mesures financières

Parmi les mesures financières, mentionnons les quatre suivantes : l'écart des capitaux propres, la valeur de l'entreprise, la **valeur marchande ajoutée (VMA)** et la **valeur économique ajoutée (VEA)**.

L'écart des capitaux propres

Rappelons que les gestionnaires sont censés créer de la valeur pour les propriétaires. Il est donc logique de penser que le ratio de rendement des capitaux propres (*voir le chapitre 8*) constitue une mesure appropriée aux yeux des actionnaires. En soustrayant le coût des capitaux propres de leur rendement, on obtient la mesure suivante :

(% rendement des capitaux propres − % coût des capitaux propres) × capitaux propres

L'objectif des gestionnaires est de maximiser l'écart entre le rendement des capitaux propres et le coût des capitaux propres. Ils privilégient aussi le fait d'avoir moins de capitaux propres afin de faire jouer pleinement l'effet de levier financier.

La valeur de l'entreprise

La valeur de l'entreprise est basée sur la détermination de la valeur théorique de l'entreprise, égale à la valeur actualisée des flux monétaires futurs, l'actualisation se faisant au coût du capital. En y soustrayant la valeur marchande des dettes, on obtient la valeur des actions ordinaires.

La valeur marchande ajoutée

La VMA s'obtient en comparant la valeur marchande des actions à la fin de l'exercice avec la valeur des capitaux propres. Elle mesure donc la valeur créée durant la période visée. L'objectif des gestionnaires est de maximiser celle-ci.

La valeur économique ajoutée[3]

La valeur économique ajoutée (VEA) est une mesure qui fait de plus en plus parler d'elle. C'est un outil assez facile à utiliser qui donne une mesure de la valeur créée par les gestionnaires. L'équation du calcul de la VEA est simple, soit :

VEA = bénéfice net d'exploitation après impôts − (% coût du capital × capital investi)

Les étapes du calcul de la valeur économique ajoutée Tout d'abord, la VEA est un outil «économique», c'est-à-dire qu'il représente autre chose que le profit «comptable». La VEA a en fait deux caractéristiques: d'une part, elle permet d'ajuster le bénéfice comptable pour le rendre plus économique en corrigeant l'effet des principes comptables et, d'autre part, elle tient compte du coût d'option du capital. Ainsi, certaines dépenses sont, du point de vue comptable, des charges, mais sont, du point de vue économique, des investissements. C'est le cas de certaines dépenses de recherche et développement. Il faut les réintégrer au bénéfice comptable et les répartir sur plusieurs années comme s'il s'agissait d'un investissement. On augmente conséquemment le montant des actifs. Mais la principale caractéristique de la VEA est la prise en compte du coût du financement (coût du capital), qui est soustrait du bénéfice ajusté.

Pour bien comprendre les deux aspects énoncés ci-dessus, nous allons présenter une comparaison de l'état des résultats traditionnels et l'état des résultats basé sur la valeur dans le tableau 9.1.

TABLEAU 9.1	Une comparaison de l'état des résultats traditionnels et de l'état des résultats basé sur la valeur	
L'état des résultats traditionnels	**L'état des résultats basé sur la valeur**
Produits d'exploitation	Produits d'exploitation
Moins coût des marchandises vendues	Moins coûts des produits vendus
Bénéfice brut	Bénéfice brut
Moins frais d'exploitation	Moins frais d'exploitation
Bénéfice avant charges financières et impôts (BAII)	Bénéfice avant charges financières et impôts (BAII)
Moins charges financières	Impôts ajustés
Bénéfice d'exploitation	**Bénéfice net d'exploitation après impôts (BNEAI)**
Moins impôts	Moins (coût du capital × capital investi)
Bénéfice net	VEA

Ainsi, pour calculer la VEA, il faut respecter les quatre étapes suivantes:

1. Corriger les états financiers traditionnels pour enlever l'effet des principes comptables en vue d'obtenir le profit «économique» et le capital investi.

---

3. L'acronyme anglais de VEA est EVA®, c'est-à-dire *Economic Value Added*. EVA est une marque de commerce déposée de Stern Stewart & Co. Pour plus de renseignements, le lecteur peut consulter le site de Stern Stewart & Co. (www.eva.com).

2. Déterminer le bénéfice d'exploitation après impôts (BNEAI). Ce dernier est obtenu en partant du bénéfice net comptable et en apportant des ajustements aux charges d'exploitation nettes.

On détermine ensuite le capital investi en additionnant le fonds de roulement et les immobilisations (actifs non courants) et en faisant les ajustements nécessaires.

3. Calculer le coût du capital. Pour ce faire, on doit obtenir le coût effectif des dettes, le coût des capitaux propres et la structure du capital. Il s'agit du coût moyen pondéré du capital.

4. Calculer la VEA. Cela est simple: on soustrait le coût d'opportunité du BNEAI. Le coût d'opportunité est égal au coût du capital multiplié par le capital investi.

Une illustration Prenons l'exemple de la société X, où l'état des résultats à la fin de l'exercice était le suivant:

	(en dollars)
Produits d'exploitation	8 000
Coût des marchandises vendues	−5 800
Bénéfice brut	2 200
Frais d'exploitation	−1 000
Bénéfice avant charges financières et impôts	1 200
Charges financières	−400
Bénéfice avant impôts	800
Impôts (50%)	−400
Bénéfice net	400

Les renseignements supplémentaires suivants sont également disponibles:

- La structure du capital de l'entreprise X est:
  Dette 50 %
  Capitaux propres 50 %

- L'entreprise X paie un taux d'intérêt sur la dette de 10 %.

- Le taux de rendement espéré du marché des actions est de 12 %.

- Le taux de rendement des bons du Trésor est de 5 %.

- Le risque systématique (bêta) de l'entreprise X est de 1,50.

Le calcul de la VEA nécessite de suivre les étapes présentées ici.

1. Présentation de l'état des résultats basé sur la valeur:

	(en dollars)
Produits d'exploitation	8 000
Coût des marchandises vendues	−5 800
Bénéfice brut	2 200
Frais d'exploitation	−700*
Bénéfice ajusté avant impôts	1 500
Impôts (50%)	−750
Bénéfice net d'exploitation après impôts	750

* Nous avons supposé que les frais d'exploitation comportent 300$ de frais de recherche et développement, qui sont considérés du point de vue comptable comme des charges d'exploitation, mais qui sont «économiquement» des actifs. Ce montant est ajouté au capital investi.

2. Calcul du capital investi: nous avons supposé que les actifs non courants sont de 7 000 $, tandis que le fonds de roulement est de 1 000 $. En tenant compte de la remarque sur les frais d'exploitation, nous déduisons que le capital investi est de 8 300 $.

3. Calcul du rendement des capitaux propres: nous utilisons le modèle d'évaluation des actifs financiers (MEDAF). Nous obtenons un rendement des capitaux propres de 15,50 %

4. Calcul du coût du capital: compte tenu du fait que le coût effectif de la dette est de 5 %, le coût moyen pondéré du capital de l'entreprise X est de 10,25 %.

5. En utilisant les éléments ci-dessus, nous déduisons que:

$$\text{VEA} = 750\,\$ - (10,25\,\% \times 8\,300\,\$)$$

$$\text{VEA} = -100,75\,\$$$

Si la VEA est positive, on dit que les gestionnaires ont créé de la valeur pour les propriétaires. Dans le cas contraire, comme dans celui de l'entreprise X, ils ont détruit de la valeur. Il est essentiel de réaliser que les gestionnaires de l'entreprise ont pourtant affiché un bénéfice comptable positif. Toutefois, ils n'ont pu montrer une performance «économique» positive; bien au contraire, celle-ci est telle qu'elle est inférieure au coût d'opportunité du capital.

La leçon à tirer de la VEA est simple: les gestionnaires peuvent montrer un bénéfice «comptable» positif tout en détruisant de la valeur pour les propriétaires. Ces derniers doivent donc se méfier de la VEA s'ils souhaitent évaluer la «vraie» performance des gestionnaires de leur entreprise.

On remarquera une ressemblance entre le calcul de la valeur actuelle nette (VAN) étudiée au chapitre 3 et celui de la VEA. Mais une différence est importante: la VAN est un outil d'évaluation des projets d'investissement, contrairement à la VEA, qui est un outil d'évaluation de la performance de l'entreprise dans son ensemble. Évidemment, si le gestionnaire entreprend des projets avec une VAN positive, il est logique de s'attendre à une VEA positive à la fin de la période évaluée. Par ailleurs, une VEA positive doit être en corrélation positive avec le prix boursier des actions. En effet, une VEA positive signifie que les gestionnaires atteignent une rentabilité qui dépasse le coût d'opportunité des ressources utilisées, cet écart, qui est la VEA, devant être pris en compte par le marché pour l'établissement du prix des actions. C'est pour cette raison que la VEA est un outil de plus en plus populaire au sein des entreprises, parce qu'elle cadre bien avec l'objectif des propriétaires.

La VEA est certes un outil mesurant la valeur créée par les décisions des gestionnaires, mais elle peut également servir à évaluer la performance de ces derniers. D'ailleurs, une telle façon de faire est un excellent moyen d'aligner les intérêts des gestionnaires sur ceux des propriétaires, réduisant ainsi les conflits et, par ricochet, les coûts d'agence.

Les gestionnaires, lorsqu'ils sont évalués sur la base de la VEA, doivent mettre en pratique les stratégies qui contribuent à rehausser cette performance et à créer de la valeur pour les propriétaires. Toutes les stratégies qu'appliquent les gestionnaires et les décisions qu'ils prennent doivent viser à maximiser la VEA.

9.3 Les inducteurs de valeur

Les gestionnaires cherchent à implanter les stratégies qui affectent positivement la VEA et que l'on appelle «inducteurs de valeur». En fait, l'équation de la VEA permet de trouver aisément ces inducteurs de valeur. Ce sont l'augmentation des produits d'exploitation, l'avantage par les coûts d'exploitation, le coût du capital et le total du capital investi.

Voyons comment les gestionnaires peuvent utiliser chacun de ces inducteurs pour maximiser la VEA.

9.3.1 L'augmentation des produits d'exploitation

Les gestionnaires peuvent faire augmenter les ventes en adoptant une stratégie de **différenciation** de leurs produits par rapport à ceux des concurrents. En convainquant la clientèle que ses produits ont des attributs que les autres produits n'ont pas, ils peuvent fixer des prix de vente plus élevés, ce qui se traduit par une rentabilité supérieure à celle des entreprises de leur secteur.

9.3.2 L'avantage par les coûts d'exploitation

L'autre stratégie pour augmenter la rentabilité est l'**avantage par les coûts**, que les gestionnaires peuvent chercher à obtenir en éliminant les activités sans valeur ajoutée. On peut en effet classer les activités de l'entreprise dans deux catégories : les **activités avec valeur ajoutée** et les **activités sans valeur ajoutée**. Les premières sont définies comme étant celles pour lesquelles le client est disposé à payer un certain prix permettant à l'entreprise de récupérer les coûts engagés pour les réaliser. En éliminant les activités pour lesquelles le client n'est pas prêt à payer un certain prix, les gestionnaires se concentrent sur les activités qui cadrent avec la stratégie de l'entreprise, réduisant par la même occasion les coûts, ce qui se traduit par une rentabilité supérieure. Pour atteindre cet objectif, ils peuvent mettre en œuvre des outils modernes, tels la **comptabilité par activités**, la **gestion par activités** et la **réingénierie des processus**.

9.3.3 Le coût du capital

On peut définir le coût du capital comme étant le taux de rendement minimal requis pour les projets que les gestionnaires entreprennent. La théorie financière en général, et le chapitre 5 en particulier, nous a appris que le taux de rendement est toujours fonction du risque, ce dernier comprenant deux composantes : le risque d'affaires, lié au secteur d'activité, et le risque financier, découlant du niveau d'endettement de l'entreprise. Nous avons vu que la réduction du risque passait par la diversification. Ainsi, les gestionnaires qui diversifient les activités peuvent réduire le risque de l'entreprise et le coût du capital, ce qui, par ricochet, contribue à rehausser la VEA.

9.3.4 Le total du capital investi

Le montant du capital investi comprend le montant des actifs à court terme et celui des actifs à long terme, que l'on appelle, suivant le vocabulaire des IFRS, «actifs courants» et «actifs non courants» respectivement. Le capital investi est égal au fonds de roulement, obtenu en établissant la différence entre les actifs courants et les passifs courants, plus les actifs non courants.

Les gestionnaires peuvent atteindre leur objectif d'augmenter la VEA en recourant à l'une ou l'autre des multiples décisions dont nous avons traité précédemment, notamment par une meilleure gestion des stocks. En effet, s'ils font une bonne gestion des stocks, en recourant, par exemple, à la méthode du juste-à-temps, ils réduisent non seulement les actifs courants, mais également les actifs non courants, puisque l'entrepôt est inutile dans le cadre de cette stratégie. Le même résultat peut être atteint en faisant une meilleure gestion des comptes clients.

Par conséquent, étant donné que la VEA est en relation négative avec le capital investi, les gestionnaires qui réussissent à le réduire peuvent atteindre une VEA plus élevée, créant ainsi de la valeur pour les propriétaires.

Afin de s'assurer que les gestionnaires prennent les décisions appropriées dans le but de créer de la valeur pour les propriétaires, ceux-ci doivent mettre en place des mesures de performance adéquates, dont la VEA. Mais si ce critère est nécessaire, il n'est certainement pas suffisant. En effet, la performance des gestionnaires doit tenir compte de plusieurs facteurs aussi bien financiers que non financiers. C'est ce que vise l'établissement d'un tableau de bord équilibré, que nous présentons ci-dessous.

9.3.5 Le tableau de bord équilibré

Le **tableau de bord équilibré (TBE)** est un outil qui associe les mesures d'évaluation de la performance des gestionnaires aux objectifs stratégiques de l'entreprise. Les pionniers du TBE sont Kaplan et Norton, qui ont écrit plusieurs articles sur ce sujet[4]. Ils ont démontré que l'évaluation des gestionnaires doit inclure des mesures financières, mais également des mesures non financières touchant la satisfaction de la clientèle, les processus internes, les activités d'apprentissage et de croissance.

L'ensemble de ces mesures doit s'articuler autour de la stratégie de l'organisation et comprendre les quatre dimensions ou perspectives suivantes :

1. La perspective financière. Le gestionnaire doit identifier les mesures de performance qui répondront à la question suivante : comment l'entreprise devrait-elle paraître aux yeux de ses actionnaires ?

2. La perspective clients. Le gestionnaire doit identifier les mesures de performance qui répondront à la question suivante : comment l'entreprise devrait paraître aux yeux de sa clientèle ?

3. La perspective processus internes. Le gestionnaire doit déterminer les processus d'affaires dans lesquels l'entreprise doit exceller pour réaliser sa stratégie.

4. La perspective apprentissage et innovation. Le gestionnaire doit identifier les mesures de performance qui permettront à l'entreprise de continuer à s'améliorer et à créer de la valeur.

Le TBE indique aux gestionnaires les objectifs dont ils doivent tenir compte pour prendre leurs décisions de façon à assurer une rentabilité qui soit en accord avec la stratégie de l'entreprise et les objectifs de ses propriétaires. Il fournit à ces derniers des outils pour qu'ils puissent évaluer la performance des gestionnaires et s'assurer que les intérêts des uns cadrent avec les intérêts des autres.

CONCLUSION

Le rôle des gestionnaires consiste à prendre des décisions d'investissement à court terme et à long terme dans le but de créer de la valeur pour les propriétaires en tenant compte, d'une part, du rendement et, d'autre part, du risque. De telles décisions peuvent viser le court terme ou le long terme. Dans la première catégorie, on trouve la durée du crédit octroyé aux clients, la gestion des stocks et le délai du paiement aux fournisseurs. Nous avons vu que ces décisions peuvent avoir un effet sur la durée du cycle d'exploitation et de l'encaisse. Elles peuvent également influencer le niveau du fonds de roulement et la façon de le financer. Dans la seconde catégorie, on trouve les décisions concernant le choix des projets d'investissement, dont la qualité affecte la rentabilité de l'entreprise.

Les gestionnaires prennent aussi des décisions de financement en choisissant les différentes sources touchant le financement à court terme aussi bien que le financement à long terme. Dans la catégorie du financement à long terme, le crédit des fournisseurs est un moyen naturel de financer le fonds de roulement, mais souvent, il est

---

4. Kaplan R. S. et D. P. Norton. (1992). «The Balanced Scorecard – Measures that drive performance», *Harvard Business Review*, vol. 70, n° 1, p. 71-79 ; Kaplan, R. S. et D. P. Norton. (2001). «Transforming the Balanced Scorecard from performance measurement to strategic management : Part I», *Accounting Horizons*, vol. 15, n° 1, p. 87-104.

insuffisant et les gestionnaires ont recours à d'autres sources de financement pour éviter les surprises. C'est ainsi qu'ils préfèrent augmenter le financement à long terme pour pouvoir en consacrer une partie au financement du fonds de roulement. Ils peuvent alors recourir à l'endettement sous forme d'emprunt bancaire à long terme ou à l'émission d'obligations. Ils peuvent aussi émettre des actions ordinaires ou privilégiées ou tout simplement recourir à l'autofinancement. Toutefois, ce dernier choix risque de réduire les dividendes, ce qui peut donner lieu à une réaction négative de la part des actionnaires, ce qui risque de se traduire par une correction négative des prix boursiers. En effet, les actionnaires n'aiment pas que les gestionnaires «badinent» avec les dividendes et, en cette matière, la prudence est de mise.

Afin de pouvoir évaluer la valeur créée pour eux par les gestionnaires, les propriétaires disposent de multiples outils, dont le plus utilisé est la VEA. Toutefois, même si la VEA est un bon outil, elle doit être jumelée à d'autres outils, non financiers, dans un document plus général articulé autour de la stratégie de l'entreprise. Il s'agit du tableau de bord équilibré, comportant quatre perspectives qui donnent une bonne image des objectifs que doivent viser les décisions des gestionnaires dans leur quête de création de valeur pour les propriétaires. Ces derniers doivent en retour prendre part à la gestion de leur entreprise et mettre en place des mécanismes de gouvernance afin de limiter l'opportunisme des gestionnaires et d'éviter des scandales semblables à ceux que nous avons connus durant la dernière décennie.

À RETENIR

1. L'objectif des propriétaires de l'entreprise, les actionnaires, est de maximiser la valeur marchande de leurs actions.

2. Les gestionnaires prennent des décisions à court et à long termes afin de créer de la valeur pour les propriétaires.

3. Il peut arriver que les décisions des gestionnaires ne soient pas prises dans le meilleur intérêt des propriétaires, ce qui donne lieu à des coûts d'agence pouvant se traduire par une baisse de la rentabilité et de la valeur marchande des actions.

4. La qualité de la gouvernance peut aider à aligner les intérêts des gestionnaires sur ceux des propriétaires, ce qui réduit les conflits et les coûts d'agence. Les mécanismes de gouvernance peuvent être internes ou externes.

5. Les décisions des gestionnaires prennent en considération deux variables fondamentales, soit le risque et le rendement. Celles-ci sont sous-jacentes à toutes les décisions, qu'elles soient à court terme, à long terme, d'investissement ou de financement.

6. La VEA que les gestionnaires peuvent utiliser pour créer de la valeur possède les caractéristiques suivantes :
   a) Elle évalue la valeur créée par les gestionnaires.
   b) Elle tient compte du coût du capital.
   c) Elle permet de porter un jugement sur la performance de l'entreprise dans sa globalité.
   d) Elle constitue un outil de motivation pour les gestionnaires.
   e) Elle serait en corrélation avec le cours boursier.

7. Il existe plusieurs outils pour mesurer la valeur créée par les décisions des gestionnaires. On peut les classer dans deux catégories : les mesures comptables et les mesures financières. Les dernières sont plus avantageuses parce qu'elles tiennent compte du coût du capital. Parmi les décisions de financement, la politique de dividendes occupe une place importante. En effet, les actionnaires réagissent négativement aux décisions des gestionnaires qui se traduisent par une baisse des

dividendes. Pour éviter une correction à la baisse des prix boursiers, les gestionnaires sont réticents à annoncer une baisse des dividendes.

8. Comme la VEA cadre bien avec l'objectif des propriétaires, les gestionnaires disposent de stratégies dont la mise en œuvre peut les aider à atteindre leur objectif de création de valeur.

9. Les inducteurs de la VEA sont l'augmentation des ventes, la réduction des coûts et celle du risque d'entreprise ainsi que la diminution du capital investi. L'augmentation des ventes peut découler d'une stratégie de différenciation des produits, tandis que la réduction des coûts donne lieu à l'avantage compétitif par les coûts.

10. L'avantage par les coûts consiste à éliminer les activités sans valeur ajoutée, pour ne retenir que celles qui sont avec valeur ajoutée, c'est-à-dire celles qui sont en lien avec la stratégie de l'entreprise.

11. Le TBE est construit autour de différentes perspectives : actionnaires, clients, processus internes, apprentissage et innovation. Le tout s'articule autour de la stratégie de l'entreprise.

TERMES CLÉS

Exerçons nos connaissances

Nous allons calculer la VEA de l'entreprise Richelieu, que nous avons étudiée au chapitre 8 (*voir la rubrique Portrait d'entreprise à la page 221*). Nous avons alors constaté que Richelieu s'était démarquée, par rapport à son secteur, sous plusieurs aspects, notamment les liquidités, la gestion, l'endettement et la rentabilité. Nous avons également constaté que le prix boursier des actions ordinaires avait connu une croissance appréciable sur le marché de Toronto, au plaisir des actionnaires. Les gestionnaires de l'entreprise Richelieu ont ainsi affiché une rentabilité notoire, mais ont-ils créé de la valeur au sens de la VEA ?

Pour répondre à cette question, vous utiliserez les données du chapitre 8 et vous calculerez la VEA en suivant les étapes suivantes :

1. Refaites l'état des résultats de l'entreprise Richelieu au 30 novembre 2011 en vous basant sur la valeur.

2. Calculez le BNEAI au 30 novembre 2011.

3. Calculez le coût du capital de Richelieu au 30 novembre 2011 en faisant toutes les hypothèses nécessaires, s'il y a lieu.

4. Calculez l'actif utilisé au 30 novembre 2011 en faisant toutes les hypothèses nécessaires, s'il y a lieu.

5. Calculez la VEA et la VMA de Richelieu au 30 novembre 2011.

6. Commentez les résultats.

Démonstration

1. L'état des résultats de l'entreprise Richelieu, basé sur la valeur, se présente comme suit :

	(en milliers de dollars)
Produits d'exploitation	523 786
Moins coûts des produits vendus	456 467
Bénéfice brut	67 319
Moins frais d'exploitation	8 045
BAII	59 274
Impôts ajustés	19 418
BNEAI	39 856

2. Le BNEAI est de 39 856 $.

3. Pour calculer le coût du capital de Richelieu au 30 novembre 2011, il est nécessaire de faire quelques hypothèses :

   a) Le taux d'intérêt de la dette à long terme

   À la page 40 du rapport annuel de 2011[5], il est indiqué que Richelieu paie un taux d'intérêt allant de 2 % à 2,25 %, soit le taux préférentiel moins 1,00 %. Concernant la dette bancaire, il est précisé que la société dispose d'une marge de crédit au taux d'intérêt de 3 % avec une institution financière canadienne et de 3,25 % avec une institution américaine. Nous supposons[6] donc qu'en moyenne, Richelieu paie un taux de 2,75 %. Le taux d'imposition sur les bénéfices de Richelieu est en moyenne de 33 %, et le taux d'intérêt effectif est de 1,84 %.

   b) Le taux de rendement sur les actions ordinaires

   La société Richelieu verse des dividendes de 0,44 $ sur ses actions ordinaires. Par rapport à ceux de l'année dernière, les dividendes ont augmenté de 22 %. On suppose qu'à l'avenir, le taux de croissance se situera autour de 10 %. Le prix boursier de l'action ordinaire est de 27,22 $.

   En utilisant le modèle de Gordon, on trouve que le taux de rendement de l'action ordinaire est de 11,78 %.

   c) La structure du capital de Richelieu est de 4 % de la dette à long terme et de 96 % de capitaux propres. Par conséquent, le coût moyen pondéré du capital est de 11,38 %.

4. Le calcul de l'actif utilisé au 30 novembre 2011

   L'actif utilisé est égal au fonds de roulement plus le total des actifs non courants. À partir des données de la page 26 du rapport annuel de 2011[7], le fonds de roulement est de 167 254 $. Le total des actifs à long terme est de 121 116 $ et le capital investi s'élève à 288 370 $.

5. Le calcul de la VEA et de la VMA

   Le montant de la VEA est de 39 856 $ − (11,38 % × 288 370) = 7 039 $.

   VMA = valeur marchande des actions ordinaires − montant des capitaux propres au bilan. Le prix de l'action ordinaire est de 27,22 $. Le nombre moyen pondéré

5. Richelieu. « Rapport annuel 2011 », [En ligne], www.richelieu.com/html/Fr/statique/infoFinanciere/fichier/Rapport % 20Annuel % 202011.pdf (Page consultée le 19 février 2013).

6. Aux fins de cette démonstration, les hypothèses formulées sur l'entreprise Richelieu sont purement fictives et utilisées dans un but pédagogique, sans aucune autre intention.

7. Richelieu. « Rapport annuel 2011 », [En ligne], www.richelieu.com/html/Fr/statique/infoFinanciere/fichier/Rapport % 20Annuel % 202011.pdf (Page consultée le 19 février 2013).

d'actions en circulation de base est de 21 036. La valeur marchande totale est donc de 572 600 $. Le montant des capitaux propres est de 275 634 $.

VMA = 296 966 $

6. Les commentaires sur les résultats

Nous avons trouvé que la VEA de Richelieu au 30 novembre 2011 était positive de 7 039 $. Par ailleurs, la VMA à la même date était de 296 966 $. Les gestionnaires de Richelieu ont réussi à créer de la valeur pour les actionnaires, et ce, au-delà du coût du capital. Cette création additionnelle a contribué à rehausser la VMA et, par conséquent, la richesse des actionnaires.

Questions de révision

1. Pour financer les activités d'une entreprise, les gestionnaires peuvent recourir à plusieurs sources de financement, dont l'émission d'obligations ou d'actions ordinaires. Quels sont les avantages et les inconvénients de chaque source?

2. Quelles sont les deux variables dont les gestionnaires doivent tenir compte pour prendre leurs décisions?

3. Comment la qualité de la gouvernance affecte-t-elle la création de valeur?

4. Quels sont les mécanismes de gouvernance?

5. Expliquez comment la méthode juste-à-temps de gestion des stocks peut contribuer à augmenter la valeur de l'entreprise.

6. Que signifie une VEA positive? une VEA négative?

7. Comment le marché financier réagit-il à une VEA positive? à une VEA négative?

8. Quels sont les inducteurs de valeur et comment chaque inducteur affecte-t-il la création de valeur?

9. Expliquez ce qu'on entend par stratégie de différenciation.

10. Décrivez la stratégie de l'avantage par les coûts.

Exercices

1. On vous donne les renseignements suivants concernant les entreprises X et Y:

(en dollars)	Entreprise X	Entreprise Y
Bénéfice net	25 000	40 000
Actif total	100 000	200 000

   a) Calculez le ratio du rendement de l'actif total des deux entreprises.

   b) Quelle est l'entreprise la plus performante? Pourquoi?

2. Supposons que les deux entreprises ci-dessus ont un coût de capital de 10 %.

   a) Calculez la VEA des deux entreprises.

   b) Quelle est l'entreprise la plus performante? Pourquoi?

3. On vous donne les renseignements suivants. Supposons un coût du capital de 20 % :

	Entreprise A	Entreprise B	Entreprise C
Ventes	20 000 $	?	18 000 $
Bénéfice net	3 000 $	9 000 $	?
Actif total	10 000 $	?	?
Rendement de l'actif total	?	0,60	?

(*suite*)	Entreprise A	Entreprise B	Entreprise C
% marge bénéficiaire	?	0,20	0,10
Rotation de l'actif total	?	?	?
VEA	?	?	−600 $

Trouvez les montants qui manquent.

4. On vous donne les renseignements suivants concernant l'entreprise Z:

Bénéfice net: 30 000 $

Actif total: 200 000 $

Coût du capital: 20 %

a) Calculez la VEA de l'entreprise Z.

b) Interprétez la valeur que vous avez calculée.

c) Si vous étiez gestionnaire de l'entreprise Z, quelles décisions pourriez-vous prendre pour accroître la VEA? Énumérez-les.

Chapitre 10

Les fusions et les acquisitions d'entreprises

MISE EN CONTEXTE

Les regroupements d'entreprises sont des événements très importants tant pour les entreprises en cause que pour l'économie en général. Les différentes vagues de fusions et d'acquisitions, par leur ampleur et par les sommes d'argent engagées, ont remodelé le paysage des économies nord-américaine et mondiale. Ainsi, Thomson Financial Securities Data rapporte que la dernière vague de regroupements d'entreprises, qui a commencé en 1994, a atteint le montant record de 2 324 milliards de dollars américains en 1999, juste avant la crise des «dot com» et l'écroulement des marchés boursiers nord-américains.

Après une période de calme relatif en 2000 et 2001, les fusions et les acquisitions ont repris de plus belle partout dans le monde, atteignant pour la première fois depuis la crise financière de 2007, selon les toutes dernières estimations, le chiffre record de 2,54 trillions de dollars. Des regroupements jugés d'une envergure inédite en 1999, tels que ceux d'America Online et Time Warner et de Vodaphone Air Touch et Mannesman, qui ont dépassé les 100 milliards de dollars américains, sont aujourd'hui dépassés par des transactions qui valent des centaines de milliards de dollars. Au Canada, l'évolution de ce phénomène a été spectaculaire : en 2011, après la crise financière de 2008-2009, 3 173 transactions ont été réalisées, estimées à 189 milliards de dollars, en nette progression depuis 2010[1].

Cette activité, qui est d'ailleurs l'une des plus controversées dans le monde de la finance, soulève quelques questions, dont les suivantes : Quelles motivations conduisent les entreprises à procéder à des regroupements ? Quelles formes ces regroupements prennent-ils ? Comment peut-on évaluer une acquisition ?

Les fusions et les acquisitions sont des projets d'investissement. À ce titre, elles sont importantes non seulement pour la survie à long terme de l'entreprise, mais aussi en raison de leur effet sur la richesse des actionnaires. Comme dans tout autre projet d'investissement, il y existe une probabilité d'échec. Dans le cas des fusions et des acquisitions, par leur complexité, cette probabilité est assez élevée, ce qui fait que l'on classe ces projets parmi les plus risqués (et les plus coûteux) à entreprendre. On estime que près de la moitié d'entre elles ne créent pas la richesse espérée.

Étant donné que les fusions et les acquisitions sont des projets d'investissement, leur faisabilité peut être évaluée au moyen des outils examinés dans les chapitres précédents, notamment au chapitre 4, quant aux choix et aux critères d'investissement. Plus particulièrement, on peut étudier la faisabilité et la pertinence d'un projet de fusion ou d'acquisition d'entreprise en se servant du critère de la VAN : si celle-ci est positive, cela suggère que la valeur présente des flux monétaires prévus et générés après la transaction est plus élevée que le coût d'acquisition ou de fusion.

Dans la dernière section du présent chapitre, nous passerons en revue les différents aspects de la question du regroupement d'entreprises et les motivations à entreprendre des projets aussi risqués, puis nous exploiterons les connaissances acquises jusqu'à maintenant pour en évaluer la pertinence et la faisabilité.

10.1 Les formes légales de regroupements

Il existe trois principales formes légales de regroupements d'entreprises : les fusions ou consolidations, l'acquisition d'actifs et l'acquisition d'actions.

10.1.1 Les fusions ou consolidations

Une **fusion** est une opération dans laquelle un acquéreur absorbe tout l'actif et le passif d'une entreprise, qui cesse ainsi d'exister. L'acquéreur en conserve, après cette

---

1. PwC. « 2011 M&A transaction volumes hit all-time high in Canada », [En ligne], www.pwc.com/ca/en/media/release/2012-01-20-deal-volumes.jhtml (Page consultée le 9 avril 2013).

opération, le nom et l'entité juridique. Le nouveau bilan de l'acquéreur est une combinaison des actifs et des passifs des deux entreprises.

De plus, un regroupement est considéré comme une fusion si le ton est amical, si les gestionnaires des deux entreprises coopèrent et si le comité de direction de même que les actionnaires sont favorables à l'action entreprise. Un exemple d'une telle transaction serait la fusion d'Air France et de KLM, ou encore celle de Mobil et d'EXXON.

Une consolidation est une opération semblable à la fusion, à la différence près que, dans ce cas, l'acquéreur et l'entreprise acquise cessent tous les deux d'exister et créent une nouvelle entité.

10.1.2 L'acquisition d'actifs

Dans ce processus, l'acquéreur achète les actifs de l'entreprise cible. La contrepartie peut être constituée de liquidités ou d'actions. L'entreprise acquise ne cesse pas forcément d'exister, à moins que ses actionnaires décident de la dissoudre. Cette forme d'acquisition est coûteuse, puisqu'elle nécessite le transfert des titres de propriété de chacun des éléments de l'actif.

10.1.3 L'acquisition d'actions

Il s'agit de la technique la plus utilisée pour mener à bien un regroupement d'entreprises. Elle consiste à acquérir des actions donnant un droit de vote. Les modes de paiement peuvent être des liquidités, des actions de l'acquéreur ou une combinaison des deux. L'acquéreur obtient les actifs, mais aussi les passifs de l'entreprise acquise.

Dans une acquisition d'actions, l'acquéreur s'adresse directement aux actionnaires de l'entreprise cible. S'il ne passe par aucun intermédiaire, cette acquisition est qualifiée d'«offre publique d'achat». Dans cette opération, l'acquéreur fait une offre publique pour acheter des actions de l'entreprise cible et l'adresse directement aux actionnaires.

Cette formule est la plus utilisée. Toutefois, il existe deux autres moyens de procéder à une acquisition d'actions : les offres circulaires, qui consistent à envoyer une offre d'achat par courrier aux actionnaires, et l'utilisation de la Bourse pour véhiculer l'offre d'achat.

À la suite d'une acquisition d'actions, l'entreprise cible n'est pas nécessairement entièrement absorbée par l'acquéreur, contrairement à ce qui se passe dans une fusion. De plus, la résistance bien souvent manifestée par les gestionnaires de l'entreprise cible engendre des coûts plus élevés que ceux d'une fusion. Ainsi, les membres de la famille des propriétaires de Hewlett Packard se sont opposés à la transaction de fusion avec Compaq.

Même si les termes «fusion», «acquisition d'actifs» et «acquisition d'actions» évoquent trois formes d'acquisitions différentes, on s'y reportera en utilisant indifféremment les termes génériques d'acquisition ou de regroupement[2].

10.2 Les acquisitions

Nous présenterons, dans la première sous-section, les catégories d'acquisitions : horizontales, verticales et par conglomérat. Puis, nous verrons le phénomène des vagues de fusions et d'acquisitions.

10.2.1 Les catégories d'acquisitions

Dans les **acquisitions horizontales**, l'acquéreur et l'entreprise cible sont deux concurrents directs d'une même industrie. Ce type de regroupement est souvent justifié par

---

2. Regroupement d'entreprises : opération par laquelle une entreprise acquiert un actif net qui constitue une unité économique ou acquiert des titres de capitaux propres d'une ou de plusieurs autres entreprises qui lui confèrent le contrôle de cette entreprise ou de ces entreprises. (Office québécois de la langue française. «Le grand dictionnaire terminologique», [En ligne], http://gdt.oqlf.gouv.qc.ca/ficheOqlf.aspx?Id_Fiche = 500981 (Page consultée le 10 avril 2013).

la volonté de l'acquéreur de réaliser des économies d'échelle. Toutefois, les regroupements horizontaux doivent se plier à une réglementation gouvernementale stricte, car ils limitent le nombre d'entreprises à l'intérieur d'un même secteur d'activité, ce qui peut engendrer la création de monopoles et l'exercice de pratiques non concurrentielles nuisibles aux consommateurs.

Dans les **acquisitions verticales** (*voir la figure 10.1*), les deux entreprises font des affaires à des niveaux différents d'une même chaîne de production (fournisseur et distributeur). Le but d'une acquisition verticale est de contrôler les facteurs de production et de distribution afin de réduire le risque lié à l'activité. On procède à ce type de regroupement dans l'optique de diminuer les coûts relatifs à la recherche des meilleurs prix concernant les produits sous-traités, leur transport, la perception et la diminution des coûts de coordination de la production. L'efficacité croît en raison du fait que, au sein d'une seule entreprise, on détient davantage d'information (ce qui entraîne, par exemple, une meilleure planification de l'inventaire). De plus, si les produits sous-traités sont développés à l'interne, l'entreprise économise la marge de profit qu'elle devrait payer à son fournisseur pour se procurer ces produits.

Toutefois, une telle acquisition ne dégage pas nécessairement des gains. En effet, le coût de la prime à payer pour acquérir l'entreprise cible et les autres coûts associés à cet achat peuvent remettre en question la pertinence du regroupement.

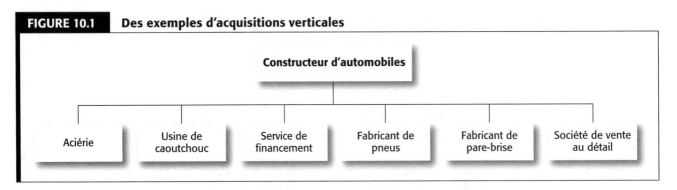

FIGURE 10.1 **Des exemples d'acquisitions verticales**

Dans les **acquisitions par conglomérat**, aucun lien n'est établi entre les activités de l'acquéreur et celles de l'entreprise cible. Le but de ces regroupements est la diversification des intérêts afin de minimiser les risques (*voir la figure 10.2*).

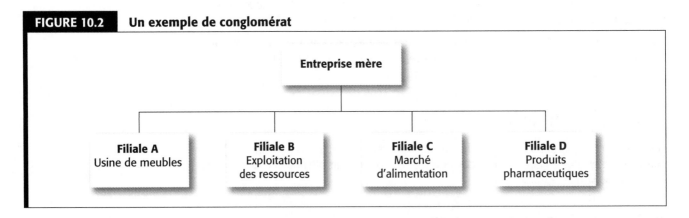

FIGURE 10.2 **Un exemple de conglomérat**

10.2.2 Les vagues de fusions et d'acquisitions

Le phénomène de fusions et d'acquisitions est particulier, car celles-ci surviennent par vagues. En effet, un nombre considérable de transactions est observé à certaines périodes, alors qu'un creux est constaté à d'autres. À titre d'exemple, vers la fin des années 1970, à cause de la crise pétrolière de 1979, il y a eu très peu de transactions. Durant les années 1980 et 1990, un regain d'activité a été observé, caractérisé par des acquisitions répétitives de compétiteurs de la même industrie. Il y a eu en même temps un nombre élevé de ventes d'actifs dans des secteurs non liés à l'activité principale de l'entreprise (on appelle ce phénomène «désinvestissement»). Cela révèle que les entreprises, des années 1980 au milieu des années 1990, ont cherché à consolider leur position en s'engageant dans des fusions et des acquisitions horizontales et en se séparant de leurs divisions non pertinentes pour leurs opérations. Vers la fin des années 1990, époque de la tendance *high-tech*, le nombre de fusions et d'acquisitions a atteint des sommets inégalés dans les industries de haute technologie. Avec la chute du NASDAQ et l'éclatement de la bulle spéculative, les investisseurs ont perdu confiance dans le marché boursier, et le nombre de fusions et d'acquisitions a chuté dramatiquement. L'activité a repris au milieu des années 2000 avec des transactions dans les secteurs des télécommunications et de l'industrie financière, pour se tarir lors de la crise financière de 2007. Depuis 2009, il y a un modeste regain d'activité, mais il reste soutenu jusqu'à nos jours.

Cette description de l'évolution des fusions et des acquisitions suggère que ces transactions sont généralement entreprises lorsque les conditions économiques sont favorables et que les marchés boursiers sont actifs (c'est-à-dire quand les investisseurs sont généralement optimistes). On voit donc que les fusions et les acquisitions ne sont pas des projets d'investissement typiques, comme un projet d'investissement dans les actifs, et deviennent plus risquées lorsqu'elles sont réalisées dans des conditions économiques défavorables.

10.3 Les bénéfices financiers d'une acquisition

Les bénéfices financiers d'une acquisition peuvent se mesurer en calculant le ratio du bénéfice par action et par la diversification du portefeuille, qui permet de diminuer les risques et d'augmenter la richesse des actionnaires. On mesure aussi cette richesse selon les rendements excédentaires générés lors de l'annonce de la transaction. C'est ce que nous verrons dans la sous-section qui suit.

10.3.1 Le bénéfice par action

En pratique, l'un des ratios les plus importants dans l'évaluation des entreprises est le **bénéfice par action (BPA)**. Une augmentation du BPA est bien perçue par les marchés financiers; c'est ce qui se produit lors d'une opération d'acquisition. En effet, les regroupements d'entreprises peuvent se faire au moyen d'un échange d'actions. Par conséquent, on constate une amélioration du BPA. Grâce à cette amélioration, les actionnaires ont l'illusion que l'entreprise est en meilleure santé, ce qui n'est pas nécessairement le cas, puisque la fusion ne crée aucune valeur ajoutée, à moins qu'il y ait synergie. En effet, la valeur de l'entreprise combinée devrait être égale à la valeur des deux entreprises avant le regroupement. Un tel effet du regroupement sur le BPA est illustré dans l'exemple suivant :

(en dollars)	Acquéreur prégroupement	Entreprise cible prégroupement	Acquéreur postregroupement	
			Investisseurs	
			Rationnels	Irrationnels
Bénéfice par action (BPA)	4	4	5	5
Prix de l'action	100	60	100	125
Prix/Bénéfice	25	15	20	25
Actions (en unités)	1 000	1 000	1 600	1 600
Bénéfice net	4 000	4 000	8 000	8 000
Taille (capitalisation boursière)	100 000	60 000	160 000	200 000

Dans l'exemple de regroupement du tableau précédent, étant donné que l'entreprise cible se négocie à un prix moindre, l'acquéreur doit émettre un nombre moins important d'actions (600 en contrepartie de 1 000). En effet, le bénéfice net a été multiplié par 2 et le nombre d'actions, par 1,6. Le ratio BPA augmente de 25 %, donnant l'illusion d'une meilleure performance, alors que l'acquisition n'a pas entraîné de création de valeur.

Si les marchés sont irrationnels, ils interpréteront cette augmentation de 25 % du BPA comme une amélioration réelle de la performance. Étant donné que le ratio prix/bénéfice est de 25, la nouvelle valeur de l'entreprise combinée atteint 200 000 $ (25 × 8 000) et le nouveau prix de l'action est de 125 $ (200 000/1 600).

10.3.2 La diversification

La **diversification** permet de diminuer les risques et d'augmenter la richesse des actionnaires, ainsi que de diminuer les coûts probables de la faillite. Cet avantage est toutefois discutable. En effet, une acquisition peut permettre à une entreprise de se diversifier, mais elle engendre, dans la plupart des cas, le paiement d'une prime d'achat d'environ 20 % de la valeur de l'entreprise cible (pour en prendre le contrôle). Cette prime est certainement excessive, compte tenu du fait que les actionnaires peuvent amoindrir leurs risques en investissant dans des portefeuilles diversifiés ou dans des fonds communs de placement, de même qu'en évitant d'engager les coûts d'une acquisition qui peuvent dépasser les bénéfices que l'on en tire.

Exemple 10.1

Supposons deux entreprises, X et Y, négativement corrélées et susceptibles d'être acculées à la faillite, mais dans des conditions différentes.

Si les probabilités respectives de faillite sont de 10 % et si les coûts associés représentent 25 % de la valeur de l'actif, les coûts espérés en cas de faillite seraient donc de 10 % × 25 % = 2,5 % de la valeur de l'entreprise.

Les deux entreprises étant négativement corrélées, le coût de la faillite s'annule si elles fusionnent.

Ce mécanisme permet d'augmenter la valeur de l'acquisition de 2,5 %; or, ce gain de valeur peut paraître faible si l'on paie une prime d'achat de 20 % ou plus.

Ainsi, si l'on adopte le point de vue des actionnaires, la diversification ne justifie pas vraiment le choix des entreprises de procéder à un regroupement. Il vaut mieux que l'investisseur diversifie lui-même son portefeuille.

Du point de vue des gestionnaires, une entreprise non diversifiée représente un risque de défaut élevé. Si cette hypothèse se concrétise, un gestionnaire perdra son emploi et aura de la difficulté à en trouver un autre aussi bien rémunéré, étant donné que la faillite entachera sa réputation. Il pourra, de ce fait, manifester une certaine aversion pour le risque, ce qui se reflétera dans ses choix de projets d'investissement. Bien souvent, les gestionnaires d'entreprises non diversifiées rejettent des projets risqués qui auraient pu être profitables pour les actionnaires[3]. De plus, ils demandent souvent des salaires plus élevés (ou d'autres formes de compensation) en réponse à l'insécurité rattachée à leur emploi[4]. Cette compensation doit inévitablement être assumée par les actionnaires.

Dans ce contexte, la diversification peut réduire les risques de faillite et aligner les intérêts des actionnaires sur ceux des gestionnaires. Ces derniers sont alors moins enclins à choisir uniquement des projets à faible risque. Leurs décisions sont donc moins subjectives et leur compensation, moindre, puisqu'ils bénéficient d'une meilleure sécurité d'emploi.

10.3.3 L'effet sur la richesse des actionnaires

On mesure la richesse des actionnaires au moyen des rendements excédentaires générés lors de l'annonce de la transaction. Il convient ici de départager les actionnaires de l'acquéreur et ceux de l'entreprise cible.

La littérature suggère que le prix de l'action des acquéreurs varie peu lors des jours qui suivent l'annonce de la transaction : par conséquent, les actionnaires

---

3. Amihud, Y. et B. Lev. (1981). « Risk Reduction as a Managerial Motive For Conglomerate Mergers », *Bell Journal of Economics*, vol. 12, p. 605-617.

4. Hirshleifer, D. et A. V. Thakor. (1992). « Managerial Conservatism, Project Choice, and Debt », *The Review of Financial Studies*, vol. 5, p. 437-470.

ne réalisent en moyenne ni perte ni gain. Par contre, à la même date, le prix de l'action de l'entreprise cible réagit positivement la plupart du temps, enrichissant instantanément les actionnaires. En effet, une augmentation moyenne de l'ordre de 20 % est généralement observée dans le prix de l'action des entreprises cibles[5]. L'interprétation avancée pour expliquer ces résultats est que celui qui entreprend d'acquérir une entreprise s'engage dans une aventure très risquée qui pourrait ne pas réussir, ce qui rend les investisseurs sur le marché prudents dans leurs décisions d'achats. Pour l'entreprise cible, cependant, les investisseurs sont plus optimistes et augmentent leur participation dans celle-ci en achetant ses actions, car ils réalisent en toute rationalité que l'entreprise était sous-évaluée avant que l'acquéreur ne s'y intéresse.

À plus long terme (en général, après trois ans), les fusions et les acquisitions, si elles réussissent, tendent à sous-performer pour ce qui est de la performance boursière (les rendements boursiers de l'entreprise combinée sont inférieurs au rendement de l'indice du marché) : cela peut être dû à divers facteurs, dont la volatilité du marché. En matière de performance opérationnelle ou comptable (profitabilité et efficience, par exemple), les études montrent que les entreprises combinées réussissent généralement aussi bien que leurs compétitrices au sein de l'industrie, ce qui suggère que la fusion a permis à l'acquéreur de consolider sa position au sein de l'industrie.

10.4 Les bénéfices économiques d'une acquisition

Plusieurs théories ont été élaborées afin d'expliquer les motivations économiques d'un regroupement. Nous présenterons sommairement, dans les pages qui suivent, celles qui sont le plus souvent évoquées.

10.4.1 La synergie

La première motivation d'un regroupement est d'accroître la valeur de l'entreprise combinée. L'effet de **synergie** devrait permettre à une entreprise formée par la combinaison de deux autres sociétés de valoir plus que les deux entités séparées.

Par exemple, l'entreprise A acquiert l'entreprise B pour former l'entreprise AB. Selon la théorie de la synergie, on suppose que :

$$V_{AB} > V_A + V_B$$

où

V_A est la valeur de l'entreprise A ;

V_B est la valeur de l'entreprise B ;

V_{AB} est la valeur de l'entreprise AB.

Le gain incrémentiel de l'acquisition équivaut à :

$$\Delta V = V_{AB} - (V_A + V_B) \tag{10.1}$$

Si $\Delta V > 0$, l'acquisition génère un effet de synergie attribué à l'association de l'entreprise B à l'entreprise A. La valeur de B après son association avec A devient :

$$V_B^* = V_B + \Delta V \tag{10.2}$$

Les synergies sont généralement classées dans deux catégories : 1) les synergies opérationnelles, qui incluent la croissance des revenus et les économies de frais d'exploitation ; 2) les synergies financières, qui permettent de diminuer le coût de financement (c'est-à-dire le coût du capital de l'acquéreur) ainsi que les impôts à payer. Nous allons examiner les différentes sources de création de la valeur (ou de synergie) dans les sous-sections suivantes.

---

5. Andrade, G. et M. Mittchel. (2001). « New evidence and perspectives on mergers », *Journal of Economic perspectives*, vol. 15, n° 2, p. 103-120.

Question de réflexion

Quels sont les types de synergies prévues lors d'une fusion ou d'une acquisition verticale?

Réponse: Une fusion ou une acquisition verticale est un regroupement d'une entreprise d'un côté et son fournisseur ou distributeur de l'autre. Ces regroupements ont pour principal objectif de créer des synergies opérationnelles résultant d'un meilleur contrôle des coûts (intrants et distribution).

10.4.2 La croissance des revenus et l'économie des coûts

Cette croissance résulte des économies d'échelle, des combinaisons verticales et du transfert de technologie. Les **économies d'échelle** proviennent d'une meilleure coordination des projets et des opérations. Ces sources de valeur dans les fusions et les acquisitions horizontales sont généralement classées en trois catégories. En plus de l'augmentation des revenus (provenant de l'augmentation de la part de marché de l'entreprise ainsi que des nouvelles capacités et ressources en marketing, entre autres), on peut citer les économies de coûts et les nouvelles opportunités de croissance.

En ce qui a trait aux économies de coûts, il est clair que l'acquéreur va restructurer l'entreprise cible et se débarrasser des capacités excessives et des ressources redondantes, ce qui aura pour effet de diminuer les coûts existants. Si l'on y ajoute les économies relatives à la recherche et au développement, aux dépenses liées au marketing, à la vente et à la distribution, on peut prévoir une baisse de coûts substantielle.

L'acquisition d'une entreprise de la même industrie crée aussi des opportunités de croissance pour l'acquéreur, puisqu'il bénéficie, après la transaction, de la possibilité de lancer de nouveaux produits et d'intégrer de nouveaux marchés.

Les combinaisons verticales assurent, quant à elles, une stabilité des fournisseurs et des clients. Elles visent généralement à créer de la valeur au moyen de la réduction des coûts, puisque l'acquéreur a, après la transaction, le contrôle sur les coûts des intrants aussi bien que sur les réseaux de distribution.

10.4.3 L'économie d'impôts

Ces bénéfices résultent du fait que les actionnaires évitent de payer des impôts sur les dividendes. De plus, l'acquéreur tire avantage d'hériter des pertes de l'entreprise acquise.

Si une société dispose de liquidités restantes après avoir exploité les occasions d'investissement, elle peut utiliser ces liquidités pour payer des dividendes à ses actionnaires, ce qui oblige ces derniers à payer des impôts. L'utilisation du surplus de liquidités pour effectuer un regroupement est une mesure qui permet d'éviter cette imposition.

De plus, si l'entreprise acquise a accusé des pertes avant le regroupement, l'acquéreur aura l'avantage d'utiliser la perte nette de l'entreprise cible afin de réduire les impôts qu'il doit payer. Toutefois, ce bénéfice ne se réalise que lorsque l'acquéreur sait qu'il pourra redresser la situation de l'entreprise acquise ou en vendre les actifs à profit.

10.4.4 Les motivations des gestionnaires et les problèmes d'agence

Très souvent, les transactions sont motivées par autre chose que la recherche de synergie. En effet, les gestionnaires des acquéreurs peuvent faire des erreurs dans leur évaluation du potentiel de la transaction qu'ils cherchent à réaliser. Cela peut résulter de leur trop grand optimisme en leur capacité de mieux évaluer les entreprises que les investisseurs sur le marché. Ainsi, il s'avère très souvent que les gestionnaires croient fermement qu'une entreprise est sous-évaluée par le marché et représente donc une opportunité d'achat (d'investissement) à saisir[6]. Cet optimisme démesuré concernant

---

6. Roll, R. (1986). « The hubris hypothesis of corporate takeovers », *Journal of Business*, vol. 59, n° 2, p. 197-216.

les synergies à extraire les amène donc à payer l'entreprise cible plus cher que ce qu'elle vaut en réalité ce qui, par la suite, s'avère coûteux pour l'entreprise.

Les gestionnaires peuvent aussi entreprendre des actions pour maximiser leur propre bénéfice plutôt que celui des actionnaires. La théorie financière stipule qu'au sein des entreprises, il y a un conflit d'intérêts entre les actionnaires et les gestionnaires si ces derniers peuvent prendre des décisions qui leur sont bénéfiques, mais qui sont aux dépens des actionnaires. Les fusions et les acquisitions sont des exemples de projets dont les gestionnaires peuvent directement bénéficier. En effet, pour des raisons de stabilité d'emploi ou pour maximiser leur salaire, ils ont tendance à favoriser les projets qui augmentent la taille de l'entreprise, même si cette taille n'est pas optimale pour les actionnaires. On peut donc s'attendre à ce que certaines transactions soient effectuées pour maximiser la taille de l'acquéreur, justifiant par la suite un salaire plus élevé pour les gestionnaires, et ce, même si la transaction n'est pas aussi prometteuse sur le plan de la création de synergie. Ces projets sont, comme on peut s'y attendre, voués à l'échec, le coût en étant par la suite entièrement assumé par les actionnaires.

10.5 L'évaluation d'une acquisition

Cette évaluation consiste à déterminer, dans un premier temps, la valeur de l'entreprise cible dans sa forme présente. Il faut donc observer la valeur au marché de l'entreprise et en déduire la partie qui provient de l'augmentation du prix de l'action de l'entreprise cible en raison de l'annonce du regroupement. Cette évaluation permet de connaître le montant d'argent que l'acquéreur peut offrir à l'entreprise cible. Cependant, si l'acquéreur souhaite réussir le regroupement, il doit payer une **prime de contrôle**, laquelle doit être évaluée.

Pour ce faire, il faut d'abord connaître les sources et la valeur des bénéfices que l'acquéreur tire du regroupement (bénéfices économiques et financiers). Une fois cette valeur déterminée, il faut ensuite l'actualiser pour en déduire les coûts administratifs et tout autre coût déboursé pour accomplir le regroupement (honoraires professionnels). Également, l'acquéreur doit déterminer les options qui lui permettraient d'obtenir des bénéfices similaires à ceux qu'il tire du regroupement. En déterminant la meilleure option et en l'évaluant, l'acquéreur peut réduire la prime à payer du montant de la valeur de cette option.

Avant de procéder à la détermination de la prime de contrôle, il faut, au préalable, comprendre la raison pour laquelle les acquéreurs acceptent de payer cette prime. Plusieurs raisons font que les acquéreurs ne peuvent acheter une entreprise cible à sa juste valeur marchande. Tout d'abord, ils bénéficient, par l'acquisition, de nouvelles occasions. De la sorte, les actifs présents ont une plus grande valeur. Une partie de la valeur actuelle de ces gains doit donc être payée aux actionnaires de l'entreprise acquise afin qu'ils acceptent de vendre leurs actions. De plus, si plusieurs entreprises veulent profiter des bénéfices que pourrait engendrer l'acquisition de cette entreprise cible, plusieurs offres sont déposées et les surenchères augmentent la prime de contrôle.

En l'absence d'offres compétitives, la prime devra tout de même être offerte, mais sera certainement moindre. En effet, les actionnaires de l'entreprise cible pourraient croire qu'il y a effectivement des bénéfices à tirer de l'acquisition et, par conséquent, d'autres offres d'achat pourraient être faites.

Une autre question se pose : quel est le prix maximal que l'acquéreur devra payer ?

Comme nous l'avons mentionné précédemment, le prix minimal à payer pour acquérir une entreprise cible doit théoriquement être égal à la valeur marchande de cette entreprise cible en l'absence de surenchère. Quant à la valeur maximale de l'offre, elle est égale à la valeur marchande actuelle de l'entreprise cible, additionnée de la valeur actuelle nette (la VAN) et des bénéfices de l'acquisition (ΔV). De cette somme, on déduit cette valeur des options liées à cette acquisition, lesquelles pourraient générer les mêmes bénéfices. La valeur de l'offre doit se situer à l'intérieur de l'intervalle qui sépare le prix minimal du prix maximal et ainsi satisfaire les deux parties.

Exemple 10.2

Supposons la réaction du prix de l'entreprise cible autour de la date d'annonce de la transaction. Nous mesurons, entre autres, le rendement anormal observé :

	6 mois avant l'annonce	3 mois avant l'annonce	À la date de l'annonce
Indice TSE	1 000	1 060	1 100
Prix actuel de l'entreprise cible (sur le marché) (en dollars)	84	103	120
Prix espéré de l'acquisition (en dollars)	84	97	105
Rendement anormal (en dollars)	0	6	15

Au moment de l'annonce de l'acquisition, le prix de l'entreprise cible est de 120 $.

Le bêta de l'entreprise cible est égal à 2,5.

La valeur actualisée des bénéfices espérés de l'acquisition (évalués par les gestionnaires) est de 30 $ l'action.

Quelle est alors la valeur maximale de l'offre?

Si l'on considère les 6 mois précédant l'annonce de l'acquisition, on note une augmentation du mouvement du marché (mesuré au moyen de l'indice) de 10 %, alors que le prix de l'entreprise cible a augmenté de 43 % [(120 − 84)/84]. Or, $\beta = 2,5$, l'augmentation devrait donc être égale à 25 %.

En l'absence d'autres informations importantes concernant ces six mois (par exemple, l'annonce de bons résultats inattendus), cette différence dans le mouvement du prix est attribuée à un rendement anormal. Le mouvement du prix de l'entreprise cible aurait dû s'arrêter à 105 (augmentation de 25 %) plutôt qu'à 120. Le résultat anormal serait alors de 15 $ l'action (120 − 105).

Le prix maximal de l'offre devrait être le prix au marché de l'entreprise cible + le bénéfice de l'acquisition d'une action − le rendement anormal.

Dans le cas présenté ici, le prix maximal de l'offre devrait être de 120 + 30 − 15 = 135 $ l'action.

Une fois le prix de l'offre déterminé, après négociation entre l'acquéreur et l'entreprise ciblée, l'acquéreur est en mesure de calculer le bénéfice net espéré qu'il peut tirer de l'acquisition.

10.5.1 Le calcul du flux monétaire espéré du regroupement

Prenons deux entreprises, A et B, dont les valeurs respectives sont de V_A et de V_B. Ces deux entreprises fusionnent pour créer une seule société, AB, dont la valeur est de V_{AB}. Le gain incrémentiel de cette fusion est de ΔV :

$$\Delta V = V_{AB} - (V_A + V_B)$$

La valeur totale de l'entreprise B après sa fusion avec l'entreprise A est de V_B^* :

$$V_B^* = V_B + \Delta V$$

La valeur actuelle nette que l'entreprise A tire de cette fusion s'élève à :

$$\text{VAN} = V_B^* - \text{coût de l'acquisition} \tag{10.3}$$

Exemple 10.3

Voici la situation des entreprises A et B avant leur fusion :

	Entreprise A	Entreprise B
Prix de l'action (en dollars)	100	60
Nombre d'actions	1 000	1 000
Valeur marchande totale (en dollars)	100 000	60 000

Supposons que ces deux entreprises sont entièrement constituées d'actions et que les gestionnaires de l'entreprise A estiment que la valeur incrémentielle qu'ils tirent de cette fusion est de 20 000 (= ΔV).

> La valeur de l'entreprise B après sa fusion avec l'entreprise A serait donc de:
>
> $V_B^* = V_B + \Delta V$
>
> $\quad = 60\,000 + 20\,000$
>
> $\quad = 80\,000\,\$$
>
> Ainsi, si l'entreprise A achète l'entreprise B, elle peut recevoir une valeur de 80 000 $. Toutefois, on ne peut juger si cet investissement est intéressant qu'après la déduction des coûts, dont le montant dépend du moyen de paiement utilisé pour effectuer cette transaction. Le paiement peut être fait en actions ou en liquidités (par dettes ou au comptant).

10.5.2 Le paiement en liquidités

Dans le cas d'un paiement en liquidités, le coût de la transaction se limite au juste montant payé. Si les 2 parties conviennent d'un prix par action de 70 $, la valeur actuelle nette de l'acquisition en liquidités devient:

$\text{VAN} = V_B^* - \text{coût de l'acquisition}$

$\quad = 80\,000 - 70\,000$

$\quad = 10\,000\,\$$

L'acquisition est donc profitable et la nouvelle valeur de l'entreprise combinée devient:

$V_{AB} = V_A + (V_B^* - \text{coût de l'acquisition})$

$\quad = 100\,000 + (80\,000 - 70\,000)$

$\quad = 110\,000\,\$$

10.5.3 Le paiement en actions

Lorsque le regroupement se fait au moyen d'un échange d'actions, les actionnaires de l'entreprise B reçoivent des actions de l'entreprise A en contrepartie des actions qu'ils détenaient dans l'entreprise B.

Étant donné que le prix d'achat est de 70 000 $, l'entreprise A émettra 700 actions (70 000/100). Le nombre d'actions en circulation atteint 1 000 + 700 = 1 700 actions et la nouvelle valeur de l'entreprise A devient:

$V_{AB} = V_A + V_B + \Delta V$

$\quad = 100\,000 + 60\,000 + 20\,000$

$\quad = 180\,000\,\$$

Ainsi, l'action prend une nouvelle valeur: 106 $ (180 000/1 700) et le coût des actions émises est de 74 200 $ (106 × 700).

Le bénéfice net actualisé que l'entreprise A tire de la fusion est donc de:

$\text{VAN} = V_B^* - \text{coût de l'acquisition}$

$\quad = 80\,000 - 74\,200$

$\quad = 5\,800\,\$$

On remarque que l'entreprise A obtient un gain net plus élevé lorsqu'elle utilise les liquidités comme moyen de paiement. En effet, dans le cas d'un échange d'actions, les actionnaires de l'entreprise A partagent les gains du regroupement avec les actionnaires de l'entreprise B.

10.6 La comptabilisation d'un regroupement

Il existe deux méthodes principales pour comptabiliser une transaction d'acquisition: la méthode de l'achat pur et simple et la méthode de la fusion des intérêts communs.

10.6.1 L'achat pur et simple

«Méthode de comptabilisation d'un regroupement d'entreprises selon laquelle l'actif acquis et le passif pris en charge sont portés dans les états financiers de la société acheteuse au coût d'acquisition payé par cette dernière[7].»

La comptabilisation faite en utilisant la méthode de l'achat pur et simple respecte le principe comptable selon lequel tout actif acquis est inscrit dans les livres de l'acquéreur à son prix coûtant.

Si le prix payé par l'acquéreur pour sa quote-part des actifs nets de l'entreprise acquise est supérieur à la juste valeur marchande de cet actif net, un **fonds commercial de consolidation** (goodwill) résulte de l'acquisition et est comptabilisé à l'actif. L'achalandage doit, par la suite, être amorti sur une période ne dépassant pas 40 ans.

10.6.2 La fusion des intérêts communs

«Selon la méthode de la fusion des intérêts communs, on regroupe les éléments de l'actif et du passif et on les porte dans les états financiers de la compagnie englobante à la valeur inscrite dans les livres des compagnies constituantes[8].»

Cette méthode est certainement plus simple, puisqu'elle consiste à additionner les différentes rubriques des bilans des deux entreprises engagées dans le regroupement. On ne recourt pas à la création d'un achalandage. Toutefois, cette méthode ne s'applique que si le paiement se fait au moyen d'un échange d'actions.

Exemple 10.4

Illustration de la fusion des intérêts communs					
Entreprise A				**Entreprise B**	
Capital actif	10	Richesse des actionnaires	30	3	10
Actif fixe	20			7	
Total de l'actif	30	Total du passif	30	10	10

Si l'actif fixe de B est évalué à 12, le total de l'actif de B s'élèvera donc à 15. L'entreprise A paie 17 à B. La différence de deux représente le montant de l'achalandage. Ce montant rémunère l'actif qui ne figure pas dans le bilan : occasions de croissance, employés formés, clientèle et autres actifs incorporels.

Supposons également que A emprunte tout le montant de l'achat et paie en liquidités ; le bilan, établi selon la méthode de l'achat pur et simple, se présente donc comme suit :

Bilan établi selon la méthode de l'achat pur et simple			
A B			
Capital actif	13	Dettes	17
Actif fixe	32	Actions	30
Achalandage	2		
Total	47	Total	47

Supposons maintenant que l'achat se fait au moyen d'un échange d'actions. On utilise alors la méthode de la fusion des intérêts communs :

Bilan établi selon la méthode de la fusion des intérêts communs			
A B			
Capital actif	13	Dettes	
Actif fixe	27	Actions	40
Total	40	Total	40

7. Office québécois de la langue française. «Le grand dictionnaire terminologique», [En ligne], http://gdt.oqlf.gouv.qc.ca/ficheOqlf.aspx?Id_Fiche = 8434089 (Page consultée le 10 avril 2013).

8. *Manuel de l'Institut Canadien des Comptables Agréés.*

10.7 Les transactions hostiles et les tactiques de défense des entreprises cibles

Tout comme le suggère la théorie des relations d'agence (*voir le chapitre 1*), les gestionnaires cherchent à maximiser leur propre utilité, même si c'est aux dépens des actionnaires qui les emploient. Au sein de l'entreprise cible, ce comportement a un effet sur le phénomène des fusions et des acquisitions. En effet, les gestionnaires des entreprises cibles sont les premiers à s'opposer lors de ce genre de transactions. Si la transaction est réalisée et que l'acquéreur prend le contrôle de l'entreprise, ils sont alors généralement renvoyés, et une nouvelle équipe de direction prend place. Ils ont donc toutes les raisons de s'opposer à la fusion ou à l'acquisition.

Des gestionnaires réticents à l'acquéreur font souvent en sorte de convaincre les actionnaires de l'entreprise cible que celle-ci ne bénéficiera en rien de la transaction. Cela les conduit à mettre en place des mécanismes de défense qui ont pour objectif de faire échouer les négociations en augmentant le coût de la transaction pour l'acquéreur. De telles transactions sont appelées «transactions hostiles» ou «transactions non sollicitées».

Il existe deux classes de mécanismes de défense : ceux qui concernent le statut de l'entreprise avant la transaction et ceux qui sont déclenchés par l'offre de l'acquéreur. À titre d'exemple, les parachutes dorés, ou primes de fin de service, sont des rémunérations versées aux dirigeants et aux gestionnaires par l'entreprise si elle met fin à leur emploi. Comme l'acquéreur remplace généralement l'équipe de direction en place dès la finalisation de la transaction, il doit alors inclure dans le coût de la transaction les parachutes à payer aux anciens dirigeants de l'entreprise cible. D'autres types de parachutes, tels que les parachutes d'argent (à la direction moyenne de l'entreprise) et de bronze (aux employés) peuvent être si considérables que le coût de la transaction devient trop élevé pour l'acquéreur, qui peut choisir d'annuler la transaction.

Parmi les mécanismes de défense qui sont déclenchés après la transaction, on peut citer le chevalier blanc ou encore les poursuites judiciaires, ou PacMan. Le chevalier blanc est un acquéreur potentiel que l'entreprise cible va elle-même chercher pour se faire acheter. Dans ce cas, le chevalier blanc prend le contrôle de l'entreprise cible avec l'accord des gestionnaires en place dans le cadre d'une transaction amicale, laissant l'acquéreur initial sans moyen.

Certaines entreprises se défendent en poursuivant l'acquéreur en justice en arguant que la fusion ou l'acquisition constituerait un monopole dans l'industrie et créerait donc une concurrence déloyale. Nous avons récemment assisté à de telles manœuvres par Yahoo dans sa défense contre Microsoft, qui voulait l'acquérir. Une fois que les autorités réglementaires sont entrées en jeu, un avis défavorable a été émis et la transaction a été annulée. Quant à PacMan (qui vient du jeu vidéo du même nom), il s'agit d'une défense par laquelle l'entreprise cible devient elle-même acquéreur et mobilise assez de fonds pour faire une contre-offre à l'acquéreur original. Ce mécanisme de défense n'est pas très commun lorsque l'acquéreur a une bien plus grande taille que l'entreprise cible.

Question de réflexion

Quel est le rôle des autorités réglementaires dans les fusions et les acquisitions?

Réponse: Dans le cas des fusions et des acquisitions horizontales, l'entreprise cible et l'acquéreur font des affaires dans la même industrie. Par conséquent, si l'acquéreur est un joueur dominant de l'industrie, absorber l'entreprise cible pourrait résulter en la création d'un monopole. Les autorités réglementaires qui ont pour rôle de s'assurer qu'il n'y a pas de concurrence déloyale donnent leur approbation aux regroupements qui ne créent pas de monopole ou émettent un avis défavorable.

10.8 L'échec des fusions et des acquisitions

Comme nous l'avons noté plus haut, la probabilité que les fusions ou les acquisitions échouent est très élevée. Il suffit de penser à la fusion de Mercedez-Benz et Chrysler en 1998. Cette fusion a échoué en 2010 lorsque Mercedez-Benz a vendu sa participation dans Chrysler. Plusieurs éléments peuvent faire échouer ces transactions. Si la transaction est dictée par des motivations purement managériales, les synergies attendues ne pourront être réalisées. De même, si l'acquéreur évalue mal l'entreprise cible et, après de longues négociations, finit par payer une prime trop élevée, le coût sera transféré aux actionnaires de l'acquéreur, ce qui contribuera à augmenter la probabilité d'échec.

Des fusions et des acquisitions qui sont dictées par la diversification d'entreprises de pays différents peuvent donner lieu à des problèmes d'intégration et de culture. En effet, si la culture organisationnelle est différente, ce qui est souvent le cas dans les transactions transnationales, des conflits concernant la rémunération ou le processus de prise de décision peuvent inhiber les synergies attendues, paralyser l'intégration des deux entreprises et par là même contribuer à l'échec de la fusion ou de l'acquisition. C'est le cas de la défusion de Chrysler et Mercedez-Benz.

En pratique

Dans les transactions de fusions et d'acquisitions, l'acquéreur peut proposer de payer l'entreprise cible en actions ou au comptant. Il peut aussi, au lieu d'acheter l'entreprise, offrir d'acheter uniquement l'actif que l'entreprise cible possède et qu'il convoite. Cela est souvent le cas, par exemple, dans l'industrie pharmaceutique, dont les acteurs sont à la recherche continuelle de brevets. Le choix de telle ou telle méthode de paiement présente certains avantages et désavantages, selon que l'on se place du point de vue de l'acquéreur ou de celui de l'entreprise cible.

Par exemple, d'un côté, l'achat de l'actif offre à l'acquéreur la flexibilité de choisir les actifs dont il a besoin, sans avoir à assumer la responsabilité de la dette de l'entreprise cible (ce qu'il ferait s'il devait acquérir toute l'entreprise). De l'autre côté, l'acquéreur, en achetant un actif en particulier, perd le bénéfice des flux monétaires futurs générés par l'entreprise cible. Du point de vue de cette dernière, vendre l'actif convoité est aussi une option de valeur, car l'entreprise peut maintenir son existence et continuer ses opérations après la vente de l'actif. Néanmoins, elle peut devoir payer une taxe qui peut être importante sur le coût de l'actif (gain en capital).

En ce qui concerne le paiement en actions, l'acquéreur choisit d'émettre de nouvelles actions pour couvrir le coût de la transaction. En général, ce mode de paiement est privilégié lorsque les actions de l'acquéreur sont surévaluées sur le marché et que les investisseurs sont exagérément optimistes. Il devient ainsi moins coûteux d'émettre de nouvelles actions pour couvrir le coût de la transaction. Cela présente aussi un avantage du point de vue des actionnaires de l'entreprise cible, puisque ceux-ci n'auront pas à payer d'impôts (ils n'en paient que s'ils doivent vendre leurs actions). Néanmoins, ils doivent estimer que la valeur des actions offertes par l'acquéreur peut être surévaluée et que leur prix s'ajustera à la baisse avec le temps.

Le paiement en liquidités nécessite quant à lui que l'acquéreur ait des flux monétaires assez élevés pour pouvoir payer l'entreprise cible. Cela est généralement le cas des entreprises bien établies. Ce n'est pas le cas des entreprises plus jeunes en phase de croissance, pour lesquelles ce type de paiement n'est pas une option. Pour l'acquéreur, payer en argent présente l'avantage de mettre en circulation l'argent accumulé par l'entreprise, ce qui minimise ainsi les tentations que pourraient avoir les gestionnaires en place à l'utiliser à des fins non productives (réduisant ainsi les problèmes d'agence). Du point de vue de l'entreprise cible, tout comme dans le cas des achats d'actifs, les actionnaires doivent faire face à un paiement d'impôts (sur le gain en capital réalisé).

CONCLUSION

Les fusions et les acquisitions ont connu une croissance importante au cours des dernières décennies. Ces transactions surviennent par vagues et dépendent de la conjoncture économique qui prévaut au moment de l'annonce de la transaction. Les fusions et les acquisitions sont motivées par les différentes conséquences financières et économiques qu'elles peuvent engendrer, par exemple l'effet de synergie, la réduction de l'impôt à payer, la croissance des revenus et la diversification. Certaines transactions sont cependant dictées par des motivations managériales : comme l'indique la théorie financière des relations d'agence, les gestionnaires peuvent prendre des décisions qui leur sont favorables (notamment pour augmenter leur salaire et la valeur de leur portefeuille), mais qui sont aux dépens des actionnaires (lesquels subissent le risque encouru par l'entreprise).

Les fusions et les acquisitions sont donc des projets d'investissement risqués et très complexes qui supposent une probabilité d'échec élevée, surtout lorsque la synergie et la création de valeur attendues ne se réalisent pas. Vu cette incertitude, les investisseurs du marché sont prudents à l'annonce de la transaction par l'acquéreur. Cependant, ils perçoivent cette annonce comme un signal positif des opportunités futures de l'entreprise cible, laquelle est vue comme étant sous-évaluée par le marché, ce qui les conduit à acheter les actions de l'entreprise cible, poussant par là même à la hausse le prix de l'action.

Ces regroupements d'entreprises peuvent prendre différentes formes légales : fusions, acquisitions d'actifs ou acquisitions d'actions et être de différents types : acquisitions verticales, horizontales ou par conglomérat. Un regroupement d'entreprises suppose le paiement d'une prime de contrôle aux actionnaires de l'entreprise acquise. Cette prime augmente le coût de l'acquisition et en réduit la valeur actuelle nette. Par conséquent, plus il y a d'opposition de la part de l'entreprise cible, plus la prime à payer augmente. Dans ce type de situation, le coût d'acquisition est plus élevé, ce qui amène dans plusieurs cas l'acquéreur à se retirer de la transaction.

Le mode de paiement prend aussi une importance considérable dans l'évaluation de l'acquisition, puisqu'il influe sur le coût que l'acquéreur doit supporter afin de réaliser le regroupement.

À RETENIR

1. Une fusion est une opération dans laquelle un acquéreur absorbe tout l'actif et le passif d'une entreprise, laquelle cesse ainsi d'exister.

2. Un regroupement est considéré comme une fusion si le ton est amical, s'il y a coopération entre les gestionnaires des deux entreprises et si le comité de direction de même que les actionnaires sont favorables à l'opération.

3. Une consolidation est une opération semblable à la fusion, à la différence près que, dans ce cas, l'acquéreur et l'entreprise acquise cessent tous les deux d'exister et créent une nouvelle entité.

4. L'acquisition d'actions est la technique la plus utilisée pour procéder à un regroupement d'entreprises. Elle consiste à acquérir des actions donnant un droit de vote.

5. Dans une acquisition horizontale, l'acquéreur et l'entreprise cible sont deux concurrents directs dans le même secteur d'activité.

6. Dans une acquisition verticale, les deux entreprises font des affaires à des niveaux différents d'une même chaîne de production.

7. Dans une acquisition par conglomérat, il n'y a aucun lien entre les activités de l'acquéreur et celles de l'entreprise cible.

8. Le but premier du regroupement est d'accroître la valeur de l'entreprise combinée. L'effet de synergie doit permettre à la société formée par la combinaison des deux autres entreprises de valoir plus que les deux entités séparées.

9. Selon la méthode de l'achat pur et simple, la part de l'actif et du passif de l'entreprise acquise est comptabilisée au coût d'acquisition dans les états financiers de l'acquéreur.

10. Selon la méthode de la fusion des intérêts communs, les éléments de l'actif et du passif sont regroupés et portés aux états financiers de l'entreprise englobante à la valeur inscrite dans les livres des sociétés constituantes.

TERMES-CLÉS

SOMMAIRE DES ÉQUATIONS

Le gain incrémentiel de l'acquisition ou de la fusion

$$\Delta V = V_{AB} - (V_A + V_B) \tag{10.1}$$

La valeur totale de l'entreprise B après sa fusion avec l'entreprise A

$$V_B{}^* = V_B + \Delta V \tag{10.2}$$

La valeur actuelle nette découlant d'une fusion

$$VAN = V_B{}^* - \text{coût de l'acquisition} \tag{10.3}$$

PORTRAIT D'ENTREPRISE

L'acquisition de Pechiney par Alcan[9]

En juillet 2003, Alcan inc. (NYSE, TSX: AL) a rendu public un projet d'offre sur le capital de Pechiney (NYSE: PY; PARIS: PEC). Par ce rapprochement, Alcan souhaitait consolider sa position de leader des domaines de l'aluminium et de l'emballage. Le but était de bénéficier ainsi d'un portefeuille de produits élargi, d'une supériorité technologique renforcée et de marchés potentiels plus nombreux.

«Cette offre est avantageuse et maximise la valeur offerte aux actionnaires, aux clients et aux autres partenaires des deux entreprises. Alcan et Pechiney sont deux sociétés de grande qualité et leur regroupement constitue une occasion exceptionnelle de croissance et le moment est venu de la réaliser», avait alors commenté Travis Engen, président-directeur général d'Alcan, dans un communiqué du 7 juillet 2003[10].

Cette transaction devait permettre à l'entreprise de bénéficier d'économies d'échelle, de moyens financiers renforcés et d'une capacité accrue de satisfaire ses clients partout dans le monde. Afin d'affirmer sa présence industrielle considérablement accrue en France, Alcan a souhaité installer à Paris son siège social pour ses activités d'emballage. Par ailleurs, la société a également retenu la France pour établir le siège de ses activités européennes d'aluminium primaire ainsi que le centre mondial de développement de la nouvelle technologie de cuves.

Les points clés de l'offre

Dans cette offre, on évaluait chaque action Pechiney à 41 euros, ce qui représentait une prime de 28 % sur le cours de clôture au 2 juillet 2003 et de 39 % sur la moyenne du dernier mois.

L'offre était composée de numéraire à hauteur de 60 % et de nouveaux titres d'Alcan à hauteur de 40 %. Ses principales caractéristiques étaient les suivantes:

• offre principale: 123 euros et 3 actions d'Alcan pour 5 actions de Pechiney;

• offre subsidiaire en numéraire (OPA): 41 euros par action de Pechiney;

---

9. Sauf indication contraire, cette section a été adaptée de Rio Tinto Alcan. *Site de Rio Tinto Alcan*, [En ligne], www.riotintoalcan.com/www.alcan.com (Page consultée le 13 février 2013).

10. Boursier.com. (7 juillet 2003). «Pechiney: Alcan détaille son projet industriel en France», [En ligne], www.boursier.com/actions/actualites/news/pechiney-alcan-detaille-son-projet-industriel-en-france-66244.html (Page consultée le 25 février 2013).

- offre subsidiaire en actions Alcan (OPE) : 3 actions d'Alcan pour 2 actions de Pechiney ;

- ces deux offres subsidiaires reposent sur le respect d'une proportion de 60 % en numéraire et de 40 % en actions d'Alcan ;

- offre publique d'achat sur les actions de Pechiney : 81,7 euros par Alcan.

L'offre était conditionnelle à l'obtention de certaines autorisations gouvernementales et réglementaires, ainsi qu'à l'apport d'au moins 50 % des actions de Pechiney.

Comme la transaction s'est faite en secret avant la date d'annonce publique du 7 juillet 2003, l'évaluation de la transaction a été basée sur l'information disponible en 2002. Ce n'est qu'en 2003 que la transaction a été finalisée, l'acquéreur faisant l'annonce publique de la transaction désormais ratifiée. Voyons les profils de l'entreprise cible et de l'acquéreur en 2002.

Le profil de l'entreprise cible

Pechiney, groupe international coté à Paris et à New York, était composé de trois secteurs principaux : l'aluminium primaire, la transformation de l'aluminium et l'emballage. L'entreprise a réalisé un chiffre d'affaires de 11,9 milliards d'euros en 2002. Elle employait à cette date 34 000 salariés.

Le profil de l'acquéreur

Alcan, société multinationale résolument axée sur le marché, avait un chiffre d'affaires de 12,5 milliards de dollars américains en 2002. La société est le leader mondial dans les domaines de l'aluminium, de l'emballage et du recyclage. Grâce à ses établissements de classe mondiale dans les secteurs de la production d'aluminium de première fusion, de la transformation de l'aluminium et des emballages flexibles et de spécialité, l'entreprise était bien placée pour fournir à ses clients des solutions et des services innovateurs répondant à leurs besoins ou les dépassant. Alcan comptait 54 000 employés à cette date et possédait des unités d'exploitation dans 42 pays.

La réunion des établissements résultant du rapprochement d'Alcan avec Pechiney devait encore mieux placer la nouvelle société pour fournir à ses clients des solutions et des services innovateurs répondant à leurs besoins. Ensemble, en 2002, Alcan et Pechiney employaient 88 000 personnes et possédaient des unités d'exploitation dans 63 pays.

Questions de révision

1. Comment les regroupements d'entreprises dépendent-ils des conditions économiques ?

2. Qu'est-ce qui explique la réaction positive des marchés vis-à-vis de l'entreprise cible à l'annonce de la fusion ou de l'acquisition ?

3. Comment expliquer le fait que les investisseurs sont en général indifférents lors de l'annonce de la fusion par l'acquéreur ?

4. À quel type de synergie appartiennent les économies d'échelle ?

5. Quels gains financiers découlent d'une acquisition ?

6. Expliquez l'importance du choix du mode de paiement dans l'évaluation d'une acquisition.

7. Quelles sont les différences entre les diverses méthodes de comptabilisation d'une acquisition ?

8. Comment les problèmes d'agence peuvent-ils affecter l'acquéreur ? Comment peuvent-ils affecter l'entreprise cible et ses décisions ?

9. On dit que la culture organisationnelle est un facteur clé de la réussite des transactions. Expliquez ce point de vue et donnez des exemples.

10. Expliquez les avantages et les inconvénients du mode de paiement au moyen d'actions.

Un portrait de transaction dans le secteur bancaire : la Banque Nationale acquiert une division de HSBC[11]

Le 20 septembre 2011, la Banque Nationale du Canada (TSX : NA) a conclu une entente pour l'acquisition de la division des services-conseils en placement de plein exercice de Valeurs mobilières HSBC pour 206 millions de dollars en espèces.

L'institution établie à Montréal a prévu un montant additionnel afin d'assurer la fidélisation d'un maximum de conseillers en placement. La division des services-conseils en placement de Valeurs mobilières HSBC compte 14,2 milliards de dollars d'actifs sous administration, gérés par plus de 120 conseillers en placement situés dans 27 bureaux partout au Canada. L'entreprise exerce ses activités d'un bout à l'autre du pays, alors qu'environ 70 % de celles-ci sont situées en Ontario et en Colombie-Britannique. La Banque Nationale soutient que cette transaction devrait augmenter son bénéfice par action de 300 à 500 en 2012 et 2013.

L'acquisition devrait être conclue en décembre, sous réserve de la réception des approbations réglementaires. HSBC, établie à Vancouver, est la plus importante banque de propriété étrangère au pays. La maison mère de HSBC Canada a annoncé le mois dernier vouloir supprimer 30 000 emplois à travers le monde d'ici 2013 et vendre près de la moitié de ses activités de succursales aux États-Unis.

En ajoutant l'acquisition récente de Wellington West, la Banque Nationale a indiqué que ses actifs sous administration de Financière Banque Nationale (FBN) atteindront approximativement 80 milliards de dollars au Canada et le nombre de ses conseillers en placement s'élèvera à plus de 1 060.

Le président et chef de la direction de la Banque Nationale, Louis Vachon, a fait valoir que la division des services-conseils en placement de HSBC complète bien le réseau actuel de l'institution « grâce à une forte présence hors Québec ». Plus de 50 % des revenus du secteur des services aux particuliers de FBN proviendront de l'extérieur du Québec. « Avec l'ajout des services-conseils en placement de plein exercice de Valeurs mobilières HSBC et de Wellington West, nous manifestons un solide engagement envers les besoins en gestion de patrimoine des investisseurs provenant de toutes les collectivités au Canada », a affirmé Luc Paiement, vice-président exécutif gestion de patrimoine et coprésident et cochef de la direction de FBN. « L'intégration des activités de Wellington West étant bien amorcée, nous nous attendons à une transition tout en douceur pour la division des services-conseils en placement de Valeurs mobilières HSBC vers la plateforme d'opérations de la Banque Nationale, où la plupart des actifs sont déjà détenus », a-t-il ajouté.

---

11. La Presse Canadienne. (20 septembre 2011). « Courtage : Banque Nationale acquiert une division de HSBC », *Les Affaires.com*, [En ligne], www.lesaffaires.com/secteurs-d-activite/services-financiers/courtage-banque-nationale-acquiert-une-division-de-hsbc/535092 (Page consultée le 25 février 2013).

Index